国典学醤品

中古文名精

雍正皇帝

（清）常杰淼　著

（上）

中国文史出版社

图书在版编目（CIP）数据

雍正皇帝／（清）常杰淼著. -北京：中国文史出版社，
2002. 11
　（中国古典文学名著精品集）
　ISBN 7-5034-1284-4

　Ⅰ. 雍…　Ⅱ. 常…　Ⅲ. 章回小说-中国-清代
Ⅳ. I242.4

中国版本图书馆 CIP 数据核字 (2002)第 083668 号

中国古典文学名著精品集

雍正皇帝（上、中、下册）　　（清）常杰淼　著

出版发行：　中国文史出版社
社　　址：　100811　北京太平桥大街 23 号
责任辑编：　韩淑芳
印　　刷：　北京市云西华都印刷厂
装　　订：　北京市云西华都印刷厂
经　　销：　新华书店北京发行所
开　　本：　850×1168　1/32
印　　张：　38.25　**字数：** 918 千字
版　　次：　2003 年 1 月北京第 1 版
印　　次：　2003 年 1 月第 1 次印刷
全套定价：　496.00 元

出版前言

本套丛书，系中国明、清时代著名学者文人的著作集成，各书分别以中国古近代重要历史人物、事件，或世俗风情为题材，描述了中国封建社会的世态百象。

《东周列国志》，原系明代冯梦龙根据余邵鱼《列国志传》改编为《新列国志》一百零八回，清代蔡元放修订并加注评语，改为《东周列国志》。该书内容始于西周末年，终于秦始皇统一六国，使用浅近的文言写成。内容大体取材史书，写作态度严肃，但是其中也有少量虚构的情节。

《隋唐演义》，清初褚人穫根据《隋唐志传》、《隋炀帝艳史》改写，并加入唐、宋传奇故事。该书内容描写隋炀帝宫廷腐败生活，以及罗成、单雄信、秦琼、花木兰等人的故事。虽然该书中的情节大多数取材史料，然而同时也掺杂了不少荒诞不经的成份。

《野叟曝言》，又名《兴替全鉴》等，清代夏敬渠著，描写明代大儒文白除佛灭道、护邦安国的故事。苏州第一名士文白在其母水夫人的教诲下，维护儒学，除灭佛、老二教，明孝宗时被拜为相，封国公。

《醒世姻缘》，题西周生著，杨复吉《梦阑琐笔》谓西周生即蒲松龄，后徐志摩、胡适等人亦有这方面的大量考证文章。该书共一百回，描写狄希陈两世恶姻缘的因果报应，其中情节与《聊斋志异·江城》有近似之处，然描写范围和视角却相当宽阔。

《儿女英雄传》，又名《金玉缘》，清代文康著，原书五十三回，现存四十一回。内容描写何玉凤为父报仇，改名十三妹，出没市井，最后与安骥结缘成为夫妇。该书宣扬"大怨大仇，势不能报，今日皆配为夫妻"等等。由于原书并未完成，后人又续作三十二回。

《海上繁华梦》，清末孙家振著，原题警梦痴仙，为晚清狭邪小说代表之一。该书内容描写清王朝摇摇欲坠时，偏安一隅的上海十里洋场畸形繁华的景象，展现了十九世纪末以至近代中国的世俗画卷。

《朱元璋演义》，又名《云合奇踪》，明代徐文长根据《皇明开运英武传》编，又有为明代武定侯郭勋传一说。从元顺帝腐败失政开始，终于朱元璋建立明朝并分封诸子功臣结束。内容绝大多数取材于史料，但同时掺杂部分荒诞之说。

清朝统治中国近三百年，《顺治皇帝》、《康熙侠义传》、《雍正皇帝》、《乾隆皇帝》、《慈禧太后》、《清宫秘史》等则为描述清代帝王及其背景下的故事，其中《光绪皇帝》、《慈禧太后》为原慈禧七女官之一德龄所著，大多是她亲眼所见、亲耳所闻，是真实描写清代宫廷内幕不可多得的作品。而《曾国藩演义》、《胡雪岩演义》则为描写清代权臣、官商的小说。《太平天国》，清末黄世仲著，至民国元年写至五十四回，因被陈炯明杀害而未能完成。作者所记"黄帝纪元四千六百零六年"，相当于公元一九〇八年。由于黄世仲抱着近乎偏见的同情态度描写太平天国史事，因此对太平天国的褒扬有一定的局限性。辛亥革命之后，汪继川又续补六集，共计一百二十回。另坊间尚有一百四十回本、一百七十四回铅印本等续补，俱质量不高。

为了有助今人认识、研究当时的社会历史现象，方便阅读和理解多方面的历史知识，并保持原著的基本风貌，对于明清白话用字，一般不予改动，如：子细（仔细）、不止（不只）、顽笑（玩笑）、从新（重新）等。在内容方面，除极个别特殊情况之外，也未做任何文字改动。

由于本套丛书的作者，均为明、清时代人物，因受其所处时代的社会环境、思想意识所囿，故此在对于人物、事件的表述及评价上，难免带有其时代烙印，甚至有些作者的历史观，根据今天的标准看是错误的，所有这些都体现出作者的时代局限性。以上这些都是应该在阅读时加以注意和分辨的。

编　者
二〇〇二年十月十日

目　录

卷一·霜剑侠影

第一回

避严亲畏罪走异乡
入深山穷途遇剑客

　　清康熙、雍正年间，在北京京南的霸州城城南童家村，有一个人姓童名林，表字海川，年方一十八岁，相貌魁梧，秉性刚直，纯厚朴实。他生平有一样古怪的性格，不诺寡信，若有人失信于他，绝不与之交往，另有粗糙过猛，也是其劣；家有严父童怀、慈母杨氏，外有叔伯兄弟童缓，因无所依，遂一处同居。他们住东村口第一家，房数椽连场隔院，良田五十余亩，虽非富户，然亦称小康；虽不是诗书门第，总算勤俭人家；一家四口，颇称相得，外有长工、月工。

　　是年风调雨顺，国泰民安，兵归甲库，马放南山，海晏河清，万民乐业。要是在村庄上，无非是农务，春种秋收，提篮撒种，半年忙，半年闲。当时不少地方农闲时，一些青年子弟在家无事，各家恐其效尤，差不离儿的村，均要请武术教师，带领习练。单说童家村，请了一位教师，沧州人，姓李名直，外号人称弹腿李，就在本村场院练习。童林也在其内，练习弹腿，还有青年子弟二十余人。其它拳脚李直也会，但没有真实的硬功。惟有弹腿，是这位李教师的专门。这个弹腿，分为六家师。何为六家呢？分串拳门弹腿，化拳门弹腿，回回门占四家弹腿，共分为六家师。此是少林的绝技，按僧道俗共为六家。《拳经》上说："南京到北京，弹腿出于教门中。清真正教实授传，留下弹腿十趟拳。"故六家中为回回弹腿最好，所以当时流传着这样的歌词：

　　　　名师授我十趟拳，术理无穷妙无边；头趟顺步单鞭式，二趟
　　　　十字奔脚尖；三趟披盖夜行临，四趟称抹步斜纤；五趟攻击力要
　　　　猛，六趟防腿式单看；七趟双看多急快，八趟须还腿相连；九趟连
　　　　环须捧索，十趟见弹复周全。后人休笑式法单，拳到临时多机变。

　　此为回回十趟弹腿。少林弹腿十二趟，即和尚弹腿。道教为串拳弹
腿，此为弹腿之根基。为何将弹腿言之凿凿呢？凡练武术，各种拳脚，
是皆由弹腿而起。童林乃书中之主角，此谓初蒙之始，故巧遇李直，得
弹腿之精华，后遇剑客，方能一学而成。

　　天天聚练，无奈好事多磨，不料李教师家里来了一封家信，家内有
紧要的事务，只得回归故里。这场子一散，各家子弟不少效尤。惟有童
林不肯将工夫丢失，仍然每日照常用功，二五更的功夫，仍不耽搁。好
在家中诸事有老父照管。清晨在场院练完，必要出东村口，绕北村口，
进西村口，回归家内。及至回到家中，早饭已然做熟。乡下的饭，做得
最早。每天家常的饭，不过就是玉米面饽饽、熬小米粥，来点咸菜，吃
完了也就无事可做了。这一日，童林起晚了一点，将功夫练完，到村外
边去闲遛一趟，进西村口。在北面有三间更房，这三间房子是村中公共
所立，专办一切善举及青苗会等等的事。村子里夜间打更的在内居住。
所有本村闲散的人、年老的人，无事也愿来此聚坐闲谈，斗斗纸牌，无
非是解闷，也没有多大输赢。童林进了西村口，看见更房里面有不少人
在内聚谈。童林也时常在里闲坐。今天正走到外面，众人看见童林走来，
内中有一个人走出来，此人姓刘名禄，论来是童林长辈。童林寻常和睦
乡里，亲近四邻，人缘很好，人们都爱童林纯厚。这位刘爷往里相让道：
"海川，少见哪，因为什么总不到这里头坐？"童林含笑回答："家事太
忙。您一向可好？"说着进了更房，一同落座。刘爷首先含笑开言，道：
"海川，你是个没事的人，我们几位今天也闲暇，我们商量斗个小牌，你
来正好，咱们解解闷。"童林未及回答，旁边一个答道："要是斗牌，可
得有我。"童林听了，心中有些个不悦。怎么呢？这个人的品行不好，乃
市井无赖，凡是村中阔一点的，没有不怕他的。因为什么呢？

　　此人姓王，排行在三，小名叫狗儿，外号叫青草蛇。这小子，在村
子里边无恶不作。何为叫无恶不作呢？他终日里，在庄子里假充光棍，
与人拍头抹血，欺负老实人，踹寡妇门，挖绝户坟，跟未满月的孩子打

架，能打个十个八个的。斗疯狗，骂哑巴，骗傻子，这还不要紧。你要是得罪了他，赶到青庄稼正长成了的时候，他夜间跑到你的庄稼地里去。高粱将要收成的时候，他把高粱穗都给你弄了下来，扔到地下。要不然，玉米长成，他全给掰了下来，扔那么一地。他也不要，他是成心祸害人。这还不算，等到秋收冬藏，粮食入囤，柴草上垛，夜里给你弄把火。他那个胎子，身量不高，横下却有。一身蓝布裤褂，白袜子，穿一双踢死牛的洒鞋。这个脑袋的造像，四六旋不出个球来。两道小眉毛，再配一双狗眼，一嘴的食火，两个兔子耳朵。还真蛮横，打遍了街，骂遍了巷。单打单斗，还真打不过他。真要能打他？打轻了他不怕，打重了还得料理。贫寒之家，惹不起他；真有势力之家，好鞋不踏臭狗屎，没有那么大的工夫理他。

童林是何等的人物，岂能看得上他！又不好得罪他，常言说：能得罪君子，不得罪小人。童林笑道："三哥，您若愿意斗，让您！我还真没有工夫。"青草蛇一听，把眼那么一翻，嘴一咧，道："嘿！海川，你不斗牌，你是多心我。"童林赶紧含笑道："三哥，您愿意斗，我还喜欢和您来。没有您我还不来。"王三冷笑道："是呀，那么咱们四位都是谁？"刘爷答言道："有张二爷，咱们四家不好吗？"张二爷道："咱们把前后窗户满都摘下来，过堂风凉快。"大家说道："对！"王三道："海川，你上炕里边去，靠着窗台面向北。"海川笑道："就是我年轻，焉能那样子呢？"大家说："不可拘束。""那么我就斗牌依从了。""张二爷在东面，刘爷在西面，我老王坐在炕边向南。咱们牌呢？"大家拿过牌来，放好了牌垫，把牌放在当中。王三说道："海川，你先抢牌。"童林微笑，"我若先抢，我可就是头牌。""哪有那么放的呢？你抢。"童林果然伸手翻牌，却是九万，"怎么样？是我头牌。"大家言道："你真有头牌的命儿。"于是这四位就斗起牌来。

惟有这个耍钱哪，最品人的性情，要不，耍钱怎么能有赌品呢。刘爷、童林，倒是随便，无非是解闷。惟有这个王三，素来他的品行就不端，等到耍上钱，那就不问可知啦。丑态百出，不是摔牌，就是骂街，真可称得起：手握多张，如擎团扇，左觑人而有顾己，真是望穿鬼子之睛，费尽魍魉之技，非得把小鬼的能耐拿了出来，方才能赢钱。他原本没有多少钱，坐下他就想赢，输了他就要滚赌，找碴儿打架。这个耍钱场呢，原有这个毛病：谁不会来、谁不能赌，谁准赢钱。可巧三家输，就是童林一家赢，真是钱奔大堆。童林不会赌，就是他赢。这位王三爷，真是水吊子坐在烟筒上，怎么讲呢？就是他没开张。他看了看自己的钱，只剩下三文，手里这把牌不行，底下的钱已不够输的。看手中牌，非叫七万不行。因为什么呢？六万、八万手里头的张儿，是腰里插枪，独叫七万，方能满牌。他看了看牌地上的乱牌，已经有了三张七万，那一张七万，还不定在谁的手内。这把牌是非输不可。他一着急，要用腥赌。何为叫腥赌呢？俗说就是偷牌。他用手将乱牌里的七万，扒拉在上面。相近牌垛，他是用右手去抓牌，暗在拳着那三个手指上，用舌一舔。第二指却不在牌垛抓牌，用那三个手指上的唾沫，将乱堆的七万沾了起来，将手一举，高声叫道："哈哈，自掏七万，赶紧与我家里报喜，我可糊了牌啦！"童林眼快，看见他是偷牌，这个名字又叫系牌。童林将自己的牌一合，放在牌地以上，叫道："三哥，这个钱我们不能输。"王三把眼一瞪，说道："怎么呢？我好容易头回满牌。童林，你这不是给我添满吗？"童林接着说道："要是从乱牌里挑，那事我也会啊！"王三听罢，气往上撞，忙说道："你看见我挑了吗？"说话之间，站起身来，立于炕沿之上。此时童林看他恼羞成怒，势将用武，童林也就站起来，立于炕里，面向王三。青草蛇用左手指着童林，说："你真可恶。"遂用右手向童林面上"啪"的就是一个耳刮子。所幸童林练过一身好武术，早就预防。童林见势不好，忙将左手一扬，王三的手正磕在童林左臂上。童林一伸手，用了个"黄莺掐粟式"，正托在王三的脖项之上。这个乱子可就大了！王三来了个仰面朝天，倒在炕底下。他一翻身就爬起来。素常真还没吃过这个亏，这可是"接三"的竹竿子，他就火儿了。一声怪叫："哇呀！"势如冲锋，决一死战。无奈屋中人多，连看斗牌的共有十几个人，还能看他们打架吗？大家只得相劝，自然向着童林的人多。大刘爷上前相拦，笑道："王三弟，你可不准这样。童林年轻无知，有我们评理。"王三一看，大家都向着童林，明知打不出圈去，便高声喊叫："姓童的，我与你完不了啦！"童林连声答应："好好！"怒目相视地叫道："王三，今天我可要收拾收拾你啦！"王三听罢，气得浑身乱抖，大声嚷道："今天人也太多，此处也不是打架之地，搁着你的，放着我的，咱们两个人后会有期！再见吧。"王三说罢，一转身，一溜烟似的跑啦。这就是王三伶俐，明知打不过童林，自己找台阶下了，打算日后暗算童林，这且不表。

大家劝着童林，童林余气未息。刘爷说道："海川，你这是多余，跟他对什么？常言有话，人不跟狗斗。其实我们大家也看见他偷牌啦，你就装作没看见，其实他也赢不了。你必得想明白，闹起来，有什么意思？再说有我们在场，还能叫你吃了亏吗？我见现王三，日后与你们和气和气，还得与你们见个面，免得日后谁找报谁。再说，倘若此事要是传到你们老人家耳内，我们不是都不好看吗？得啦，你也消消气，千万别把这件事放在心上。"童林道："这东西真是可恶，我早就记着他啦，不是一天半天的。要不众位在其中解劝，今天非管教他不可。"大家一听，齐笑道："得啦，童林，别生气啦。跟他也不值。来来来，咱们三家斗吧。"童林说道："天也不早啦，我也得回家去。今天与王三赌气，若叫我父亲知道，反为不美。咱们是改天再见，我得回家看看。"于是就收拾收拾自己东西，便与众人告辞回家。出离更房，一边走着，一边心中暗想："王三这小子，真不是好人，倒得留心防备他点才是。"自此，到家后，日夜防范，好在没事。

　　虽然如此，常言有句话，好事不出门，坏事行千里。这天外面评论此事，这一评论不要紧，一传十，十传百，可就传到童林父亲耳内。他老人家虽听说童林在更房日日斗牌，又与王三打架，究因不知细理，他老人家也不追问，自此在童林的身上，可就留上心了。老人家虽然年迈，精神倒是很好，对于庄稼院的日子，克勤克俭，一到晚间，自己点着灯笼，前后院都要看一看，门都上好，这才安歇睡觉。一到清晨，起得还早，虽不比朱夫子治家的格言，也要清晨早起，洒扫庭阶，内外整理。天天起来，将屋中收拾干净，用扫帚把前后院都扫干净。这一日，正扫门前，有邻右几个孩童在门前乱跑。内中有一个小孩，名叫小二哥，老人家很爱惜他机灵，遂问道："你们做什么去，别跑，看拗着吧！"小二哥仰着小脸笑道："我们上西村口玩耍去。"老人家点头："小二哥，你要上西村口，看你大哥童林在更房里做什么呢，与我送个信来，我给你钱买点心吃。好孩子，你去趟吧！"小二哥答道："我去，您等着。"说罢，带着一头狗儿，一群小孩，走到更房，往里一看，可巧童林在此正在那更房里面，坐在炕上，面向着里斗牌呢。小二哥看见如此景况，遂叫："三头，狗儿，你们在西村坟地等我，我与童老伯送个信去。"来至东村口，正赶上他老人家将扫完门前，小二哥遂叫道："老大爷，童林大哥在西村口更房里斗牌呢，耍还不小。"老人家闻听，概不由己，心中有气。内中暗想：庄稼人，除去春种秋收，别无消耗。吃喝，无非村中乡粮；嫖之一途，村中无有；唯赌之一道，甚为可畏，可以由浅入深，家中五十亩良田，不足以供赌品。想至此，老人家焉得不恼，遂叫小二哥，回手掏了两文铜钱："给你买点心吃！"小二哥说道："谢谢您。"
接钱去了。

他老人家将扫帚往肋下一挟，往西村口而来。临近更房，早看见童
林手握多张纸牌，面向里，正在高兴之际。童怀有心到窗下；伸进手去
抓住童林，重责他一顿，又恐怕伤了邻右的脸面。倘若童林还口，又怕
人耻笑教育有乖，虽然是当面教子，总也得与他留些个体面。不如先进
到里面闲坐，装作没看见他。他若知改前非，那还罢了，他若不改，然
后再责罚于他，众邻也没的可说。这就是童怀的老成之见。于是遂走至
更房之内，说道："众位解闷！"大家这才看见童怀，大家拱手道："请
坐吧！"惟有童林，正在看牌之际，猛见老父，只骇得满面通红，不能成
语。将牌往牌地上一合，这一分羞惭恐惧，景况难堪，将头一低，难以
说尽。老人家见此景况，知道他抱愧，也就不便再言，遂向众人说：
"家中有事，回头再见。我不过到这儿看看，众位随便吧。"说罢拱手告
别，出离更房，回家去了。刘爷脸上一红，与老人家多年的交情，今天
与童林在此斗牌，显着有些不对，遂向童林含笑说道："好在老人家没
看见你，咱们还接着斗吧。"童林说："不对，老人家早看见我啦，所以
父不见责，全在众位的面子上。我若再赌，更显得不对啦！众位，这牌
我也斗不下去啦，无非回家请责领罪。"刘爷说："那么也好。回到家
中，老人家说你，你可别言语。"童林说："我还敢言语？众位咱们散了
吧，回头再见。"于是收拾收拾钱，与众告辞。回到家中，幸好老人家并
不提此事。童林也知改悔，从此很少上更房。无非每天早晨照常练习拳
脚，至早晨绕弯，走到西村口更房门前，必紧走几步回家，习以为常。

这一日，童林练完遛弯，正走在更房的门首。门口上站立三人，有
前次斗牌的刘爷、张爷，还有本村的曹二叔。童林道："众位闲坐，回
头见。"刘爷说："少见哪，进来坐坐。"童林说："实在家中有事，改
日吧！"刘爷说："你看，谁得罪你啦？老不上更房里来，你进来坐坐，
我跟你有话说。"童林无奈，只得相随，走进更房，大家落座。刘爷说：
"今天早晨，我与张爷二人打算斗十把。张爷说，二人没意思。这么个工
夫，曹二弟来啦，三人可以斗啦，二弟偏说我二人商议好啦，三家拐磨
子拐他。他非四家不斗，我说咱们门口站着去，有谁算谁。可巧海川你
来啦！咱们四家斗吧。"童林说："我不行！""你看，海川你斗两把，
别人来了，你再让。"童林驳不过刘爷去，说："我可没工夫，有人来我
就让。""就是吧，海川你上炕里边去。"于是拿牌，大家落座，仍然是

刘爷在西边，张爷在东边，曹爷在炕边。大家抢牌，于是就斗起来了。虽然说是斗两把就完，奈因钱眼上有火，斗上就散不了啦。闲坐的人，愈围愈多。连看歪脖子糊的，有二十来人。屋中高谈阔论。这正是土语说的：“要知朝中事，村中问乡人。”正在热闹中间，不防小二哥带着一群小孩，去西村口玩耍。皆因前次老人家童怀给过他俩钱买点心，因而每逢走到更房门首，必要看看童大哥。今日走到更房，正见童林在里面斗牌，遂说：“你们先走，在村外等我，我与童大爷送信：大哥又在此斗牌。”众小孩点头道：“快点来，我们在村子外等你。”于是众小孩奔西村口去，小二哥转身，竟奔东村口。老远就见童老伯拿扫帚扫街，于是高声叫道：“老大爷，您快去看看吧，我大哥又在更房里斗上啦，要儿很大，斗得很热闹。”老人家童杯闻听，概不由自己，心中有气：好小子，没改性，这是非打不可。遂说道：“好好，小二哥，给你钱，买点心吃。”小二哥说：“您不用给啦，不要啦。”老人家说：“拿去！”随说着，拿着扫帚，竟奔更房里来。临至更房相近，早看见童林坐在炕上，仍是面向里，正要得高兴。老人家有心由门口进去，又怕童林由窗台跳走，心想：“莫若我由窗台进去，揪住他给他一顿扫帚，看他知改不知改。”老人家到了窗下，恶狠狠的上了窗台，左手揪住童林的发辫，右手举起扫帚，照准头部，“叭嚓”就是一下，打得童林睁不开眼。不但童林不知是谁打他，就是屋中人，谁也没看见老人家童怀。大家只顾看牌，哪有工夫往旁处看呢。聊斋《赌符》有云：“门前宾客待，尚恋恋于场头，舍上烟火生，独耽耽于盆里。”童林被打，心中一动：“莫非是青草蛇王三，趁我不防，暗算于我。我岂能相容。”遂将牌扔于地上。右手顺自己脖项，往后一伸，揪住身后面的人的胸膛，左手由胯下圈至身后来人的腿部，膝骨点炕，将腰一弓，顺手在炕下一撞。老人家童怀这个乐可大了，头朝下，就躺在炕底下去，脑袋碰了个大包。他岂能与童林善罢甘休。童林等到看见是自己父亲，已经吓得胆裂魂飞，目瞪口呆，面色如纸。不用说老人家不能宽恕，就是众乡亲，皆都怒视童林。怎么呢？这个乡村里头啊，最不喜爱的是不孝之子，乱七八糟的人家；最喜的是勤俭孝子之家。今童林虽误伤老父，别看大家与童林那么好，今犯公愤，大家有些个看不上童林。一同斗牌的这位张爷，向着童林冷笑，竖着右手的大拇指头，说道：“童林，你真不含糊，不枉你练过武术。你竟会打你爸爸。”这位刘爷怒形于色道：“海川，这个你可不对。你要在村子里，像这个样子，那可不行，这还了得！”惟有老人家童怀，含泪说道："好好，人家是养儿防老，种谷望收，谁像我，家门无德，出此逆子。"说着立起身来，高声喊闹："你就把我打死，我成全你的孝道。"说着往童林身上就去撞头。童林哪里还敢答言，一转身，顺窗台跳至外面，往西村口跑下去了。耳内听后面老人家追赶，垢骂万端。童林哪里还敢回头，跑至西村口外，听后面没有动静，站住身，扭项观看，幸而老父没追。原来老人家童怀被众人劝解回去了。

单提童林站在西村口外，如醉如痴，若在云雾之中。举止无措，真如有家难奔，有国难投。若再归家，老父岂肯相容？就是村中父老，也难以相见。看起来，人生天地之间，品行为立身之根本。今童林误伤老父，为邻右所不齿，真可称百善孝字当头。童林想够多时，无由归家。猛然想起，自己的姑父住在正西小刘村，名叫刘玉。只得去哀求姑父、姑母，从中排解，好回家请罪。于是向刘村而来，到了小刘村，正值他姑父在家，遂将自己所遭始末，从头至尾，对姑父说明。他姑父着实抱怨了他几句。好在姑母在旁劝解，遂将童林留在家中，又令他姑父，请出本村有头有脸的几位来，面见童怀，为童林说情。无奈老人家童怀气恨不出，口风太紧。老人家也说得有理："总是我教育不好，方生此忤逆之子。古人有云：有子不肖莫若无。众位分心，情我领啦，总是我家门无德。哪位若将童林陪了回来，我可是一头碰死。众位，我们爷儿两个，是有他没我，我认绝户啦。"大家一听，关系人命，老人家又在盛怒之下，羞惭之时，万难和平，只可过两天再说。于是众人告辞。刘玉回家，将此事对童林细说了一遍。童林一想，父亲不能见容，在姑父家中住着，又觉无味，只得远走。倘若时运变转，发财还家，也许有的。这是他心内之事，别人哪里知道。又住了两日，遂向他姑父相商："既然我父不容，您来往分心，我心里也不忍让您跟着为难。我打算跟您相商，我到朋友家里住两天，您还是与我尽力。谁让我有事做错呢！我伯我父找到您的家中，多有不便。不如在朋友家中躲避几天。您借给我一个白粗布小褡裢，再借我两吊钱。几时我父亲将气消点儿，我再求您给我哀求，我再回家。"他姑父皱眉说道："你可别远去，在哪儿住着，千万先给我来信，到临时我找你去。"于是将东西备齐，童林与他姑父、姑母告辞。他姑父送出村口，又再三地嘱咐童林，千万不可远去。童林点头应允，分手告辞。他姑父回家，暂且不提。

再说童林，他心中原没有一定的投奔处所。自己打算逃往他乡，自己混好了，发财回家。一来父母看着也喜欢，再者叫乡亲们也看看，我成材不成材。虽然是这样打算，暗中已入了三不归。怎么叫做"三不归"呢？但凡在外跑腿之人，在外逃亡，很多有这种病的。年青的人，不明世事，在村中看见人家，由家中逃走，在外头发了财，衣锦身荣，发财回家。他看着人家眼热，他在家中稍不如意，也想在外头发财。及至逃在外省，举目无亲，又没有文武赚钱的能力，资斧断绝，没有脸面回家。他一害臊，由此流落他方，绝无归期，此为一不归。再不然，身上无衣，腹内无食，病在招商的旅店，店家一看不好，恐其受累，夜间将他搭至在荒郊，遂葬犬腹。此其为二不归。或者在外，遇着有人扶持发财致富，娶妻生子，或在外恋其美色，竟忘却家中的父母，竟不返里，是为不孝不义之人也。其为三不归。不信众位请看，咱天津三不管，冻饿而死者，不可胜数，皆此三不归之辈也。闲言少叙，单说童林，信马由缰，行无定所，竟往南走下来了。无非是晓行驿站，夜宿招商，非止一日。这一日，住在店房。查点自己的盘费，只剩下百文钱之数。除去店饭钱，下余不过二十文，明朝路费，又当如何？至晚间店内伙计算账，见童老客双眉悉锁。伙计因问其故，童林备叙前情。伙计在旁慨然而叹，遂说道："老客，你不知道在外跑腿的难处。我姓张，排行二，我与你同病相怜。我当初在家，不受拘管，因负气跑到外面。我自己觉得不知有多大的能耐，只落得举目无亲，流落在此店中，多蒙掌柜的看我殷勤，将我收录，到如今三五年的光景，只落得衣食口腹。若不遇见店东，我早就不在人世了。要没有文武两科的能耐，千万可别往外跑。俗语说：'在家千日好，出外时时难'。还得有能耐，也就是文啦武啦都行，才能保全糊口。在家想跑到外面，蹬开了轮子，缓开了脚，发财致富。别妄想，没有那个事！您得真有能耐，方能嫌钱。老客你有什么能耐？"童林听了伙计一片言词，言若金石，铮铮作响，吓得倒吸了一口凉气，冷汗直流。童林点头，暗想人在外面做事很难，四望无亲，手中无钱，这便如何是好？回头望着张二说道："我生平没有在外边做过事，我在家中就是练过武术。"张二说："什么？"童林答道："我练过武术。"张二说："你不用说了，你准要练过武术，会把式，如今这个年头，上元甲子，人人好练，习武术的很多，差不多各乡村里，都有把式场子。不用说别的，就说常言有话：'学会文武艺，售与帝王家'，帝王不用，售与识家。就说识家不用，顶没有能耐，扔在土地上，亦得赚钱吃饭，就怕你不行。你要真行，明天就是集场，赶集的上店的亦多，你打听打听，我们这儿属大名府管，张家镇是个大镇店。如果明天你在本镇地上卖艺，有的是看得主儿。还是那句话：就怕你不行。"童林说："行倒是行，有心卖艺，奈因手中缺少兵刃。"店小二说："我这有口刀，翠屏山也上来啦，可是竹片刀。我们店里早先住过卖艺的，他临走的时候，忘在这里。我送给你用。"童林说："那极好啦，我谢谢你。"伙计说道："你等着，我给你拿去。"工夫不大，伙计把竹片刀拿了来。童林一看真好，正合自己使用，遂说道："就这么办吧！可是还得明天叫你受累，把我领到集上去。"伙计答应说："行，您先歇着吧。"说罢伙计出去，各自安歇。一夜晚景无事，次日天明，伙计等候童林梳洗已毕，将店中事情办完，太阳已经老高。与童林商议一定，遂将童林带到街前。童林一看，果然集场热闹。赶集的上店的人还不少，两旁设摆出摊者也不少，俱是庄稼农具。什么权把扫帚、大铁锨、赶面棍、大炒勺、巨箩、簸箕等类，都是庄稼应用之品，买卖不少。已经走到街的当中，路北有个大院，俱是赶集的生意，算卦的，修鞋的，变戏法的，卖艺的，练武术的，唱竹板书的，唱大戏的，说书的，还有卖野药的，种种的玩艺儿，真是热闹非常。伙计将童林带至北面，有个空场之地。伙计说："就在这个地方，画个圈儿，你就练起活来。我还回店，办我的事去。我可不能陪着你，咱们回头再见。"伙计说罢，回小店去了。童林于是用竹片刀画了一个圆圈，将褡裢放在北面，连竹片刀放在一处。他往当中一站，所有赶集的一看，这个样式，是练把式的。又见童林长得魁梧，也真好看。童林的身材是在中等，细腰扎臂，双肩抱拢，猿背蜂腰，就是穿的衣服，打扮的不好看。土黄布的裤褂，白骨头钮子，左大襟，白高筒的袜子，两只大洒鞋。辫子挽了一个小疙瘩。从脸上看，可好看，紫巍巍的脸面，剑眉虎目，鼻直口阔，双耳垂腮，人字脖子，太阳鼓着，眼睛努着，腮帮子鼓着，精神百倍。赶集的一看，这是练把式的。那个年月，人人好练，都有尚武的精神。工夫不大，将童林围住。这才有人说："你别看穿的不好，打扮的像老赶，这叫乡下把式。这个练把式的，必有工夫，一定是尖的。什么叫尖的呢？这练武术，分尖挂星挂。何谓星挂呢？无非是行拳，三飞脚，两旋风脚，披磋叭嚓，拉几个胯虎。瞧着很好看，练着还好练，其实没有工夫。这就叫星挂。尖的呢？架式不多，还都是单架。看着真不好看，其实没有真工夫不行。别看架式单，招招有式，式式有法。没有几十年的工夫，还真不行。非得内外相合，那才是尖挂呢。你看他站在哪儿不练，有多么的威风。"那个说："那是站在那儿运气呢。"其实不对，童林虽在家练过工夫，其实他没有在外边卖过艺，要过人家的钱，事之所济，万不得已而为之。今儿众人将他围上，早就脸上如同大红布似的了。常言有句话："上山擒虎易，开口告艰难。"论起来江湖卖艺，得有一套生意，应当站在场子当中，先作个罗圈揖，别名叫"扬揖。"道得两句生意话，什么人穷当街卖艺咧，虎瘦拦路伤人，在下姓什么叫什么，必要道得一遍老师傅捧场的话，这才溜溜腿，然后再练，练完了要钱。如有不给钱的，给他些个刮刚刮刚，就是说闲话。童林那里行呢？不用说刮刚绕脖子的生意话，以致大家围上了他，他脸就红啦！瞪着两只眼睛，看着众人，众人看着他，这真称得起是"张飞拿耗子——大眼瞪小眼。"工夫大啦，大家说："怎么还不练呢"？童林说："我就练，你们都来啦！"大家说："我们早来了半天啦！"童林说："可是这么着，练完了我可要钱哪！"大家说："练好了我们就给钱。"童林说："不给钱，各位可走不了。"大家一听，这不是练把式的，简直是路劫明伙，本家倒都乐了："你练吧！"童林于是抱拳。大伙说："真是练把式，插手就练。"练了一趟大红拳。内有拳赞为证：

跨虎登山不用忙，斜身绕步逞刚强。上打五花炮，下踢抱脚桩。喜鹊登枝沿边走，童子拜佛一炷香。霸王举鼎千门式，金鸡独立站中央。

练完了气不涌出，面不改色。行家一看，他练完谈笑自若，脚下扎根入定，观看姿式，真有几年的工夫。大家叫好。童林说："好哇！要钱啦，可得多给。"大家一听，真是"老赶"把式，一句生意话没有。真有大把的往场子里抛钱。童林一看，满地铜钱，大约有吊挂来，够吃饭住店的了。你倒是接着往下练呀，也不说话，弯腰拾钱，放在褡裢以内，往肩上一搭，竹片刀往腰中一掖，转身就走。大家一看，好哇！不练啦！且说童林回至店房，伙计张二见他笑嘻嘻地回来，迎面问道："你买卖怎么样？"童林说："不错。"于是进到屋中，将钱拿了出来，叫伙计预备早饭。又吃又喝，又将剩下的钱，开付完了住店的钱，与张二告辞致谢。出离店房，就走下来了。也不问村庄镇店何名，什么叫做州城府县，一直往南走去，凡到处，就以卖艺糊口。这可应了那句话啦："人若吃了三天生意饭，给个知县也不换！"沿路又运动身体，又赚钱吃饭，手中还有余钱。竟不思虑，也不问路程，在路途之上，晓行夜住，饥餐渴饮，非止一日。时已深秋，童林已然行至江西界内。

这一日正往前走，天色已晚，寒风刺面，一阵阵透凉，只好寻找店房。猛抬头见道旁路北，有一家小店。怎么看出来的呢？原来门口上写着四个字"德和小店"，是一连五间正房，当中间关着避风门。童林走至近前，伸手开门，往里面观看，里面是南北对面大炕，对面的锅台。住客还真不少，铺盖是一份挨着一份。店客正在大家聚谈。童林抱拳向众人道："众位辛苦。"大家一看童林，身上一身土黄布，扛着小褡裢，在里面斜插一把竹片刀。大家亦就抱拳相迎，说："坐下歇歇。"童林说道："众位，哪位是掌柜的？"旁边一位用手指着身边这位说道："这位姓郭，就是店里掌柜的，外号叫倒霉郭。"郭掌柜道："来了客人啦，别取笑。"童林抱拳道："掌柜的，有闲地方没有？"掌柜说道："就这炕梢很好，坐下吧，回头打点脸水擦擦脸，喝点水再说。"童林将褡裢往炕里边一推，坐在炕沿上，将要与掌柜的说话，旁边过来一人，说："老合吗？由哪儿过来？"童林听不明白暗中代言，这是江湖的吊坎儿。童林不知，这个店不是寻常小店，净住的是生意人，不住寻常店客。吊坎为"相窑儿"。为何叫相窑儿？就比作宰相所居之地，其实净是生意人。这时童林方才进到屋中，大家一看，他斜插一把竹片刀，大家以为他是同道挂子行（挂子就是练把式）的人。方才问他的这个人，姓吴行二，他也是新入生意，变戏法的，半空不做。俗说就是"花脖子"。怎么叫花脖子呢？你说他是生意人，内里的事他又不知；你说他不是生意人，他还爱吊坎儿。方才他问童林，从哪儿过来，童林自然是不懂。童林可略为了然，说："我从大道上来。"姓吴的又问道："朋友，你是什么买卖？"童林答道："我什么买卖也没有。"那姓吴的又说道："你是挂子吧？"童林答道："我就是穿的这件小褂，没有大褂。"姓吴的一听，错了！又问道："你是把式呀？"童林答道："今夜睡觉，哪位挨着睡，可得留点神，没准儿。"吴二一听，是睡着了被窝里打把式。吴二还要问，北边炕上有一人答话，说："吴老二，别问啦。他是海清（海清就是外行），这边坐吧！"掌柜的过来问童林："你是打干房？还是起火？"这个童林倒是明白，"打干房"是净给店钱，"起火"是外加柴米钱。童林问道："打干房起火多少钱？"郭掌柜答道："打干房是两文钱，起火四文钱。"童林说："起火吧！"掌柜说："我们吃什么，你得跟着吃什么。"童林说："行啊。"掌柜说："我们烙饼，给你烙多少？"童林说："给烙五斤面的饼吧！"掌柜说道："几位吃？"童林说："一个人吃。"郭掌柜说："你吃得了么？"童林说道："吃不了好带着走，在路上当点心吃。"

郭掌柜的看了看大家，心说：他一点也不外行。于是掌柜的叫伙计合面烙饼。这个干面要是烙饼，每一斤能吃八两水，饼要出锅，二十四两为一斤。要是烙饼啊，就是大锅烙饼好吃。工夫不见甚大，大饼烙熟。簸箩大的五张，拿锅盖送到童林的面前，外有咸菜条一碟。大家看童林这个吃劲儿，真有点眼晕。童林饭量又大，不一会的工夫，已经吃下了三张。剩下两张，搁在褡裢之内。也兼着一路劳乏，将褡裢往炕里边一推，枕着小褡裢睡去。大家看天色已晚，也就各自安歇。

次日天明，童林醒来，站起身一看，正赶上郭掌柜出去解手，童林候郭掌柜回来，说道："掌柜的算账吧。"于是掌柜的把店饭钱算清。童林说："我请问您一件事：我是跑腿的，昨天大家说的话，我是外行，真全没听明白。我是练过几手笨拳，无非暂时糊口，望掌柜的您指引指引我，哪里有丰富的镇店，我好多赚几个。"郭掌柜说道："你跟我来。"童林拿起小褡裢，连同竹板刀，跟随郭掌柜离了店门。郭掌柜用手往南一指，南边有一段山岭，离此甚远。说道："往南离此四十里，有一座镇店，叫做南双雄镇。往北四十里，有个北双雄镇。今天是南双雄镇的集场，两千多户人家，庄子丰富，好武的很多。你到那里可以多弄几个钱。你由此路走岭的东边，千万可别走岭的西边。若走岭西边，道可就差了，一定得迷路。没别的，你到在那里，买卖一定大发财源。咱们是回头再见。"童林抱拳道："再见吧。"于是往南走下来了。

天气正值深秋，日尚未出，正在清冷之时。远山在望，村落萧条，一阵阵秋风飒飒，吹得征尘打面，这一片凄凉秋色，令人心神惨淡。人若到入残秋的时候，在家里倒不显，若是在外面跑腿之人，未免触起思乡之念。童林身上穿得衣服单寒，又加上秋风甚紧，满目凄凉，一阵阵动起思乡之念。自思在外跑腿，又不知父母在家怎样想念，身体是否安康。思前想后，不觉心中酸楚，好似十五个吊桶打水，七个上来，八个下去的一般，心思如麻，未免潸潸泪下。低头往前行走，只顾走路，不提防将道路走错。怕走山岭以西，却还是往岭西走下来了。约走有十余里，猛然抬头一看，这道路不像大道，乱草蓬蒿弥漫山坡，羊肠小道接连不断。只顾信步往前行走，不想乱山环抱，遍山荆棘，道路崎岖，坎坷不平，很窄的鸟道，并无人行。路旁酸枣枳荆，榆柳桑槐松，被西北风刮得树叶儿飘零，寒虫儿倒吊，鸣声透入耳鼓。这一分凄凉景况，又兼着秋草迷目，行人无影，无可问程。童林心若刀绞。心中暗想：常言有云："车到山前必有路"，莫若往前行走，再做打算。于是又越过几架山岭，举目观看，哎呀，不好了！四面俱是高山峻岭，不知哪条道路可通。面前荒草没人，前面有个月牙式的山岭，岭虽不高，就是没道，不如行至岭下再做道理。于是用手拨开荒草，往前行走，不防脚下，险些被毒蛇绕住，吓得童林冷汗直流。于是壮胆前行，到了岭下，用手攀藤，意欲过岭。不想山中野兽在此拉了一泡屎，闹了童林一手，臭味难闻。看起来，人若走了背运，喝凉水都塞牙。用荒草将手擦净，复又攀荆棘，抓葛藤，盘山而上。及至走到岭上，只累得筋骨俱酥，喘喘吁吁。略为少坐，站起身来，用目往西观看，但见清溪倒流，两旁皆是茂林。童林走下岭来，向树林而走，行至林内，只累得浑身是汗，遍体生津。又兼着劳累已极，无奈只得坐于林下休息。用目往对面观看，真是山连山，山套山，山山不断；岭接岭，岭套岭，岭岭相连。怪石横生，陡壁悬崖，山势狰狞，离奇古怪。又兼两旁千年松树，万年古柏，直入云汉，风鸣树吼，令人胆寒。回忆往事，潸潸泪下。想自己在家，十几岁好练武术。因斗纸牌为戏，误伤老父，逃亡在外，身入江湖，流落异地，迷于山谷，竟辨不出方向，又无行人过问，莫非要饿死于山谷之内，与祖同故吗？为何叫"与祖同故"呢？轩辕黄帝之子，名曰祖。生平好游山玩水，后饿死于乱山之中。往往人若是远行，必当烧几张黄钱祭祖。非祭家中的祖先，祭的是黄帝之子，为保得人马平安。

童林想至此处，心若刀剜。正想不出离山之计，心正踌躇不下之时，猛听得正东有脚步声音。童林抬头往正东观看，见有二道士，行走如飞而来。二人俱是年迈的仙长。上首这一位，身量高大，头带九梁道巾，当中镶嵌美玉无瑕，两旁绸带双飘。身穿黄布道袍，腰系绒绳，核桃粗细，穗头飘摆。白袜云鞋，手拿拂尘。黄颜银鬓，两道浓眉，寿毫甚长。目光如电，鼻如玉柱，唇似丹朱，银髯满腹，根根见肉。下首那位道士，中等身材。九梁道冠，竹簪别顶。身着蓝布道服，腰扎水火丝绦，蓝中衣，高筒袜子，上过膝盖，足登双青云鞋。面如重枣，剑眉阔目，四字海口，两鬓落腮花白髯。手拿树枝拂尘，行走如飞。膝盖碰心口，脚打屁股蛋，鹿伏鹤行。童林一见，知道是夜行术。童林怎么会知道呢？当初在家练弹腿的时候，听李老师讲过，所以今天一见便知。也是二位仙长一准知道此处无人，不提防被童林看见。童林心中一动：深山之内，二位仙长有如此之艺，非是剑客，即是侠客。又一转想，自己身无长技，如何发迹？莫若向西，追赶二位仙长，拜在门墙之下，学会武术，艺不压身。童林有这个思想，其实人人当有这个思想。往往有人不以文武的能力当头。旁人若问："因何你不作事呢？""咳，是我时运不通，运尚不至。这句话，耽误不少人。怎么呢？人若要无事之时，当清心静养，由五内发出一股清静之气，发于面部。再有本身文武技艺，时机遇巧，再有贵人扶持，则陡然富贵不难。若在家竟等走运哪，没有天上掉馅饼的事！童林想到这里，站起身来，将褡裢往肩头上一扛，竹板刀往腰中一掖，往西就追下二位仙长去了。

童林紧迫，二位仙长紧走；童林慢追，那二位仙长慢走。那个意思，二位仙长似有所知，可并不回头。童林追有二里之遥，只累得喘吁不定。再若追不上，童林就要累躺下了。童林暗中着急，又不好喊叫。猛抬头，心中稍定。因为什么呢？二位仙长的前面，有一道清溪阻路，南北一望无边，东西约有三丈余宽，又无舟可渡，难以过去。不料想，二位仙长将腰一伏，行于水面，如履平地，他听李教师说过，此名叫作"蹬萍渡水"。童林暗想：此必剑客无疑。因而高声问道："二位老师留步，小子有一言禀。"二位仙长至西河岸，止步观看童林，是农家打扮，面带纯厚。那位银髯的仙长叫道："师弟，此子苦苦追赶，不知所因何故？"花白髯的那位道士答道："不如你我回去，问个明白，再作道理。""那么也好。"于是二位仙长，运用气功，仍是施展蹬萍渡水之法，来至东岸。这里有人会说，信口开河，由着你说吧，人怎能够在水皮上行走呢？不然！这绿林道，有两种水皮上走的功夫，您练过武术，可就知道啦。就说当下练行意拳的老先生，练的是五禽六兽一条龙，内中有一蛇行，这个蛇若由地上走，将头抬将起来，它就惦记着使风。日子一长了，它的头越抬越高，几乎它的身形要立起来，尾巴着地。再若日久，它可就能架风。它也练的是气功。用吸呼之气，将五脏提至胸膛，借天地之罡气而成。不但是蛇，凡五大家，即"狐、黄、白、柳、灰。"它们修道练丹，皆用吸呼伸缩之力而成。其它生畜，皆能练气脱凡，将皮囊脱去。何况是人！人为万物之灵，若将气功练成，得天地罡气，吸日月之精华。人为小天，天为大天。人有四肢八节，天有四时八气；人有二目，天有日月；人有三万六千毛孔，天有三万六千星斗；人有五指，天有五行；人有汗津，天有云雨。人用气功，日久，人体与天体相合，团团圆圆如一粒明珠，万劫不磨，方可成为剑仙，此达摩老祖洗髓经之秘诀。人要练气，日久可以发白皆黑，牙掉复生，返老还童，皆由于此。人若渡水，将气一提，用蛇行之法，身体轻如漂叶，此为内丹先天之术也。二位仙长之渡水，并非净用气功。气功为先天，先天补五内之不足，然后，以后天合之。何为后天呢？就是人所练的武术，由武术的拳脚，运用先天之真气，此为先后合一之术也。二位仙长用的是周身全力。何为叫全力呢？就是凹腹吸胸，空胸紧背，龙骧虎坐，两脚齐踢膝并行，手扶泰山，头如悬磐，气贯丹田，此正为先后合一。练气属阴为先天，运用四肢六阳为后天，故有先后天合一之说。那位说："你怎么这般唠叨呢？"若不说明，人由水皮上走过，岂不离奇吗？就是二仙长行于水面，似不费力，但看河边的岩石，被水打得澎湃作响。可见二位仙长脚下之力却用的不小。"怎么你不是说，身体轻便，反又说脚下用力呢？"没告诉你是两种么？世界力之最大者，莫甚于水火。人用全身之力，借水之力，方能渡水。"这话我们听着又不明白。"方才所说，团团圆圆，如一个皮球扔在水内，方不能沉底。二仙长形若圆球，势若猿猴，取三元之势，方能渡蹈水面。

再说童林见二位仙长临于河岸，急忙用身遮住，双膝跪倒，高声大叫："二位仙长乃世之高人，弟子情愿拜在门墙之下。"二位仙长含笑道："这又奇了，你我素不相识，我二人行于山谷，你在后面苦苦赶。今又将我二人唤回，意欲拜我二人为师。我二人又不知你的姓名住址，怎样的来历，就是收你作为弟子，也得我二人商议商议，还有个当收不当收呢！也不能这样草率。"童林跪在地下道："二仙长所说甚是，待弟子明白上禀。"二位仙长说道："你从实讲来。"童林这才将自己以往从前之事，由十八岁好练弹腿，因斗纸牌为戏，误伤老父，畏罪逃亡在外，流落江湖，迷于山谷，得遇二位仙长，行步如飞，随后追逐，见仙长蹬萍渡水，疑是剑侠，故斗胆相叫，细细的由头至尾诉说了一遍。二位仙长闻听，方知他名叫童林，家乡住址，父母在堂，因误错逃亡在外，情有可悯。银髯仙长说道："你适才所言，我二人俱已听明。奈因你父为汝所伤，何况业师！然而有情即可原，是误伤老父，不知者不作罪，尚可宽恕。汝最不应当在我二人面前扯谎。"童林说道："仙长所言，乃小子生平所不敢。"仙长道："住口！蹬萍渡水之法，乃江湖绿林之秘诀，汝一乡人，岂能知晓此术？"童林回答："村中弹腿李老师与我言讲：非剑客不能有此绝术。今小子得此奇遇，岂能交臂失之。望仙长原情收纳，小子绝不敢谎言。"银髯仙长说道："听你所云，绝不能假。你站起来，我有事，你若能做到，我便收汝；倘不能行，休误你的前程，你再投别的门路去吧！"童林站起身来，说道："但不知何事，望仙长指示。"仙长用手指着山溪："方才你看我二人由此渡过，汝能相从渡水，我便收你作为门人。"童林摇头道："不，不行。二位老师乃道德深远，弟子乃一介村夫，岂能随恩师蹬萍渡水。"仙长说道："世界并无为难之事，待我教导于你，指引你得了步法，便可得渡。"童林闻言，心中一想：这是仙长品评我的心地坚实不坚实。我若不应，绝不收我，我若应允，必当坠入水中。想仙长与我无仇，岂能眼看我溺水而死，到那时必当相救。惟我心地坚实，准可收留。遂说道："弟子情愿受恩师指教。"仙长道："好！你站在这里，你将褡裢竹板刀交给我。"童林点头，遂将物件交与仙长。童林站稳，用目往前看。仙长说道："我让你迈步，你就往前迈步，决无舛错。我二人相扶于你，休要迟疑。"童林点头应允。二位仙长站立童林左右，银髯仙长左手拿着童林的物件，右手将童林右肩一揪。花白髯的仙长站在下首，用左手揪在童林的肋下，说道："走！"童林只得跟往前看，竟向水上迈腿，就觉得脚下被水浸湿，唏哩哗啦，竟走至西河。那位说："童林也是蹬萍渡水过去的吗？"他也配？二位仙长把他架过去的！童林站在西岸，双膝跪倒："二位老师请上，受弟子一拜。"二位仙长摆手道："且慢，正大的门户，岂能草草了事？你随我二人，至庙中再谈一切。"童林点头答言："谨遵师命。"站起身来，旁边侍立。仙长把所有的物件交给了童林，复用拂尘往西一指，道："随我来！"

童林将物件接在手内，顺着拂尘往西一看，正西青山叠翠，怪岭横石。二位仙长行走如履平地，童林在后面可就受上罪啦。喘吁吁地只得相随，越过了好几道山岭。正西一座高山，只有曲曲折折蚯蚓小道。随二位仙长至山顶，举目观看，有一座朝南的古庙，不知修于何年，年久失修，四外群墙崩颓，后面大殿俱已倒坍，只有前面一座大殿未倒。山门之前，一边一棵柏树，上首的古柏，三四个人搂不过来，直连云汉，下首这一棵，五六个人搂不过来，枝叶茂盛，直插云霄。童林细看，山门上横匾犹存，字迹虽模糊，也可以看得真，上书"金顶玉皇观"，连门也没有。二位仙长前行，童林跟随在后，甬路正当中放着一个汉白玉香炉，尚未损坏。行至大殿往里观看，当中神像已经看不出供的是哪位来了。两旁神像，俱已坍倒不齐，惟有神厨尚在，并没有五供蜡扦儿，只有一个半破的香炉。神厨底下，钉着一个新黄布的厨围。神厨以前，用笤帚扫得干干净净，当中放着两个蒲团。房顶上漏孔甚多。这一份凄凉景况，实难注目。二位仙长站立神厨之前，用手一指，叫道："童林，你来看，这庙内清苦难当，日无隔宿之粮，你如何受得下去？你若不愿意拜我二人为师，我将把你送下山去，休误了你的前程。你要自己酌量。"童林一想：反正有二位仙长的饭吃，就有我的饭吃。又一想：不受苦中苦，难得人上人。只得点头道："弟子愿意相从。"仙长说道："好，你既愿意，出于本心，我二人只得收录于你。你旁边站候。"那位银髯仙长，对那花白髯仙长说道："你怎么成心罗唆，不提名姓，老是'这个仙长、那个仙长的呢？'您别忙，还没到提名姓的时候呢。若到了提名姓的时候，就热闹起来啦。"师弟，你收他好不好？"花白髯仙长含笑说道："师兄，您的情缘已动，怎么反令我收他作弟子呢？还是您收他是啊！"银髯仙长微笑道："师弟，你不必推托。你我两个收他作弟子。"花白髯仙长点头答道："那么着也好。"于是，银髯仙长用手将神厨的黄布帘掀开，由里面拿出高香封、火种、簸箕全份，将香随手抽出一股，把香分开了，打着了火种，将香燃着，插在破香炉内。银髯仙长恭恭敬敬地大拜了二十四拜，花白髯仙长拈香拜毕，这才正式叫童林拈香，对着佛像，大拜了二十四拜。然后，与二位老师，也照样行过了礼。

二位仙长在当中蒲团上打坐，一回手由神厨黄布帘内拿出旧蒲团来，命童林盘膝而坐，脚心朝天，闭目合睛，眼观鼻，鼻对口，口对心，舌尖顶颚（这就是打坐之法）。然后教童林吸精引气"三交媾"之法。何为叫"三交媾"呢？天地交媾，龙虎交媾，子午交媾。又名叫"渡鹊桥。"阴气吸于腹内，与阳气相合，其名曰"阴中返阳"，童林不知，无非是仙长当时的指点。仙长教育童林明白，然后回手由神厨黄布帘内，拿出一个小黄布口袋，约有饭碗粗细，有一尺二三寸长。又一回手拿出一个八卦如意钵。仙长将口袋解开，里面却是一口袋带着皮的粗稻米。仙长坐稳，左右手伸开，用二指拿起一颗米粒，用手一捻，皮儿尽落，里面现出光润润的米粒。放在钵内，这才告诉童林："你来看，庙中清苦，日无隔宿之粮。这是我二人下山募化来的粗米。我们一天捻多少米，吃多少饭，捻不出米来，就得忍饥挨饿。你也照这样做去。"童林点头应允，仙长将米袋、八卦钵交与童林，童林伸手接过，童林以为捻米算作什么，谁想到如法一捻，不料米壳不开。这个米壳要用碾子串，尚费许多的人工，串它不动，何况用手。童林不知，这位仙长用练气之工操练他的手指，若米壳用手一捻就碎，此十指练成；在人的身上哪能受得住呢！童林如何知道。童林捻不开稻米，遂向老师说道："弟子捻不开米壳，不如用石将皮儿敲出。"仙长闻言，说道："我就知你受不了清苦，师命不可违，你如不愿在此学艺，我当送你下山，也不为晚。"童林回答："弟子就捻米粒，不敢违背。"仙长说道："好。"于是童林用心捻米。及至日色西斜，方捻出少半钵米粒。仙长说道："不用捻了，天已不早，也当做饭。"回手由神厨内，拿出个小铜锅来。遂站起来，带领童林，出庙下山，寻路绕至涧下清溪。仙长叫童林用锅由溪内取水，复带着童林上山回庙。来至大殿台阶石下，用两块砖将锅支好。把米由殿内拿出来，度量水之多少，将米放在锅内。然后命童林下山捡取干柴，然后做饭。这个做饭童林不外行，工夫不大，点火将饭做熟。但只有半八卦钵饭，童林双手捧定，奉与二位仙长面前。二位仙长并不吃用，供于佛前，面对着神像念经。念毕，取下八卦钵，银髯仙长捏了一两个米粒，放在口内，然后递于花白髯的仙长，花白髯仙长也捏了两个米粒，放在口内。然后交与童林说道："你用饭去吧。"童林见二位老师命自己用饭，奈因二位老师不过只用了两颗米粒，自己也不敢公然用饭，只得回答道："二位老师未能用饱，弟子岂敢擅用。"银髯老师含笑说道："我二人不定几日方才一饱（这是练气功啊，饥不知饥，饱不知饱，就是几日不用饭，也不要紧，就是吃得很多，也能用气功消化），你拿了去用吧。"童林听罢，只得将钵接过。童林饭量甚大，这一点饭，岂能饱得了。好在小褡裢里边还有两张大饼。自己将饭用完，又吃了一张大饼，还剩下了一张，好留着明日接济。

将饭用毕，天色已黑多时，二位老师令童林就在上首，将旧蒲团放好，二位仙长在上边盘膝打坐，命童林仍按打坐之法，自己去坐，稍有不对，二位仙长指教。童林一路劳乏，工夫不大，沉沉睡去。不觉天至五鼓，童林正在似醒不醒之际，听二位仙长念佛，童林只得醒来，站起身来，运动了运动身体，在旁边一站。银髯老师说道："你才入门，也练不了蹿高纵远各样的武术。就是架式，也是不能站。只可打坐捻米。打坐捻米有什么好处呢？无非是练你的神气，定你的本性。捻米是操练你的手指，这就是万丈高楼从地起，水从源来树从根。也是你练工夫的基础。你仍然打坐捻米，日久自然有用。"童林说道："谨遵师命。"于是童林专心打坐捻米。到用饭的时候，米已经捻出多半钵，也就按前法将饭做熟。不过仅够一饱，习以为常。不觉已三个多月，捻米之功颇为有效。虽已冬令天寒，衣服单薄，内有气功，并不觉得甚冷。头发长了，并没有剃头刀，有把小剪子，老师与他剪发。发辫蓬乱，有一把木梳，自己通梳，然后再编好。饿了就是米饭，也不知米从何处而来。要是渴了，就得饮山下的冷水。就依赖着打坐练气之功，不觉怎样痛苦。就是一样，捻米之法甚熟，粗米到手一捻就开。

这一日，童林在清晨将要捻米，银髯老师叫道："童林，我看你捻米甚劳，我当再与你进一步，操练手掌之法。"二位仙长，站起身来，童林相随至大殿以外。来至台阶石之下，命童林将台阶石打扫干净，命他将小褡裢由大殿内取出，卷好横在台阶石上。命将粗米取来，倒在台阶石上。银髯仙长站在台阶石下，蹲裆骑马式站好，把袖口往上一挽，好在台阶不高，正好用双掌搓米。仙长两膀臂用力，双掌按住粗米，说声："嘿！"往前一推，将手抬起。叫道："童林，你来看。"童林细看：粗米的壳全落，米粒皆出。仙长说道："你看，搓米倒很容易，省得你捻米甚劳。"童林一看，仙长搓出米粒之多，实在比捻米容易。于是按着仙长之法，骑马式站好，两膀用力，手按捻米，双掌前推，手掌如火烧的一般，疼痛难堪。米粒出来的不多。童林只得答道："弟子手掌疼痛，搓米不如捻米。"银髯仙长说道："师命不可违，不愿习学，当送你下山。"童林回答："奈因弟子手掌疼痛，如何是好？"仙长点头，遂由怀中取出小葫芦一个，将小葫芦塞儿取了下来，倒出一丸丹药，约有黄豆粒大小，放在自己口内，用唾沫嚼烂，童林将双掌伸开，遂唾在童林手掌之上，命童林擦抹均匀。童林此时想不搓米都不行，手掌奇痒难堪。童林只得如法搓米，倒觉爽快。此药能管七日，至七日过，药力已完，童林手掌也就不觉痛苦，这一日清晨，银髯仙长说道："童林，我看你搓米甚劳，不如捣米。"童林答道："不知怎么捣法？"仙长说道："你随我来。"仙长起身，走到大殿之外，用手一指甬路上汉白玉的香炉。遂叫道："童林，你把它打扫干净。"童林应允，只得将香炉收拾干净。仙长命童林将粗米取出，把口袋打开，都倒在香炉内。仍命童林骑马式站好，两手攒拳，先用右手拳，直向香炉内捣去。这一捣不要紧，童林的手背，被香炉里的米硌得疼痛难忍。遂向仙长说道："老师，弟子手背疼痛，望恩师将丹药赏赐一粒，以免痛楚仙长遂将怀中小葫芦拿出，仍然取出一粒丹药，命童林将手背伸出，将丹药含于口中嚼烂，照旧唾于手背之上。童林擦抹均匀，手背痒得难受，再如法捣米，真就不觉甚痛，米粒还出得不少。如此日日捣米，日子一长，拳到处，米粒即出，转瞬间，已将百日。仙长又命童林捻米，顶到百日呢？又改搓米，搓米搓了三个多月，又改捣米。如此光阴荏苒，日月如流，不觉三年。童林已觉得操手之法，颇有经验，坐功用气已成，奈因武术一艺未学。这一天，至晚间打坐安歇，二位仙长沉沉睡去。童林本当打坐睡去，因想武术一技未学，仅学操拳串米，有何用处。猛然醒悟，非是老师不教，乃是自己不肯求学，不苦请求。遂起身，来至二位仙长面前，双膝跪倒。奈因仙长沉睡不醒，又不敢呼唤，只得长跪地上。由初更时分，直跪到东方发白。上首这位银髯仙长，口念无量佛，随着花白髯仙长亦就醒来，见童林直着身子跪在面前。其实二位仙长早就知道他跪了一夜，故意装睡，佯作不知。因问道："你在此长跪，所为何来？你如不愿学艺，当送你下山。"童林跪禀道："恩师有所不知，容弟子面禀。弟子蒙二位恩师收纳，已串米三年，兼习运气坐功，颇为有效。奈因武术未得一技之长，非恩师不教，因弟子懒惰不学。望恩师赐教，又怕打扰恩师清睡。今承老师下问，弟子不敢不明白上禀。"银髯仙长回顾花白髯仙长，说道："此小子真可教也。"花白髯仙长答道："师兄，师兄，此子可传，何不授以绝艺？"银髯仙长遂起身叫道："童林，我将天下绝艺，相授于你，你可愿学？"童林说道："弟子敢不唯命是听。"银髯仙长说道："好！你随我来。"

　　说着师徒三人出离大殿，来至山门以外。银髯仙长用手一指上首那一棵万年古柏树："天下绝艺在此。"童林道："不知怎样学法？"仙长道："你来看我怎样做法，你当照样做去。"童林听罢，点头应允。前文表过，这棵树有四五个人搂不过来粗细。就见仙长将拂尘往大领上一插，两脚并齐，两手下垂，松肩提顶，目往前看。此谓无极图。何为无极呢？《拳经》有云：提顶吊裆心中悬，两膀轻松方自然。首如悬磬，用的是自然之力，不能用浊力，由无极而生有极。按天地之大，皆由太极中流出。花白髯仙长命童林随身后，也按此法站立。稍有不对，花白髯仙长在旁指点。童林就见银髯老师将身往下一蹲，童林也只得一蹲，又见老师将左腿往前迈了一步，双手往前一伸，左手圈于肋下，右手随着一转，右肘护住中穴，将头一扭，看左手掌的拇指。童林在后面，也照样摆成架式。童林不知，这正是前次渡水之法。凹腹吸胸，空胸紧背，掌不离肋，肘不离胸，龙骧虎坐，两脚正踢膝并行，此乃五当山洞玄真人张三丰所传内家之法。按今时之名，曰"八封绵丝柳叶磨身掌。"至今武术家所学此艺，皆童林之遗传。仙长迈步转树，以柏树为中心地点，童林随在后面，一连转了三个弯儿。仙长止步，叫道："童林，你按此法，若要做成，天下敌手甚少。此乃我二人平生之绝艺。此树即汝之师，汝用心转树，日久必当有效。"童林答道："老师，弟子转到何时方有经验。"银髯仙长微笑，用手指树，说道："此树若要追你，便当有效。"童林摇首道："恩师言之差矣，树乃是植物，岂能追我呢？"银髯仙长瞪目说道："住口，佛经有云：'铁打房梁磨绣针，工夫到了自然成。此为释道典故，北极玄坛，真武大帝，当修道未成之时，是为北极太子。因修道朝南海，欲拜观音大士，行至落伽山灵官庙前，见一老妇，手擎铁房梁，在青石上磨，不知何意，故上前去问。老妇遂说道："欲作花鞋，缺少绣针，磨成绣花针，好刺绣花鞋。"太子听罢，诧异问道："此若大铁房梁，怎能磨得了绣花之针？"老妇声色俱厉说道："铁打房梁磨绣针。你岂不知，工夫到了自然成。"太子闻言，恍然大悟，一悟入道。至今北极玄坛真武大帝面前，有铁房梁即此典也。故仙长用此言，以教童林。童林不能违背，只得转树，习以为常。可有一样好处，顶到转完了树，仙长将饭已经做熟，亦不见粗米。衣服若要坏了，亦不知哪里来的土黄的裤褂，白骨头钮子，左大襟。鞋袜若要坏了，也不知从何处而来，拿起就穿。终日并无别事，只转树一件正当的事情。冷了也转，热了也转，不知不觉，昼夜苦练，已是三年。童林不知不觉，那柏树四周围，被童林用脚走出两道沟。童林不觉工夫见长。

这一日清晨转树，童林纳闷，树果追他。其时，并非是树追童林，这就是童林的日夜苦练，三年之久，童林练的脚程甚快，就好似树追他一般。童林心中暗喜，遂进庙禀知恩师。来至大殿之内，垂手站立仙长面前。银髯仙长问道："你不在外面用功，来此何干？"童林见问，双膝跪倒："启禀老师，弟子转树，颇为有效，树果然追我。望恩师赐教第二绝艺。"仙长闻言，点头说道："等我观看。"二位仙长站起身来，命童林随在后面，出离大殿，临于山门之外，命童林如法转树。童林点头，只得按法去转。转了几个弯儿，二位仙长摆手："不用转了，你这儿来。"童林止步，站立仙长面前。仙长叫道："童林，今转此树三载，这就是你的根基。常言有云：万丈高楼平地起，水从源来树从根，此为第一步的进益。汝若学第二绝艺，休要心烦。"随说着，用手一指下首那一棵柏树，前文表过，这棵柏树五六个人搂不过来："你来看，此为第二步。"童林说道："这一棵树，也转三年。"仙长说道："胡说，你来看，又一种的转法。"仙长命童林随在背后。上首的这一棵树，是往左转，下首的这一棵柏树，是往右转。式样仍如前法。就是往右转，用左手往右胳臂底下一插，随着一上左步，右步随着进去，仍然是向左，直奔上首的那棵柏树走去，还向左转。转几个弯儿，用右胳臂往左胳臂底下一插，随着进步，左步跟着往上走，仍是往右转，直奔下首那棵柏树，如同绕花线的一般，终不离两棵树。这是两个转身，俗呼叫作"单换掌"，正名叫"磨掌"。当年鬼谷子画卦一元复始，不过是一道的"一"字，变为

"二"字，就是阴中返阳，阳中返阴。童林两个转身，式若圆形，犹如太极图形式。天下武林，皆从太极中流出，即此意也。

仙长指点童林明白，命童林着意去做。日子一长了，可就加别的功夫。内中有双换掌，"伏地龙"，"狮子抱球"，"狮子捧球"，"狮子滚球"，"白猿献果"，"黑龙翻身"，"乌龙出洞"，"白蛇缠身"，"白蛇伏草"，"白蛇吐信。"按白蛇缠身，就说这一手掌法，里面暗藏七十二趟截腿，一百单八招点穴。书说至此，不能细表，其中奥妙无穷，明者自知，不敢烦絮。却说童林，终日不单转树，外加别的功夫。什么功夫呢，早晨转树事毕，二位老师与他传习兵刃，什么枪刀剑戟，斧钺钩叉，鞭锏锤爪，镗链拐，棍搠棒，十八般兵刃。外加军刃谱，五百四十八样兵刃。还有外门的家伙，什么带钩的、带链的、带刺的、带绳的，种种不一。那位说："这个山上都有这些样兵刃吗。"并没有。"那么没有，你说他作什么呢。"我所说的，可不是铁的。那位说："是铜的？"也不是铜的。"那到底是什么的呢？"你若问哪，是木头的。仙长以木作成兵刃，命童林练成。遂将木械全都烧火做饭。到了晚间，传习他蹿高纵跳，高来高去，陆地飞行之法。每日正午无事，闲坐之时，与他讲究一切江湖绿林道的规矩，各行的行话，江湖上的黑话，哪一省有英雄，哪一省有豪侠，哪一处有剑客，哪一处有侠客。手使什么兵刃，是哪一个门户的传授，若要遇上，如何跟他动手，使什么招数赢他……真是谆谆教导。童林越学越有滋味。无事时，二位仙长与他拆手。什么叫拆手呢？就是将童林的武术，与他讲解明白，就如同念书开讲一样。常言有云："书念一世不讲，不如不念；拳脚练一世不拆，不如不练。"正此之谓也。童林所用的苦工，昼夜的寒暑，得意兵刃，其名叫子午鸡爪鸳鸯钺。此兵刃是怎样形式呢？就如同护手钩，可没有那个钩。长约一尺二寸长，护手月牙，在月牙的护手上，一边一个尖子，在尖子底下，向着月牙，一边一个鸡爪钩。乃是一对，纯钢打造，利锐锋芒，此乃内家之兵刃。二位仙长传授，童林颇得其中之奥妙。童林在此学艺，不知不觉，已经十五载的光阴。日夜的习练，可折为三十年的苦功。

这一日正值深秋，寒风儿阵阵，败叶凋零，秋草迷目。又兼着，四外的青山，孤零零的古庙，群墙崩颓。又值黄昏时分，二位仙长打坐当中，人声寂寂，百鸟无音，童林独坐败庙以内，欲要打坐盹睡，为秋色所感，触动思乡之念。回忆当年，在家中娇生惯养，父母的钟爱，又兼家道和平，十八岁习学武术，因为斗纸牌；因青草蛇所起，致误伤老父，因而逃亡在外，如非山口巧遇二位恩师，焉有今日之身？虽然技艺学成，也不知家中景况如何，二老年迈，无人侍奉，我是久离膝下，难以承欢。我成为天下不孝之子。思想双亲之际，又想到家中的田地无人照管。叔伯兄弟童缓可不知还在一处同居，若在一处，尚可照看一二。回忆旧景，不觉的潸潸泪下，心中非常难过。又兼夜静月明之际，飒飒秋风，寒月吊在云端，又有那依稀的星斗，天若水洗，万籁无声，静悄悄寒虫儿夜鸣，教人怎能禁受这一分凄凉的景况。心中辗转不宁，犹若败絮。思前想后，直至东方破晓。

童林正在思索之时，二位仙长已经晨起念佛，银髯仙长叫道："童林，一夜不眠，所为何故。"童林遂跪于仙长面前，叙述夜间所思，一字亦不敢隐瞒。二位仙长闻言，长叹一声，遂说道："我二人实指望隐于山谷，却去尘缘，与草木同甘苦，修为金罗大仙。不料想因缘相凑。我二人实指望山谷无人，不想巧遇你，岂不是缘在三生。我二人将你收为弟子，所因何故呢？只因我二人怀揣绝艺，不忍埋没山谷，欲传于你，以留后世。实指望将我二人平生所学，尽传于汝，不想你福薄缘浅，不堪承受。今汝尘缘已动，当命你下山回家省亲，你心下如何？"童林闻言，往上跪禀："弟子蒙师之教，赐以绝艺，未能孝顺恩师一日，岂可相离。"仙长说道："话虽如此，为人三层父母，生身父母，岳父岳母，师父师母。为师我为师生之情，岂可断绝你父母天伦之乐？今汝之情动，心思已散，再不能学艺，师当送你下山，归家省亲。你若不愿归家，为师也不能相留，因为什么呢？你亲生父母尚不能惦念，何况为师。"童林闻言，只得向上叩首："既然恩师命弟子下山，弟子岂敢违背师命。"银髯仙长说道："既然如此，我且问你，你可知此山叫作何名？"童林答道："弟子不知。"银髯仙长又道："此庙叫作何名？"童林说道："此庙名金顶玉皇观。"银髯仙长听罢，复又说道："我弟兄二人，姓什名谁，你可知晓吗？"童林答道："非是弟子荒唐，奈因弟子不敢动问。望恩师赐教。"银髯仙长道："门户之中，五戒，你可知晓？"童林说道："弟子不知。"二位仙长含笑，用手指童林说道："愚哉，童林。你皆不知晓，无可为罪。来来来，待为师细细告诉于你。此山为江西贵溪县管辖，此山名曰卧虎山。庙名汝既知晓，不必再告诉于你。我二人非愿收你作为弟子，奈因缘分所缠，又皆因我二人之绝艺无人承受，欲传汝兴一家武术，真可称别开天地。另立一家门户，由汝始。我二人之门户，不能告诉于你，恐日后又有是非。命你自立门户，免耽误我二人修行。

我二人之姓名，本不当告诉于你。奈固有师生之情，虽然我二人告诉于你，不准你再告诉别人。旁人若问，何处学艺，何人所传？汝可说：在江西地面，古庙睡觉，夜梦神人所授神拳，以遮饰我二人的姓名。"童林答道："弟子谨遵师命。"

银髯仙长又说道："我二人收弟子无多，只有你两个师兄，皆都是带艺投师。就是你作科十五年，日夜苦练，可折为三十年的学业。你头一个师兄，四川人氏，姓明名灯，字照远，江湖人称赛北侠，现在不知在于何处。第二师兄，乃是出家的和尚，绰号人称长眉长老，亦不知所在。今命你下山，得使我二人再与你收个师弟，相助你兴一家门户。门户之中五戒，你可愿闻？"童林闻言："弟子愿受教，但不知何为五戒？望恩师指示。"银髯仙长说道："你我门户之中，以五戒当头。第一戒，戒的是色。行侠作义，学会高来高去，夜间在外面作事，见了女色，妄动邪念，门户之中所不许。你若犯了色戒，见美色，动淫心，若有败行之举，为师必取汝项上之头，悬于山门外柏树之上。柏树即汝之师，不能令汝破坏门户。此谓第一戒。汝可愿遵？"童林答道："弟子愿守第一戒，弟子愿闻第二戒。"银髯仙长说道："第二戒，就是盗。汝学会小巧之技，窃取之能，汝若行于热闹市井之中，观看银楼缎铺，大户之家，金钱满目，妄动窃取偷盗之心，你若将金银偷到手内，任意挥霍，你不管被窃执事人员，有性命关系，此谓伤德。我们正大的门户，岂能令汝窃盗，以毁坏门户的名誉？若犯此戒，必当断汝之头，以清门户。"童林答道："弟子不敢，愿遵第二戒。弟子愿闻第三戒。"银髯仙长说道："就是不准卖艺。旁人卖艺皆学的是花拳。你我练的功夫，与花拳不同，若要将黄金之艺，扔之于地之上，岂不可惜。练着又不好看，又与门户无光，反受旁人非议，岂不有伤门户。你我门户之中，并没有在外卖艺之人，若犯卖艺之戒，定取汝之头，悬于柏树之上。"童林答道："弟子愿遵这第三戒，并请教第四戒。"仙长说道："这第四是艺不轻传。""弟子不知。愿闻示谕。"银髯仙长说道："你若问，就好有一比。比作什么呢？就拿你我师生说，我二人身藏绝艺，隐避深山，实指望修得飞升羽化，离魂夺舍，效纯阳之故辙。"这飞升羽化、离魂夺舍，效纯阳之故辙，都是什么呢？这个道家与和尚，原是两道。和尚修的是阴道，终日打坐参禅，修成为鬼仙。这个道教修的是金丹已成，必当离魂夺舍，就是自己的肉皮囊，能够魂灵出窍，在四外云游。若遇有富贵之体，能把魂灵投入，可以肉体成仙。就拿八仙之内，纯阳吕祖，惟有他修道最难。他原是汉朝人，修练到唐朝，他的大道还未成。皆因欲赴瑶池，朝拜王母，他找了个僻净陋室内打坐，他的魂灵去朝王母。蟠桃会赴毕，回归时，他的肢体已然腐烂不堪，由此，他的魂灵儿飘飘荡荡。正值唐明皇驾崩，他的魂魄，投于明皇之体。若不然，到如今画八仙，有吕祖穿黄袍。非是自己的形体，乃唐明皇之尸体，因被吕祖夺去。书归正传，银髯大仙说："与草木同苦，修成大罗金仙。奈因绝艺未有人承受，我二人行于山谷之内，你追赶我二人欲拜为师，岂非是缘在三生？就说我二人有此绝艺，欲寻汝这诚实弟子，就是打着灯笼，寻遍天下，亦难以寻找。怎么呢？就说十五年寒暑，日食不过白饭，渴饮山下清泉，连咸菜也没有。你忍得了劳，耐得了苦，专心习学，别人恐难做到。就说家有万贯富有资财，欲拜我二人为师，我二人若为黄金白玉所动，岂能将绝艺授汝。就譬如这样说，我将绝艺传授于你，你奉我二人之命下山，若与人动手，一掌将人打死。按你我门户之戒的规矩，杀人偿命，欠债还钱，自己就得投案。岂有杀人放火，自己逃走的道理。就得遵国家王法，与人抵偿。你若与人偿命，我二人十五年的苦工，传授于你，心血耗枯，这岂不竹篮打水，落了一场空吗？如同我二人艺传匪人。"

童林闻听，心中暗想：学会武术何用，必当问个明白。童林随又问道："弟子蒙师之教，学会武技，恩师又不让与人动手，恐伤人之性命，但不知武术用于何所？望恩师指教。"银髯仙长说道："童林，你化解不开。武术原有大用，往上说，报效疆场，往己身说，可以保护身体。非不令你与人动手，是没有武术的人，不准与他动手。你若打在他的身上，轻者重伤，重者丧命。他没有武功，岂能禁得住你打？这是不准你与人动手的理由。若真遇见有能力的，有好武术的能人，你要与他动手的人，如果动起手来，这还不准你让他，要遇见对手时，与他动上手，你的眼要贼，步儿要随，心要稳，手要准，打上他要狠。为什么要狠呢？因为你打轻了他，他不知你的门户厉害；若要打重了他，他才知道你的门户不好惹。你的门户由此可自兴一家。这个'艺不轻传'，非是不让你传授武艺，是艺不传授与匪人。若不传授与人，岂能自成一家门户呢？还怕人不学呢！是'择良者而授教'。这就是第四戒。要谨记在心，不可轻传匪人。"童林答道："弟子愿遵师命。何为第五戒。"银髯长老说道："这第五戒，就是本身的责任。何为叫本身的责任？就是自己的一身全挂子武术，身背负者天职，就是国家办不到的事，比如贪官酷吏，恶棍土豪，他们所做的事，国家岂能知晓！这可是你当尽的义务，应当你我终日里，浪迹萍踪，与人排难解纷。自己原无事，枉为他人忙。喜忠正，恼奸猾，杀奸诛佞，除恶安良，搭救忠臣孝子，义夫节妇。若有忠臣遭屈，孝子被难，只要自己知晓，不辞千里，前去拯救，除暴安良。这就是本身的责任。你若背门户之中五戒，错行道路，定取汝首，悬于卧虎山柏树之上。"童林跪叩："弟子愿遵门户之中五戒。弟子有一事不明，望师指教。"银髯仙长说道："为师若有不对，你只管言讲。"童林答道："弟子蒙恩师之教，一不准窃取偷盗，二不准打把式卖艺，弟子有通身的武术，奉师命下山兴立一家，弟子思想已久，弟子怎样求其衣食，哪里找饭？"银髯仙长大笑道："痴哉童林，万朵桃花一树生，天下武术是一家。用之于国，与国家出力报效。国家不用，将自己的包袱一背，走遍天下。遇有村镇，若有把式场子，走在里边道声辛苦，请教师答话，照着原先我告诉你的规矩，不但他管饭，临走的时候，还得与你带盘缠钱。"童林一听，好在还有这么一个饭门。文武圣人所留，没有饿死的道理。文的亦叫"游学"，念书人学而未成，不能入仕，落魄江湖，小书箱一背，到了乡下叫"串书房"，到里面先放下书箱，与圣人神位作个揖。然后与教学的夫子谈话，人家亦得管吃管喝。可有一样，不能白吃。吃喝已毕，人家先生把大学长文章拿过来，叫你给批点批点。你若告诉，我不认得字，那可不行，就赶出去啦！这个"学武"亦是一样的道理。童林说道："愿遵恩师的教训，弟子敢问恩师姓氏，望请赐教。"银髯仙长说道："你别忙，我还有事。"仙长回手在神厨内拿出一个小褡裢，里面裹着一对子午鸡爪鸳鸯钺，交与童林。仙长又拿出一个包袱来，命童林打开观看。里面土黄布的裤褂，白骨头钮子，左大襟，抄包一根，鞋袜全份，俱是新的。命童林更换。童林遵命，背转身将鞋袜新衣换齐。将旧的包于包袱之内，仍然交与仙长。仙长将包袱放在神厨以内，随手又拿出一本书来，交与童林，说道："汝生平所学，都在其中矣！"童林跪接展开观看，里面俱是画图，飞禽走兽，水虫灵动之物。童林看不明白，启禀恩师："弟子所学，并非图画。恩师何言'所学尽在其中呢'？"银髯仙长说道："汝好不明白，汝岂不闻：轩辕黄帝指猿猴而留技艺。猴有三躲六闪之功，虎有三绝。察天地之气候，访万物之灵动，远取于物，近取于身，哪一件技艺，不是由灵动而求。"童林恍然大悟。只因黄帝察万物之灵，都有天然躲闪之能力，不但猴儿，只要有吸呼的灵气，他就有保命的秘诀。将这些学在自己的身上，这就叫远取于物，近取于身。今之行意拳，也是行发心意，求于灵动的绝艺，故名行意，即此谓也。银髯仙长命童林将此书收好，命童林随时习练。童林将书带于小褡裢之内，将双钺一边一柄，插在小褡裢之内。银髯仙长用手一指花白髯的仙长：“他这位恩师姓何，双名道源，江湖人称太极真人。我姓尚，名叫道明，江湖人称无极子。我二人隐迹多年，无人知晓，千万不可令旁人知道。你我师徒一场，无物可赠，我二人清苦，并无积蓄，今有纹银一两，相赠与你作杯水之资。”遂由兜囊之中，取出银两，交与童林。童林接过观看，俱是零星碎块，小小的纸包儿，随手掖在抄包之内。复又行礼，谢过恩师。银髯仙长说道：“徒儿免谢吧！”说着话，二位仙长站起身来，往外相送，随走随说道：“你到家中，见你父母，多多替我二人问安。”童林只得将小褡裢扛在肩头，拜别二位恩师，走出山门之外。童林说道：“弟子岂敢劳动恩师远送，请恩师回庙。”尚仙长说道：“你路径不熟，待我指引于你。”师生三人随下山往北，行至不远，又是一矮岭。二位仙长带童林上岭。来到岭上，用手往北一指：“你来看，这就是卧虎的前山。你来的时候，是误入后山，因而迷于山谷。你看前面茂林，正北便有大道，可通过京师。你沿途保重，回家替我二人问安。”童林听罢，不由得心中一酸。可惜十五年师生感情甚厚，不忍相离。今又奉命归家省亲，又不敢不遵。遂含泪说道：“今与恩师相别，但不知何日方能相见？”尚仙长用手一指：“你来看，青山不老，绿水常存，他年相见，后会有期。”童林于是跪倒，与恩师告辞。遂站起身来，不由得珠泪双流，只得与恩师相别。这就是丈夫泪儿不轻弹，只因未到伤心处。童林也是不忍分离，走十步，九回头，仍然看见仙长在山岭上目送。其实二位仙长也是难舍童林，依然远望。

　　不表二位仙长，再说童林，只得往前赶路，走至树林之内，回头一看，为树所遮，竟看不见二位恩师。童林跺脚而言：“恨童林无伐树之能，不得观看恩师。”谁有伐树之能呢？三国刘皇叔，伐树送元直，方有走马荐诸葛之故事。童林挂念父母，归心似箭，只得奔驰道路，就走下来了。穿过树林，直奔通京师的大道，往前行走。正行之间，已至巳牌时分，觉着腹中饥饿，只得回手往抄包内一摸，银两毫无踪迹。童林出了一身冷汗。常言有云：“有钱走遍天下，无钱寸步难行。”这便如何是好？

　　要知童林怎样归家，如何初试绝艺，请看第二回，便知分晓。

第二回

童海川下山初试艺
探双亲风雪入京师

　　话说童林心猿意马，恨不能肋生双翅，飞到家中探望双亲，只顾贪赶路程，不知将抄包内的银两失去。原来自己这身衣服兜破了，碎银子都从这掉下去，包银子的绵纸尚在，海川一赌气把纸也扔啦。他站在山口，一阵发怔：大丈夫不可一日无钱，这便如何是好？海川顺丘陵地带一边儿走，一边愁，离家万里，没有分文，这可怎么办？他脑子里"轰"的一下，想起师父说过：如有困难之时，可去附近把式场内，道道辛苦，借个十两八两。于是脚底下用力，直奔北双熊镇而去。海川一放步，几十里地就出来啦。来到镇南口，街里也没什么人，走进不远，路东高台儿有一眼井，上边有盘辘轳，有位大哥正在往上提水哪。海川来到井台，问道："大哥，我跟你打听个事好吗，这镇上有没有把式场？"挑水的大哥一听，上下打量海川，觉得这个人又穷又怯，暗暗地纳闷儿，道："您从这儿往北，到十字街往东，快到东头，路南有个五间门脸儿，前边搭着大天棚，那是大茶馆。再往东走不远，路北有个大庙，是火神庙，庙里有把式场，你去找吧。"

　　海川顺十字街往东，一看路南果然有个大茶馆，字号是"迎佳宾。"天棚的竿子头上拴着绳，吊着小牌儿，底下挂着红布条儿，小牌上写着"毛尖"、"龙井"、"大方"等等的茶叶名儿。往前不远，有座大庙，宏伟高大的三座山门。海川一看，蓝额金字："敕建火神庙。"他迈步进去，东西钟鼓二楼，北大殿往后还有两层殿。东西一道长墙，当中一个月亮门，旁边一根横杆，上面垂吊着很多布条。这儿是卖馒头的作坊。西面也是一道大墙，当中一个月亮门，门旁埋着一根一丈长的大白蜡杆子，标志着是个把式场。海川来到西月亮门外，这时候，有个二十来岁的徒弟，正从里边出来，海川一抱拳："朋友，我找你们把式场的师傅。"这位教场子的老师父已经五十多岁，很有点功夫，在这里教了二十多年。他每天去"迎佳宾"茶馆喝茶，现在不在场子里。场子里有五十多个徒弟，由两位练艺多年的大师兄管理。小徒弟往里跑，来到场子里喊："大师兄，外边来了个人，要找咱师父。"转身一指海川："就是这位。"两位大师兄一看，喝！把嘴撇的跟烂柿子似的："你找谁呀？"海川一瞧这二位，从年纪上看，也够三十多岁，跟自己差不多少，都穿一身蓝。海川见他们满脸的蔑视，一抱拳，问："二位怎么称呼？我找场子里的老师傅。你们二位是教师吗？""不，我们哥俩是教师的大弟子。我叫两头蛇刘洞。他是我师弟一枝花韩庆。""原来是刘、韩二位教师，失敬失敬。"海川作揖客气。这二位连礼都不还，道："你找我家师父，有事么？"海川道："二位师傅，小可居住直隶省，因路费丢失，特来贵场子找老师傅借些盘缠。"刘洞一听，心里说：你连路费都被人偷去啦，还冒充什么把式匠哪。"行啊，请到这里一谈。"刘洞、韩庆带着海川就往里面去了。

小徒弟打帘子，海川走进房中坐下。小徒弟端过茶来道："请问师傅贵姓？""不敢当，姓童名林字海川，直隶京南霸州童家村人氏。你把老师傅请来相见吧。""您不就是借钱吗？我们弟兄都能做主。敢问您是哪一门的人哪？"童林心说：我这门户还没立哪，说道："二位，您要问我的门户，尚且未定。此次奉师命下山兴一家武术，我要自立门户。"刘洞一听，差点没笑死，就凭这副尊容，我们爷们儿出身名门，这么好的功夫都不敢说兴一家武术，你不怕风大闪了舌头。又一想，人不可以貌相，问问他师父吧："您的老师是哪位呀？""啊，我的本领是仙传，吕洞宾教的。"刘洞一听，这可是奇闻哪，吕洞宾教武术？真是岂有此理！给你二十两银子不算什么，叫你蒙去可不成。干脆把他揍跑了得啦！"老师傅，咱武林道有规矩，您有门有户，只要进门道辛苦，我们可以给您路费。"海川一听有门儿，便道："那赶紧拿二十两纹银与我，我还要立刻回家哪。""您先别忙，可您没门没户没师传，这怎么能给呢？"海川一听真急了，就问："二位怎么样才能给钱哪？""对不起，我们要讨教您的武艺，您有能耐胜了我们才能给钱。"海川很生气，没有说话，把哨码子一放，往当中一站。韩庆也不答话，左手晃面门，右手攥拳挂着风声，"黑虎掏心"就是一下。海川连动都没动，一看拳到，用右手攥住他的手腕，自己斜身形，顺手牵羊一带，右脚一端韩庆的脚脖子，"嘭"地一声，给韩庆来了个大马趴。刘洞见状，迈步过来，往前一凑步，脚踏中宫，右手拳直奔海川面门，一个"仙人指路"就打。海川随着身体一仰，右脚扎根，左脚照定刘洞小腹就端，"扑通"，刘洞仰面朝天摔倒在地。五十多位弟子全傻眼啦，忙道："童老师请到屋中一坐。"海川无法，只好提着哨码子进屋。刘洞挨了打不服，从火神庙出来，直奔"迎佳宾"茶馆叫师父去了。

　　把式场的老师父是云南人，姓雷名春字振恒，江湖人称"通臂猿猴。"刘洞从外边进来道："师父，有个人到咱们场子里来找师父借路费。"雷老师把脸往下一沉，道："糊涂！山南海北的，困在咱们这一方，江湖义气，四海之内皆朋友，何必还找我呀！"旁边的乡亲们议论纷纷："对呀，雷老师这么多年，挥金似土，仗义疏财，不知花了多少银子啦。"刘洞答应："是这么回事，弟子看这人衣衫褴褛，十分穷困……"还没等刘洞说完话，雷老师就接上茬儿道："你这叫什么话，以貌取人，失之子羽。再说，武林前辈施恩不望报，经常身穿烂衣，隐于市尘，游戏三昧，甚至故弄玄虚，神龙见首不见尾，办了好事，飘然而去，这种事还少吗？给他几个钱就行啦。""是，可弟子见他说话难听，不知他是哪路英雄，问问他门户。"雷老师点头道："这还可以，不能由于咱们行善，叫人家钻了空子，诈了财去。那样，咱爷儿们就算栽啦。他什么门户？""这个人说他奉师命下山自创门户。"众人一听可都怔啦。"这人说话怎么这么狂啊！雷老师，揍他去！"雷老师什么样的英雄人物都会过，心里想：这是踢场子来啦。祸到临头须放胆："刘洞啊，你可以问他老师是谁呀？""弟子问啦，他说是吕洞宾教的，是仙传。"这句话可炸了窝，连喝茶的"嗯啦啦"都站起来了："雷老师，这个人是踢场子的，他吞了豹子胆啦，太岁头上动土，老虎口边拔须！咱们都去助威，看看雷老师怎么打他！"七嘴八舌，说什么的都有。雷老师看看刘洞，质问道："你跟你师弟，还能允许他胡扯吗？为什么不打跑了他！难道说这么一点小事也要为师出面不成吗？"刘洞脸色显得难堪，道："师父，我和师弟都叫他给打了。"雷老师一听，勃然变色，拔腿而去。

　　到了把式场儿，刘洞挑帘子，雷老师一看海川，心里话：这是个老赶哪。他一抱拳："童老师，失迎失迎。"海川也抱拳答礼："啊，打扰打扰，您是这儿的老师吗？""不错，在下云南人，姓雷名春字振恒，江湖人称'通臂猿猴'。没领教老师怎么称呼！""童林，'童海川，霸州童家村人。"雷老师问门户问师名，海川还是照样一说。雷春看海川的眼睛闪闪如灯，知道童林身怀绝技。"童老师，您丢失了银两路费？""不错，愚下想跟阁下借纹银二十两。""可以可以，我想跟您讨教讨教武功，童老师不吝金玉吧？"海川一摆手道："雷老师久在江湖，您也是前辈。常言说得好，文不加鞭，武不善坐。我只不过缺些路费，您又何必动武呢？当场动手，各凭己能，万一输招，雷老师在此多年，如何收拾呢？"海川一再推辞。雷春却认为海川无能："童老师，今天不动手见见招数，银子可不能相赠。"海川无法，就来到场子里。看热闹的乡亲们一看海川，一下子全笑啦，心想："这位老赶，非叫雷老师给打坏不可。"雷春拱手："童师傅，咱们比拳脚哇，还是比兵刃？""全行，雷老师随便吧。""好，我们先比刀吧。"他一转身从兵器架儿上拿起把刀来，海川也拿起一把来。雷老师一个箭步儿，嘿，干净利索！往当院中一站，"夜战八方藏刀"式："请。"雷春心想，他任什么都不会，混充大尾巴鹰啊！雷春左手晃面门，右手刀缠头裹脑，"唰——"照定海川，斜肩带背就砍。海川的眼力身法招数，以及实战的应变都是尚道明、何道源两位武林剑客教出来的，比方说尚老剑客砍童林一刀和雷春砍一刀，同是一个砍法，砍的也都是一个地方，在速度上就大大不一样！海川看雷春的刀来砍自己，就像慢牛车似的，他也没动地方，只是往下一矮身，用自己的刀反手一砸雷春的刀，"呛啷啷"，雷春感觉好像有人从手里夺的一样，刀就出去啦。他的脸臊得跟大红布一样。说真的，他都没看见童林怎么闪躲怎么还的招儿。"哗"地一下，人们可就怔啦！海川赶快把刀捡起来，两口刀都放在架子上。"雷老师承让了，您给我二十两银子我就走了，您看好吗？"刘洞他们一看，心说："坏啦，这个老赶赢师父跟赢咱们一样省事。"雷春摇了摇头道："童老师，您的功夫太好啦。我还要讨教讨教。"一伸手把大蜡杆子抄起来。海川无法，西配殿地下也横着大蜡杆子，童林也看出雷春拿杆子很有功夫，他并不猫腰，只用脚尖一搓中间，跟着用脚尖一挑，就把杆子拿起来了。海川心里想："我要跟你一样拿杆子，何足为奇哪。"想到这里，就来到这条大杆子的一头，这种大蜡杆子足有一丈二尺长，后把就有小茶碗那么粗，练这玩艺儿最吃功夫。那么海川练过吗？练过。在山上练的不是蜡杆子，是一丈多长的小松树，去了枝叶，剥去皮，比这杆子可难多啦。海川一猫腰，用右手当中三个手指，平着一按大蜡杆子后把头，这条大杆子跟粘上一样子着起来了。乡亲们齐声喊好。雷春大吃一惊："可了不得啦，这人的内力可太大啦！这运用的是五脏之气呀。"海川"怀中抱月"："请。"雷春一挥大杆子"狸猫扑鼠"，照定海川胸前便点。"唰"的一下就到啦。海川胸有成竹，上左一滑步，大杆子"霸王解甲"，花下一落，正搭在雷春的杆子上，蜡杆子讲究崩砸挑缠。海川功夫一到，就好像一条蛇一样把雷春的杆子缠上啦，前把一抗，后把一拧，"呼噜"，硬把雷春的杆子夺出了手。雷春扎撒二臂，脸色苍白，他觉得跟童林比，差得太远啦。乡亲们也都傻眼啦。海川把杆子放下："雷老师，这都是小巧之艺，本不算输赢，您把钱赏下来，我就告辞了。"雷春听完，把心一横："童老师，我还要讨教您的拳脚。"海川一想，这钱真难要哇，干脆，我揍你一下，可能就给银子啦。"雷老师，小可奉陪就是。"雷春一想，问他门户他不说，让他亮架式，凭自己的经验也能看出他是哪一家的武艺："童老师亮个式子吧。"海川琢磨，我要亮出式子来，人家可能看得出来，不亮又不好，来个半拉式子吧。他左手平着往外一伸，应该左脚也伸出去，他没有，身体直立，右手在胸前："雷师父请吧。"雷春一看，这是什么架式？雷春左手一晃，右手对准海川胸前便打。海川要揍他啦，发招也就快啦。他用左手一穿雷春的胳膊，"金丝缠腕"，右手一捋雷春的手腕，往前一拉他，雷春就往前一栽。海川左手一扣，就在雷春的后背上，只用一成力呀，"嘭"的一声，雷春栽出有二尺去。他觉得脑袋嗡嗡的响，耳朵眼儿"吱喽喽"放了响箭，眼冒金星，嗓子眼儿发甜，心口窝发热，一张嘴，哇的一下，把早晨吃的炸酱面全吐出来啦。雷春脸色发白，汗珠顺额角往下流，浑身颤抖。好几个徒弟把他给搀起来。雷春道："童老师，你好俊的武功，雷春甘拜下风。快拿二十两银子去，拿来银子交给童海川。"海川心里很不过意，道："雷师傅，真对不起，在下离乡多年，奔家心切。什么时候您走到霸州童家村，小可一定竭诚相待。"雷春也说不了话了，海川只好告辞。

这是童林头结一掌仇。他认为这事就完啦，可他把雷春二十多年的饭碗给砸啦，把式场踢啦，人家能咽下这口怨气？雷春可不是一般的人哪。在云南府昆明县管辖下有一片大山，叫八卦山，南盘江的江水三面回绕，里边有八位庄主。大庄主混元侠逍遥叟姓李名昆字太极，掌中一对乾坤太极图，艺压武林，年逾八旬，是一位有名的大侠；二庄主姓胡名庭字元霸，人称铁臂猿。七十多岁，久经大敌，掌中一口单刀，武艺绝伦。雷春就是他的弟子；三庄主姓任名光字志远，两膀一晃，力有千钧，掌中一条水磨竹镶铁钢鞭，翻天三十六式，人称单鞭将；四庄主是位和尚，混身横练，手硬如钢，使一把亮银方铲，有达摩老祖易筋经的功夫，江湖人称铁背罗汉法禅僧；五庄主火眼金睛贺勇贺建章；六庄主宝刀手汤龙汤茂海；七庄主青风过柳柳叶猫韩忠韩殿远；八庄主袖吞乾坤小武侯田方田子步。八位庄主各有奇能，威镇武林，童林丝毫不知。打了雷春，捅了马蜂窝，弥天之祸，暂且不说。

　　且说海川有了路费，饥餐渴饮，昼夜兼程，恨不得肋生双翅，飞越江河，速度快得惊人。可路途十分遥远，从深秋又到了地表鸣风，天空欲雪。一年易逝，又报岁残。声声腊鼓，敲碎旅客之魂。阵阵寒鸦，惊醒征人之梦。年关严冬季节，来到家乡，正是彤云四布，大雪将下，朔风凛冽，地冻天寒。天大黑时，才来到童家村的东口外，村里并无乡人。他"少小离家老大回"呀，真是去日儿童皆长大，昔年亲友半凋零。自己衣衫这样褴褛，怎敢贸然进门哪。海川想，我不如先到姑母家中去打听一下，然后请他二位和父母通融通融。没想到海川白去了，姑父母前十年就相继去世了。等自己再到童家村，雪开始下起来，而且越下越大。村东口有片树林，是童家的坟茔地，他把哨码子放到树根下，心想，为什么不暗探家宅哪？海川把长衫一拽，抬抬胳膊腿，周身上下合适，不带兵刃，从树林内出来。隐蔽身形，拔腰上房，形如猿猴，快似狸猫，一点声息皆无，蹿纵跳跃，如履平地。来到家宅东北角儿，拧腰越墙来到自己房上，施展"倒卷帘"的功夫，从前沿探下身来。屋里灯影摇摇，海川用小指甲把横楣子的纸捅个小洞，往里观看，一看，犹如万把钢刀扎于肺腑。靠着东墙，老父老母都坐着，面容憔悴，毛蓝布的大被倒是很厚的盖在身上，一盏豆油灯，光亮有限。地下有个炭火盆，药锅放在桌上。兄弟童缓端着药碗，跪在炕沿上："大伯，您喝药吧，少想心事，咱家虽不说福德深厚，您二老做事为人，谁不知道哇。我哥哥吉人自有天助，什么事也没有，落叶归根，终久会回家的。您要不思念我哥，怎会得病啊。吃吧。"老人长叹一口气："唉——缓儿，伯伯糊涂哇。"说着眼泪哗哗地往下流。再看老娘也热泪直流，唉声叹气："海川儿呀，你现在哪里呀？不论怎样，也不应把你二老爹娘抛在九霄云外呀。"童缓低声劝解。海川难过万分，有心下来与爹娘相见，自己又不敢。十五年分别，自己如此狼狈，父亲有病，倘有不幸如何是好，现在身上分文皆无，不如去趟北京，找个把式场，踢上十场，弄来二百两银子，那时穿上新衣，回转故里，父母一见心欢，病就会好些，然后慢慢地再叙前因。海川思索至此，翻身上房，越墙而出，来到童家坟茔地。又想了一想，把心一横，绝不能如此穷困见爹娘。此时，风雪正紧，鹅毛大雪从天而降。当头片片梨花，迎面扑扑柳絮。海川顶风冒雪，认辨方向，绕走霸州城，直奔固安、大兴县往北京而来。

天光闪亮，远远望见永定门城楼，雪好像小了，风也不刮啦，玉宇琼楼，好美呀。等到了门脸，喧嚣声四起，推车的，挑担的，鱼贯而行。当中黄条石的马路，两边有铺面房，再往北奔天桥。距离到天桥二里半地，远望着汉白玉的栏杆，底下是从龙须沟过来的水，顺西沟流出。天桥人烟稠密，海川不知道什么地方有把式场子，正往前走，从对面来了个遛早弯的，地道北京人，四十多岁。这位迈着四方步遛鸟哪。海川走过去一躬到地道："先生，请问附近有把式场吗？"这个人站住了，一翻眼皮，上下打量道："往北不远有好几个哪。"说完了，扬长而去。海川顺着方向就走下去了。饿了，紧紧裤腰带，舔舔嘴唇。北京城他第一次来，人地两生，衣服又破，被人家看不起，就这样走走停停，穿大街越小巷，信马由缰，行无定处。雪又下起来，寒风又起。海川冒着风雪，被困在京师。

这一天连口水都没喝，更不用说吃饭啦。也搭着阴天下雪，天早就黑了。这时候，风雪正大，有钱的人家拥炉取暖，谁能想到在冰天雪地之中，还有一天水米没沾的落难人哪。海川从天桥到五牌楼，再穿东河沿，来到崇文门外，往北进内城。过东单，走东四到北新桥。他不认道，又往北下来，再往前走就到了成贤街东口。他一瞧，东边一片金碧辉煌宏伟巍峨的府第，紫红色的围墙，金黄色的琉璃瓦。海川一看，两扇大红门，朱门兽环，紧紧的关闭。这是庄园处，不是府门，再往东才是正府门。府门上有门灯，下有懒凳。门虽然关得很严，懒凳头儿是在外面的。过街的大影壁十分讲究，上下马石，一边四棵门槐，东边是马号大门。喝，这府太大了啦。雪下得很深，只有在这大门洞内避风。唉，一天什么都没吃，堂堂的英雄，一身绝艺，连一顿饭都找不出来。海川心想：先在这避一避风雪，明天天亮，我一定要设法踢场子借钱吃饭，决不能困死在北京。海川把哨码子搭在懒凳头上，自己往上一坐，盘膝吸气，用气功催动身体各部位，慢慢地就睡觉了。

后半夜风雪皆停，天一闪亮，就听见大门里边有人喊："王爷出来啦。"嗯噜嗯噜出来的人可不少，脚步匆忙。海川一想，里边出来的主人一定了不起，我得赶忙离开这儿。可他又纳闷：天还没太亮哪，这么冷的天气了，暖铺热薰的，不在被窝里，出来干什么？还没等海川想完哪，"咣啷啷"，门分左右，前后呼拥，跑出来一帮二十上下岁的哈哈珠子，足有十几个。众星捧月一般簇拥着当中三个人。上首这位三十多岁，长得跟下首的差不离：黄白脸子，面带忠厚，戴棉帽，一身蓝，绿线板儿带子，没有胡须。海川一想："这二位可能不是里面老爷，就是太监。"当中这位王爷，身高七尺开外，肩宽背厚。头戴海龙皮帽，宝石顶子，迎面镶着一颗明珠，晶芒四射；身穿紫色宁绸面猞猁狲皮袍，玄色黄缎的臣龙袋，青缎子马褂貂皮领子，貂皮袖口，腰系黄色带子，粉底双梁缎靴子。三十多岁，不到四十。红扑扑的脸膛，长方的脸型，浓浓的双眉，两只眼睛很有神气，大鼻子头儿，一条发辫长长的，辫帘子垂于背后。这位，便是当今万岁康熙的第四皇子，固山多罗贝勒爱新觉罗胤禛，后来封为雍亲王。那二位是亲哥俩，大哥叫何吉，老二叫何春，做了王府的总管。

雍亲王爷聪颖非凡。使他高兴的，是他有个儿子名叫弘历，祖父康熙最喜欢，并说：这个孩子的造化将来比自己大。康熙本身是皇帝，他说弘历将来比他有造化，那弘历必须做皇帝才能证实他的话。弘历将来要做皇帝，那他父亲胤禛必须是皇帝，弘历才有份。最近使他最不满意的，也是最不高兴的，是康熙有旨意命十四皇子使用明黄色。这明黄色只有皇帝专用，别的什么人要用，那会是欺君之罪。现在他叫十四子使用，那就等于示意别人，将来十四子继承皇帝位。如果他弟弟做了皇帝，他本人就无望了。他无望，弘历也就更谈不到了。这是王爷隐藏在心底的两件事。

王爷为人仗义，而且喜欢练武。由东光裕镖局李国梁镖主介绍了一位教师爷，山西太原府花家寨的人，姓花名旺字逢春，人称"神枪花四爷"，在府里任教师爷。王爷自己也爱练，起得也早，而且最喜欢雪景，所以府门外积雪不扫，为的是请王爷赏雪。大门一开，二总管何春一眼看见童林，他想："这个人怎么到这儿避风雪来了，惊动王爷可不得了。"何春是好心，用左手一拨拉海川："你这人还不快走。"海川也从凳上下来，不留神，把破哨码子从凳子头儿上带下来，鸡爪尖头也露出来了。王爷把脸一沉："什么人大胆，身带凶器来到府门前！吉儿呀？"何吉立刻请单腿安。"到书房拿我的片子，把这个人送到厅上去。"真送到厅上去，海川可就完了。他"扑通"一跪："王爷，我是好人哪。""因何身带利刃？""这本是小子防身之物，小人自幼练习把式。"他这句话投了王爷的脾气，王爷一怔神，问："你会武艺？""小子练艺十五年，到京城来谋生，举目无亲，困在此地，请王爷赏饭吃吧。"王爷听了，心里明白，这个人五官端正，面带中厚，忍饥挨饿，不劫不抢，不偷不盗，确是安贫的君子哪。听教师说：武艺好，首先看眼神是否足满，目力是否集中？这个人就是教师爷所说的那样。"你姓什么？""小子姓童。""家在哪里？""京南霸州童家村。"王爷打量童林，想了一下说："吉儿啊，咱们打更的更头不是不干了吗？你把他带到庄园处去，补上名字，不准难为他。叫他当个更头吧。"何吉一听，这事真新鲜，在府里打几年的更，都当不上更头儿，他还没进府就放了个更头，王爷不知是又犯了什么脾气。何吉笑呵呵地向童林道："老乡，你很有造化，你知道这是哪位爷吗？""不知道。""固山多罗贝勒爷，晋封雍亲王。"海川才知道这是皇上的儿子。

何吉带着海川进府门往西院走，西院是打更的锅伙，有五间大房。挑毡帘一进去，屋里热气腾腾。东西两面对槽的大炕，一边住着二十多人。屋里也有长桌木凳，当中砌的大火炉，上面坐着十几把大铁壶，"呱呱"地滚开。每人的铺盖都在炕里放着，墙上钉着长木板，上面放着包袱衣裳。四十多更夫，一个大头，两个二头儿。现在大头儿不干，只有三河县的张老千张头代理。听外边喊了一声："何老爷来啦。"大家伙儿"嗡啦"一下全站起来，毡帘一挑，海川跟着一块儿进来了，都过来请安问好。何吉一撇嘴道："猴儿崽子们，看见咱就是五黄六月，不见着咱就是十冬腊月，背地里净骂我。""何老爷，谁要骂您，我割他的舌头。""张老千，别多说啦。王爷放下更头来啦，给你们大家见见。今后一个将军一个令儿，你们都要听更头的。过来过来。"他一指海川："这位是童头。"大家都过来喊着："童头童头。"说着话都作揖。老千过来问海川道："童头，这儿是您的地方，请问您的铺盖？是在回事处还是在庄园处哪？我叫他们给您搬来。"童林根本没有铺盖。老千见是个穷头，说："没行李可不行，天气太冷。这么办，我这有床被，你们谁有褥子？"好几个人答话："有。"这就要拿，童林一摆手："谢谢，我这人长这么大没铺没盖过，习惯成自然啦。不过，入乡随俗，等到月头挣了钱，我再买。你叫什么？""我是三河县张老千，二更头儿。您来啦！听您的！"老千把海川哨码子接过来，放在海川睡觉的地方。然后找了个茶杯，用开水冲冲，拿出茶叶来给泡上端过来："童头，您先喝点儿茶。"海川一摇头说："昨天晚上我跟人家要了凉水喝了。现在根本不渴，我问你，什么时候吃饭哪？""啊，您饿啦？""我还是前天吃了一顿饭。昨天一天没吃，能不饿吗？"老千一听，心里说：原来我们头儿扣着食哪，山后的蝎子——饿虿。"头儿，别着急，说话咱们就去大厨房吃饭。"大家伙儿围过来，这个给装烟，那个就给打火儿，火绒、火石、火镰全都拿过来。海川摆着手："众位，我不会抽烟。我就是饿。"海川勉强喝了一碗热茶。老千把铺底下小柳筐拿出来，捡大个儿的老腌鸡蛋，拿了八个，揣在怀里说道："走吧，头儿，咱们先吃去。"海川跟着老千往外走，顺庄园处往东，走正府的垂花门外。这时候，雪都抬出去啦。前边出现了一个小四合院，十分清幽。他向老千问道："这是王爷住的地方吗？"老千听了一撇嘴："头儿，您真是老怯呀，王爷、福晋、格格、阿哥们能住这房子么？这是教师爷的住宅。""王府还有教师爷哪？""好么，您连这个都不懂。没教师爷，谁能保护王爷的身家性命哪？""咱们不是打更的吗？""童头儿，咱们是打更的，只能顺着更道报更，别的什么也不管。来了江洋大盗，高来高去，咱们也管不了哇！您说对吗？""对。这位教师爷是怎么个人物？""听说了不起，万人敌呀！""那太高明啦。叫什么名字？""太原府花家寨的人，是位清真大爸，神枪花旺号逢春。"童林一想，自己没听说过这个人物。两个人再往东穿过一层院儿，海川一看，东房一溜五大间，挂着棉帘，热气从里边往外冒。两个人进来，慢慢地看清楚：北头有个暗间，上边挂着青布帘子，北头东墙，砌着大灶，连筒子火足有五个火眼，火苗子"腾腾"窜着好高。靠对过西南有个大案板，底下是和煤的地方。案板的南边有个矮脚木架，上边放着大缸盆。海川一看这位大师傅，四十多岁，是个一篓油的大胖子，脸蛋子上边的肉都快耷拉下来了。一对小眯缝眼，由于脸上的肉太多，把鼻子都给挤没了。一身青，系着布围裙。一看他们进来，问道："哈哈，老千二头，听说王爷放了个新头来，是这位吧。给我介绍介绍。""哎！王师傅，你请过来。童头，这位是王师傅。王师傅，这就是童头儿。"王胖子还是个和气人儿，一边说一边作揖。海川也一抱拳："喝，王师傅，好大的肚子，人没到肚子先到哇。"王胖子一听，笑道："童头，见面就开玩笑哇。""不，王师傅，你这肚子可有大用处。""嗨，童头，我这人都废啦。喝凉水都长肉，我都愁死啦，不用说跑，快走几步都喘。人没到哪，肚子先到啦，真没法子。您还夸我，这肚子可有什么用处呢？""哈哈，王师傅，您要到了别的地方，赶上吃饭没桌子，菜碗没地方搁，您这肚子，俩菜一个汤放上满有富余呀。""童头，有你的！头次见面就拿我开心哪，哈哈哈，有你的。"海川笑道："一遭儿生两遭儿熟，还要多亲近。王师傅，您忙着。咱吃啦。"

老千把菜端来，又拿过两双筷子，放好了，一张八仙桌子放着一大簸箩老米饭，热气腾腾。一个小筐里放着头号儿大黄沙碗。老千盛了两大碗端过来，俩人每位一碗。海川可问老千："这饭一个人赏几碗吃？"老千这个气："童头，您可真怯。随便吃。您把它全吃了，重新给您现蒸。怎么还问碗儿？"海川一听，这可好，他亲自过来，一只手一个大碗，在饭里往下一扎，两个碗对着用力一挤，然后一立。把左手的碗揭开，右手托着跟塔似的就过来啦。老千一看："喝！童头，您真怯，没告诉您管够吗。"老千一伸手，从怀里掏出个老腌鸡蛋："童头，这是我老伴儿前几天给送来的，满油儿，您吃一个。"海川用手接过来，刚要吃，老千说话啦："童头，您准没吃过，这玩艺儿吃了以后，您准脱头发。""是吗？""没错儿"海川拿起鸡蛋囫囵着往嘴里就填。老千伸手给夺过来："嘿，头儿，哎呀，您可真怯呀，这得剥了皮儿吃！"他把鸡蛋磕开，剥了皮递过来。海川整个儿放在嘴里，没怎么嚼就下去啦。海川吃饭真是叫人眼晕哪，就这合子碗，一共吃了十二碗，这才算饱。"童头，您可真能吃啊。""你不知道，我把昨天没吃的那份又补上啦。"老千知道童林是真饿坏啦。

两个人说说笑笑，回到更房，坐下喝上茶啦。海川这时才问更是怎么个打法？"童头，府里有两股更道，您看这个。"说着从墙上摘下两根竹竿，和拐杖差不离，核桃粗细，五尺多长。"这是什么？""童头，这就是更竿，府里有人犯规，调竿儿打人，也是它，这里装着水银，一头儿沉。晚上交更，不准敲锣打梆子，就用这个在窗外墩两下，就是二更。外边一股更道，里边一股更道。前任头儿在的时候，我带二十人走前夜，三更交班，他带二十人走后夜。现在换了您，一位将军一个令。您说怎么办就怎么办！""嗯，可这更道我不熟悉呀。""不要紧，我带着您走上一遍，不就熟了吗？""好，我跟你商量一下，老千，从今天起，每晚只需要你带二十名兄弟上后夜。记住：后夜从四鼓上夜，到天亮为止。比方说，今晚你带一拨二十人上夜，余下的休息；明晚你再带另一拨儿二十人上夜，前一拨儿休息。只你一人辛苦点。前夜由我一个人满包下来。"老千一听，就说："头儿，哪能让您受这么大的累呀？"其实，海川为的是熟习武艺，不愿被别人看见。"张头儿，你们众位全别客气，晚上到四鼓我要不叫起，你们就睡到天亮。"大家伙儿一听，童头把咱们的活儿全包啦，既高兴又感激。

海川就此每天上夜值更练功，把思乡之念，暂时抛置一边。先在王府有了个安身之处。身怀绝技的英雄明珠埋土，真是监车困良骥，田野埋麒麟哪！什么时候才能离门三级浪，平地一声雷哪？

这天已交二鼓，海川看碧天如洗，星头皎洁。海川走到二道院的大客厅前，因为从西院角门进来，在大客厅的西头。这里是王爷的里间儿书房，如果王爷不去内宅院，他也可能在这里间休息。现在海川全都熟悉啦，这里正是院子西配房的北山墙。海川习惯地用更竿在窗下墩了两下，如果王爷在里边，也就知道是二更天啦。海川轻轻地再往前走，就到北山墙的东头儿，在这里，整个儿院子全看清啦。就在这时候，海川听见东配房上有响动，他意识到来了夜行人。海川背靠南山墙，侧目往东房上细看。从东房上后坡爬到中脊，探头往下看，是两个夜行人。北边这个是一位大个头儿，身高有八尺。前胸宽背膀厚，虎体熊腰。身上穿三串通口夜行衣，背后又垂灯笼穗儿，背着一口金背鬼头刀。南边这位，好像是个出家的陀头和尚，六尺多高，细腰窄背。身穿灰僧袍，黄蓬蓬的头发披在脑后，刀条子一张小窄脸儿，满脸的横丝肉，透着阴险毒辣，手黑心狠，腰里别着一条兵刃，二尺四寸长，核桃粗细，像一根火筷子，越往前越细，头里是个大尖儿，紧后边手攥着的地方，有个护手的月牙。海川明白，这兵刃叫三棱鹅眉刺。两个夜行人手扒中脊长身形往下看，他们可没看见海川。海川心里一阵思索，看来贼人到王府决不是行刺，而是偷盗。"保护王爷拿贼人，可不是打更的责任，打更的也没那么大的本领。现在我只有报警的权利。我一喊有贼，打更的就不算失职，拿贼是护府教师的责任。"可自己又叫着自己的名字："童林哪童林，你风雪困于京师，也算受王爷的知遇之恩哪。自己不会武艺，那就没的说了；干脆把他们请走就得啦。"想到这里，海川稍微一露身形，冲上去说道："合字儿吗？并肩字的坐子，对盘儿高手儿，扯乎吧。"海川所说的是江湖话。意思是："朋友嘛，兄弟在这谋饭吃哪，亮面儿，高高手走吧。"两个夜行人一听下边有人调侃儿，按理说应当走。可他们俩一看童林是个更夫模样儿，而且手无寸铁，只拿着一根竹竿儿。两个人一想：叫一个其貌不扬的更夫给说跑了，那多寒碜。那位和尚一伸手，"哧"一下子，拔出鹅眉刺，踩中脊飞身而下："阿弥陀佛，哪里走！"捧刺就扎。海川有点儿气：我说话你们走就得啦，怎么还要我的脑袋？"劳驾，请摘吧。"说完，微一纵身到院中，一看和尚的刺扎来啦，上右闪身、划步、躲过刺，右手竹竿"横风扫月"，照定和尚的头部就打，"嗖"地一下到啦。和尚褪头一闪，海川右手反竿儿一抽，"叭"的一声，和尚应声而倒。大个子那位一看，探右臂，"呛亮亮"，鬼头刀亮将出来，踩中脊飘身而下，照定海川后脖梗子，斜肩带背就砍。"唰——"，金刀劈风的声音就到啦。海川听后面刀来，左腿顺右腿后边一撤，调脸转身躲他的刀，右手竹竿"枯树盘根"就扫，大个儿脚尖儿点地，"通"一下蹦过竹竿。海川"猛虎回窝"，竹竿又回来啦。正是大个儿的后背，"啪嚓"一抽，抽得那主儿就一溜滚下去。两位夜行人也是久经大敌，阅历丰富，知道碰上了高手，就地十八滚，"鲤鱼打挺"，"哗"地一下全起来，前后一齐上。童林心说："就这能耐，来个十个八个的也不行啊。"海川往下一刹腰，弓跨步的架式，双手擎棍，眼观六路，耳听八方。和尚在前面一顺刺，照定海川面门就扎，大个儿同时举刀奔海川头顶就劈。海川气往下沉，上右步斜身躲，"仙人指路"，竹竿点和尚胸口，右脚扎根，左脚往后，"嗙"地一声，两个人应声同时都出去一条儿。这手功夫叫"倒踢紫金冠。"两个人爬起来，过去没栽过这样跟头，想不到这更夫如此厉害，恶狠狠又扑过来。海川要想把他们致于死地，凭本领只是举手投足之劳，可海川不敢哪！小竹竿在手，指前打后。这两个人可乐大了：王八吃西瓜，滚的滚爬的爬呀。和尚一看！可了不得啦，虚晃一刺，纵身出去，他把同伴给晾下啦。大个儿还认为前后夹击，没想到同伴撤了，他再想跑就来不及啦。海川抽身撤步一转身，好俊的功夫，右手竹竿一落，"当！"正砸在刀背上，"呛啷"，鬼头刀出手，大个儿就势一转脸，垫步拧腰，飞身上房。海川心里想，应该拿住一个，可又一想，这两人的功夫，都有师门，不像黑道儿的人物。我栖身于王府，还是不要多事，已经打掉他们一口刀也可以啦。海川侧耳听了听，北屋没有声息，猫腰捡刀。海川一回想，暗吃一惊，自己十分后悔，王爷在府门外，一时恻隐，将我收留。可我的来历很是不明啊，万一被王爷知道，错认我是强人，把我送往官府，有口难辩，我这辈子就完啦。海川思索到此，吓得是胆裂魂飞。

第三回

识好汉五小闹王府
会英雄老侠探虚实

　　上回说到海川把二贼寇赶跑，忽然想到王爷万一把我当成坏人，自己有口难辩哪！便觉得十分害怕。他看了看北屋，顺更道回转伙房，看大家睡得很香，就把更竿放好，把包袱皮儿往腰里一系，手拿双钺刚要走，张老千醒啦，刚要说话。海川在他耳朵边小声嘀咕："老千，你睡吧，我顶一夜，不要声张。"说完出来。海川现在要干府里教习的活儿。他飞身上房，施展轻功提纵之术，回看府墙周围，仔细查看防范，直到天亮才回到伙房。大家全起来，梳洗已毕，都喝茶哪，正说："昨天晚上童头没叫起儿，怎么回子事？"海川从外边进来。老千便问："昨晚怎么没叫起儿？"海川摇了摇头："看你们睡得香，没有叫你们。"海川坐在铺上把兵刃放下，刚坐好，就听外边说话："管家何吉来了。"老千听了，赶·忙迎过去："何老爷，您来找我们有事呀？"何吉说："我找你们头来了。"海川一听何吉来了，心里就明白了：昨晚的事情可能王爷知道啦。自己一时无策，先头冲里枕在铺盖上假装睡觉。

　　原来王爷昨天晚上，在里间屋里观看《汉书·地理志》。看得有些累了，叫何吉收拾寝具。这时，王爷就听见外边海川跟夜行人说话。王爷很有胆量，他一伸手把墙上的镇宅大宝剑摘下来，按剑把，亮出剑来，往外就走。何吉却吓坏了，拦住王爷道："爷先避一避，奴才出去看看，可能有歹人。"他说着话，把灯吹灭。王爷脸一沉，道："奴才，你总说你比何春胆大，刚有一点风吹草动，你就直哆嗦。真没出息！"何吉无法，只有紧挨着王爷出来了。王爷轻轻地拉开格扇门，隔着帘子往外观看：海川手持竹竿，正站到院中，两个贼人各有兵刃武器。王爷心里很替海川担心：这个更头手无寸铁，面对两个强敌，而无制敌之术，这不是甘受其苦吗？就在这刹那之间，只见外边改观啦！原来这两个手拿兵刃的贼，都不是这个更头的对手。打得贼人十分狼狈，最后打掉一口刀，贼人上房跑啦。这一切王爷历历在目。叫何吉到里间屋把灯点上，宝剑还鞘挂好，道："吉啊，这件事你看清了吧？今晚上来的贼人，要不是这个更头赶上，本爵脾气你是知道的，我一定要出去拿贼。贼人都是高来高去好身手，咱爷们儿就要吃亏，甚至丧命。幸亏更头赶到，这个人了不起！但我看他捡刀的时候，有些害怕。他可能是担心咱们看他高来高去，认为他是坏人，或送官府，或辞去他的更头。本爵我不是那不明事理的人。你明早侍奉我梳洗完毕，过去叫他来。"次日清晨，王爷起了个大早。何吉、何春侍候盥漱完毕，何吉来到伙房。现在一看，童林睡了，便喊道："童头儿，童头。"老千也说："童头，何老爷来瞧您，您一会儿再睡。"何老爷用手拨拉海川。海川一想："得啦。丑媳妇难免见公婆。"一折身坐起来："喝，何老爷来啦？您吉祥？"何吉这个乐："童头，你醒啦？辛苦一趟，王爷请你啦。"就这一句话，老千他们都怔啦。自从盘古立地天，没见过王爷请更的。童林也一摇头，问："何老爷，别吓唬我了。王爷叫我都叫不着，怎么能说'请'哪？"海川不想去："何老爷，你回王爷，说我睡觉。"何吉说："是你的造化来啦。快去吧，时间长了，王爷怪罪下来，咱担不起啦。"童林听了，只好随何吉来到大厅。海川在王府呆了几个月，这是第一次。

见王爷在上首坐着，海川跪道："更头童林请爷安。"王爷一伸右手，这叫"接安。"说真的，五品官请安，王爷都不接呀！"起来起来，你叫童林？""回爷的话，我叫童林，号海川。""你的家在什么地方？""京南霸州童家村。""你怎样练的武艺，来京何干？不要担心，望你实话实说。"海川这才把自己的事情，一字不漏的详细说完。王爷点了点头道："你童林是明珠埋土哇。"看来童林要青云直上了。"童林哪，你不要害怕。你是更头，不负提贼护府的责任。话虽如此，你奋勇拿贼，不但保护了我的王府，而且也救了本爵的性命。本爵绝不能如此糊涂，拿你当做坏人，这一点你只管放心。单就昨晚一件事，本爵也要重赏于你。""谢谢王爷。""海川，你不必客气，我再问你：你看昨晚来的是何等贼人？""回王爷的话，草民看这个夜行人倒不像坏人，看他们的功夫也不是下五门，而是正门正户。但猜不透他们的心思。"王爷点点头道："你看贼人还会来吗？""王爷，如果他们是窃贼草寇，以偷盗窃取为目的，那他们今晚就不敢来啦。我看他们是绿林人物，败在草民之手，心有不甘，很可能再来寻衅。""对对对，你说他们还会多来人吧？""爷算猜对啦，他们一定会多来人。"王爷一听，就急啦："吉啊，马上把教师爷请来商议。"童林拦住道："何老爷，您别去。府内教师如果真有本领，他昨晚就该露面拿贼，直到现在还没来见王爷哪，他也一定是指佛穿衣吃饭，没有什么真本领。您又何必为难教师爷呢！"王爷一听，童林这个年轻人心眼儿不错。"对。吉啊，拿我的名片，到北衙门调些兵来，保护王府。"海川又一摆手："请王爷不必担心，官兵再多，挡得是不来贼；想来的贼，官兵是挡不住的。"王爷现在对童林越来越有好感，他说话，王爷特别爱听："你说咋办？""有草民一人足以抵挡贼人。昨夜之事，王爷想必看见，草民是更头，不敢拿贼，也不敢杀贼。"王爷听了点头道："对对。听你的，官兵咱不调啦，就靠你一人。"海川一听，急了："王爷您另请别人吧，草民跟您告假。"王爷一听，忙问："童林，你怎么告假呀？"海川急忙解释："当场动手，各凭己能。刀枪无眼。俗话说，士为知己者死。草民为王爷倒不在乎，可杀了贼人要偿命，那可就不上算啦。""童林，你不必如此，杀死多少贼人，本爵做主，与你无干。"

　　说话间，天黑下来啦。张老千带着九个人进来给王爷请安。然后一屋五位，取碗倒香油，放灯草，点着了用大盆一扣。瓦片一支，用香火头在窗上烧了很多小孔，一切准备就绪。王爷把大宝剑拉出来。何吉、何春也换上薄底鞋。屋里一片黑。王爷坐好，哥儿俩一边一个。格扇门关着。外边连个打更的都没有。

　　深夜静悄悄。王爷担心贼人突然露面不及提防，又担心童林直到现在还没来，更担心童林一个人不能抵挡众多的贼人。正想着，一看海川从角门出来，双手搬着一个二人凳，不慌不忙来在院子中间，东西方向放好。只见童林腰里挂着那七叉八岔的军刃，王爷也叫不上名儿来。再看他头西脚东，往二人凳上一躺，两臂一回，双手一搭，脑袋往上面一枕，仰面冲天睡了。王爷拉着大宝剑来到门口，隔着帘子看得很清楚，童林是睡着了。王爷心里真着急，便对何吉说道："吉啊，你出去把童林叫醒。"何吉答应得很痛快，可就是不动弹。王爷道："何春，你哥哥不敢去，你去。""回爷的话，水大不漫桥，奴才哥哥不敢去，我怎敢抢先呢？"王爷站起来直奔门口，自己要去。何吉、何春俩人上前拦住："爷，请您别出去。"爷一瞪眼："几个贼草寇、、吓得你们就这样，本爵还要帮助童林拿贼哪。"何吉一听，王爷说呼噜就喘，便一指道："王爷，您看。"贝勒爷往外一瞧：童林直挺挺地躺着，整个儿人跟笔管一样，直立而起，双脚就站在木凳的西头儿了。在他站起来的同时，从东房上下来一摞瓦，足有二十来块，带灰头的老瓦，分量特别重，正砸在这木凳的东头，"啪嚓"，碎瓦乱飞。正值深夜，响声很大，王爷他们都吓了一大跳，才明白童林根本没睡觉。往东房上看，扔瓦的正是昨晚那个陀头和尚；在旁边站着那个斜眼睛的人，手里仍然拿着一口轧把翘尖厚背雁翎刀；往南房上看，房中脊站着一个大个儿，前胸宽，背膀厚，虎背熊腰，手拿一口大宝剑；再往西房上看，也站着一个人，中等身材，细腰窄背，扇子面的身子骨儿。一身夜行衣。左手拿镔铁拐，右手拿力。这就是四个人了。王爷为海川担心。

其实海川看得更清楚。北房上还有一个，一身夜行衣，手持单刀，一共是五个人。童林精神倍涨，飞身形从长凳上下来，左脚扎根，用右脚一踢木凳，"蹂!"这木凳就好像有人搬动一样，轻轻落在西配房的廊檐下。左右手中分子母鸡爪鸳鸯钺，夜战八方式，气贯丹田，抱元守一，站在院中示威。在王爷看来，童林就像出水蛟龙，跳涧猛虎，这一切都是打闪认针的工夫。东房的和尚一踹中脊，如箭脱弦，"唰"地一下，脚落实地，举刺就扎，这招叫"红云捧日。"明晃晃地鹅眉刺奔童林胸前扎来。也就在同一个时候，西房使拐的飞身下房，右手刀防身，左手拐一抢，挂着风声，直奔海川顶后砸来。前后夹攻，王爷着急，他倒提宝剑。这时候何吉在王爷左边，何春在王爷右边，叉着腰左脚往前伸着。王爷一着急，两手一用力，忘了自己的宝剑尖儿冲下，往下一墩，正扎在何春的左脚面上。"哎呀!"何春提起左脚两手捂着，疼得龇牙咧嘴。

正在这时，只见海川左腿一躬，右脚跟过来，连刺带拐一齐躲。右手钺尖子照着和尚的腕一戳，左手钺照定和尚的脖子就掠。和尚一褪头，海川左脚就到啦。海川左脚端上和尚，身法极快，跟着把左腿撤回来，往后叉步，左手反腕子一捞，架抄拐。这是钺法的绝招。后边这位往左大跨步，海川右肩一扬，脸往左甩，右腿飞起，用右脚的外侧横着踢他身后来人的右肩膀。十字摆莲腿，"嘭"地一声，两个人同时倒地。"噌噌噌"，又从房上跳下三个人来，各自亮刃，恶狠狠扑过来，五个人把海川围在当中。童林虎目圆睁，双钺一分，使了一招鹏展翅。瞻前顾后，防左护右，身手敏捷，如同猿猴，恰似狸猫，上下翻飞，赛过梨花蕊落。这五个人就像正月十五元宵节的走马灯，"嘀溜溜"地乱转。好似王八吃西瓜，滚的滚爬的爬。

这五个人哪个气呀!你若是四海闻名的侠客义士，武林云中标过名挂过号的人物，我们败给你也算甘心；衣不惊人，貌不压众，土里土气，真看不出来是个练武术的。我们五个都不成，这还了得。五个人越想越气，越气越狠，越狠越毒，可越毒越挨打。把吃奶的劲都用上也不行。

王爷在北房看得清楚，也真为海川担心着急。何吉更是吓得龇牙咧嘴。海川力敌五个夜行人，面无惧色，好一场鏖战。时间一长，五个人渐渐不支；海川却剑眉双立，虎目圆睁，左脚扎根不动，真是走如风，站如钉。右脚往北横滑，右手用钺尖子一挂，左手压北面来的刀。右脚拿桩站稳，左脚大摆莲腿，飞起来正踢在和尚胸口上，"嘭"地一声，把和尚端出一溜滚。同时右手合钺，搂这个使刀的脖子。使刀的低头一躲，"嘭"！把他的缠头绢帕给捋下来。同时左手奔使拐的头顶扎去，而右手钺运用神力猛砸铁拐，"当啷"，把拐砸落于地下。海川的右肩往南大斜身，左手钺撤回，反钺撩阴，使宝剑的稍一愣神，躲闪微慢，把夜行衣划破。海川跟着"童子拜佛"，双钺合并，"灵猴戏月"，这两招连用，威力最大。最后一个使刀的被海川右脚抬起，端在这个人的后胯上，仰面朝天甩出去一条儿。剩下几位一个个鲤鱼打挺，站起来飞身上房，各自逃生。海川心想：必须拿住一个。这时候，最后一个上东房，就是那个破烂裂裟的和尚。海川想他就是罪魁祸首，便大喊一声："凶僧哪里逃走。"肩头微晃，脚尖点地，往上一蹲，飞身上了东房。和尚上房站在前檐，等海川从底下往上蹦起来的时候，气贯左足，猛地一抬腿，往下一踏前檐的檐头瓦，"哗啦啦"，这一脚蹬下来足足有上百斤，直奔海川头顶砸来。海川往上起，檐瓦往下砸，换个别人不死也带伤啊。好海川！当机立断，他身子已然悬在中空，一看檐头下坠，左脚尖一挑，右脚尖一点，这叫"凭物借力，登萍渡水"之功，接着海川两腿微弯，猛地一蹬，"鱼跃龙门"，右肩斜沉，横着从碎瓦下边蹿出去，脚尖点地，再上房四外观瞧，五条黑影，往五处逃跑。夜色茫茫，眨眼之间，不见踪迹。

海川没敢从房上下来，又顺着后面更道查看几次。眼看天交五鼓，他才回到伙房，进来一看，海川可就怔住了：老千他们都在换裤子，一瞧海川臊红了脸，道："童头，您回来啦？"海川点点头问："老千，你们这都干什么哪？"童林这一问，大伙更都臊得面红耳赤。旁边有个伙计答话道："头儿，您就别问啦，他们都尿裤子啦。""嗷，昨儿晚上吓坏啦？老千你们真可以，不是说了半夜横话吗？你还说你们县里净出英雄豪杰，你的胆量很大吗？""咳，头儿，您快别提啦。我们县里净出英雄，唯独我还不够英雄；没贼的时候我胆子大极啦，一旦有事，我的胆儿就小啦。童头，还有众位哥儿们，以后别拿我当话把儿，王爷要知道了，我这饭碗就算砸啦。"说着，他连连作揖。

正在这个时候，外面有人说道："猴儿们，昨天晚上拿贼的时候，你们怎么一声不语，现在又说又笑哇？"一挑毡帘，何吉从外面进来。大家"呼啦啦"全都站起来："何老爷吉祥，何老爷吉祥。"何吉说道："你们这帮猴儿，这回星星跟着月亮走，沾点神光。王爷谕下了，让我告诉老千你们十个人，每人五两赏钱，其余柴房所有人员一律二两赏钱。不用去谢赏，咱家代劳啦。"只听众人异口同音道："谢爷的赏，谢二位何老爷。"不过这些人心里有个想法儿：怎么不赏童头儿？人家才是正差呢。何老爷冲着海川一笑，说道："童头，王爷请您哪。"在当时，帝王高于一切、君权统治天下的年代，这一个"请"字的光荣可高于一切呀！海川赶紧过来说道："何老爷，童林是甚等样人，敢劳王爷的请哪？"何老爷眯缝着眼睛，笑着说："哈哈哈，童头，何止一个字，您要平步青云啦，走吧。"海川只好跟着何吉赶奔客厅。

王爷满脸春风，欠起身来迎候童林。海川抢步进身跪倒磕头，道："王爷，童林给王爷叩头。童林是草民，蒙王爷赏饭吃，不敢劳王爷相请。"王爷问道："你的号叫海川吧？""回王爷的话，草民叫海川。""哈哈，海川哪，快快请起。"王爷真的说了一个"请"字。"王爷，草民不敢当，也不敢起来。""海川快起来，咱们爷俩好说话。"童林无法，这才起来。"坐下坐下。以后咱们爷俩谁也不准客气，有什么就说什么，一定要说谢，我也应该先谢你。你是个更头，没有责任保护本爵身家性命，可是你战败五个贼人，使本爵大开眼界。武林一道实有奇才，你身怀绝艺，在我府充当更头，实是明珠埋土。本爵远不如孙伯乐，但怎能让你久居人下。从即日起，你就是我府教师。"童林给王爷磕头道："王爷，一来童林山野村夫，二来会几下武艺，时逢恰巧，赶走夜行人。这是王爷的洪福齐天，大家托王爷的造化，童林不敢贪。再说咱府内教师尚在，童林怎敢僭越。我还是当更头吧。""哈哈哈……"王爷大笑，"海川，你这人心地诚实。你看看这个纸条。"海川接过来一看，纸条写的是：

> "府上昨晚有强人扰闹，幸王府调动有方，更有高手协助，化
> 险为夷。愚下疏于职守，无颜再留，特此告假。请王爷恩准。容当后
> 会。花旺顿首"

　　原来教师自感无能，自动辞职了。现在海川想推辞，王爷不允，才
把花逢春辞馆的事详细说明。海川头碰地："谢王爷栽培。"王爷伸手拉
起童林："海川，咱们爷俩一见如故，今后不要客气。""是，谢王爷。"
何吉、何春二次过来给海川行礼："童教习，给您道喜。"海川答礼：
"二位何老爷，多关照。""好说好说。"这时候，庄园处、田粮处、回事
处，有头有脸有点责任的全来道喜。府里的鹰把式、鸟把式、花把式、
鸽子把式、大小灶儿上红白两案的师父全来道喜。然后更房的由老千带
领前来道喜。海川跟王爷荐道："张老千忠于职守，任劳任怨，是否可
以升任更头？"王爷当然答应。王府内一片欢腾，颁赏谢赏。陈升、李福
认了教习，把童教习的东西又搬入教师院内。连打掉的单刀拐也带到教
师屋中，陈升给放在羊毛毡子底下。

　　王爷吩咐传饭。时间不大，酒宴摆下，山珍海肴，味列八珍，十分
讲究。王爷坐在正中，海川下首相陪。酒过三巡，菜上五味，王爷笑容
满面问道："海川，说真的，咱爷俩有缘份。就拿你说，衣不惊人，貌
不压众。你这本领是怎么学的，何人所教？本爵十分爱武，自己也刻苦
锻炼，无奈不成啊。你给我说说。"海川就从斗纸牌误伤老爹，逃亡在外
打把式卖艺，江西省卧虎山金顶玉皇观，拜无极子尚道明、太极真人何
道源两位剑客为师，学会六十四式八卦盘龙磨身掌，昼夜十五年的纯功
夫。奉命下山行道，兴一家武术，夜探家宅老爹染病，因此来京都，风
雪所困，才巧遇王爷。海川滔滔不绝，把王爷听得两眼发直。最后点点
头道："看来欲学惊人艺，需下苦功夫，没有破釜沉舟，卧薪尝胆的决
心，是不能成功的。海川哪，这一说，直到今天，十几年来，你还没有
和父母兄弟见上一面哪，我真粗心。"王爷又对何吉说："吉啊，你拿我
的片子到顺天府找府尹伊立布，把教习的情况说明。叫他专程派干员，
到京南霸州城南童家村，命令州官亲自拜望童怀长者，妥当地把家务安
置好，把童教习全家接来北京。在我的私房内拨银五千两到童教习名下，
任其随便使用。赶紧派得力人员到柏林寺小府，进行修茸，以备教习全
家居住，越快越好。"何吉立刻下去办理。

　　海川热泪直流，在筵前跪道："王爷待童林恩重如山，叫童林无以为
报哇。"王爷伸手相挽，说道："海川，我刚才可说啦，咱爷俩不需客气，
这些事我不过是动动嘴而已，你刚才说这八卦掌，我听着很新鲜，我要好
好地学学，不知你肯教不肯教？"海川说道："我教您实不敢当，真要是爷
学了，可给我的门户增光啦，我一定尽全力教您学会。"王爷高兴："好，
一言为定，咱爷俩干一盅。"说完一饮而尽。何春立刻又给斟满。王爷心里

痛快，又说："海川，这第一招怎么练？"海川明白：王爷急于要学。两个人都站在桌案前边。海川道："爷请看：这头一招式，两脚并拢，双臂下垂，两手平伸。二目凝神，心无杂念。取自然之势，气息调匀，不急不躁，这叫无极式。然后变无极为有极，左脚前伸，右腿拿桩，左脚微提，一虚一实，左手在前舒展，右手掌藏于肋下，这叫掌不离肋，肋不离胸，提顶吊裆，目如悬磬。我给您把姿式摆好。"王爷摆好架式。海川点头道："这就练的是功夫。所谓功到自然成，您就站着吧。"海川归座，自斟自饮，"兹溜"一口酒，"叭哒"一口菜，吃上了。王爷这里可耗上功啦。何春一瞧，心说："人要走运可了不得！王爷的脾气，爱之欲其生，恶之欲其死。谁敢罚王爷站着。这儿不但站着，还要看着人家喝酒。"这王爷没腰没腿没功夫，能站多大时间，一儿会汗就下来啦，气喘地说："海川，我怎么觉着腿肚子哆嗦。""您没功夫。不瞒您说，就这一个姿式，我在卧虎山黑天白夜站了三年。练武不能速成，必须有功夫，慢慢来。您先活动活动。"王爷这才舒展开，伸伸胳臂，抬抬腿，在大厅里走了几个来回，气儿才平伏下来，然后就座。何春递过手巾，王爷说："海川哪，看起来练武艺很难，不过人贵有恒，只要志向坚决，铁打房梁也磨成绣花针哪，你说是不是？"童林点头："爷的话千真万确，朝秦暮楚，文武两科都不能达到佳境。""对对对，以后你还要督促我练武。把东后院儿收拾一下，咱们也修个厂子，咱爷俩早晚盘桓，我看也能练好。"吃完饭以后，王爷说："昨晚一夜未眠，你回教师院去休息，我也熟悉熟悉刚才的招术。"

海川答应着将要告辞，何吉匆匆忙忙地由外边进来禀报："回爷的话，外边来了一位老人，自称是童教师的乡亲，要面见童教师。"海川听了就是一怔，可王爷听了点头不语，心里却想：真是穷在长街无人问，富在深山有远亲。海川风雪困在京师，上天无路，入地无门的时候，怎么没人来找？充当更头数月之久，怎么没人找哇？今天刚升为教师，立刻有人前来寻问，世态炎凉啊！话可又说回来了，求人者常畏人，受人求者常骄人。既然来找，就有求于海川，我怎么能让海川心里着急呢？想到这儿，王爷便说："海川，你去吧，让到你的房中攀谈攀谈，既是乡亲，也是多年不见。何吉呀，快到庄院处取一百两银子给童教师。"何吉赶紧答应："奴才就去取来。"时间不大，把银子取来交给童林。海川十分感激："谢谢爷的照顾。""不用谢，快去吧。"

童林揣好银子，一直奔大门外，抬头一看就怔住啦。影壁前站着一位老人，矮身材，猿臂蜂腰，身穿毛蓝布大褂，高挽着袖口，脚下洒鞋带披根，白布袜子。往脸上看，红扑扑的脸膛，方圆的脸型，两道残眉斜飞入鬓，微长寿毫。一双虎目闪闪发光，很有神气。鼻直口阔，连鬓络腮，一部白胡须飘洒胸前，年在八十岁上下，头带马连坡大草帽。海川心里明白：这哪是我的乡亲，分明是武林人物。从眼神到年岁，也能看出他身怀绝技，是个了不起的老人。看来可能与夜行人闹府有关，我必须多加小心。海川思索至此，立刻抱腕当胸，问道："这位老人家，愚下就是童林，是您找我吧？"老人听了，微微一笑："哈哈哈，你是王府童教师，老朽冒失造访，还望阁下海涵。""您老贵足莅临贱地，恕在下接待来迟，多有不恭，尚请原谅。""好说好说，敢问阁下：能赐一席之地，以叙衷曲吗？"童林点头："如蒙不弃，您请吧。"说着执手往里让，顺东月亮门进来往东，从栈道往北走，一直来到教师府。院里异草奇葩，浓郁芬芳。陈升、李福赶紧挑帘栊，二位走进来，迎面红木几案，红木桌椅，十分考究。两人分宾主落座。倒上茶来，陈升、李福退出去。海川抱拳问道："请问老前辈府上何处？怎么称呼？"老人一笑，伸手把大草帽摘下来。喝！海川眼前一闪亮，原来是锃明唰亮的一个大秃瓢儿。"教师，老朽家住山东东昌府巢父林侯家庄，在下姓侯名杰字敬山。排行在二，有个小小的美称：一轮明月照九州，苍首白猿，让您见笑哇。哈哈哈！"说着，摆晃着秃脑瓜，更显得和蔼可亲，平易近人。

童林一听，脑袋嗡地一下，赶紧站起来一躬到地："老前辈，久闻山东有双侠，威名远扬。大名鼎鼎的圣手昆仑镇东侠侯廷侯振远侠客老前辈就是令兄了？""不错，您提的正是家兄。不过徒有虚名而已，敢劳教师下问。""哎呀，我童林末学后进，不学无术，对老前辈如此不恭，死罪死罪。前辈请上，受小子大礼参拜。"说着，跪倒磕头行大礼。侯二侠当然不能接受，马上探身抱住："童教师，不敢当，折杀老朽。萍水相逢，怎当大礼。"尽管二侠不受，海川还是请了安，然后落座。"敢问前辈，一旦之间，因何来京师？小子无名，何劳青睐？"

侯二侠一听，童林谈吐不俗，更觉得这个人虚怀若谷，颇有侠义之风。"童教师，一言难尽哪。"二侠侯杰跟哥哥侯振远，可不是山东东昌府的人，他们是河南卫辉府的人。为什么迁到山东？将来要有一番交待。他们是大教，但是和清真贵教有很深的渊源。侯氏昆仲不吃别的，必须牛羊二肉。侯氏昆仲全都八旬往外啦。老侠侯廷的风度，您一看，像是教书的老先生，形神潇洒，风采可亲，其实深通武艺，是压倒山东半边天，威镇武林的当代大侠。掌中一口龙渊古剑，一百零八招青龙剑法，堪称独步。侯二侠一对镔铁双镰，天罡镰三十六式，打遍天下无敌。弟兄精习三十六手螳螂手，三十六式螳螂式，还有猴拳，可称一绝。自立螳螂门儿。到现在年岁已大，隐居在山东，就算闭门思过，耳不闻金戈铁马之声，目不睹斩将覆车之危。老侠侯振远有四个大弟子。灯前少影阮和，月下无踪阮壁，这俩人，每人一口轧把翘尖厚背雁翎刀，身法特快，来去无踪，因此得名。三弟子浪里云烟一阵风徐源徐子特，掌中一对镔铁双怀杖，武艺高强，性情有些粗鲁。四弟子过渡流星赛电光邵甫邵春然，手使一对短把追风荷叶铲，铲沉力猛。二侠侯杰也有四个弟子。排行下来是五弟子斜睛太岁阎保，一口金背鬼头刀。六弟子虮毛吼鲍信，一口大宝剑。七弟子谈笑鸿儒侯俊，一口刀。八弟子穿水白猿侯玉，手使单刀拐。这就是八大门人。

当地有个高来高去的飞贼，姓张名旺，手使三楞鹅眉刺，打家劫舍，手黑心狠，手底下有几十条人命，官府捉拿甚紧。他万般无奈，改变面目，穿上僧袍，乔装和尚。原来有个外号叫"坏事包"，后来又得个外号叫"泥脸僧。"这个人阴毒损坏，什么招都有，为人精明强干，诡计多端。他来到巢父林躲灾避祸，头顶门生贴，愿入门墙，给二侠侯杰拜师。二侠执意不收，他花盲巧语，苦苦哀求，二侠客总算答应了。带着他一见师伯，侯老侠很不乐意，无奈木已成舟。行礼退出来之后，侯老侠对二爷讲："二弟，这个人囚首垢面，非僧非俗，我们的弟子该是正人君子，这张旺可不是东西，将来会给咱们户招灾惹祸。还是把他打发了吧。"二爷觉得他可怜，便说："哥哥，既然答应啦，出尔反尔也不妥当。得啦，就收下吧。""好，收下也成，不能教咱们的螳螂拳，因为我看这孩子成事不足，败事有余。对他要严加管束。"二爷点头答应了。每天二五更练功夫，从来不叫张旺。

时间一长，坏事包张旺就明白啦："嗷，师父不教我。"张旺心想，我要学不出侯家的武术，我就不叫坏事包。他有钱哪，从钱财上慢慢地跟师兄们接近，时间一长，师兄弟之间感情都特别好。后来他又找二爷央求道："师父，您教师兄们练功，完了事我来打扫场子。张旺任劳任怨，自己学不到本领，连一句抱怨的话都没说过。后来又自报奋勇把铺盖搬到场子里，自己熟悉功夫，吃喝都在场子里，晚上钻被窝睡觉。二爷他们来练功，张旺也不瞧不看，就这样几年过去，偶尔发现张旺的螳螂手、猴拳大有进展。大家伙心里都纳闷：他什么时候学的？师兄弟们一嘀咕，二爷就知道啦。把张旺叫过来一问，他说自己是睡着了学的。经二爷追问，张旺才说出来，他把被窝上用剪子挖了两个窟窿，他用被一蒙脑袋，嘴里打着呼声，"吼儿"、"吼儿"地响，人家认为他睡着啦，实际上他通过两个窟窿眼儿瞧着大家练，一招一式记在心里，然后自己再下苦功去练。他这么一说，二爷很赞叹："好吧，你跟着师兄们一起练功吧。"这一晃，张旺在侯家也十几年啦。论年岁数他大，论入门数他晚，真正八大门人里并没有他。

这一天吃完早饭，张旺从外边进来行礼道："师父，弟子探听一件事，请师父打主意。"二爷问："什么事情？""泰安知州高志诚，是个大贪官，在任上鱼肉乡里，贪赃枉法，欺压良善，把泰安地皮都刮下去三尺，黎民百姓恨之入骨。他卸任回京师，光大车有三十多辆，饱载而归。现在鲁西一带连年不收，百姓也有饿莩，遍地哀鸿，咱们身为绿林侠义，怎能坐视，不如把这不义之财留下，赈济灾民。您看怎样？"侯二爷很疼张旺，可对他的话从来也不信，便说："张旺，你师伯不在家，我看这事就算了吧。"这时候阮和从外边进来："师叔，张旺师弟的话是对的。我和三弟徐源打听出来啦，确有其事，不过这赃官贼人胆虚，他唯恐绿林侠义跟他为仇做对，花重金请了几个武林高手保护。二叔，我们应该办，可也很棘手。"这时阮壁、徐源等人都来了，一个劲的撺掇。二爷有点儿活心："办是可以办，你师父不在家，咱们爷几个成吗？"阮和他们都乐意；说："成。""好吧，第一要打听准确，第二要离开山东地界，第三不准擅自动手。"九弟子各自把兵刃路费带好，总管侯宝带领众人看护家园，侯二侠带九弟子可就下来啦。半路上打听高知州确是一个贪婪无厌的赃官，一到临清州弟子们就要下手。老侠给拦了，必须入直隶。这下子风声走漏，贪官知道要遭暗算，他立刻又花费大批钱财请来好几位高手能人。二爷一想："知己知彼，百战百胜"，审慎而行吧。这一下可就耽误了。从临清走清河、枣强奔衡水，这下子过了河，顺任邱县就来到北京。

二爷吩咐不能停留，速速回转山东。阮和跟老侠商量："二叔，我们全没到过北京，听说皇城城门里九外七，南北两城，大宛两县，热闹非常。五坛八庙，繁华似锦。您为什么不带着我们逛逛啊？"二爷把秃头脑袋一晃说："阮和，不行啊，你应该知道，你和你的师弟都是省事的，不招灾不惹祸，就你们几个，怎么着都行。可我这几个徒弟就不行了，尤其是张旺，他们都不是省油的灯啊。北京城大宛两县南北二衙门，五城十五家，五城兵马司，三步一个堆儿，五步一个栅栏。眼明手快的官人比比皆是。这次来，你师父又不知道，万一出点事，那还了得吗？既然到北京咱们难以下手，算他姓高的走运气。走，回家去吧。"二爷的话能把阮和他们说服了，可底下这几个不成啊。最后二爷说："这么办，咱们住几天就走，谁也不能惹事。"这一答应下来，弟兄们欢天喜地。爷儿几个来到朝阳门，买了个竹篮儿，两把茶壶，十几个茶碗，洗脸洗脚的盆儿，又买了四领莲花席，茶叶手巾等物。阮和问二爷："咱们住哪去?"二爷说道："我带你们去个清静的地方，当初我跟你师爷来北京就住在那里。"众人这才来到地坛。此处地方较大，树林也多，爷儿几个越墙而过，进了拜坛的东石门，再进二道石门，四四方方的大拜坛，四面有台阶。来到上面，把席子铺好，每个人的拜包裹放在席上。叫孩子们提着大壶到安定门关厢的茶锅上买来开水，泡菜喝茶，洗脸洗脚还是真方便，吃饭可以去关厢饭馆；下雨就把席一卷，可以到轩斋宫去避雨。好在这地坛无人管理。第二天二爷嘱咐大家伙儿，搭着伴儿去走走，千万别惹事，更不能胡作非为。从此，每天无拘无束，越玩越高兴。有几次，二爷催着回山东，孩子们还是愿意多待几天。其实他们每个人身上都带有不少银子。

斜睛太岁阎保跟张旺俩人投脾气，他们俩总在一起。张旺花钱跟水流的一样，他们手头的钱少下来，张旺跟阎保商量："师哥，杵头念啦。""杵头"是代表钱财，"念"是代表少的意思。阎保一想："师弟，咱们的钱既然不多，跟师哥们借点儿吧。"张旺一听直摇头："唉，您真说得出来。北京城帝王之邦，富商大贾、公伯王侯、将相居住之地，金银如流水，还用借吗? 晚上取些用，易如反掌。"阎保摆手："那可不成。一来师父有话，不准胡为，二来眼明手快的官人有得是，藏龙卧虎哇。王侯府内都有护院教师，武术精通。别栽到这儿，让师父骂，师哥们数落，咱们脸上也无光彩。""没事没事，暗中窃取，又不是明火执仗，哪个王府丢个千数八百的银子还报官哪。看家护院的，还能把你我弟兄怎样? 咱也不是白吃干饭的。""可咱道路不熟哇。""远处咱也别去，地坛往南过城墙就有个大府第，连道都不用踩，今晚就去。"阎保还想跟师兄们说一声，叫张旺给拦住啦，要不怎么叫坏事包哪。其实他是把钱花亏啦，内心也有点儿看不起北京城的把式匠。这叫"善于泅者死于水，善于猎者死于兽。"

当天晚上都睡了，张旺一捅阎保，带好兵刃、衣包，如果有人问，就说大便去。俩人溜到南坛根，换好夜行衣，包袱皮儿往腰里一系，兵刃插好，抬抬胳膊腿，周身上下合适，不崩不吊。俩人打手式，拧腰越坛墙，施展夜行术，直到护城河北岸，"燕子三抄水"，越过护城河，功夫确实不错。施展狸猫登树枝的轻功上了城墙，扎撒背膀往城里看，万家灯火已寂，家家上门，铺户上板，老百姓大都入了梦乡。长街之上三三两两巡更，也不放在心上。二人飞身下城墙，夜色茫茫，真好像两绺轻烟，直入贝勒府。滚脊爬坡，各处窥探，没想到正厅院中有人搭话。哥俩在东房上看见海川无惊人之处，这才答话下房，没想到碰钉子了。

海川人怯，手底下不怯，打掉单刀，二人逃走。回到地坛，两个悄悄换了衣服。阎保心里头烦哪，张旺劝了半天。两个人挨着躺在席上辗转反侧。跟他们俩在一起的是鲍信、侯俊、侯玉三个人。第二天五个人嘀咕半天，阎保把事情详细说明。这五个是亲师兄弟，同仇敌忾。先进城里到打磨厂刀剪店买了一口雁翎刀，就劈开了口。商量已定，第二天晚上又来啦，被海川把侯玉的铁拐打掉。五个人跟斗败了的鸡一样而归。

到地坛换衣服，来到地坛南石门。一看，坏了，侯二侠坐在席上，四位师兄都在。其实阮和是长门大师哥，在家里他威信最高，师兄弟也都怕他，一般都是他叫起儿练功。他在二位老人家盛怒之下也敢说话，阮和本人功夫既好，又有魄力，同时也诚实可靠，有时还能替二老主笔。这次来京，主要由他来管束师弟们。第一天晚上，张旺、阎保走，他也觉察到了，第二天晚上五个人前后离去，阮和一查看，夜行衣包带兵刃全没了，他就知道有事。本来二爷是坐功，晚上睡觉也是盘膝打座。他来到二爷跟前，低声叫道："叔叔。"二爷微睁双眼："什么事？""五个师弟白天就好像有事，晚上都走了。""家伙衣包呢？""也全带走啦。""啊！"二爷吃一惊，这时候阮壁、徐源、邵甫也都起来了。直等到四鼓已过，才见五个人无精打采从南石门外来到拜坛上。

二爷面沉似冰，问道："阎保，你们的军刃呢？"阮和把五个人的兵器全拿下来，放到二爷的面前："叔叔，阎师弟的刀是新买的，小师弟的拐不见啦。"二爷很生气："你们干什么去了？军刃因何不在？跪下！"阎保知道师父生气啦，自己悔恨交加，"扑嗵"跪在面前："师父息怒，都是徒儿不好，不能约束师弟们，请师父责罚。"其实侯二侠素常疼徒弟，这是人所共知的，今天可真生气啦："你们这两夜有什么事情，如此狼狈，你的刀哪去啦？为什么是新刀？从实讲来。如有不实，为师定要责罚。"阎保是个面恶心善的人，怎敢隐瞒，从头至尾备叙前情。这武林之中，讲究的是过节儿、过板儿。姓侯的来到北京，孩子们在不知名姓的人物面前栽了跟头，等于大人丢脸哪。老英雄想到这儿，用手指点："你们实属胆大妄为，要知道泰山高矣，泰山之上还有天；沧海深矣，沧海之下还有地，能人背后有能人。军刃被人留下，为师脸面何存？把军刃收好，休息去吧。"一摆手，徒弟们都躲开了。

第二天清早，二爷空手，戴好大草帽，遛遛达达地进城啦。来到成贤街国子监西口，穿行往东，到东口就看见贝勒府，宏伟高大，巍峨壮观，皇家气象。二爷一看，从南往北有遛早弯儿的老人，上前去一抱拳："老哥，您喝早茶了？""嗳嗳，刚喝完，出来遛个弯儿，活动活动。你早哇？""我是外乡人，到北京来逛逛，跟您打听打听：东边这片大府是什么府第？""啊，这是固山多罗贝勒府，本府的皇子晋封雍亲王啦，这是王府。""嗷，怨不得这么高大。谢谢啦。"拱手作别。老英雄一想，事情很不好办，也不知这位名姓，怎么问问哪。二爷信马由缰从西往东进了富贵巷，从府门前过去，来到东头。原来东边有座大庙，这是柏林寺。紧靠王府东边，还有座小一些的府第，门口有不少的瓦木工匠。老英雄凑过来，笑嘻嘻地抱拳："众位这么早就出工干活啦？"有个三十多岁的，看样子是工头："老朋友，听你的口音是外乡人吧？""对对，从山东来。""唉，这么大年纪，还外出谋生，不过到了北京还好混生活。你要有力气，能和灰和泥的，只要不偷奸耍滑的，每天管饭，两吊工钱。不瞒你说，上边交待得急，几天就要完活，人手越多越好，你看怎么样？""谢谢您赏饭吃。干什么这样急呀？""咳，您不知道，给王府教师爷修房接家眷。""哪位教师爷？""老朋友，您爱问，我爱说。真是人走时运马走膘，骆驼单走罗锅桥。咱王府有位更头姓童名林，因为有强盗夜入王府，被童头给打跑啦，上人见喜，一步登天，这位更头升任本府教习。这不是吗，让州官送家眷，庄园处派下来修葺这座小府。请童教师居住。""嗷，我这才明白，我还有个朋友，干脆把他也找来帮帮工，挣俩钱可以吗？""行行。"说完，这个人领活儿去啦。老侠误打误撞把事情问明白啦，原来五个弟子被更头给打啦。二爷往回下里走，来到府前，喊了一声："回事。"从里边走出一个人来，"你找谁呀？""辛苦，我是童教师的乡亲，来找童教师。""候着。"下人往里来，正遇见何吉总管，说明此事，童林才把老人家让到屋中。现在一提名姓，使童林一惊。侯二侠从头至尾说了一遍："童教师，我的几个孩子无故冒犯王府，被阁下教训一番，您替我管教他们，在下十分感激。打算请您今晚到地坛畅谈，不知童教师肯拨冗前往吗？"海川慨然允诺："前辈示下，童林敢不如命吗？今晚小子一定前去。""好，童教师快人快语，老夫钦佩，今晚恭候阁下莅临。告辞了。"说着，戴上大草帽往外走。海川直送到大门外，看着老人的后影儿出西阿斯门走了。

海川两眼发直，站在府门外思绪万千，想得很多：自己刚刚当了王府教师，就遇见这么一位四远驰名的老侠，盛名之下，岂有虚士。我打了人家的孩子，人家大人出来了，论经验阅历，无法相比，可箭在弦上，不得不发。话可又说回来啦，师父叫我兴一家武术，如果只能战败碌碌之辈，又怎能跻身武林，立起门户？如果仰仗平生所学，战败侠杰，这叫"搬倒大树有柴烧"，就能鱼跃龙门。倘若不胜，我才三十多岁，来日方长，找恩师再下苦功，也为时不晚。祸到临头须放担，岂能犹豫。莫若拿这位老侠客当做试金石，看看自己到底有几许本领？想到这里，心中坦然。往回下走，来到自己屋中。陈升、陈福已经把屋子收拾干净："教师爷，二总管刚才来啦，说王爷请您哪？""好吧，我就去。"海川奔客厅，心里琢磨着，王爷一定要问，如果不说实话，有所不妥；要说出实话，王爷身为皇子，他具有唯我独尊的优越感，自己受王爷的赏识，王爷是祖护自己的，反过来，王爷有个多想：你姓侯的何等人，敢欺侮我府内教师，你长着几个脑袋？你说这是武林会友的老规矩，我偏不让你有这个规矩，那不就坏了吗？再说王本人好武，如果他知道是位成名的老侠，一定羡慕，非要跟着不可，我也绝对拦不住。家累千金，坐不垂堂啊。画虎画皮难画骨，知人知面不知心。我怎敢请他前往呢？还有，我真的被侯老侠打了，不用说打伤至残，甚或身死，扔我一个跟头，王爷知道都会不舒服，万一他要动用皇家势力，到那时我进退维谷。这要传到绿林人耳朵里，那我童林岂不成了仗势欺人？实在有损名誉。干脆不提。

等来到大厅，见王爷行礼落座。"海川，乡亲走了吗？""走啦。""啊，海川哪，你这一次荣升教师，你离乡土百十里路，再说家眷一到，乡亲们焉有不知的道理哪。今后类似的事情很多，大不过是谋事、借住、求财。你记住：一律不准推辞，只要能办到的就要办。不用问这是借钱吧？""爷真是聪明过人。""哈哈，这不是明摆着的事吗？你身上不是有一百银子吗？不够再到庄园处去拿吧？"海川真是万分感激："这给爷添了不少的麻烦。""你错了，今后你的事就是我的事，只是你有事别瞒我，咱爷俩一齐商议。"二位在一块儿，只不过是谈论武艺，以及海川知道的江湖轶闻，到时吃饭、喝茶。有话即长，无话即短。由于昨晚熬了夜，吃完晚饭王爷休息去了。海川回到自己屋中，拿起双钺和包袱，告诉陈升、李福去到下房睡觉。海川出府门到西口，往北走几步到了成贤街。两头的胡同口有牌楼，海川迈大步一直往西走。来到安定门西大街，路西有个天泰轩清真饭馆，饭馆门口站着一个伙计。海川走过去一拱手："大兄弟，我跟你打听一下，地坛在什么地方？"伙计用手一指："您快走，说话就关城门啦。城后绕过箭楼一直往北不太远，您往东看，里边烟笼雾绕柏树林，周围的大红墙，两边坛门，可能都关着，那就是地坛。爷台，天都黑啦，你上那儿干什么去？""找个朋友。"伙计一听，这位可能是发呓症，旷野荒郊，连个人家都没有，找谁呀。海川道谢，提着包袱往北，出离安定门，到地坛会二侠去了。

第四回

赴约会地坛拜老侠
战贺豹二结一掌仇

上回说到五小闹王府，打掉单刀拐，今晚在地坛要会见八旬老侠侯敬山。海川问清了道，来到城门口，跟着出城的人挤出来。绕过箭楼，过桥往北，直奔地坛。这时已路静人稀，关厢左右闪烁着两三星火。走着走着，海川发现东边一片红墙，里边茂密森林，高大红坛门，关得很严。海川来到红墙下，这大墙足足有两丈多高。英雄脚尖点地，提气轻身，"哧"地一下，真是身轻似燕，飞身上墙，手扒琉璃瓦的泥鳅背，双足轻轻蹬住出水的琉璃瓦垄，右手用包袱挡住前胸；举目往下看，里边都是参天古树，无风自响，又加夜晚，好不吓人。海川一飘身下来，顺着东西甬路，来到二道坛门，依然双门紧闭，海川拔腰上墙，往里观瞧，也都是大树。海川再飞身下来，心里纳闷："怎么一个人也看不见哪？"

突然间林中草动，闪身出来两个人，海川一瞧，见过面啦。一位是陀头和尚，一位是斜着一只眼睛。和尚是坏事包张旺，大个子是斜眼太岁阎宝。张旺合掌打问讯："阿弥陀佛，童教师真不爽约，果然前来，我弟兄奉恩师之命，前来迎接。草草不恭，请您原谅。"海川拿着包袱一拱手："好说好说。有劳二位久等，童林一步来迟，恕罪恕罪。"和尚一抱拳："请吧。"顺着大树林往东来，快到拜坛西门啦，从里边走出两个人来。海川看这二位，也都在五十多岁，细腰窄背一身蓝。肋下配刀，长眉朗目，松散地梳一条大辫子，面带忠厚："师弟，童教师到啦？""师兄，您陪着童教师往里请吧。"说话间，海川随二位师兄进西门，跨二门直奔里来，侯二侠早在坛阶下恭候，还有六个弟子都在身后，有认识的，有不认识的。老侠面带笑容："童教师，恕老朽失迎啦。"海川抢步进身行大礼："老前辈，晚生童林参拜。"侯老侠怎能叫童林磕头哇，双手一拉："童教师，在下不敢当。请吧。"海川随着众人登上拜坛。

北京有五坛八庙，这五坛是：地坛、天坛、日坛、月坛、社稷坛。这拜坛有十几丈见方，高有一丈多，四面有阶石。来到上边，四顾空阔，显得居高临下，铺着几领莲花席，放着壶碗包裹。

侯二爷执手相让："童教师，星月皎洁，深夜无风，万籁寂静，正好畅谈。席地而坐吧。"二人坐好，老侠细问："府上什么地方？""晚生祖居京南霸州童家村，世代务农为业。""您的贵老师是哪一位？"海川一想师父不叫提呀，便道："在下无师自通，是仙传。"老侠一听这不像话呀，又问："你的门户呢？""我准备在武林中自立门户，兴一家武术。"侯老侠看出海川不像话，有些生气，有意想考问一番，便笑道："哈哈哈，教师所言，老夫一生才第一次听到。你既承仙传，一定博学多闻，老夫有一军刃，虽使用多年，但不知其名，既遇阁下，倒要请教其名。"说话一招手，徒弟把一个长包袱递过来，海川一看可就一怔啊。老侠把军刃一托："童教师，您看一看。"纯钢粗制，二尺四寸长，一头像核桃那么粗，一头细跟大枣差不离。通体漆黑唰亮，两头儿都是馒头顶儿，没尖没刃。粗头一边凿个透眼，黄绒缦的挽手，黄色灯笼穗儿，刻着一条龙，很讲究，不为好看，为的是攥住涩手不打滑。"童教师，您请赐教吧。"童林从心里感激老恩师当年传授，便不慌不忙地答道："老前辈，您这对军刃，我是第一次见到，在学艺的时候，老师提过，叫镔铁双镢。此物出在清真教，一只长三尺有六，叫长镢；一只二尺四寸，叫短镢，还有短把镢。用这种兵器必须隔衣认穴，专讲打穴之招。天下武林一共有四趟镢。第一趟镢，出在清真门户，叫七十二趟地行镢，招走中下两盘，从小腹一直到脚跟。练此功必须从幼小练起，不然不能成功。会此绝艺的只有当代清真门长，道秉清真，术传天外的西域大侠马骏马四爸马老剑客爷。第二趟镢法为八卦进步边环镢，招走中上两盘，从中腹到头顶，也是一门绝艺。目前当推威镇樟州白泰官白老剑客为独步。第三趟为天罡镢，招分三十六式，神出鬼没。通此术者当为五台门户，会者大部为僧人。第四趟为进步镢，会者寥寥无几啦。晚生妄谈，班门弄斧，雕虫小技，老人家不要见笑吧。"侯二侠伸大拇指赞美："博学多闻，老夫甚是钦佩。"侯老侠把军刃包好。海川伸手把自己包袱打开，把双钺亮出，往手里一托道："前辈乃当代武林名人，风尘侠隐，晚生临出师的时候，蒙恩师不弃，赐我一对军刃，临行仓猝，未能请示老师此军刃叫作何名？请老前辈示下。"侯二爷一看傻眼啦，前后是尖儿，里外是刃儿。"啊，您的军刃可很出奇，很特别呀。""老师夸奖，您看这军刃到底叫什么名哪？""啊啊啊，这个这个……"老头子的汗顺着秃脑门儿都流下来啦。二爷一着急，看到这大小两个月牙子，急中生智答道："嗯！您这军刃叫钺，对吗？"海川点头："老前辈见多识广，是钺。""听说武当内家有鸳鸯钺，讲究蟒狮熊虎蛇马猴鹏八形。老夫生平未见，只是听家兄提过，妄谈妄谈。"

　　侯二爷一见童林虽然年岁不大，十分老成，而且为人行事很憨厚，并且知道是内家弟子，一定出身高门。虽说初入江湖，见人绝无自大之感，而是浑金璞玉，内力充沛，定有一身好功夫，将来在江湖路上必是龙腾虎跃，不可限量。倘若我跟他过过手，交个朋友也好。想到此，侯二爷便道："教师，听孩子们说，在王府多蒙你手下留情，我先谢谢。"童林捧拳答礼："恕我不知是少侠客们，多有得罪，还请前辈和众位少侠客们多多原谅。我童林初入江湖，不懂规矩。""哟，童教师太客气啦，倒使我们爷儿几个汗颜无地了。我想阁下既然来啦，老朽愿与阁下手谈，领会一下高明的武艺，也算不虚此行吧。"海川连连摆手道："您是老前辈，我学浅才疏，技艺无进，怎能与前辈无理。"老侠想了一下说："这样吧，我们二位只是印证一下功夫。这有一领席，咱二位在这席上较量一番。谁先出席，谁就算输。您看好吗？"海川不再坚持啦，想到老师父叫我兴一家武术，如果我见人就怕，觉得对不起师门。便道："老前辈既然说出来，童林只有恭敬不如从命啦。"

　　弟子们马上把包袱什么的都挪开。海川心里明白，自己内家功夫，讲的是棒打卧牛之地。挨帮挤靠，缩小绵软巧。他左脚在前，右脚在后，左掌在前为引手，右手护住中穴。侯二爷左手搭勾，右手拱掌，"螳螂捕蝉"把门户看好。"童教师，请吧。""老前辈只管请。""好！"侯老侠往下一矮身，真是守如处子，动如脱兔，"唰"地一下"螳螂攫爪"，奔海川面门。海川心想："好快的身法，出手不俗。"自己不敢疏神大意。海川抱元守一，气贯丹田，奔左边划右步，右手从左肘下一穿，左脚上步，左手一攞，"狮子滚球"，掌挂一团风，照定侯老侠胃脘就打。老侠点头："好俊的功夫。"行家一伸手，便知有没有。侯二爷往后一撤步，还招动手。步行门，让过步，见招化招，见式解式，取己之利，乘敌之弊。搂打挡封。踢弹扫挂。"啪啪啪"，眨眼之间，就十几个回合。侯二爷倒吸一口凉气，童林招术变化无穷，功底之深，经验之大，无与伦比。几次自己都不能化解，童林都不贪赢，看来本领在我之上。自己偌大年纪，不远千里来到北京，要是栽了，岂不把一世美名，付于流水。

二侠侯杰进步掀掌，海川左臂坠肘沉肩一压，二爷要变招，海川来得太快。两个人本是斜对着，海川就式左脚当轴儿，右步后滑，转了个半圈儿，海川的左胯可就贴近老侠右胯。海川灵机一动，微一发力，"嘭"地一下，这招胯打有啦。老侠借力纵身，"噌"地一下，当老侠脚已离席落地的同时，海川似乎也被老侠用胯挤出席面，同时落地。其实海川这一下连所有侯门弟子都给骗过啦。海川先说话："老前辈，晚生输招啦。"侯二爷脸一红，心里很感激这个年轻人，不让自己栽跟头，其用力之准，说明他的造诣不浅。"童教师，是老夫输招了。"二人再次落座，老侠发怔。海川一抱拳："晚生第一次会见前辈，实增教益。"老侠一摆手道："童教师虽说年轻，可发招非常老练。""老前辈太客气。""不！您不能叫我前辈，有这么句话：'江湖无辈，绿林无岁，肩膀齐为弟兄'。我们还是弟兄相称吧。"老英雄侯杰的意思是，你年纪很轻，功夫深奥，不用甘居晚辈。哪知童海川错领会了，还以为侯老侠认为自己才德不错，结为弟兄，赶紧站起来："老哥哥如此不弃，愿与童林为伍。如果童林不视兄长如至亲手足，必遭恶报。哥哥请上，受小弟大礼。"二爷知道童林错领会啦。一想也好，结交个青年朋友。侯二爷赶紧站起来说："兄弟，愚兄正是此意，咱哥俩望空一拜吧。"撮土为香，结为金兰之好。"哥哥，您请上首受小弟大礼。"二爷也不客气，上首坐好。海川磕了八个头。"兄弟，起来。"二爷一回头叫道："阮和，你们九个人各自通名，拜见师叔。"哥儿几个心里这个骂：张旺啊！你吃多啦，哪儿遛不了食儿，单单跑到王府去遛弯儿，没事找个小叔叔来。老人家的话，谁敢不听。哥儿九个站齐，都报了名姓："师叔在上，受侄男等大礼参拜。"海川还礼道："众位老贤侄请起请起，讨礼讨礼。"

大家重新坐好，二爷这才细问情由。海川长叹一口气，就把十七岁斗纸牌，误伤老父，逃亡在外，卧虎山巧遇二恩师，学艺十五年，昼夜三十载的苦功，奉命下山自立门户，如何探宅，风雪困京师，王府当更头，乃遇贤侄两次闹府与二哥见面的经过细述一遍，今后还望兄长提拔小弟。

爷儿几个听完，点头赞叹。"兄弟呀，听你这片肺腑之言，真是深山大泽，实藏龙蛇。寒门生贵子，白屋出公卿。英雄生于四野，豪杰长在八方。愚兄年逾八旬，交你这个兄弟，我引以为荣。放心吧，将来在江湖上，愚兄与你联袂而行。""谢谢二哥，请你带着侄子们跟我去王府居住几天吧，王爷也是最讲交友的。"侯二爷一摇头："兄弟，尽管王府对你有恩，可是你新来乍到哇。再说咱们都是绿林人物，粗荡不羁，多有不便，这个我们就不需客气啦。我们爷儿几个今夜就返回山东，不再停留。""二哥，为什么？""此番来京之时，你我的老哥哥不曾知道，时长日久，家中悬念。再说孩子们也想家啦。你我弟兄就此分手吧。"海川是个重情义的人，一听要走，心里觉得惆怅："二哥，不能再逗留几天吗？让兄弟好好地侍奉兄长数日啊。""贤弟，何时有闲，请到山东寒舍。那时畅谈，岂不好哇。""二哥说得对，只要有暇，小弟去山东，拜见两位兄长。那么小弟就不能送行啦。""你我岂是酒肉之友？""好，你还需要什么了""兄弟，这次路费本来带的很富余，这些日子花得多啦。你要是能办到，借给愚兄纹银百两，我叫你侄儿阮和随你去取。你看行吗？"

哎呀，事情就怕巧了！侯老侠绝不是路费短缺。那为什么又借银子哪？徒弟的单刀拐，被海川打掉，虽说是弟兄，也无法启齿。老头儿想："跟你借钱，回府以后，你还想不起单刀吗？一块儿交给阮和不就四水相合了吗？"万万没想到童林从腰里一伸手，把纹银取出："哥哥，一百两够用吗？我这儿随身带来啦。阮和贤侄，你拿去吧。""谢谢师叔。"阮和带好。二爷心说：看起来单刀拐是不给啦。"好吧，兄弟请回吧。"海川趴在地下磕头："二哥，回去见着老哥哥，替我问候。"小弟兄们也纷纷行礼告别，老侠叫徒弟送出地坛。

海川提着包袱往南走，心里是又惊又喜。喜的是逢凶化吉，遇难呈祥，结交一位引路人——武林的老前辈——今后在江湖路上能给自己遮风挡雨。惊的是一场大祸，迫在眉睫，总算是老人宽宏大量，波平浪静了。这只是一方面，还有最要紧的，海川入江湖交的第一个朋友是位成名老侠，用侯振远的鼎鼎大名一照，童林也就光射四海啦。有道是："与君子交如入芝兰之室，久而不闻其香，则与之俱化矣。与小人交如进鲍鱼之肆，久而不闻其臭，则与之俱化矣。"想到此，海川越护城河，施展狸猫爬树枝的功夫，上了城墙，窜进贝勒府的高墙大院，回屋休息。

次日来见王爷，爷俩谈论武艺喝着茶，王爷想起昨天的事来便问：

"海川，你的老乡亲怎么知道你在本府当差呀？""爷还不知道哪，有点儿事没敢惊动爷的金身大驾，来人不是我的乡亲。此人家住山东东昌府，姓侯名杰表字敬山，江湖人称一轮明日照九州苍首白猿。他有位兄长叫圣手昆仑镇东侠侯廷侯振远，都是当代武林中的大侠。"海川把事情叙述明白。王爷听完直后悔："海川，有这事情为什么不告诉我？""爷不要怪罪，一来怕爷为我童林担惊受怕。二来怕爷一怒动用王府力量，破坏绿林的规矩。三来童林刚得爷的赏识，时间太短，还不知道爷对江湖人如此重义。"王爷听了摇摇头："咱爷俩天生缘分，一见如故。当然，要像侯老英雄这样年高有德尚义行侠之人，你去也无妨。但万一有心怀叵测之徒，奸猾之辈，你如果防范不到，会遭人暗算。何况你打人一拳，怎不应防人一脚呢？将来要再有类似之事，你必须告诉我，好给你筹划一下。以后再有绿林侠义来访，你一定同来见我，以便很好款待。还有，你打掉人家的军刃，给人家了吗？"海川一听可就怔了："哎哟，我忘啦，我必须追去。"王爷一摆手："不必啦。侯老侠跟你借钱，并不是真的，分明假借钱这名，变个方式跟你讨些单刀拐，可你心眼儿实，当时把银子就拿出来。你想吗？你把人家刀拐留下，人家就算栽啦，回去怎么交待？比方说你派专人给送往山东，那就更臊人啦。以后再说吧。"海川真是懊悔不已。

过了半个月，顺天府打发值差的来到王府禀王爷：童教师家眷，明天到宛平县城打尖，请王爷派人迎接。王爷知道之后，马上传谕，加紧收拾东边小府，今天必须完工。又从西府派过男女仆人等十几个，立刻生火。采购来各种粮食面粉、油盐调料，什么一切吃的喝的、穿的戴的、使的用的，完全准备停妥。派庄园处的韩禄做小府的总管，又请海川到府里查看这房子，二老住着是否习惯，使用之物是否方便。海川一看应有尽有，自己想到的备好听用，自己想不到的也已备好听用，心里很感激。回到大厅以后，给王爷道谢。王爷笑啦："海川，哈哈哈，你也别客气，你看我吩咐的，双亲二老还能过得惯吧？""王爷，中人之产也比不了。上循分，下称家。我父母消受不起呀。""海川，离别十五年啦。你明天带着庄园处的听差，骑马到宛平县迎接。我再派何吉、何春在广安门恭候。家里有人准备着。你一切放心好啦。""爷想得太周到了，真使我父母增添光彩呀。""不要客气啦，明日清晨就去吧。"

次日五鼓，海川带着十几个仆众骑从，告辞了王爷，出广安门直奔宛平县城。来到城东关，店已打好，已经有人在这里等候。海川等下马看了看，很清洁，十几个人在海川面前驱使奔走，来往行人也侧目而视，侧足而立。不到巳分时，有几位穿袍子的官人骑着马陪着一个人来了。海川一看，正是替自己屈尽孝道的兄弟童缓，弟兄见面，抱头痛哭，拉着手进店房，洒泪叙旧，海川连连给兄弟道谢。直到中午车辆才到。海川跪在父母面前放声大哭，二老也是悲从中来。老母亲抚摸着海川的头顶："儿呀，真像一场大梦啊，你怎样学的本领呢？"海川不敢实说，唯恐二老伤心，只说没受什么罪。童怀老人眼含着热泪："快起来吧。"海川给父母磕头。童缓搀扶童怀，海川搀着母亲来到店中，擦脸漱口，喝茶吃饭。一直到晚上，一家四口乐叙天伦，海川这才把学艺的经过以及到王府当更头，荣升教师，详详细细地说明。为了让二老不难过，少担惊，自己吃苦的事一概不提。二老在院中满斗焚香，叩谢上苍默佑，并给王爷祝福。次日登程来到新修的家舍。王爷及一般人慰问探访，这且不提。

海川真的在家陪爹娘几天才到王府上班。见过王爷道过谢，王爷便问海川："童缓定亲了没有？"海川说："在家乡时，我父母一定要给他娶媳妇，他死也不愿意，说要等我回来，不然娶个不贤良的，怕二老受委屈。"王爷点头赞叹："真不错呀，将来我要给他说门子亲。"爷儿两个说话可就快到吃午饭的时候了，外边进来回事处的一个伙计，王爷一看便问："什么事？""回王爷的话，门口外来了三位客人，说是找童教师。""海川，又是找你的，快出去看看。要是武林中的侠义英雄，可想着陪进来，本爵跟他见个面。"

海川随着下人往外走，到了大门口，在影壁前站着三个人。东边这个人长得很俊，二十多岁，中等身材，细腰窄背，扇子面的身骨，身穿宝蓝绸子长衫，腰系丝带，白绵绸的裤子汗衫儿，薄底窄腰靴子。长圆的脸型，面似三月桃花，红粉相间真好看，两道长眉，一双俊目，鼻直口正，大耳垂轮，漆黑的一条大辫子，右手提着蓝包袱。当中是个大高个儿。胸宽背厚一身蓝，肋下佩带一口金背鬼头刀。黑脸膛，两道粗眉，一双大眼，金睛叠抱。狮子鼻，四字口，厚嘴唇，一对大薄片子耳朵，连鬓络腮的黑胡子。脚下踢死牛的豆包鞋。西边是个大高个儿。青虚虚的脸色，抹子眉，大环眼，眼珠发绿。大嘴岔，青胡子荐儿，一条大辫子。也是一身蓝，脚下洒鞋，佩带金背鬼头刀。身上斜背一个包袱。

海川全不认识。他来到近处，一抱拳："三位老师傅可好？在下拜见。"当中这个黑大个一摆手:"别磕头啦,等你娶媳妇再磕吧。"海川一听这个气:"三位找谁呀?"黑大个一瞪眼:"找你们的教师童林哪。""啊!我就是。"三个人一听,"喳呀呀"怪叫如雷,踏破铁鞋无觅处,得来全不费功夫,拉军刃动手。童海川要二结一掌仇。

这三个人,当中的名叫陆地金蛟贺豹,俊人物叫小粉蝶韩宝,青脸的叫闹海金鳌吴志广。

您还记得雷春吗?自从童林打他一掌以后,刘洞、韩庆把师父搀起来,遛了半天,才缓过这口气来。小徒弟端过漱口水,请雷春漱漱口,把吐出来的东西打扫净。乡亲们都过来:"雷师父,这个乡巴佬真不讲情面,您让着他,他不懂,结果您吃亏啦。"乡亲们的话,总是维护雷春的面子。雷春摆摆手:"乡亲们不要替我遮羞啦,我实在的打不过人家。众位请回府,我要休息休息。"刘洞、韩庆侍奉师父十几天,这才算好了,两人很高兴:"师父您好啦,明天教给我们练功吧。"雷春苦笑:"你们好糊涂,咱们的场子被姓童的踢啦,我怎么还能教下去呢?你把村正找来吧。"刘洞把本村村正找来,清了帐目,弟子们各自回家。雷春把行李带好,刘洞、韩庆送了一程,洒泪分别。

雷春来到南盘江南岸金家渡口的金家酒店,面见金钱豹金荣,艾叶花斑豹金亮。金家弟兄接进去,彼此见礼:"师兄,您怎么不在江西教场子啦?"雷春长叹一口气:"唉!二位师弟,劣兄的场子被人家踢啦。""哟,哪路人物,敢踢咱哥儿们的场子?"雷春摇了摇头:"无名之辈。贤弟们不必再问,给我备船吧。""好。"金荣出了酒店后门,时间不大,回来啦,扛起行李:"走吧,师兄。"出后门儿到江边,江水滔滔,很是凶猛。上了船,来到船坞下船,有兵丁给拿着行李,来到南庆门。这是八卦连环堡,一共六十四个院。他们顺着"离为火"赶奔中央"戊己土"大厅。八位庄主爷全在。雷春来到大庄主李昆李太极的面前,跪倒行礼:"启禀庄主爷,雷春少庄主求见。"老英雄李昆手拈银须:"雷春,你这些年不是在江西什么地方教场子吗?听你师父说你在外边混得不错呀。""是,多谢师伯惦记,弟子在贵溪县北双熊镇授徒。""怎么回家来啦?"雷春的脸立刻红啦:"弟子的场子叫人家给踢啦。""嗷,你在江西教场子二十余年,难道没混出点儿人缘来?""禀师伯,这个人不是本地人,是北直隶人。据他说丢失路费,想借一点钱,弟子也没难为他,问问他的师门,他说是'仙传',问他门户,他说要'自立门户,兴一家武术'。

弟子看他貌不惊人，衣不压众，因此动手，被他打我一掌。"老庄主一阵冷笑："哼哼哼，雷春，你是想叫我弟兄下山，给你找回面子。对吗？不过我弟兄年纪过大，每天在山中促膝谈心，日月蹉跎，老将至矣，哪有时间去管你的闲事。你自己要经受这次教训，带着师弟们刻苦练功，以求上进。好吧，你休息去吧。"

下人们答应着："是，少庄主请跟我来吧。"雷春无法，只好告辞出来。跟下人来到住处，下人泡上茶来，这时候好多师弟们都来啦，有些小师弟们都不认识，大师弟们都很熟啦，一拨儿、一拨儿的来问候，最后来了三个。这三人，一个是韩忠七庄主的侄子叫小粉蝶韩宝，一个是五庄主贺勇的儿子陆地金蛟贺豹，一个是五庄主的徒弟闹海金鳌吴志广。这三个人一来功夫比较好，二来是庄主的子侄，当然就不一样啦。三个人到屋里先给师哥请安。雷春答礼："兄弟们快坐下。"三个人坐好，韩宝可说："师哥，您的功夫不错呀，怎么叫无名之徒给踢了场子呢？"贺豹他们也说："这个人有多大本领？"雷春叹了一口气："唉，我先谢谢师弟们的关心，不过还是怨咱自己无能。"雷春心里明白这三个师弟，跟自己不一样，血气方刚，眼空四海呀。"师哥，这个人是哪的人，叫什么名字？"雷春摇头："师弟们不要问啦。你们三个人，尤其是贺豹兄弟，脾气都不好。得啦，咱弟兄多年不聚会，好好的玩几天吧。"不管三个人怎么追问，雷春就是不说。

其实三个人是要给师兄拔剑。后来三人一研究，他不说不要紧，他还有两个大徒弟刘洞、韩庆哪，三个人都认得他们俩。好么，昼夜兼程赶奔北双熊镇，跟人家一打听，谁都知道。来到刘洞的家，韩宝叫门。"啪啪啪"三下，"吱呀呀"门分左右打开，正是刘洞开门："哟，这不是三位师叔吗？"赶紧趴在地下磕头。"刘洞快快起来。""师叔们请进吧。""刘洞，我们不进去啦。你师父回山也不提这儿的事，后来我们才知道。特来问问你：到底是叫谁踢的场子？"刘洞答道："这个人是京南霸州童家村的人，姓童名林表字海川。""好极啦，你师弟哪？""他也在家哪。""这样吧，你把家里安置一下，找你师弟韩庆，你们俩一块儿回八卦山去。见你师父，就说这件事我们已经全知道啦，叫他放心。几天后我们也回山。""师叔们放心吧。"

三个人跟刘洞分手，直奔霸州来啦。一路上饥餐渴饮，晓行夜宿，非只一日，来到了童家村。刚到村口，可巧出来个老人，韩宝走过来一躬到地："老人家，您是本村人吧？""不错，在这村住了多少辈子啦，老根儿是山西大槐树底下的人。我们归顺天府南路飞宪厅管辖。""是，谢谢您。您这村有位姓童的吗？""哈哈哈，你得说出名儿来。不然的话，你从东口敲门，家家都姓童，我也一样姓童。""老人家，这个人叫童林。您知道吗？""找童林？"老人上下打量韩宝他们三个："你们跟童林是什么关系，从哪儿来？""我们从江南来。""嗷，不错，童林是在江南学的武艺呀。"韩宝心说，这倒省事啦，便道："我们是一齐学艺的师兄弟。""好极啦，不过不在这村住啦。""哟，搬家啦！我们不远千里而来，这多失望啊。""年轻人，哈哈哈，不要紧，你们来着啦，人家童林在北京雍亲王府荣任教师，平步青云啦。这不么，本州州官亲到家中拜望，又把他们全家护送到王府享福去啦。你们没看见，三班人役、翎子顶子、朝珠、补褂，可来了不少哪，我长这么大还头回开眼哪。""啊，谢谢您哪。""不用谢，要找童林去北京吧。"说完了，老人走啦。三个人一商量，走！去北京。这样他们才打听到雍亲王府，来在府门外，往里边一传话，海川出来。

三个人一报名姓，是云南八卦山的小庄主，海川抱拳："原来是三位少庄主，失敬失敬。请到里边一谈吧。"贺豹用手点指："你就是童林吧？""正是在下。""哼！好小辈，找你可真不容易，上里边也不怕你，干脆咱们就在这里较量吧。"说着话就披辫子，挽袖子。海川可就怔啦："三位少庄主，绿林访友，交流武艺，也是常有的事，但也礼尚往来。为什么出言不逊？难道在下有得罪的地方吗？"贺豹一瞪眼："呸！姓童的你不要装蒜啦，打人一拳提防人一脚，三位小爷爷既然来啦，就为要你的命。过来，跟小太爷大战三百回合。"说着话举拳就打，海川伸手一拉："等等，师傅们。动手可以，可话说不明，如钝剑伤人，三位讲明动手也为时不晚。"韩宝拉住贺豹，问道："童教师，你在江西北双熊镇踢了一个场子吗？"海川恍然大悟："嗷，不错，三位少庄主，果有此事。在下当时失落路费，投借无门，因此找那位雷老师借路费二十两。愚下正准备设法托人奉还，想不到三位就来啦。"贺豹把眼睛瞪圆道："姓童的，好鼠辈！你说得多轻巧，还了就完事大吉了？你把我师兄的饭碗子给砸啦。他二十年的心血，被你给破坏了；这完得了吗？不管你巧语花言，小爷也要揍你，为师兄雪恨。看招！"说罢，举拳欲打。海川心气很平静："贺师傅，您先别忙。听您的话我全明白啦，我真没想到会把雷师傅的场子给踢啦，这决不是童林的本意。三位师傅来京寻找童林，也是应该的。

贺老师无需忙着动手。你们三位，远路而来，能否请进来喝上一碗热茶，使童林心中稍安。"韩宝听童林的话，丝毫没有生气发怒的意思，这么骂他，他都不上火儿，看来有涵养，是位炼气之士。可贺豹一听，我这么骂他，他都不敢动怒，看来他是饭桶，动手我就把他搋成烂酸菜。韩宝跟他们商量后，就说："姓童的，你让我们进去，我们也不怕。走！"

海川陪着他们进了大门，可不敢把这三位让到王爷的面前。因为他们出言无状，王爷怎能容他们。才要把他们引到东院，何吉何老爷从里边出来了："教师爷，王爷请您带朋友进去哪。"海川无法："三位随我来吧。"贺豹一撇嘴："哪儿都能搋你。"何吉一听，心想：这是什么话呀。便跟在后面，来到大厅前。何吉挑帘子，王爷走到门口，问："海川，客人来啦？请到屋里坐。"海川把三位请到屋中："三位老师，我给你们介绍一下，这位是我家王爷。"海川又转向王爷道："这三位是八卦山来的老师傅。"王爷倒很客气："啊，三位师傅。"贺豹一抱拳："你是王爷，我是贺爷、他是吴爷、他是韩爷。你这位王爷想必是童林的同伙吧，那好，你们俩一块儿来吧。照样把你俩全搋啦。"王爷很生气，再看贺豹，一屁股坐在自己的座位上，便知这三个人都是无知之辈，不能跟他们一般见识。王爷吩咐何吉献茶，这三位还真喝，"唏溜唏溜"每人连着喝了好几碗。贺豹一抹嘴："童林，这茶真好喝。咱们在哪儿动手呢？不搋你，这事完不了。"

王爷趁他们喝水的工夫，细问海川，这才知道原委。现在一看贺豹，十分嚣张，飞扬跋扈，心里也很生气；"海川，动手吧。遇见文王讲礼仪，每逢桀纣动干戈。给我狠着点儿打。"海川知道王爷生气了。心想：使点劲儿搋他们一下，也让王爷消消气，王爷几时受过这种窝囊气呀？想到这儿，便对贺豹说："贺师傅，我再说一遍，当初丢失银两，奔家心盛，我才打了雷师傅，我童林不但没有结仇之心，尚欲交好于他。至于踢场子之事，我当时确没想到。你们三位要为友报仇，我童林不敢拦阻，只有奉陪。战败童林之时，即是你雪恨之日。如果办不到，哼哼！你留神第二掌。"贺豹勃然大怒："好小子，狂言大话，吓不倒你家贺大爷。来来来！"三人蹿到院中，王爷冲海川一挥手："打吧。"

海川往院中一站："请吧。"贺豹把长衫一撇，辫子一盘："好吧。"左手一晃面门，"恶狼扒心"，右手拳就奔海川胸前打来。海川滑动右步往左边，右手一穿，往下一压，左手掌奔贺豹的右边太阳穴就打。两个人插招换式打在一处。海川一看贺豹的功夫，心里暗暗沉吟：这个人一定也是高门之徒，只是本领下乘，跟自己比起来还差得很远。小小年纪就如此眼空，而且出言无状，无礼已极，我得教训他今后别自高自傲啦。海川思索至此，看贺豹"单锋贯耳"奔自己右边太阳穴打来，海川微躬右步稍一低头，左手从下往上一捞他的右臂，用右手从自己肘下往前推，"叶底藏花"，右手掌照着他的乳下穴眼上戳。海川的手指真像钢棍儿一样，"嘣"地一声，贺豹的肺叶就在里边炸啦。只见海川从丹田一口真气运上来，顺右臂直贯掌心，把脸往左一甩，功力大发。"嘭!"贺豹应声而倒，出去足有五六尺。再看他面目痉挛，五官挪位，脸色"唰"地一下变成灰的啦。两手按地要起来，上身没起来多少，"咕咚"又躺下。一张嘴，"哇"地一下喷出一口血来。海川很后悔，由于自己涵养不够，稍微打重啦。其实只不过是用了对成劲儿，他就受不了啦，见了血。但海川一壮虎胆，用手点指："韩宝、吴志广，你二人一齐过来进招吧。"韩宝、吴志广万万没想到，童林如此厉害，三个人数贺豹的功夫好，却难挡童林一掌啊。我们俩更是不敌了。想至此处，韩宝一阵冷笑："嘿嘿嘿，姓童的，光棍打光棍，一顿还一顿，有道是'打人一拳提防人一脚'，这也算不了什么。走着瞧吧。"他说到这里，一猫腰挽起贺豹，遛了几个弯儿，贺豹这口气才缓过来。韩宝把贺豹背起来，吴志广在后面跟随，出了贝勒府，狼狈而去。

　　早有人把院子里的血迹擦掉，又恢复了平静。雍亲王非常高兴："海川，快进来。"爷儿俩到屋中，何吉递过来脸巾："教师爷，您擦把脸。贺豹怎么糊里糊涂的就躺下啦？我怎么看不出来呀？甭说我，爷的眼睛多么明亮，恐怕也没看出来吧？"王爷说道："海川，何吉说得不差，我也没看清。可我心里很沉着，因为一动手，我就断定他不成。"海川微然一笑："爷怎么看出来的？""我看你跟他一过招，就觉得你动手胸有成竹，式式有法。而他就不成啦，招法出来的乱。还有，我觉得他的功夫差得多。你说对不对？"海川听了很高兴："爷对武术有进一步的了解，看来您的武功有进展啦。'世上无难事，只要苦用功'，'行家看门道，力巴看热闹'。您说得对，他的功夫属于下乘，在武林中那只是略窥门径的微末之能哪。"王爷点头："不过你打他重了一些，因为他们属于无知，不见得人怎么坏。"何吉在旁边也接话茬了："不管爷怎么说，奴才认为教师这一下打得好；这些没有王法的混虫，就该教训嘛。"爷儿几个高谈阔论。

　　光阴荏苒，一月来，海川每日陪王爷练武，无事还要到东府去侍奉父母，倒也安逸。王爷还托人给童缓说了一个媳妇。这姑娘长得很好，心眼儿也好，十分贤惠，是张老千的一个街坊妹妹。因为父母就这么一个姑娘，又年老多病，姑娘立志不出阁嫁人，非要把二老侍奉到黄金人柜才肯出嫁。现在父母去世，姑娘也快三十岁了。王爷做媒把这场喜事办得又体面，又省钱。四月初二把姑娘娶过来，花堂交拜。海川很高兴，因为小夫妻能替自己尽孝啦。一家人感念王爷。童缓夫妻很和美，姑娘又孝顺，一家人喜洋洋，乐陶陶。

很快的到四月十五日。早晨，王爷跟海川在大厅喝早茶。因为刚练完功，从功房来到大厅，说着刚才练的功夫。回事处的鲍石从垂花门外进来，到堂阶下，一甩两个袖口，双手下垂，往后退了一步："鲍石请爷安。"王爷问："有事吗？""回爷的话，府门外有慎刑司内大班的班头汤云、何贵给爷请安来啦。门外候爷哪。""嗯？"王爷纳闷："慎刑司内大班是国家的御马快，为皇上捕盗拿贼的，上我这儿干什么来呀？"有心不见，想了想，还是见见吧："叫他们进来。"

鲍石退出去，时间不大，汤云、何贵从外边进来。海川看他们都在二十多岁，可行动十分老练，一看就是久走衙门的人物。一身蓝，系蓝色板带，半官半快的五分底儿靴子。"下役汤云、何贵请爷安。"王爷连屁股都不欠："起来。有什么事？""回爷的话，敢问这位是王府教习么？"王爷点点头："是我的教习。问这个干什么？""禀王爷，下役带来一点东西，请王爷赏脸看一看。"说着汤云伸手掏出一个字条来，双手往上一呈。王爷接过来一看，脸色有些不对。海川就知道有事，忙问："爷看这纸条是什么事？"王爷马上平静下来："你看看吧，海川。"海川接过纸条，不看则已，一看哪，吓得魂飞胆裂。上边是几句顺口溜："小巧之技数我能，棒打三江任纵横。垂名宇宙惊天下，一怒来到北京城。科举会试皆无份，从小立志练武功，盗去国家无价宝，拿问童林便知情。"海川双手发颤，脸色苍白，哆哩哆嗦："王爷，我侍奉王爷，形影不离，这您是知道的。皇宫在什么地方我都不知道，真是祸从天降哇。请王爷救救童林才是。"王爷一点首："海川，你先坐下，沉住气。你的为人我知道。再说，你既是我府教师，我也应负责任，不要担惊。汤云，你说说这是怎么回事，大内丢了什么至宝？"汤云详细一说，王爷也感到十分严重。

原来每年四月十五，康熙都要驾幸木兰围场。去的时候，有时带皇子皇孙，有时不带，今年就没带。四司八处都总管梁英梁九公，他可是皇帝的亲信，突然传下话来，叫宁寿宫总管胡长胜胡老爷在偏殿准备，万岁五鼓更衣，并有特旨把皇上最喜爱的翡翠鸳鸯镯准备出来听用。山西康百万进贡进来三件至宝：第一件是鲛绡帐，冬暖夏凉，外边往里看，什么都看不见，里边往外看，历历在目。这个帐子，要把它叠起来，一只手就能攥得过来，打开支好，有几间屋子那么大，真是珍宝哇。第二件是一头小黑驴，叫"一字墨赛麒麟。"头上有个肉角，肚下的毛如同鳞片，四蹄八瓣儿，粉鼻子粉眼粉肚脐儿，从鼻梁子顺领鬃前二岔背梁骨直到尾巴梢儿是一道粉线。一叫十八声，登山涉水如履平地，渡江越海四蹄如飞，夜行八百，日走一千，可称异兽。第三件是这对鸳鸯镯，进贡时没有花样，康熙命令尚宝监造处雕出五龙盘绕，玲珑剔透，真是无价之宝。

　　要说胡长胜胡老爷，那是梁九公的大徒弟，爷儿俩的感情很好。胡老爷办事小心，现在是宁寿宫的总管。胡老爷听师父吩咐下来之后，当天晚上带着徒弟们把御用的靴帽袍套，一共二百四十件，完全供奉在大龙案上。翡翠鸳鸯镯，放在案头，锦垫垫好，正对着用来更衣的御座。一切准备就绪，丝毫没有疏漏之处，只等万岁五鼓驾到，更衣启銮，万事大吉啦。没想到酒瘾上来啦。再说天时尚早，刚交子末，他命令两个小徒弟守夜值更，剩下的全带到自己的屋中，休息的休息，玩的玩，睡的睡。胡老爷吩咐预备酒饭。不用说皇家的穷奢极欲，就这胡老爷吃饭，也是山珍海味，水陆杂陈。胡老爷高兴，"滋喽"一口酒，"叭哒"一口菜，越喝越高兴。时间过得太快啦。小太监传话："皇上下来啦，胡长胜宁寿宫宫门外候驾，听候差遣。"胡老爷吓得也不敢再喝啦，马上穿戴整齐，带着孩子们到宫门外等候，时间不大，皇上驾到。宫灯引路。提炉内香烟缭绕，胡长胜接驾。康熙缓缓地来到御座前落座，哼了一声，伸手拿起个纸条来，一看字条勃然大怒："胡长胜！""奴才在。""过来看看。"胡老爷就知道有事。他接过字笺一看，顿时吓得魂不附体。"胡长胜！深宫禁地，竟有大胆不法之徒，盗宝留句，视宫廷如坦途，着实可恶，传旨止銮。""是。"止銮就是皇上不去木兰啦。旨意下来：把宁寿宫总管太监胡长胜送交慎刑司严刑审讯，所有大小太监一律看管起来。又传密旨：着五军都督府，在京师城里城外，庵观寺院，大小旅店，热闹场所，密访明查盗宝之贼；着慎刑司内大班的班头，进宫验盗。

　　汤云、何贵带好应用之物，进宫验盗，在西华门外候旨。梁九公梁老爷带着十个小太监到西华门来接，侍卫官员不敢拦阻。汤云、何贵抢步进身行礼："请梁老爷安，梁老爷吉祥。"梁九公点首微笑："你二人进宫验盗吧。孩子们，通报宫人一律回避，所有答应、常在、傧仪、贵妃全要回避。"梁九公引着汤云、何贵，来到宁寿宫的宫门外，梁九公代传口旨，允许进殿，二人才低头进殿。在御座前边，梁九公喊了一声："汤云、何贵参驾。"两个人口呼万岁，抹瓦行袖，肘膝而进，行罢三跪九叩的君臣大礼，然后遵旨验盗。两个人查看一番，并无痕迹，只是殿中尚有一丝气味，一般人可闻不见。便回禀道："梁老爷，国宝乃外来贼人所盗，因为他们使用了还魂香，殿内尚有余味。非宫中人监守自盗。"梁老爷心放了下来。"你们俩修好积德啦。"梁九公叫他二人等候，时间不大，回来道："万岁旨意下，更衣殿所有大小太监无罪。汤云、何贵设法捕盗。给你们一张纸条，乃贼人所留。"汤去接过来带好，两个人告退，商量着先去茶馆喝茶。

　　他们穿大街过小巷，来到鼓楼前一溜胡同。这儿有个茶馆，哥儿俩和顾主都认得。那年头讲究喝早茶，这个时候早茶过去啦，下午有说评书的，现在正没座儿的时候。掌柜的很和气："汤爷、何爷，里边请吧。"两个人跟几个喝茶的都点点头，找张桌儿坐好。泡上茶来，放上两盘儿瓜子，哥俩喝了两碗，汤云这才把字条拿出来。一看，直皱眉，递给何贵："你看看吧。"何贵看完也倒吸一口凉气，"哥哥，这个童林，不是雍亲王府四贝勒的教师爷吗？""对，一定是他。"何贵把纸条交给汤云收起来，一个劲的摇头："真有偷国宝还把自己名字写上的，那不成了气迷心了吗？绝对不是童林干的。"汤云听了，把脸一沉："你说这话，还是干这行的人吗？真不害臊，八字还没一撇哪。同情童林，那还成啊。"何贵忙说："不，哥哥，我不是同情他，揣情度理也是不能的。""咳，你真糊涂，皇上丢了国宝，我们的责任，是拿贼人、请回国宝。贤弟，干咱们这行儿的，有当差，也有挡差。当差认真办事，公事公办，一腔热血，绝不含糊，那可净得罪人。挡差，不管真伪，只要我们平平安安，挡得过去就得。比方说现在这事，你知道不是童林，我也知道哇。那咱也要把他办下来。他的主子是雍亲王四贝勒爷，现在又很得宠，别的阿哥爷是贝勒贝子，他可封王啦。童林有门子，靠王爷的人情，管他冤不冤哪，让他有能力到堂里滚去，咱们先挡了差就得啦。"何贵当着哥哥不敢说什么啦，可心里不以为然。他想：人家童林，上有老下有小的，不就家败人亡了吗？便说："哥哥，我想，咱们回家跟两位老爷子商量商量去吧。""也好。"他们俩说话的声音很低，旁人听不见。给了茶钱，一直奔东华门大街。

　　来到家中，见老哥俩喝茶哪。行完礼，往旁边上站，汤英老人可问：

"听说宫早失盗啦，我和你叔叔正惦着这个事哪。"汤云点头："您和叔叔看这个。"老哥俩都看啦。汤英说："这童林不是贝勒府的教师爷吗？""是的。"何贵在旁边搭茬啦："大爷，我哥哥那意思是，不管屈不屈，也要把童林办下来。您说行吗？"何玉老人点头道："何贵呀，你哥哥说办童林是对的，你这脑袋总是榆木疙瘩不开窍。当然，谁都知道童林冤枉，既是字条有他名字，哪怕是别人陷害，通过童林才能找到线索。这叫情屈命不屈。再说，老佛爷也天聪睿智，并不是拿住童林就杀，童林有嘴也能分辩。主要的，贝勒府还有天大的人情，真要是童林所盗，四贝勒爷也有不是啦。"何贵一听他爹的话，恍然大悟。

汤英老头琢磨这个纸条："你们爷三看看：这八句诗，头一句'小巧之技数我能'，占个'小'字，二句占个'棒'字，三句占个'锤'字，四句占个'一'字，五句占个'棵'字，六句占个'葱'字，七句占个'盗'字。这是贯顶诗，横着念是'小棒锤一棵葱盗'。看来是事先写好的字条，暗入皇室，盗什么算什么，才把鸳鸯镯盗去。这也算这位教师的三灾八难。你们两个人打算怎么办？""爹爹，我和兄弟商量好了，去王府办案。"

汤英一听很生气："冤家，你叔叔刚夸你不错，你就忘乎所以。'王府办案'，你长着几个脑袋？你有慎刑司的公文也不顶用！到时候王爷一瞪眼，说你们入府行抢，那就麻烦啦。带着公事，见王爷呈字笺，王爷必问。你们说实话，王爷一定交童林，绝不会让你们为难。事不宜迟，去吧。"两个人总算有主意啦，回衙门办好公文，汤云带上，弟兄来到王府，鲍石才给回上来。

到现在一看字笺，童海川魂尽胆裂，贼咬一口入骨三分哪："王爷，这事从何而起？我始终没有离开过你的左右哇。""海川，你放心，是真，伪不了；是伪，真不了；既然有人陷害，官司你必须去打。家里的事你只管放心，跟着他们走吧。"闭门家中坐，祸从天上来，海川长这么大没进过衙门。"我家中二老就托给您啦，您千万别让我爹娘知道，以免担惊。""海川，你不用嘱咐，放心去吧。何贵、汤云，你们带着练儿吗？""禀王爷，小的不敢在王府办案。""胡说！童林是自行投首，是我交出去的，是你们办的吗？""王爷息怒，小的说错啦，真该讨打。""说错啦，你知道你们的话是有分量的吗？错，也分在什么地方错。汤云，我把话说在前头：谁要对我的教师给错待了，咱们是以牙还牙，以眼还眼。""请爷放心，小的们天胆也不敢。"汤云、何贵带海川出王府，一直到富贵巷西口。往北不远，就是成贤街园子监，穿过去到方家胡同中路东，就是协尉官厅，俗名叫"厅儿上"，满洲话，叫"札拦"，类似分驻所。本厅儿上的协尉大老爷，名叫塔木耳，正白旗。来到协尉官厅的门口，这是前后两层院子，有二十来间房，前院五间正房，临街一个小院子。进了院子，汤云一使眼色，暗示何贵监视海川，自己挑帘子进屋。办公倒很宽敞，南边是间里屋，挂着布帘，北墙一张办公桌，东墙有个大立柜。桌上边放着一沓子公文，还有个帽架子，上边放着红缨帽。塔木耳三十来岁，高颧骨，浓眉大眼的好精神。光头顶一条大辫子，挽着马蹄袖，在那儿写字哪。前胸的海马九品补子，直放光彩。

汤云一抱拳："塔老爷，辛苦啦。"塔木耳放下笔，一看，是汤云："哎哟喝，汤班头，哪阵香风给您吹来啦，失迎失迎，请坐请坐。来人，泡茶。"从后院来了个仆兵，洗茶壶泡茶去啦。

塔老爷请汤云坐在西墙大凳子上，旁边有茶几。"汤班头，你先请收腿坐着。您是'无事不登三宝殿'哪。"说着话，在怀里掏出一个烟碟来，喝！是虬角染绿的，真好看，又厚又大，放在茶几上。随着又掏出一个古月轩内画壶来，打开珊瑚盖。"汤班头，您先闻着万花露，我自己又用茉莉加薰啦，味道特别正。"倒出不少的闻烟。"好吧，我沾您的造化。"汤云用手拈起就闻。"汤班头有什么事吗？"汤云把公文拿出来："塔老爷，您看看这个。"塔木耳一看，脸色都变啦："差事呢？""在外边。""这么容易？""王爷交的人。"其时，按理说厅上的塔老爷，跟汤云只能说是朋友，谈不到谁上谁下，谁大谁小。塔木耳为什么要请安说好话呀？原来王府是他的该管地面呀，真的把海川直接带到北衙门，塔老爷最低也是个失职，尽管不致于砸了饭碗，可升一级那就难啦。这一来，遇缺就能高补，怎能不谢谢汤云哪！

塔老爷派人把童林、何贵都请进来。何贵他们喝着茶，塔老爷立刻吩咐下去，时间不大，海川一看三大件拿来：手铐脖练、脚镣。塔木耳过来啦，乐嘻嘻地说："童教师，您多受委屈。"海川一想，既来之则安之："大老爷，您随便吧。""好，你们给童教师上家伙，要轻一点，这是王府教师，背屈含冤，再说是朋友。"人们过来把三大件砸上，塔老爷写公事请案。一切办妥，海川脚踩黄瓜架，"唏啦哗啦"出了门，一辆轿车，两头骡子，四名押护兵。何贵先上车，脸冲外坐好，汤云对海川说："童教师，我搀您上车吧。"海川摆头："用不着。"海川微一提气，"哗愣愣"，纵起来六尺多高，轻轻地落在车上。汤云、何贵押海川往北衙门闯堂打官司。

第五回

遭奇祸海川打官司
遇释放限期捕盗贼

　　上回书正说到，康熙五十四年四月十四丢失国宝，栽赃陷害，把海川抓到北衙门。海川上了囚车，汤云、何贵这才说道："童教习，来！您朝我坐下吧。"海川点头说："好。"把两只手放在何贵的腿上。何贵用双手压住海川的手，为的是防备海川"撞笼"，脑袋撞个窟窿，人家北衙门不收，就麻烦啦！汤云上车脸儿冲外，怕有劫差事的。塔木耳跨车辕，把式摇鞭赶车往南走，奔帽儿胡同北衙门，就是五军都督府，后来的九门提督衙门。

　　他们来到门外，塔木耳下了车来到门前，里边兵丁出来。"请问，今天是哪位守备大人值班？""白德胜大人。""您给回一声吧：方家胡同协尉塔木耳求见。""候着。"时间不大，白守备大人从里边出来，红缨帽花翎子五品熊补儿，乐嘻嘻地一站："喝，老塔，最近不错呀？""托福托福，有差事。"按理说，白守备应该过来看看，这回没有，只说："老塔进来。""是！"塔老爷心里还说呢：白守备是个仔细人儿，什么差事他都看看，这回这么重要的钦犯，他倒粗心起来。到了屋中，看完公事，又详细问了有关犯人被捕前后的举动。"好吧，你先出去看差事，我去回禀提督大人。"塔木耳出来，心里总觉得不是劲儿，这回差事怎么这样好交哇？一点儿不刁难，这么快就回提督啦。刚想到这儿，就听里边"当当当"一响，提督升堂啦。老塔觉得更新鲜：提督大人今天办事真痛快呀，这么顺利交差事，从我当差起是头一回呀。

都督府提督大人姓陶名宗训号致廉。见公文，立刻传话升堂。快壮
皂三班人役站立两厢，出办招房各位师爷以及誊录生全都到齐。陶大人
换好了官服，坐好，不怒自威，往两边看了看："来人哪。""喳！"
"唤塔木耳进堂回话。"塔木耳登堂，跪在堂口回话："下役正白旗四甲
拉协尉塔木耳请大人安。""起来回话。""谢大人恩典。""如何拿获
钦犯童林，在何处拿获，有无拒捕案情，你要从实讲来。不准包庇，如
有不实，本提督定不宽容。王法无情，留神你的前程。""下役不敢徇
私隐瞒，刑司内大班汤云、何贵去到王府前，案犯正陪王爷吃茶说话，
当知情以后，案犯毫无拒捕之情。据王府之人透露：前不久有贼人两次
扰闹王府，这五六个贼都是江洋大盗高来高去之徒，尽被教习赶跑，保
护了王爷的身家性命，真若拒捕，非班头所能致。是案犯自行投首，王
爷亲自交出的。""你敢做证吗？""下役愿做死证。"其时，塔老爷的
话可最要紧，因为他是该管地面的长官，塔老爷斩钉截铁的死证，无形
中能救童林哪。陶大人点点头："好，你所说与你的立案相符。下去之
后，好好当差。""谢大人恩典。"其实这是汤云、何贵修好的地方，三
个人统一口径，这就等于三个人一齐办的案啦，将来就能升赏。北衙门
给海川换了刑具，交待清楚。塔木耳领了回文，又给汤云、何贵道了
谢，便带着空车、押护兵、刑具，回协尉官厅啦。

　　陶大人传话："唤刑司的原差、原办进来回话。"汤云叫何贵在班
房看着童林，自己来到大堂，跪倒磕头："下役刑司班头汤云叩见大
人。"陶宗训细问一番，汤云说的跟塔木耳一样。大人一摆手，汤云下
来啦。大人传话："带童林。"皂班头往外走拉着长声："带童林！"
真是声震屋上瓦！海川一听，就好像在头顶上"嘎啦啦"打了一个沉
雷！皂班头一托脖练儿，童林来到堂下，跪倒磕头："犯人童林参拜
大人。""童林抬起头来。""有罪怎敢抬头。""当堂无罪。""谢大
人。"海川很害怕，抬头看提督大人：此官身高足有八尺，十分魁梧奇
伟，肩宽膀厚，虎背熊腰。头戴红顶大花翎，身穿酱紫色的袍子，腰
系犀角凉带，胸前猱狮补褂，顶戴朝珠，好不威风。陶提督看童林忐
忑不安，虽然害怕，却一团正气。一拍桌案："大胆童林，看你外饰
温恭之貌，内藏虎狼之心，既为我大清子民，不谋报皇家雨露之恩，
竟敢包藏祸心，进宫盗宝。国宝藏于何处，还不从实招来！"两边衙役
一齐呐喊："讲！讲！讲"童林以头碰地，说道："大人哪，犯人行
端履正，奉公守法，怎敢越理胡行。我在王府当差，素日小心谨慎，

从不离开王爷左右。不用说盗国宝，皇宫在什么地方，犯人都不曾到过。请大人恩施额外，派员调查，犯人言语不实，愿担欺君之罪。再说犯人受王爷隆恩厚谊，感戴之余，报答唯恐不及，决不敢触动律条而犯天颜，请大人明鉴哪。"其实陶大人也听得出来，童林的话发自肺腑，便道："念你自行投首，免打四十大板，即使你矢口不招，到了南衙大堂，你也是自讨苦吃，当堂画供。"

您要问北衙门怎么这样好说话，不但一堂轰，而且这四十板子的例行公事也开恩啦？原因是这样：第一、北衙门是过路衙门，他定不了罪；第二、贼情匪盗之案，尤其是钦犯，必须根据北衙门的供词才往南衙送；第三、王爷的人情到啦。有此三点，北衙门对童林才没有为难。童林离开贝勒府，王爷怅然若失，心里很不好受。敢情这件事已然震动全府，大家闻讯，都跑来向王爷求情，王爷也很感动，说："我一定设法救出童林。不过你们谁也别到东府告诉童林的父母知道，否则我查出来，可留神你们的皮。""喳！奴才们不敢。""快走，我还办正事哪。"这一来大家都放心了。何吉进来说："爷，快想法子吧，您看大家都为海川担心，他们都要找老佛爷要人去啦。"王爷想了一下说："何吉，你带六百两银子，拿着我的片子，要面见陶宗训陈述详情，叫他不准为难童海川。另外你再拿四百两银子，去南衙门打点一下。教师爷回来要说，受委屈啦，我可罚你。""奴才都记住啦。"何吉携银子带片子飞马而去。"何春，你马上这么办，越快越好。"何春也去了。

王爷又吩咐马号备马，换好衣服，上马加鞭，赶奔哈德门里船板胡同神力王府。神力王额尔金，军功最大，门内有四十一杆阿葫儿枪。现在是参政五大臣之首，康熙皇帝决定什么事，第一个就要征得他的意见。雍亲王托人情，托的是地方儿。府门外下了马，回事处的人出来，赶忙跪下："请爷安。""你去回禀，就说四阿哥请安来啦，问他赐见不！""是！"回事处的人转身往里走，时间不大，乐嘻嘻地出来了："回爷话，老爷子说算计着您该来啦。有请，到书房见面。"王爷迈步奔书房。甩瓦行袖抢步行礼："胤禛请王爷安。"神力王爷微然一抬身，用手接安："四阿哥，免礼吧。""谢王爷。""哈哈哈，我算计你要来的。丢失国宝翡翠镯子，皇上止銮，不去木兰了。贼人大胆留下字据，上有你府里教习的名字，叫什么童林，对吗？"王爷点头："侄子已经给皇阿妈写了请罪的折子，侄子再来给老爷子您请罪，顺便把原委说明。老爷子明早见主子问及此事时，您心里有个准谱。""好，你说说。"王爷从童林学艺说起，一直说到战五小，会老侠，舍命护府。又说道："他来京半年，家眷也接来，除去定省父母，就陪着侄子练武，可以说形影不离。老爷子赞襄朝政，经历大事无数，也没见过盗了国宝还把自己名字写在上面的吧？""他为人如何？""直到今天尚不改农民本色，事父母至孝，侍候侄子恭谨。""嗯，求忠臣于孝子之门。你回去吧。"王爷出来，细细想想，没有不妥当的话，这才放心回府。

其实何吉去北衙门比海川到的早。等海川到啦，上下都买通啦。陶大人换了官服，草草的过了堂，备好公文，当堂用了大印，又派了四名监守，四十名押护兵，叫原差汤云、何贵一同去南衙交差。门外备好囚车，依然何贵打底子，汤云在外边，监守带兵丁押护，走在大街上，人们知道这是解大差。来到刑部，管值日的班头叫锁头儿。有兵丁往里去，一会儿的工夫，值日锁头儿郭钧出来，此人是个大个儿，黑脸儿。说道："众位老爷们辛苦。"监守官把官文递过去，郭钧接过文书看了一下，然后围着海川看了看。"二位老爷，把差事带下来。"汤云、何贵挽扶海川下了车，来到班房。当差的把刑部的三大件拿来。您看北衙门的刑具比厅儿上的大，刑部的刑具又比北衙门的大。不用说铁镣、背绳、手铐，就这挂脖练儿也是十分厉害的。当然海川是有功夫的人，这要含糊一点儿，三大件一上就晕啦。小青龙老秤十五斤哪，就是童林都感到不得劲儿，心想南衙门好厉害呀。

郭钧一看就完啦，手拿公文来到书房问事。"禀大人，北衙门把差事送过来啦。"刑部正堂尚书张翔羽看完了公文，吩咐下来，换衣服，侍候升大堂。外边一阵忙乱，三班人役两班站立，有四个跟班儿的拿着马褥子、水烟袋一切应用之物。各科各司各房的头目人全都来到。大人居中而坐，左右两堂陪侍。护差人员把公文放好。张大人传话："带原差。""喳。"堂上壮班站堂的一齐喊："带原差。"汤云进来，行礼后挺身而立，大人问的都是例行话。问完一摆手，汤云告退。"带童林。"海川机伶伶打个寒颤，如狼似虎的公差，一个个怒目横眉，使人不寒而栗。海川匍匐堂口请安："犯人童林给大人叩头。""因何不抬起头来？""唯恐冲撞虎威。""正面。""遵谕。"海川抬头，看见堂官张翔羽，头带新纬帽，血点的缨子六道高粱，二品顶戴，身穿二口锦鸡褂子四开气的紫袍，腰系犀角带，大红珊瑚顶子光芒四射，翡翠的翎管，单眼大花翎。朝珠补褂，好不威严。

大人细看海川，一副"天地有正气，杂然赋流形"的刚正气度，便知他负屈含冤。一拍桌案喊道："大胆童林，竟敢以身试法，偷盗国宝翡翠鸳鸯镯。因何起意，伙从多少，国宝藏在何处？从实讲来，本部一定开脱于你。如想以身抗刑，侥幸躲过，本部院绝不容情。"两边人役一齐呐喊："讲！讲！讲！""大人，童林冤枉啊。犯人祖居霸县童家村，世代务农，从无非份之想。只因自幼习武，又遇名师，艺成之后，被困京师，蒙王爷提携王府充当教师。与王爷相处日久，常侍左右，王爷可以做证。犯人自到王府，身不离王府。皇宫地处何方；犯人尚且不知，怎敢犯天颜，盗国宝，欺君王，害自身。犯人本系农民，在家只知种地纳粮，国宝虽珍贵，寒家有何用？再说犯人读过书会写字，您可以赏下纸笔，犯人写出来，查对笔体。犯人实属冤枉，请大人明察。""你的话说完了吗？""犯人尚有申诉，如果犯人真的盗宝，因何还留下自己名姓，焉能自害自家？犯人受明师所授，门规甚严，妄动人间一草一木，门规不许。如果犯人真的盗宝，早是亡命之徒。两位班头的武艺，远远不及犯人，若想逃脱官府追缉，易如反掌。岂能俯首贴耳，甘领国法呢？望大人仔细思量，开脱犯人。"张大人点头："嗯，听你之话，很是有理。有拒捕的本领而不拒捕，安分守己，看来显系有人挟嫌诬告，借刀杀人哪。"堂上大小官吏一听；怎么顺着犯人的意思问案？看来大人吃人情了吧！其实这还不算吃人情，因为张翔羽本来就是王爷的人哪。王爷在大内，皇上的左右有舅舅隆科多，朝廷上有自己的妻兄、礼部侍郎、年妃的哥哥年羹尧，还有张翔羽，均为心腹。

王爷前者打发何春骑快马直奔东四北三条张翔羽的私邸。何春下了马正赶上管家张忠良出来："何老爷吉祥，奴才给您请安。""哟喝，忠良啊，见着你太高兴啦。""二老爷今天怎么这样闲在，您又馋啦，上我们这儿吃烧鱼翅来啦？""猴儿，别开玩笑啦，主子都急坏啦。你们堂官在府上吗？赶紧回一声。""在在，我给你回去。"忠良知道有急事，立刻到了书房说道："禀大人，北城根雍亲王府何二老爷有急事相见。"张翔羽刚下朝。万岁爷止銮，他就知道有事，可不知道什么事。雍亲王府来了何二总管，看来是有要事，急忙说道："有请。"忠良出来请何春来到书房。"哟，大人好哇，何春请大人安。"说着下跪请安。张大人赶忙扶住："总管请起吧。您来有事吗？"其时，张翔羽身为朝廷大员，都不敢随便受何春的礼，看来何春这个人物不一般。何春是皇上给皇子的，这是随爵的差事，要知何吉、何春哥俩都吃三品俸禄哪。何春马上把事情原原本本说明后，又道："请大人开脱童教师。"张翔羽一听好为难，得罪王爷不行，真按着王爷的办，闹不好要掉乌纱帽。又一琢磨，童林这个人我认识，看他也不是歹人，再说盗宝也不会写上自己的名字。得罪皇上，我丢官是暂时的，得罪了王爷，那才会完了哪！想到这儿，便对何春说："何二总管，您先回去。一切照办。"

何春走后，张翔羽传轿，直奔刑部。张翔羽稍事休息，童林就到啦。大人给童林领供："你这是有仇人借刀杀人。"童林心里也纳闷：怎么大人替我说话啦？他仔细一想：嗷，这个张大人去过王府，跟王爷有交情。童林磕头回话："大人明镜高悬，犯人冤枉，确是有人挟嫌诬告。"大人点头，写好条子，叫声："来呀，叫童林画供收监。"童林打好手印、脚印，交了条子，被值日锁头郭钧带着来到大牢。这大牢门上有个猛兽的大脑袋，十分凶猛。这种东西素性憎恶，遇见最恶的人就吞进去，当他向善啦，还能吐出来。这叫遇恶而吞，遇善而吐。郭头喊了一声："惊动！"有个小铁门儿开啦，问："哪位锁头？""郭钧哇。"说着把纸签子递上去。里边的人伸手拿住，时间很长，"哗啦啦"大铁门开啦。出来两个狱卒，搀着童林往里走。郭钧可给提醒啦："王府教师爷。""知道啦。"狱卒挽扶海川往北走，有个四合小院。童林明白，自己是要犯，单押个地方。可这院里栽种奇花异草、浓郁芬芳，这是什么牢？自己一想：听说牢里虐待犯人，我童林领国法受王律，死也不惧，可要给我上私刑，我童林可不受。进了屋，海川可怔啦：这绝不是犯人呆的地方，明窗净儿，摆设很雅致，还有一张床，被褥都是锦缎的，里面三新。

"童教师您先坐下。"童林坐在椅子上。狱卒拿钥匙先把三大件给下啦，堆在旁边。然后把脸水打来："您先擦把脸。"海川一想，擦吧。擦脸的时候，茶就泡上啦："您先喝茶吧，饭是说话就好。"海川喝着茶二目出神，心想这是要干什么？绝不是害我。嗷，是跟我要钱，这没关系。这时候狱卒说话啦："童教师，您可多受惊啦。"童林微笑："多谢，这位大哥，我问问你，这是刑部大牢吗？""没错，往里地方大啦。""牢房分多少号？别人打官司也像我这样吗？"两个狱卒笑得前仰后合："童教师，您真没打过官司。像您这钦犯，到牢里就'开锅烂'哪，不死也脱层皮呀！""那为什么待我这么好哇？""好么，一来我们王大牢头敬重您是朋友，二来何大总管拿来四百两银子，都给您托付到啦。"童林才明白：有王爷府的人情不成，还要花银子哪。真是衙门口冲南开，有理没钱别进来。"我问问你这王大牢头是哪位，怎么不来呀？”“王大牢头名字叫王似虎。是前门大街最大的混混儿，一跺脚五牌楼都乱颤。因为人命打了官司，一来是真横，滚堂熬刑，光站笼就站了十八笼。再说也真有钱，买了个不死，后来在牢里熬得当了牢头。尊重您哪，把您让到他的住室来啦。”正说着，就听当院粗声粗气喊道：“小子们，款待童爷了吗？”狱卒赶紧挑帘子。王头进了门，海川一看，喝！真有个样儿，身高足在八尺往外，肩宽背厚，膀大腰圆。穿山东茧绸的裤子汗衫儿，系绦线板带子的腰带，脚底下双脸缎鞋，腿腕系着绸子飘带儿。大辫五股三编子的。后边有个十几岁的小孩，很机灵，右胳肘上搭着长衫。童林知道这就是王似虎，赶紧站起来抱拳拱手：“王大哥，多关照。”王似虎也一抱拳：“童爷，招待不周，受委屈，受委屈。你们别怔着，备酒菜，我陪着童爷喝两盅。”这几个人忙上啦。小孩把长衫挂好也出去啦。

“童爷坐吧。”“您也请坐。”“童爷，您有王爷府的人情，我们以后多亲多近。不过我听何大总管说您身为更头，保护王爷，打败五个高来高去的飞贼。我王似虎得知，对您可就起了敬佩之心啦。咱二位得交个朋友，您看得起我，就拿我当个哥哥吧。”海川一想，自己什么时候能出去？或许今后出不去啦，有这么个哥哥省得在牢里吃亏。于是赶紧站起来打千道：“大哥，受小弟一拜。”说着要行大礼，王似虎揽住：“兄弟，请个安就成啦。”海川请了安，两个人坐好，酒菜摆上。说真的，海川吃不下去。王似虎把酒斟上：“哈哈哈，贤弟，你虽精通武艺，可你不敢越狱。你要越狱，就连累四阿哥爷。其实兄弟，你不用怕，哥哥保你三天以内准出狱。”这话一说，童林精神起来啦：“大哥怎么知道？”“唉，这不是明摆的事吗？凭心而论，盗国宝不是兄弟你。谁盗国宝还能留下自己的名字哪，分明有人陷害。上边明白，只有抓起你来，他们才有办法。”“怎么呢？”“哈哈，兄弟，通过你能找到盗宝正凶。还有，抓起你来，让你戴罪捕盗，只有这样，才能让那些无事干的人们好无事干哪。兄弟，你放心，明天你可能就出去。”海川也想开啦，哥俩喝上了。

刑部大人张翔羽，命缮写誊录人员把口供备齐，放在护书内，立即上轿回东四三条私邸。到书房脱去官眼换便服，擦把脸，叫书童把师爷请来。这位师爷姓胡，浙江绍兴府的人，是个饱学之士。大人交待清楚，马上把奏折写好誊清，并放入匣内。次日四鼓起来，姨奶奶侍奉着梳洗已毕，取过拜匣，掌灯上轿直奔东华门，来到西路养心殿等候见驾。

　　此时繁星闪闪，东方微白。康熙升御辇，净鞭"啪啪啪"地响着驱赶邪祟，八对金锁提炉点着檀香，满宫灯火，掌声气声由远而近。康熙来到殿内，在"正大光明"的匾下御座上坐好。面前有紫檀木雕刻的书案，上面有纸笔墨砚，案头放着内外官员的折本，眼前放着一个八宝镶嵌的香炉，香烟缕缕。御座旁边站着四司八处都总管梁九公，殿外列有品级台，九品十八级，文武官员靴帽袍套翎顶晃动，各按职司官衙匍匐在丹墀。康熙年间还没有军机处，只有八大朝臣，分两班跪下候旨。其上首四大名臣第一位就是神力王爷额尔金，这神力王是老百姓叫他，实际他的名字是"国务按办和硕克肃亲王。"每位都是手捧朝珠，肘膝而进。

　　康熙看了一份请罪的折子，是雍亲王府的师爷杨有兰的手笔。写得很委婉，意思是：儿子泣血请罪，府中有人盗宝，惊动圣躬，虽百死而莫赎。儿子所承君恩祖德，安逸之中，不敢忘却祖训圣谕。我大清国武功赫赫，儿子请了一位农村的教习，名唤童林，他在儿子身边尚是行端履正，无轻浮举动。皇额妈天聪睿智，洞察秋毫，万民敬仰，儿子也不敢接近荡检之徒，辜负皇恩，致招圣虑。舐犊情深，不胜依依，诚惶诚恐，以达天听。皇上看完之后，留中啦。又看刑部的折子，皇上仔细推敲，按原折所奏，岂有自盗自告之理，再说四阿哥素来谨慎，为朕素知，怎能身染下流，结识歹徒，使其出入王府呢？想到这儿，眼望肃亲王："额尔金。"肃王以头碰地："阿哈侍候。"阿哈按满洲语是奴辈的意思。当时朝典，满称奴，汉称臣。皇上一推折本，梁九公捧起来交给王爷，看完之后，双手呈过眉际，梁九公接过放好。"你看如何处分呢？"'奴才管见，四阿哥府内教习，定是遵法之人，稍有奸猾，四阿哥怎能容留，也不能自盗留名，给自己找无穷的麻烦，显系有人陷害。教习一定会武艺，难免得罪人，再说贼人也有奇能，不然焉能盗宝！这种贼人，官府办案也绝不能奏效。皇上宽恩，可令其戴罪捕盗，请回国宝！"康熙皇帝点头："准卿所奏。"御笔朱谕："童林盗宝，显系有挟仇诬告，今命其戴罪捕盗，限期百日，如能克期奏效，钦犯就擒，国宝还朝，另有恩典；如逾期不能还朝，钦犯依然逍遥法外，二罪归一，定要严办。钦此。某年某月某日。"康熙散朝啦。

　　张翔羽捧旨意，出东华门上轿，飞也似地直奔刑部。撤去堂帘，来到书房，官衣都不换啦，吩咐升堂。当差的拿提牌来到大牢，小铁门儿一开，把牌子递进去，狱卒撒腿往里跑，来到王似虎的屋中。这时候童林梳洗已毕，哥俩喝茶哪。"王头，好消息，堂官下朝，升大堂提童爷。"王头一看："哈哈，道喜道喜，官司完了。快侍候着。"

把三大件上好，开铁门送出海川："兄弟，踏踏实实地走吧。"当差同海川来到堂口，海川跪下，口称："犯人童林叩见大人。""刑具撤掉。"张大人朗读圣旨，读完以后说道："童林，万岁旨意下，命你戴罪拿贼，请还国宝。限期百日。回府去吧。"说完，摆手散堂。张大人回府，给雍亲王送了一封信，述说经过。这时牢头王似虎进来啦："哈哈哈，兄弟，你怎么还不走呀，这儿可没人管饭哪。""哎呀，大哥，小弟的官司就这样完啦？""贤弟，你好糊涂哇，有道是贼咬一口，入骨三分。一纸入公门，九牛拽不出。你这官司要放在平民身上，马上家败人亡；在你身上就没事啦。""大哥，兄弟也是平民哪？""唉，你是平民，可你身后，不有这位吗？"他说着伸出四个手指来。"兄弟，我有事不能送你。赶快回府吧""是，大哥，承蒙关照啦。"海川这才离别刑部。

真是一个恶梦。旁边有人喊："教师爷，快过来吧，我们都等您啦。"海川急视，喝！原来是二位总管大人在此等候。三个人往回走，一边走一边说，海川才知道南北衙门都花了不少钱。刚到富贵巷口儿，老千他们都跑来问长问短，海川拉着大家的手——答复。何吉、何春向着大家说："爷还在里边等着哪。"一进垂花门，海川就见王爷下了大厅的台阶："哈哈哈……，海川，受惊受惊。"海川鼻子翅儿一颤，眼泪就下来啦，抢步跪倒："爷，童林铁案如山的官司，被爷给化解了，爷的恩情，童林无法报答，生当殒首，死当结草。"王爷赶忙相搀："快起来，咱爷俩谈不到客气。事情来得突然，我也担心，可有一样儿，我放心的是国宝绝不是你拿去啦。哈哈，不过我们爷仨可跑遍了北京城，翻云覆雨的总算过去啦。一切也就都好啦。"说着往里进了大厅："准备好了吗？""喳，准备好啦。"陈升、李福两个孩子眼睛都哭红啦，拿着海川的衣服进来："您先洗个澡吧，换换衣服。"海川只可答应，陈升、李福侍候着洗澡换衣服，海川这才来到客厅。酒菜都摆好啦。

王爷很高兴："海川先吃饭吧。吃完了你到东院去看看父母兄弟姊妹。他们都不知道，你可别提这件事。"海川答应。吃完饭去东院看看，一家子说了会儿话，才回大厅见王爷。一边儿喝着茶，王爷才细问一番，海川把经过一字不遗的直说从刑部出来。王爷点头："看来出衙门真不容易呀。海川你可好好想想，你还有个捕盗哪，你得了什么人？赶快寻找线索。"海川摇摇头："爷是知道的，我在府里接触的人都禀明王爷，您也知道我的为人，绝不会得罪人。即使话言话语，得罪了人也不至于要把童林害死。"

王爷一看海川冥思苦想，也点点头："我也想，你不会得罪人到这般地步。可什么人吞了豹胆，身入大内盗宝呢？得啦，你这一天一夜尽管不受罪，也担惊害怕的，你先回屋里休息休息吧。"其实海川并不累。

海川往外走，一直奔东院，陈升、李福打帘子："童教师，真把我们俩吓死啦。"海川坐下，面带笑容说："你们两个还是孩子，这官司没法打呀，谢谢你们关心我，出去玩会儿去吧，有事我叫你们。"海川脑袋都大啦，自己无精打采的到里屋，往床上一躺，往里一翻身，觉得有东西硌了自己一下。说真的，海川根本也不想躺着睡觉。海川从床上下来，把皮褥子、毡子一撩，低头一看："啊，盗国宝的贼人在这儿。"

海川往外来到客厅："爷，盗宝的贼人找到啦。""在哪儿？""您随我来。"来到教师院内，进了里间屋，用手一撩："爷，请看。"王爷心里纳闷，怎么贼跑到教师爷的屋里来呢？到现在一看，恍然大悟，原来是单刀拐。"海川，这单刀拐是侯二侠的呀？""对呀，爷想过，应该把单刀拐给我二哥侯杰，由于我年轻，办事心粗，他们爷儿几个走啦。我仔细想，二哥侯杰老成持重，年高有德，确实拿我当做兄弟。可您想他的弟男子孙，可就难说啦。来北京背着我二哥盗去国宝，让我童林用单刀拐去山东换国宝。"王爷点头："海川哪，你的心很细呀。来吧，去客厅谈去。"爷俩来到客厅落座。"海川，你的意思恐怕是少侠客们所为，对吗？"海川点头："我是这么想的。""要真像你所说的，那就太好啦，不过不见得那么容易呀。你想过没有，能入大内盗国宝，绝不是等闲之徒，即便你真的遇见，纵有本领擒他，恐怕也要费一番周折。我倒愿意和你去山东，借送单刀拐为名，去找侯家昆仲，求他老弟兄帮忙捕盗拿贼，那可就容易得多啦。"海川一听连连摆手："这可不成。爷是金枝玉叶，家累千金，坐不垂堂。您在北京，府墙高大，下人众多，一出城圈，谁还知道您是王爷呀。"王爷解释道："海川，第一，我想通过你多认识几位江湖朋友；第二，我和你去山东，碍着我的面子，侯老侠决不能袖手旁观；第三，我也愿意考察民间的疾苦。我可以报有病，每二十天给圣上递个请安的折子。出城以后，有你在我的身边，也没什么可怕的。即使我不去，你走了之后，也难免再有闹府的事情发生；你看怎么样？"

不管海川如何推辞，王爷还是说服了他，立刻着手准备。叫何吉去刑司，给海川领来龙批火票，这是拿贼的凭证。王爷派人准备一个大褡套，所有王爷专用的物品，完全放在里面。多带黄金，少带白银。单刀拐也放在里边，何吉、何春与师爷看守王府。海川也嘱咐兄弟弟妇好好侍奉二老。爷俩择了个吉日，海川把大褥套往肩膀上一搭，军刃包袱围在身上。王爷换好便服，佩上一口宝剑。出离北京城，日夜兼程下山东。

离开了繁华的京都，出了北京城，过关厢直奔卢沟桥。海川一看可麻烦了，在卢沟桥净数狮子就数了半天。远望西北大山，青松叠翠，近看混河水，千里峥嵘。王爷看什么都新鲜，一村一镇，一水一桥，都要流连。这赶到什么年头才能到山东啊。"王爷，咱们快些走吧。""海川，你忙什么？你放心，百日期限，这是万岁爷的一句话。这捕盗捉贼的事，可不能按旨意办哪。过了期限我叫何春他们给你去衙门续日子，不要紧。我虽有时随驾去木兰，可是不能随便，这回我可要好好地玩玩，无拘无束的多好。还有，离开北京就要加小心。你总叫我王爷，不行啊。""您说叫什么呢？""这么办，你叫我'掌柜的'，我叫你'伙计'。"海川一听，好极啦。他俩熟悉熟悉，还真叫顺嘴啦："掌柜的，您经常在城里，不知道出门的不容易，即便您出门，也是坐车骑马，仆众驱从，前呼后拥。现在可不一样啦。只您两只脚，您把这锦绣江山看成一张画吧。说说笑笑，指指点点，就显得不累啦，您说对吗？""对对。"王爷也有心事，当年圣祖六次南巡，访问民间疾苦，自己素有大志，这次出来是好机会。爷俩说着话儿，也不寂寞。

按官站走良乡涿州，出南关往东南，走雄关经十二连桥赴北口，穿任邱奔河间府、武邑、枣强，到清河县。过了清河，可就是山东地界了。来到清河县境，天色渐晚，眼前黑压压雾沉沉一座大镇甸。来到北镇口一看，有个大石碣，上边有三字"油坊镇。"这可是通畅大镇，来往行人不少。二位来到十字街，王爷一瞧，东南角围得水泄不通，里三层外三层，依着海川，往东街走就要打店啦。可王爷图热闹儿："伙计，咱到这边来看看。"说着就过来啦。挤进去一瞧，是个打把式卖艺的。地下放着哨码子，里边鼓鼓囊囊的，外边放着有十几贴膏药，还有一沓子纸，上边印着字。哨码子旁边放着一口单刀。这位卖艺的有四十多岁。穿蓝布裤褂，铜钮子，系着蓝布搭包。黑黪黪四方脸儿，粗眉大眼很精神，高鼻梁四字口，青胡子茬儿，大辫子盘起来，显得很忠厚。江湖上有金批彩挂，金是算卦的，批是卖膏药的，彩是变戏法的，挂是卖艺的。这位就是挂子汉儿。就看这位一抱拳："众位弟子师傅们，长辈和兄弟们，在下祖居山东济南府，大明湖畔人氏，姓赵名胜，有个小小的绰号叫爬山虎。在家里学了几手粗糙的庄家武艺，不值一笑。只因在下去云南访友，路过贵宝地，盘缠短少，住店要店钱，吃饭要饭钱，有道是：'在家千日好，出外时时难'，因此人奔福地，虎奔高山，来到这里把能耐扔在地下，学徒打趟拳踢趟腿，不过是垫垫场子。老师傅们别走别散，您给我站脚助威；打过一拳的踢过一腿的同行同道，六扇门里，六扇门外的，僧道两门，回汉两教的老师傅们捧捧我。我给不走不散的众位作个揖。"说着给四面儿的人都作揖。然后又说："再给四面为上的乡亲们作个揖。"做完了之后，他刚一拉架式，又停住啦！那位要问，练完了要钱不要哇。您放心，不要钱。那位问，不要钱是为了过瘾吗？学徒没瘾。那一定是热病没出汗叫汗憋的不是，到底为什么？学徒是保镖为业的达官，我们镖行有一种膏药，专治跌打损伤，闪腰岔气，筋骨麻木，受寒受风，老年人胳膊疼腿疼，您买了我的膏药，贴到患处，保您病根尽除。老年人可以返老还童，青春永驻，体健身轻。好处太多啦！您听了以后想多买，那可不成，学徒我带的不多。怎么办呢？您看我这儿有票，上边印的专治各种病症。"说着他把票拿起来："我撒给您票，接着的您也别喜欢，接不着的也别烦恼，先接的只限两贴，后接的可不定能否买到，您多包涵。说良心话，这种药您也不必多买，有两贴就可以。第一次用完之后，您把它留着再给别的患者用，连治十八人，叫'十八尊罗汉膏'。您要着急，叫我快点卖，您还是别忙。有这么句话，'净练不说傻把式，净说不练嘴把式'，我还得练完再卖。还是那句话，不要钱。练完了您往里扔钱，可等于骂我，别说我把钱给您扔出去。我凭膏药卖钱。四面为上，我再作揖。咱们这就练，爷台们上眼吧。"说着下腰练上啦。这趟拳还是真不错，拳似流星眼似电，腰如蛇形腿如钻，"啪啪啪"，练完之后收住架式，气不涌出，面不更色。按理说这练武一行，分为四种。头一种是保镖的，吃的是四方，哪儿都能保；第二种是教场子，吃的是一方；第三种是护院的，吃的是立锥之地；第四种是卖艺的，吃遍天下。

赵胜练完了，在场子里转了一个圈儿："我看看有没有走的没有？"说着他拍大腿一伸大拇指："嘿，罢了，看来我的人缘不错，一位走的没有。"说着他把药方子拿起来："现在我可要撒票啦，咱是从财位上起，福位上落，哪位接票，哪位接票。"说真的，连一位伸手的都没有。他转了一个圈儿，没人接方子。

这时候王爷看着有点儿不对头啦："伙计，有现成的钱吗？"说着往褡套里伸手。真巧，零钱还真没有啦。王爷摸出一锭银子来，足足有十两。王爷不在乎，"唰"的一下就扔进去啦。正扔在赵胜的脚下。这么多人都看王爷。赵胜也瞧见啦，他眼含着泪："唉，没有这位爷台周济，我算白练啦。"他猫腰一伸右手，就要捡这块银子。突然间从外边飞身进来一个人，对准赵胜的手背上就踩。不是赵胜手快，就给踩上啦。赵胜不敢拿银子，一抽手，这人正踩在银子上，"嘭"的一声，给踩到地里去啦。

王爷一看这个人，是位年轻的小伙子，大不过二十岁，细条身材，茧绸的裤子小褂儿，脚下缎鞋袜子。左胳膊上搭着长衫儿。长圆脸，一条大辫子，少白头，浓眉大眼很精神，一脸忠容。他冲着王爷："这钱是哪位给的？"要说王爷的胆子真大，迈步就进来啦。海川一看王爷真横，他也跟着进来了。王爷一指自己的鼻子："哈哈哈，朋友，怎么给钱不对啦，我给的呀。"这年轻人一撇嘴说道："透着你有钱吧，干什么不好，单单到这儿舍财买脸来。"王爷把脸一沉，说道："小小年纪，你管得着吗！我看卖艺的功夫不错，我愿意给，你不服气，你练哪。练好了我也给钱。""哼！显得你有钱。他练艺就该打听打听，此地有没有前辈。一声不响搁场子，有背武林规矩，你懂吗？"王爷真不懂得。

这时候赵胜过来啦，看了看年轻人："朋友，我懂规矩，无奈我分文皆无，怎么拜见本地师傅？你真要是人物，就该体谅我沦落异乡。人家师傅给钱，你还挑眼，你太仗势欺人啦。"说着话，左手一晃，右手掌就到啦。这个人没防范，一看掌到，上右步一闪，没想到赵胜更快，右脚扎根，蜷左腿照定这年轻人的小腹就踹，"嘭"的一声，把这人踹个仰面朝天，这么多的乡亲没人管，也没人说话。年轻人脸红啦，就地十八滚，鲤鱼打挺站起来，低头就跑啦。赵胜把银子捡起来，过来行礼："谢谢爷台。"王爷伸手给扶起："朋友，你叫赵胜啊？""是。"王爷又拿出二十两银子："你快收拾东西走吧。刚才这个人定是地头蛇。看来你该早离是非之地。""爷台说得对。""好。这二十两银子你就作为路费吧。"赵胜很感激："二位爷台赏的太多啦。我谢谢您。您二位爷怎么称呼？""这个你就别问啦，快快走吧。""嗯，后会有期。"赵胜行礼，收拾了东西物件走啦。

赵胜走了，看热闹的也散啦，他们二位也往东街走去。您看这油坊镇，虽然是镇甸，可连地图上都没有。它是一半属清河管，一半属景县管。爷俩商量住店。路北有座店，伙计正在门前让座儿："客人们往里请吧，再往前走，就要错过宿头啦。我们这儿是三辈老店，红白两案，掌勺的师傅是从北京请来的，他们的前辈都从御膳房里出师的，做出来的南北大菜，保您可口满意。伙计都和气，您住我们这儿就像自己家里一样，所有被褥都是新洗新浆的，墙也都是四白落地，前后通风又凉快，没有蚊子虱子跳蚤。您放心，连厕所都干净。请吧。价钱公道便宜。请吧，让两位！"

买卖人和气生财呀。可王爷、海川爷俩一到门口，伙计不让啦，反倒摘灯上店门儿。王爷问道："伙计，没上房吗？""对不起，客爷，早满啦？""啊，跨院呢？""也满啦。""单间呢？""哈哈，满啦。"王爷生气，心想刚才你还喊哪，这么一会儿就住满啦。"伙计，你们的伙房大炕也满啦？""满啦，爷台，真对不起，谁愿意推着财神爷往外走哇。不瞒您说，别提伙房，连柜房里掌柜的跟先生都擦起来啦。马槽里对脑袋睡俩，厕所板凳上都睡一个啦。实在没地儿，您往前走吧。"王爷一想，往前走吧，没想到经过三家儿店房都是这个话。哟，今儿晚上要住不上店哪。

王爷一看路南有座大店。东边走马门车门，紧挨着村口。白墙之上写黑字："仕官行台，安寓客商，大小车辆草料俱全。"当中大门，门灯高挂，两扇大门门心上有字，上首是"孟尝君子店"，下首"千里客来投"，当中一块匾："李家老店。"有杆旗子插在西边，上垂首"英雄把式店。"王爷可就怔啦，说道："伙计，再往东就出镇口啦。只这一家还是英雄把式店，怎么办？"

其实海川看见这几个字，心里有些气，他说这个，有麝自来香，何必迎风站哪，会武艺也不能带到买卖上，叫什么英雄把式店哪？"掌柜的，咱就住这儿吧。"店门口有个伙计走过来啦："两位爷台，咱这有上房，您住吗？""住。"伙计叫底下人，接过海川的褡套说："爷台，请吧。"进了店房，西边是柜房，屋里灯火很亮，门口上边有块绿匾洒金星写黑字"柜房。"门上首钉个小木牌儿，上写"银钱重地，闲人免进。"进了店门洞，迎面是个木制影壁，有两个字"接福。"绕过影壁，东西两溜客房足有二十间。往西还有两层跨院。南上房的客房，顺着西边箭道绕过去，又是一层院，西边有角门通着，东边也有角门通着，南房三大间，前出一步廊。伙计拢帘子，海川一看，西屋是个暗间，外边两间，有后窗户，要按店房来说很不错。迎面是架几案，八仙桌，有椅子、兀凳，靠东墙也有桌子椅子，墙上挂着对联山水画。褡套放好，其他伙计都走啦。只有一个伙计，二十多岁，漆黑的一条辫子，新剃的头，浓眉大眼薄嘴唇，透着能说。一身蓝，系着围裙。手里拿着两把布掸子提着过来："两位爷台，先掸掸土吧。"王爷、海川接过来到院中抽打。这个伙计可显着麻利勤快，脸水端进来放在盆架上，手巾肥皂放好，等爷俩擦脸的时候，茶就泡上啦。爷俩坐下喝茶。脸水倒完，进来侍候着。"二位爷台喝着茶歇着腿，想着菜，我好给您要去。客人多，需要排队。"王爷上下打量问道："伙计贵姓啊？""哟喝，爷台，我是侍候客人的，不敢担这'贵'字。贱姓何，排行在二。""噢，何二。""爷台喜欢，愿意叫何儿，都行啊。""今年多大岁数？""二十三岁。""哪儿的人哪？""本镇的。""你倒很和气呀。""爷台夸奖，因为爱说爱笑，人家都管我叫'话把何'。"海川一听哈哈大笑，话把何也笑啦。接着问道："爷台二位是不是给那位卖艺的银子来的？是不是您二位想住店，没人敢让您住哇？是不是您看我们这挂着'英雄把式店'，有些纳闷啊？"嘿，话把何提的这几件事，还真是刀对鞘啦。王爷赶忙提出来："何伙计，你就给我们说说这几件事吧。"话把何摇了摇头："不瞒您说，不是一句两句的事，耽误您二位吃饭。"王爷一摆手："不怕，你说吧。"话把何说出一番话来，王爷、海川点头赞叹。

原来这李家老店的店东姓李名源，闯荡江湖有个美称"展翅金雕铁掌李源"，是位成了名的老英雄。他父母双亡，当然日月还算好过。娶妻吴氏十分贤淑。帐房先生名叫刘山。排行在三。这人心术多，帮助李源开店，确是左膀右臂。李源从小就练武，功夫还是真不错，谁都知道李源好把式。就在爷们住的这二道院儿的房后边，搭起个天棚来，李源风雨无阻，没事就练。

这天外边来了一拨儿人，是从山西保一拨镖现银子，到东昌府城里去。他们可不是保镖的，这是受朋友所托。达官老爷很年轻，也就在十八九岁。来到二道院南房，镖师伙计各自归屋休息，年轻达官擦脸漱口喝茶。这时候李源正在后院练功。这达官爷是山西的老客，说话是山西味："伙计，快来。"伙计赶紧跑进来："老客，您有什么吩咐？""我问问你，后边干甚的？""我们掌柜的练功夫哪。""嗯，就他一个人？""对。""我听着后面好像狗打架，就是听不见狗汪汪。""唉，老客，您这是什么话？人敬人，鸟抬林，年轻轻的，不要嘴损嘛。""不是我老西嘴损，他这个把式，练不好连小命都得搭上。""老客的把式一定很不错啦？""不敢说好，揍你们掌柜的很有富余。""那好吧，您可以跟我到后边儿一趟吗？""当然可以。"老客跟着伙计往外走，转到后院，"掌柜的，您先别练了，有这位老客挑眼啦。"

李源收住架式："怎么啦？"山西老客搭腔说："不怎么啦，就是你练的这玩艺儿跟狗打架似的，我老西不爱看，也不爱听。"李源一抱拳："老客贵姓？""老西贵姓于。"李源一听，这位真不客气，便问："府上什么地方？""我府上山西太原府太谷县正南于家庄。""于老客，您看我这功夫不好？""你练的这玩艺都是挨揍的功夫。""哈哈哈；于老客也能揍我吗？""有富余，一只手就打出你的干饭来了。"李源摇头："我可有点不信哪。""不信不要紧，可以试试。""怎么个试法？""你先练趟功夫我老人家看一看，看着你够不够挨揍的资格。要是够，老西就揍你。不够也不要紧，过二年老西再来揍你。"李源听了真生气，只好点头："好吧于老客，我练趟拳，您给指点指点。"说着话，打了一趟长拳。有拳歌为证："双手垂胸到两边，膝前横下铁门栓。金盆落日冲天现，望月推窗在眼前。铁牛耕地需着力，翻身踹倒太行山。背解红罗须盘肘，斜身刘海戏金蟾。"

"啪啪啪"打完之后，收住架式，气不涌出，面不更色。李源自己很得意："于老客，您看够挨揍的资格吧？"刚刚够格。你要是真想挨揍哇，那可是阎王面前挂号，判官簿上除名啊。""没关系，我跟您学两招儿。来吧，于老客请吧。"'不成不成，就这么动手，我老西不干。""您打算怎么动手？""我要把你打死或者打伤，你要讹我，'强龙难压地头蛇'。真想动手，你给我立个字据，死伤勿论。那我老西才能揍你哪。"李源答应："成啊。"又吩咐伙计："去到柜房跟刘先生要纸笔来。"伙计奔柜房，一会儿拿来啦。李源握笔作书，一会儿写好啦："您看看。"于老客接过来一看："立字据人李源，祖居本县油坊镇，开设李家老店。自愿与山西于老客比武。难免失手，死伤勿论，绝不准讹人诬赖。空口无凭，立字为证。年月日。""不成不成，你还没打上手印哪，我们山西人最仔细。""好吧。"李源打上手印。老客说："这回成了。""您先等一等。""干什么？""我要打了您哪？""不会的，做不到哇。""可万一呢？""万万一也没有。""哈哈，不成，您也给我立一张字据。怎么样？""白废纸张。""没关系。""好吧。"于老客也写一张字据，打上手印："这总成了吧？""行啦。"两个人来到场子，李源封住门户："请。"李源左手晃面门，上右步，右手掌接风声，直奔于老客胸前。敢情于老客别看年轻，实受过高人传授，他用了一招，叫"崩拳。"用左手反腕一压，右手拳其快如风，正是李源的前胸，"嘭"地一声就打中啦。李源just觉得天旋地转，五脏六肺一翻个儿，"噗"一口鲜血喷出老远去，"扑通"栽倒了。伙计赶紧过来搀扶。这时候前院的人也知道讯儿啦，跑过来："掌柜的，掌柜的。"连叫带哭。半晌儿，李源才把这口气缓过来，脸色蜡白，吁吁作喘。于老客哈哈大笑："哼！打死没关系，我有字据。"说着他回屋啦。店里的伙计们可不乐意啦："掌柜的，咱到衙门告他去。"李源摆手："不必，我们立了字据，怎能反悔。你们设法打听他到底是什么地方来的，叫什么名字，家里还有什么人？然后告诉我。好好招待于老客，店钱饭钱全不要啦。把我搀回东院。"伙计们答应着，搀李源来到东院，可把李大奶奶给吓坏啦，赶忙派人请先生看伤。

次日于老客算账要走，伙计才说："掌柜的说啦，不打不相交，一切店饭账，掌柜的不叫要啦。"于老客这高兴："好极啦。看来这一拳打出理来啦，明年我还来。"伙计心里这个气。敢情跟他们的人一打听，才知道这个于老客是谁。李源养了半年伤，复旧如初了，伙计才告诉他："掌柜的，您知道于老客是谁吗？他姓于叫于秀，由于长的俊俏，外号叫'小莲花'。家住太行山西太原府太谷县南于家庄，父母都没有啦。他自幼跟着伯父，能为也是伯父教的，家规很严，他伯父乃武林当代大侠，姓于名成表字洞海，江湖人称'西方侠长臂昆仑飘髯叟'。家传十八趟通臂掌，二十四式形拳，打遍天下无敌。整世童男，浑身的横练，坚硬如钢，单掌开碑，击石如粉。崇祯九年，在北京城京西北妙峰山瓜打石，三闯桃花会，三进桃花寺，踢死过金头豹项冲，摔死过银头豹项宝，单臂举过千钧鼎，戴过守正戒淫花，威镇武林，露过大脸。现在年岁已高，闭门思过啦。家里挂千顷牌，是当地有名的大财主。"李源听完了暗自点头。于秀家学源渊，我岂能抵挡。

李源是个有心人，他把家务安置一番，又托付刘三掌管店房。自己带好路费银两，直奔山西而来，找到于家庄。这个村子足有一千多户人家，而且逢三排十的集市，十分热闹。街上买卖铺户，应有尽有。西头路北有个双合店，李源住店啦。自己想着，怎样设法跟于老侠接近。第二天清早起来，李源准备活动活动，到村口外练练功夫。他刚要走，就听店里掌柜的伙计们喊上啦："年轻的客人们有愿意干活挣钱的吗？于老爷子他们家管事的来啦，现在正是割麦季节，每天三顿饭，全是白面馒头，还有四吊工钱。有愿拔麦子的吗？有愿意去的到门口集合。"凡是年轻人都是赶麦场来的，呼噜呼噜，出来足有二三十位。李源一想，我也趁这机会去吧。到门口一点数，三十五位。"成啦，走吧。"

李源跟着大家伙儿从十字街往北，快到村口再往东。李源一看，喝！于老侠的住宅占半趟街，整砖到顶，抹灰灌浆的瓦房，十分讲究，足有一千多间。座北的大门，两边走马车门，一边四棵门槐，枝叶茂盛。过了大街口再往东，路南的场院，门口已经有了不少的人。有三四个人拿着账本，每个人的名字写好登记，然后交给管事的。这位管事的名叫于小三，也就在三十多岁，很聪明。李源也跟着大家写好名字。进院一看，除去几十间长工房子，就是放家具的敞棚、车棚、马棚。新建的大麦场，场边放着七八个大石磙。长工房前边，放着一溜溜的矮脚长木桌子，两边放着小木凳，有几个铁制洗手盆子。东面是大厨房。

这时候于小三就喊上啦："大家快来洗洗手吃饭吧。"大家伙儿吃完饭，于小三叫掌作的过来，一人带多少短工，到哪块地里拔去，到时候有大车往场里拉。

三夏大忙，农民们辛苦，一年到头哪有清闲的日子，这麦收就更受累了。一天过去，到收工回来说吃晚饭啦。人们都累坏啦，坐着躺着，抽烟聊天。唯有李源不闲着，折个跟头，打拳踢腿，招大家伙儿一笑。于小三看见可就说："嘿，李伙计，你真不累呀。"李源哈哈笑起来："于管家，我这个人跟猴儿一样，登梯爬高，好动不好静。""拔麦子这种活累呀，你还有力气干这个？""这点活算什么，我的武艺可不能扔下，一扔下就要退步哇。""你练的玩艺怎么样？""很不错呀。"于小三一撇嘴："你呀，在我们这儿你少说会武艺。不瞒你说，咱们这儿可有震天动地的人物。""哟！谁呀，怎么没听说？""告诉你，就是我们本家老爷子。""我怎么没看见哪。""你下地干活，上哪儿瞧去？"他老人家怎么称呼？""老爷子叫于成号洞海。""多大年纪啦？""八十多岁啦。""于管家，你想法子让我见一面成吗？"于小三一撇嘴："你要托我，还是准成，那是我本家的爷爷，别人真办不到。咱们可说好啦，见着他可别动手动脚的。""吓死我都不敢。于管家，明天你派完活等着我，只要收工，咱俩到十字街醉月楼喝两盅去。"于小三最爱喝。"好吧。"果然，第二天晚上收工，俩人去啦，一顿就花了好几两。第三天又去啦，又花了好几两。一连五天如此。

这天吃完了饭，于小三一笑："李伙计，你请我吃饭，花了二十多两，可你拔麦子才挣个十来吊钱，你赔本啦。"李源摇头："我不在乎，我只要能看于老爷子一眼就值啊。""哈哈，来吧，老爷子今晚上就见你。""您给我说了么？""说啦。""于管家，就是您带我去见，可不能有别人。""根本也没别人。""好极啦。"付了饭账，两个人来到老侠家门口，悄悄而入，一直进到四层院子，来到西跨院书房。"你等着。"于小三进去，一会儿出来啦。招手叫李源。两个人一同到屋中，李源也没工夫细看屋里的陈设，迎面紫檀的架几案，紫檀大号八仙桌，两边太师椅。上首坐着一位老人，大身材，双肩抱拢。身穿蓝绸子长衫，白绵绸子的汗衫中衣，白绫的高桶袜子，寸底的福字履。白剪子股的小辫，通天的鼻子四字口，唇若丹涂。一部花白胡子飘洒胸前，两只眼睛亚赛明灯，好精神。

李源赶紧磕头："老人家在上，末学小子李源叩见。"老头没让起来，用手点指："你是什么人，听你口音好像直隶的，来到山西干什么来了？实话实说还可以，不实说，谅你插翅也飞不出去我这小小的宅院。"李源就知道老人家对他注意啦。其实第一次李源跟于小三说完话，当天晚上小三就见着于老侠，先把麦场的收割情形，跟老人家说完，然后又提到李源："老爷子，这个人干活不惜力，而且有用不完的劲儿，他想看看您。"老人家点点头："三儿，什么时候我让你叫他，你再叫。明白吗？""行啦，听您老人家的信儿。"从这天起，老人家暗地里跟上李源，从地里干活，到饭馆吃饭，花钱不在乎。老人家一想，这个人看来五官端正，言谈举止都不像个坏人，到底见我干什么？万一要是不法之徒呢？这才叫于小三叫李源来。

现在老人家一说话，李源跪倒磕头："老人家莫怪，小子有下情上禀。"这才把所有的事一说，然后说道："这次千里迢迢来到山西，设法接近老人，为的是请您约束子弟，在外边怎能无故伤人呢？"老人家听了，很生气。他右手放在硬木的桌子上，稍微一抬，往下一落，"啪"地一声，李源吓了一跳，紫檀木的桌面都碎了，好大的力气呀。老侠把李源搀起来："孩啊，叫你受委屈，老夫之过也。你很喜欢练武吗？""孩儿十分喜爱，苦不得名师指点。""好。于小三，今日之事，不准对外人言讲，更不准叫你小叔叔于秀知道。""是，孩儿知道。"一摆手，于小三退出去啦。"李源，老夫有意收你做个入室弟子，你乐意吗？"李源跪在地下："恩师不弃腐朽之材，弟子愿列门墙。""起来。你随我来。"老侠把李源带到一个小院落，派一个书童专门侍候李源吃喝，择个吉日正式拜师。"李源，你记住，不准离开这个院子，只要你好好刻苦练功，我一定使你成名天下。""徒儿记下了。"老侠这才督促李源把二五更的功夫逐步深入，并且准备两个大筥箩，里边盛满铁砂子，就教给李源铁砂掌的功夫。

光阴如箭，转眼就是八年。李源学会三十六路白猿掌，三十六路白猿棍，一粒混元大气，并且有铁砂掌的功夫。

第六回

识英雄义结铁掌李
盗宝贼行刺雍亲王

　　上回书正说到李源学艺。这一天，老侠于成把李源叫过来问："李源，你的功夫难至上乘，这不是说你不刻苦用功，主要是你资质天赋所限。即便如此，如在江湖路上行端履正，不难成名。徒儿，这有纹银百两以做路费，今后要勤习苦练，回到家里你依然开店为生。不久我派你师弟于秀还去山东，他的为人我知道，到时候一定还要住你的店，请你替我管教于他。明白吗？""徒儿明白，不过他是我的师弟呀。"老侠长叹一声道："唉，你好不明白呀，为师由于练武，不能娶妻延续后代，在武林我是个有志气的贤士，可在家中我就成了不孝之子。于秀是我的侄子，将来是要他捧着把我埋了呀。可他小小年纪，刚刚进入武林门户，如此眼空，要是遇上有本领的人物，岂不断送了他的小命？我十分后怕。为此我让你管教他，不使我于家绝后哇。""孩儿记下就是。什么时候，您到徒儿那里去一趟啊？""有机会我是要去的，你回到家中都问个好吧。""是，师父。"师徒俩洒泪惜别，在路上非止一日不提。

　　这天，天色已晚，李源回到油坊镇，大街上路静人稀。李源来到店门口一看匾，可就怔住了，改成"刘家老店"了。自己一想：怎么我的店归了别人，谁给我卖的？想到这儿，往里走，进了门洞，一看柜房里边，灯光很亮，算盘珠"劈啪"乱响，账桌后边坐着一个人，面黄肌瘦，眼眶也陷啦，腮帮子也都瘪进去啦，右手中指无名指夹着笔管，无神地眼睛盯着账篇儿。李源一看，啊！是管账刘山刘三爷。心里想着，我这个店八成归刘三了吧？这可让李源猜对啦。他这一走八年，音讯皆无。李源走的第一年，刘三爷到年底开了清单向李大奶奶交待账目，盈利多少，开销多少，花红多少，馈送多少，一清二白。李大奶奶很相信他，叫他看着办去。第二年李源还不回来，刘三爷一琢磨，哎哟，可能掌柜的死在外面。又想李大奶奶妇道人家，也好欺骗。这一年下来，可就亏空了两千两银子。刘三爷花言巧语，就提买卖做赔了。第三年又赔了。刘三爷到年下拿清单跟大奶奶说："今年又赔了钱，大奶奶，柜上有点富余，二年全部赔净。现在掌柜的又不回来，这么大的店，人吃火耗怎么办哪？"大奶奶也说："掌柜走的时候，跟你做了交待，赔赚我都不管，到时候你别饿着我就行。这个店房，你愿怎么办，就怎么办，我一概不管。"刘三说："大奶奶，趁早咱把店倒出去得啦？"李大奶奶答道："行啊！"其实刘三早就下了黑心，想把这买卖倒在他的名下。所以他把门口这块匾，找人在背面刻上刘家老店字号，一翻个儿，就挂上了。街坊邻居看着都新鲜，怎么日进斗金的店归了刘三爷啦。自从这买卖一归他，省吃俭用，一文钱都不乱花。如果晚上一拢账，差一个铜钱儿，他宁可一夜不睡，都要对对。八年来白花花的银子足足盈余一万两，每晚都要把几个银柜打开，看看这码得整整齐齐的二百个银元宝，才能睡觉。今晚刘三爷正在算账，从外边进来个人。他刚要说："银钱重地，闲人免进。抬头一看，啊！吓得他魂飞魄散，一哆嗦差点把账勾了。急忙问道："掌柜的回来啦。"李源一看他脸色蜡白，嘴唇直哆嗦，就知道他坏了良心。便问："老三，你这几年多受累啦。""应当的，应当的。""哈哈哈，老三，咱这买卖这几年做赔啦？"刘三一害怕，说："没赔。掌柜的，这几年净赚白银一万多两，买卖太好啦。""好，老三，我当年托付于你算对啦！""谢谢掌柜的栽培。""你把账给我拢一下。"刘三把账目往总一拢，旧管、新收、开除、实在，"叭叭叭"，账目有啦："您看吧，现银多少，账目多少是吻合的。""好，你把银柜都扣好锁上。"刘三一一照办。李源把钥匙拿过来揣在怀里，问道："刘三，这门口的字号匾怎么改为'刘家老店'啦？""唉，您别提啦。您这穷朋友亲戚太多，借钱的踢破门坎儿，开始还能对付，后来简直没办法啦，我才想了这么个办法，把匾的另一面刻上'刘家老店'，说这店兑给我啦。"李源哈哈一笑说："好主意。"刘三马上叫人拿高凳，把匾再翻过。李源道："你记住这件事，将来李源伤了人命啦，还把'刘家老店'再翻过来。"后话休提李源这才来到跨院见李大奶奶，夫妻俩把所有的事都说啦。

次日，李源来到柜房。刘三心里七上八下，以为饭碗子保不住啦，说："掌柜的您查查账吧?"李源摇摇头说："老三，账我不查，你这几年太辛苦了，大家也都辛苦，我也必须有份人情。你把店里的伙计，一个不剩全叫到柜房来。"时间不大全来了，都见过掌柜的。李源眼望大家说："同仁们，这八年的光景，我没跟大家在一起，大家受累啦。尤其是我这刘三兄弟，他更是操劳。从今天起，刘三兄弟升为李家店的二掌柜。凡是用人、散人、扩充、添置，一切大事，他说了就算，不用再征得我的同意。由他再推荐一位写账的先生，只要心好就得，手底下差点儿没关系，由刘三兄弟慢慢教导。其余人员该干什么还干什么。这几年除本净剩一万二千两银子，我只要五千两扩充咱们的店铺，刘三兄弟分三千两，其余四千两由刘三兄弟分给大家。"刘三听了感激得热泪直流，大家都过来向李源道谢。刘三这回又打起精神来，把东西两院完全盖起客房。李源把学艺经过都告诉了刘三，刘三爷叫一个精明强干的伙计在后院侍奉客人。

没有多少天，于秀保镖来到李家老店。刘三爷从柜房出来，先派伙计让于老客到后院，其余的都让到西跨院，镖垛子都赶到后院。伙计侍候于秀擦脸漱口喝茶吃饭。还不时的打量着于秀："老客是保镖的大管爷?""一点儿错没有。""失敬失敬。""不必客气，你们掌柜的姓李吧。""不错，看来您是老顾主儿，不然您不知道。""你们掌柜的跟你们说过吗，他在八年前叫人家给打啦。""嘿!大管爷，我们掌柜的一年到头挂在嘴皮儿上，说当初有位山西于老客把他打吐血啦，他总想给于老客道道谢，就是人家不来啦。""为什么还要道谢?""老客，您还不明白吗? 唯敌我者是辅我。我们掌柜的自被打以后，破釜沉舟，卧薪尝胆。以后练鞭，这功夫练得真叫棒啊! 打个人跟打豆腐似的，总盼着那位老客来，狠狠地揍他一顿，不就道谢了吗?""哼，敢情揍人是道谢呀。巧啦，当初揍他的，就是我老西。来呀，叫他出来道谢吧。""哟，大管爷，就是您哪? 行啦，您赶忙去厕所先方便方便。"干什么?""回头。省得我们掌柜的把您大便打出来。""哼，量他也不是对手，你快叫他去。"

伙计答应着走后不久，李源乐呵呵地进来说："于老客，久违啦。""来吧，咱们俩人到院里来。""好哇。"两个人到当院，李源一抱拳说："请吧。""等一等，李掌柜，你还没立字据哪。"李源一想，他还没忘当年的事。"好吧。"两个人都立了字据，然后站在院中。于秀往前凑步，左手晃面门，右手挂风声，照定李源就打。李源胸有成竹，微然往左一滑步，右手穿掌，顺于秀的右臂外边往前直插，随着右手一搂，左手照着于秀的前胸，"啪"，这一掌就打上啦，"噔噔噔"于秀退出四五步，"扑通"就躺在地下，"哇"地一声口吐鲜血。

李源叫过几个伙计搀起于秀，在院里来回的遛圈，好半天这口气才喘上来。于秀直哼唧，面色发白，顺嘴角流血，说话可就没劲啦："好哇，老西上你们这住店，平白无故地把我打吐了血，这是老虎店吃人哪？咱们到千总衙门打官司去。"李源把他扶进屋，漱了口，把那上好治内伤的独门药让他吃下去。李源这才大笑着说道："师弟，莫怪我，这可是老爷子叫我打你的。"

"别套近乎，谁是你的师弟！""师弟，不是套近乎。"李源就把八年的事全说啦。"师弟，不然我能胜你吗？兄弟，我扶着你上家里去，叫你嫂子带人待候你。这支镖我给你保了去。"于秀来到当院，见过嫂嫂。大奶奶精心照顾，直埋怨李源。次日，李源押镖赶路到了地点，交了镖，取了收条，返回家中，一同看护于秀，直到伤好。夫妻又买了好多礼物，李源送他们回山西见老侠。以后李源出外闯荡又是八年，也搭着有于老侠的威名罩着，交了很多侠义宾朋，大家给贺了号，叫"展翅金雕铁掌李源"，回到家中就算成名啦。现在六十多岁，跟前有两个儿子。长子李永，外号"金头狮子"，次子李宽，叫"银头狮子"。

话把何滔滔不绝，把事情说完了。王爷可接着问："何伙计，那你们为什么叫'英雄把式店？'""嗷，这可不是自己挂的。老东家挥金似土，仗义疏财，交朋友血心热胆。凡是南来的北往的，只要是武林英雄，白吃白喝，缺路费还要给路费。开始还有人说闲话，'这是沽名钓誉。'可这么多年始终如一，绿林朋友这才佩服。"王爷直摇头说："何伙计，你这话不对呀。""老客儿，我什么地方说错啦？""我们来的时候，就有个卖艺的，落到长街，卖膏药没人买，我给钱还有人不叫给钱，他为什么不到这儿来呀？""嗨，您别提啦。说真的，武林也有规矩，这个卖艺的来到油坊镇，就该懂得规矩，他首先打听本地有没有子弟老师傅，要有的话他应该进门道辛苦。他愿意开场子，本地老师傅必要帮忙；不愿意，缺个路费十来八两的，本地师傅必要帮着凑，不能让朋友困在此地。可这位卖艺的来了，黑不提，白不提，要硬胳膊，打开场子就要钱。有人告诉老东家，这是瞧不起您。老东家也说得好，'姓李的一生指着朋友，我怎能往人家粥锅里撒沙子。他上咱这来了，咱就帮着凑，他不来，也得叫他挣钱吃饭'。没想到我们二少爷李宽背着老人家去啦，不让乡亲们买药，为的是叫卖艺的到店里来。您一给钱，无形中抹了我们把式店的黑。这不二少爷回来啦，我家老东家很生气，正在书房训子呢。""可我们住别的店，怎么住不上？""这不明摆的事，看您二位是练家子，就为的是请您到把式店来。"嘿，话把何薄片嘴儿真能聊哇。王爷想了一下，道："你们东家在哪儿住？""告诉您吧，就在东院，两所四合院。您别不爱听，比您家可宽敞多啦。"海川一听心里暗笑，两所四合房就比王府宽敞？我住的教师府，也比这店大得多呀。王爷倒不计较，只是王爷想见见这位老东家，跟老东家攀谈，海川也有这心意。知道李源是于老侠的高徒，王爷跟话把何商量："能把老东家请来见个面吗？"话把何打量王爷问："客人怎么称呼？""北京人，名叫胤禛。""这位呢？""他姓童名林表字海川。""啊，原来是胤童二位老客，您要见老东家是可以的，可有一个条件。""么条件？""就是别提武术术二字。""为什么呀？""我们老东家有个脾气，不管他天王大地，谁要一提会武艺，老东家非揍他不成。如果要是项长三头，肩生六臂，撇唇咧嘴，七个不服，八个不忿，那我们老东家揍他就要狠一些。喂！要像您这位童老客，穿着打扮土里土气，呆头呆脑，像个老赶、怯勺，打得就轻快啦，顶多打个嘴啃地狗吃屎。我也知您二位会个三角毛儿四门斗儿，打个旋风脚，折个纺车儿跟头什么的，可我们东家叫铁掌李呀，真要打上，腿折胳膊烂。我没赶上，前些年真把住店的给打得吐血呀。"话把何只是信口开河。要知道童林是个暴脾气，他也好胜啊，也是从来不服人的主儿。他想这个伙计说话够损的，把我打个狗吃屎？"伙计，你们老东家没能为，我们还不请哪，冲你这一说，我们非请不可。""好，童老客，您别发火呀，回头暴发火眼，还得买眼药去。我这就去请，您稍候吧。""好极啦，有劳有劳。"

话把何来到东院书房门口，就听见老员外这儿正训儿子呢。李宽正在述说："爹爹，孩儿不让乡亲们买药，是设法把他请到店里来款待，没想到出来二位给钱的，一气之下才进场子质问。唉，总怨孩儿没经验，卖艺的给我练了一招倒拿毛，踢了我一个跟头。孩儿只是告诉爹爹一声，并不是想请您给孩儿找回脸面。您不要生这么大的气啦。以后孩儿再不敢啦。"老英雄面沉似水："哼，这么说为父委屈你啦？你这奴才就桀骜不驯，把父教当做耳旁风，在外面惹是生非，回来还要犟嘴，真正可恶。"大少爷李永在旁边也劝："爹爹，弟弟知错认错，已经改了就成啦。人非圣贤，孰能无过，过而能改，善莫大焉。您别生气啦。"老侠长叹一口气："唉，孩子们，当年唐太宗李世民，身为皇帝，教育他的儿子李治就谈过，创业难，守业尤难。民犹水也，能载舟也能覆舟。我父子怎比唐王，可也讲大比小哇。为父仰仗你师祖的荫德，得来这点点名誉，实非容易。多年来为父如临深渊，如履薄冰，才有今日。你去扰人家的场子，乡亲们背地里必然议论说："李源父子独霸油坊镇，不允许同行同业吃饭。"这样岂不把一世英名付于流水？再说那位卖艺的到处行走闯荡江湖，见着绿林同道，说为父飞扬跋扈，欺行霸市，一旦张扬出去，叫为父如何见人！别看事情小，见微而知著。不是为父不容你们的过错，将来你们到了父亲这岁数，就明白啦。"

正在这个时候，何二进了屋说："东家，有点事跟您提一下，刚才在街上给卖艺人银子的两位客人住在咱们的后院正房啦。"老侠脸往下一沉："他住店给店钱，吃饭给饭钱，告诉我干什么？""老爷子，您不知道哇，他们刚坐下就问什么叫'英雄把式店'。""你怎么说的？""问他们是从哪来的，姓什么，叫什么？一位叫胤禛，北京的；一位叫童林，京南霸州的。那位姓胤的倒没说什么，可这姓童的不怎么乐意。他说一个乡间的笨艺，笨手笨脚的也要称霸一方，会两下武艺叫个把式店都有点过头，怎么还叫英雄把式店哪？加上英雄二字，那真得是在武林有份的好汉子。只能欺负打把式卖艺的人物，应该把英雄两个字改一下。我问他'改什么'？他说'英雄'改成'狗熊'，叫'狗熊把式店'。"老侠一听，很生气，刚要发作，可一想不对呀，何老二素常花言巧语，许是他胡编的。便问："何老二，这些话我看不是人家说的，倒像是你说的？""哟，老当家，我在店里这么多年，怎能说这种话呀。还有难听的哪，我不敢说啦。""你只管说，我不怪罪你。""我跟二位客人解释。我说：'二位客人取笑了，谈句文言话，十室之邑，必有忠信，十步以内，必有芳草。'那个乡下人说：'你快去把你们老东家提了来，我们见识见识，看他是否长得三头六臂七手八脚，是个什么怪物？'老爷子，您说这话可气不可气？小的没法，才来禀报于您。"李源听完何二的话，不觉勃然大怒。

再说，话把何二为什么挑事呢？原来，李宽去赵胜那儿时，有好几个伙计都在看，何二也在其内，没想到李宽被打啦。何二他们准知道这二位要住店，所以往回走的时候，他们挨着告诉各店，这两位住宿你们都别留，把他俩挤到我们店去，好让老东家揍他们。何二他们心里总认为李老侠打童林和王爷是易如反掌。打了这二位好给二公子李宽出口气。

现在老侠李源发怒啦："何老二，你可别撒谎。""老爷子，您再想想，事要三思，免得后悔呀。人家可不含糊，您要琢磨着不成，干脆就忍了吧。"喝，这个何老二可把李老侠的火激起来了！"不必多言，快去。""是！"话把何二来到海川的房中。海川问："怎么样，你们的东家赏脸吗？"

"老客，您这是什么话，老东家这就出来。可有一样，我刚出房门，就听见屋里老东家咯吱咯吱的咬牙哪。""嗷，这是为什么？""客人是不知道哇，我们东家一咬牙，打上人就吐血，不死必伤。"王爷在旁边一听，心里直嘀咕，海川能敌过吗？何二出来又到书房传话："老东家，我跟客人一提，他们倒是愿意跟您见面。可我一出来，就听那位有气派的客人对那位老赶客人说：'你先揍他。你要不行，我再来。'老东家，我真替您捏把汗，要不您先离开店里到朋友家躲两天，客人走啦，您再回来。""不！我定要会会这两位客人。"何二同老侠来到房门口，撩起帘子："老东家请吧。"王爷、海川全都站起来了，一看李源，中等身材，双肩抱拢，身穿米色绸长衫，白绵绸裤子，高桶袜，福字履，粉白厚底。头顶稍微有点儿歇，花白剪子股的小辫儿丢在脑后。赤红脸，神采突奕。两道浓眉，一双虎目，鼻直口方，大耳垂轮，花白胡须飘洒胸前，很有气派。

李源一看王爷，雍容华贵，自有威严。海川浑金璞玉，显出练武功底的坚实。李老英雄不敢小瞧，口称："二位老客，小老儿接待来迟，怠慢怠慢。"王爷、海川也都站起来，抱拳当胸："老东家，打扰打扰。""老客太客气了，请坐吧。"三位坐好。老侠可不敢大意，问道："二位客人从何方至此？"王爷赶忙回答："我们是从北京来，要到山东访友。""嗷，您贵姓？""在下名唤胤禛，这是我的伙计，童林童海川，祖居京南霸州童家村。""嗷，童老客，听说您二位在街上给了卖艺的银钱哪？"童海川把话可就接过来了："不错，我们主仆看他短缺盘缠，好武的应该体谅好武的，所以给他一点钱，不过差一点被令郎给搅啦。""哈哈哈，听童老客的话音，有些责备老朽教子不严。在下已经训斥于他。不过咱们武林道也有道规嘛。在下在这油坊镇一带大小也有个名儿，他应该先到在下的寒舍来一趟，示意示意，才是正理。""老英雄此言差矣，那卖艺的果真有买礼物的钱用来示意，又何必舍脸卖艺哪。饱汉不知饿汉饥。小子在江湖困窘多年，若非好心人相扶，早已死于沟壑之中了。"李源听了点头："这也难怪呀。童老客练武多年，师门出自哪里，贵老师是哪一位？"海川一笑道："我没有师父，出自仙传。"李源一听，很不乐意，心想：练武的没有仙传这么一说，这是看我不配知道？怨不得何二说这老赶厉害。看他二目含蓄，内力惊人，不是一般的武艺。便笑道："哈哈哈，仙传武艺，定高一筹，您的门户呐？""门户尚且没有，奉师命自立门户，自创一门武术。"李源这次可生气啦，心想：你这是开玩笑，就冲你衣不惊人，貌不压众，另立门户？我们爷们多大名气，才能在江湖武林中立足，有一席之地。你这人口气太大啦。便说道："童老客自立门户，武功当有独到之处。遇高人不能交臂而过，想请阁下留两手功夫，不知足下可允诺?"海川点头回答："愚下也愿献丑，请吧。"

话把何从外面把帘子掀起来。三位一齐往外走，东面有个月亮门，穿过去北边是一片精致的瓦房，灯光明亮。进来一瞧，五间一通连的房子好宽敞，摆的兵器架子上放着各种兵器，擦得铮明瓦亮。三合土砸得地十分平坦。李源叫何二回去，把门一关，问道："童老师，您二位哪个先来呀?"王爷不含糊地说："先让我的伙计来吧。"海川过来道："老侠客，自然是在下奉陪了。"说着转到下面，左手掌在前，右手掌在后护住中穴，龙骧虎视："老英雄请吧。"李源一看海川的式子眼生得很，不敢疏忽大意，往下一矮身，正面冲海川，两臂下垂，两掌平伸，左脚在前，右脚踩黄瓜架，"唰唰"就是两个圆圈，身法很快。李源进步用右手臂拳照定海川面门就打，人家叫铁掌李，掌挂一团风就到啦。海川并不慌忙，左手用一招"白虎洗脸"，一按李源的腕子，右步中插，反手锤打李源的小腹，李源"老虎坐坡"，出去五尺。二位插招换式打在一处。

海川心想："这位大名鼎鼎的铁掌李，功夫是不错，可比自己就不行啦。不过我初入江湖，不能树敌，再说李源是西方老侠的弟子，正门正户，我要交这个朋友哇。"想到这儿，看李源右手掌奔胃脘打来，海川用一招收腹含胸，身体没动，胸部放松，左手一锁，右手直奔前胸，李源觉察到上当了，可就晚啦。海川掌锋已经触及李源的胸部，一个急刹，"唰"地一下，纵身出去有五尺，一抱拳道："老英雄，我输啦。"王爷根本没看出来。李源脸一红，可就木在那里："哎呀，想自己练武，受老恩师栽培，多年来大风大浪我可都没怵过，怎么老了倒栽啦，岂不把一世英名付之流水。再看童林站在眼前，脸上丝毫没得意的样子。"这个年轻人可不一般，像我李源这样的人物，他已经把我赢啦，搬倒大树有柴烧，为什么不把我打倒在地哪? 看来这个年轻人武德甚佳呀。"想到这里，看童林站在自己身旁，确是一条浑金璞玉的好汉子，便道："唉，童师傅，你年纪不大，很有武德，将来万里鹏搏，前程似锦。我要有你这么个兄弟，我够多高兴啊。"童林也是喜爱李源的为人："老人家，您真看得起我童林，愿与您结为义兄弟。""哎，那哥哥我可求之不得呀。"，"兄长请上，受弟一拜。"童林心里实啊，趴地下就磕头。李源受了八个头："兄弟，你先起来，对你的一切，我还不知道。咱们前面说话。"王爷过来了："老侠客，海川能跟你结为兄弟，平生之愿也。我给你们二位道喜。""不，不，不敢当，胤老客太客气啦。"海川这才过来道："哥哥，小弟的一切，一会儿到前边奉告兄长，不过现在先要跟您提一件事，您知道他老人家是谁呀？"

"愚兄不知。""他就是当今万岁爷康熙圣上第四皇子，固山多罗贝勒府，雍亲王爷。哥哥，您上前见过吧。"老侠一听，心里"轰"地一下，赶紧撩衣跪倒："王爷贵足踏贱地，笨民在王爷面前如此放肆，死罪死罪，在王爷面前请罪。"王爷双手抱住："老侠客，请起。此番随海川到山东，微服而来，不可声张，倘被他人知道，多有不便，请老侠不可传扬出去。今天得遇老侠，结识你这风尘人物，实乃三生有幸。"李源连连答应，请王爷一同到前边书房。来到书房，李源叫人把李永、李宽叫来，先给王爷行礼，然后拜见叔父海川。海川嘱咐李宽不要再惹是非啦，李宽唯唯答应。

李源叫两个孩子到后面见母亲，说叔叔到后堂来见。海川由李老侠陪着到后面见了嫂嫂，然后出来。外面已备下丰盛酒饭。爷仁落座吃酒，海川才把自己的事情从头至尾讲到现在陪王爷下山东。李源听了哈哈大笑，说道："贤弟，我们真是一家人哪。侯家两位老侠也是愚兄的至交好友。""怎么？哥哥也认识他们？"李老侠点头，把结交之事细说了一遍。

原来李老侠与侯老侠曾结金兰之好，过从甚密。王爷一听很高兴："海川，你给老哥哥道谢，咱们明天一同去山东吧。"海川离席行礼，李老侠扶住归座："王爷，您说到草民心里去啦，兄弟海川的事，就是草民我的事。为了捕盗请宝，草民也应该为兄弟尽些力量。"吃完饭，残席撤下，爷仁喝茶谈话儿下更到二鼓啦。"海川，侍候王爷睡觉，明天还要赶路哪。"海川把王爷的寝具备好，请王爷在里屋休息，然后哥儿俩说了一阵子话，李老侠告辞。

海川把隔扇门对好，把灯熄灭了，就在外屋八仙桌儿旁边的大椅子上，盘膝打坐，闭目吸气养神。天交三鼓，突然间有衣襟带风的声音，"咔——"落地无声，看来这位功夫还不错呐，跟着蹑足潜踪奔南客厅来啦。海川纳闷儿，什么人哪，为什么要到我这屋来？他仔细一看，好像外面的夜行人用匕首顺着门缝拨门闩，海川根本没插门管儿。那人双手托着门带轻轻地推开两扇门，一点儿声音都没有。海川拢目神一看来人，中等身材，一身三串通口夜行衣，寸排骨头纽儿，绒绳勒住十字绊，胸前双搭蝴蝶扣儿，背后双垂灯笼穗儿，一巴掌宽的板带系腰，兜裆裤，薄底窄桶青靴子，绢帕缠头，白净脸儿，斜背小包袱，手持一对跨花拦，矮身形蹲在门口往里瞧。海川看这个人有些面熟。啊，他想起来啦：

"这不是八卦山的少庄主小粉蝶韩宝吗？哎呀，国宝是不是他给偷去啦？"这回海川可猜对啦。

韩宝、吴志广在王府背着贺豹回到前门五牌楼打磨厂店里，他们自己就带着专治跌打损伤的好药，让贺豹吃下去。三天以后，三个人商量雇一辆篷车，把贺豹送回云南，贺豹也乐意。又养了几天，贺豹能照顾自己啦，他们商量如何找童林报仇。三人也明白明杀暗刺都不成，韩宝最后出了个主意："哥哥，咱们设法入大内皇宫，把皇上家的国宝偷他一件，留下童林的名字。只要皇上把童林一杀，然后咱就献国宝请死，绝不含糊。"吴志广一想："好吧，就这么干。"

他们俩有时白天，有时晚上，在紫禁城周围踩道，怎么进怎么出，胸有成竹啦。康熙五十四年四月十四日晚上，韩宝事先写了迷惑人的八句诗，用油纸包好。耗到二更天，两个人起来，把包袱背好，后窗户支开，两人打手式，飞身出来，拧腰上房，施展开矫捷身法，蹿纵跳跃，滚脊爬坡，夜色蒙蒙，如同两缕轻烟儿，往正北直奔里城。"燕子三抄水"，越过护城河，施展"狸猫登树"的功夫，"赤赤赤"上了城墙。来到里首，往下观看，万家灯火已寂，百姓入了梦乡，长街之上，三三两两巡更走夜之人也不放在心上。二人下城墙隐蔽身形上民房，来到沙滩儿，直逼护城河。隔河相望，火枪手四人一排，在城根往返巡逻。两个人换好水衣水裤，一打手势，挨进护城河下水啦。好功夫，一点水声都没有。潜着身子，摇头换气，来到里岸，慢慢地爬上来，仔细察看火枪营的兵卒，越过火枪道，施展狸猫登树枝的功夫上城墙，在多角楼下，隐蔽身形。换了夜行衣，用油绸子包好水衣背在身上，这才飞身下禁城。

宫殿巍峨，在底下往上看不太险，可要在殿脊往下看都眼晕哪。不过哥俩的功夫确实不错，走一个地方，用粉漏子做点痕迹。就这样各处窥视，他们俩误入宁寿宫，偏殿之内，灯火通明。时逢恰巧，胡总管把一切备好，派两名小太监看守值班，他带着徒子徒孙喝酒去啦。这两个小太监贪睡。两个人商量，吴志广巡风，韩宝下手。只见他飘身下来，为了缩小目标，在院子里施展蛇行术，来到切近，掏出熏香盒子，打火点着关严，顺着门缝，捅进去一拉仙鹤腿，"哧——"浓烟可就进来啦。时间不大，听见里面打了两个喷嚏，就知道成功啦。然后收起熏香盒子，自己闻了解药，用手托着门带，推开了门，韩宝走着矮步进了更衣殿。他的眼睛有些不够用了，正面八扇围屏，紫檀木雕刻五龙围绕，围屏心儿上山水人物，全是点翠镶嵌，前边的宝座，御座前的紫檀木御案，五色天然大理石心。殿角墙上挂着福寿字幅，都是御笔。墙上挂的全是唐、宋、元、明的名人字画。有虞世南、褚遂良的字，韩干的马，戴嵩的牛，怀素的狂草，李今时的山水，唐伯虎的仕女，真是琳琅满目，美不胜收。北墙是汉玉八仙人儿一堂，栩栩如生。南墙多宝阁内是俎豆钟鼎之物，还有珍奇古玩，各色奇珠异宝。正面都是紫檀的顶箱立柜金饰件，上有标签号头。二尺八的澄浆砖墁地。围屏两旁是二盏大戳灯，罩着纱罩儿，画的是四季花，底下是花木底座儿，雕刻五龙抱柱。

　　韩宝一眼可就看见了翡翠鸳鸯镯，霞光万道，瑞彩千条。韩宝飞身过来，一看就知是至宝，他用原来的锦垫儿包好，掏纸压好。把镯子用油绸子包严，往怀里揣好，垫步拧腰出了大殿。吴志广又担心又害怕，心想怎么这样长的时间。一看韩宝飞身上大殿，知道成功啦，打手势，按原来的路线，躲过火枪营，蹿进护城河，来到东岸，飞上民房，换了夜行衣，出内城，过护城河，回到打磨厂店房。从后窗户进去，两个人也不敢点灯，摸着黑儿钻到八仙桌下，才掏出国宝细看。没错啦，便把国宝放在桌子上。韩宝说：“哥哥，您带起来吧。”吴志广一摆手：“您知道我心粗，毁坏国宝就不能补救了。还是您带着。”韩宝带起来，稍事休息，即已天光大亮。两个人梳洗已毕，出了店房，找地方吃点东西，才来到城根王府切近，隐蔽身形看着。果然汤云、何贵押童林出来，有些百姓议论纷纷。他们俩跟着到协尉官厅，又跟到北衙门，到刑部。没想到只打了一天的官司，让童林戴罪捕盗。韩宝、吴志广一想：这可坏了，画虎不成反类犬。韩宝摆了摆头说：“哥哥，即便是童林捕盗，他也不知道是我弟兄办的。咱们看他上哪儿捕盗去。”他们看见童林、王爷出了北京，便算还店饭账，也尾随于后直到油坊镇，这一切他们都看在眼里。来在英雄把式店，两个人刚才往里走，伙计从里边出来问：“两位爷台住店吗？往里请。”韩宝道：“伙计，有跨院吗？”“西院北房三间，也宽敞，也干净，您随我来。”韩宝、吴志广在由月亮门往西院的时候，发现海川他们爷俩在正房屋内。他们住在西院北屋，小包袱放下，先用布掸子抽抽身上的土，然后擦脸、漱口、喝茶，让伙计给准备饭。“伙计，你们这饭菜怎么上得这么慢哪？”“爷台等久啦，真抱歉。因为我们老当家要招待两位朋友，这样就耽误您吃饭啦。”“什么朋友这么尊贵？”“唉，您不知道，我们老东家是江湖上成名的大侠，姓李名源，人称展翅金雕铁掌李。老人家专门结交绿林好汉，这不是刚才还跟从北京来的朋友比武哪。几位一见如故，拜了义兄弟，把朋友请到我们东家的府上去啦。""嗷,那你们东家把朋友请走,为什么还让店里准备饭菜呀?""哈哈,爷台还是真爱刨根问底。""没事闲聊嘛。""您不知道,我们东家就住在东院,南北两所大四合房哪。""嗷,这就难怪啦。你不说,我们外乡人怎能知道哇。"伙计侍候着吃完饭,残席撤去。

两个人合计。"哥哥,您看怎么办?"吴志广想了想:"贤弟,咱们明天就远走高飞,离他们越远越好。他童林百日限期满后,就要领罪呀。"韩宝摇头:"您真糊涂,要是没有那个王爷,当然领罪,有了他可就不一样啦。看来这个王爷最讨厌,咱们要杀童林是不容易,可设法治死这个王爷还不那么难吧。一会儿我踩踩道,天趁人愿,杀了王爷,那童林必死无疑。咱们俩本就是剐罪,难道还有两个剐罪吗?"吴志广一听,把心一横,说道:"对,一只羊是赶,两只羊是放,身子掉井里,耳朵还挂得住吗?"韩宝笑啦,说道:"好哥哥,您粗心别去,我到东院看看。"吴志广点头同意。韩宝从后窗户出去,拧腰上房,施展轻功来到东院。他也知道童林、李源都是了不起的人物,所以一点儿声响都没有。王爷他们三位还在饮酒谈心。韩宝抽身回来,耗到二更天以后,两个人换好夜行衣,包袱背在身上,灯光熄灭,从后窗户出来,拔腰上房。星斗满天,凉风阵阵,二人蹿纵跳跃,提气轻身,直奔东院。吴志广在西房后坡巡风,韩宝飞身下来,走着矮子步来到门口,伸手拔出匕首,拨了拨门插管,里边儿并没插着。他带好匕首,才把双门推开,把军刃包袱打开,双手一分跨花栏,拢目神正看童林,真是仇人见面,分外眼红。他也知道童林厉害,双手一合,脚尖儿一蹬地,哧"地一声,蹿到海川切近,"猛虎出门",双刀奔海川胸前便扎。海川心里也正在想,这国宝定是他盗的,海川丹田里一攒劲,身体"唰"地一下就起来啦,脚尖一落地,高声喊道:"大胆韩宝,盗走国宝,还敢前来行刺。"海川双手一搭他的肩头,韩宝"燕子分云",海川就势撒双手蜷起右腿,照韩宝胸前便打。"嘭"地一声,韩宝就是一个滚儿,"鲤鱼打挺"起来之后,拧腰奔院中。海川伸手拿双钺,飞身出来。再看韩宝"大鹏展翅",分双栏一瞪眼说道:"姓童的,国宝乃小太爷所盗,你敢把小太爷怎样?"海川一听,心里可高兴了,诈出你的实话,你住家有门儿,开铺子有板儿,我倒有了准目标儿啦。"韩宝,这官司你打了吧。"海川往前抢步。韩宝左手晃面门,右手"顺手推舟"奔海川的前胸,海川往左一滑步,右手钺一支,左手钺就搂。韩宝一矮身,海川用左脚照他左边小腹就踹。这叫"鸡登步",韩宝躲不开,应声而倒。海川一飞身来到切近,想用钺把他扎伤。吴志广踩中脊飞身而下,照定海川斜肩带背就剁。海川左脚当轴儿，一转身左手钺一挂，左脚扎根，用右脚里踩一腿，"嘚"，吴志广也是一溜滚儿。这时韩宝起来，海川双钺一加紧，心中想道，若凭我的本领赢他们俩是有余，可想拿他们两个很不容易。正在作难，忽听得北房上有人痰嗽一声："贤弟，与什么人动手？"海川一听是老哥哥李源，急忙大声喊道："老哥哥快来，这是盗国宝的贼人，别让他跑了。"老侠从房上飘然而下。韩宝一掉脸，用右手照老侠面门就打。老侠双手一攥两头，当中一崩他的手腕，韩宝一撤，老侠左手把一撒，右手单提棒，抡起来一抽，正中韩宝的腰上，"啪嚓"一下，把韩宝打出一溜滚去。韩宝蹿上东房，吴志广上了西房。

老侠李源让海川照顾王爷，自己飞身上房追了下来，眨眼间来到村口，老侠高声喊："钦犯往哪里逃走！"韩宝吓得魂不附体，急急如丧家之犬，忙忙似漏网之鱼，脚下攒劲，"沙沙沙"飞也似地狂奔。老侠把腾蛇棒打在肩头，微微一伏腰，脚步加紧。韩宝一看要坏，又一看南边大片的庄稼地，"吱溜"就钻了进去。老侠一想，拿不住他多栽呀，往前一探步，左手棒一抡，"唔"地一下，正打在一个人的腿上。"噗通"，这个人就趴下啦。老侠用膝盖一顶他的腰眼儿，掐折他的绒绳，抹肩头拢二臂，四马倒攒蹄给捆上啦："鼠辈，竟敢盗国宝逞凶，这官司你打了吧。"就听见这个人说话，是江南口音："哎呀，师父，是我哇。我只是偷过您二十两银子，怎么就要把我送官哪？""啊！"老侠低头一看："冤家，是你呀！"猫腰把绑绳就给解开啦。这个人站起来把绒绳系好，趴地下磕头："哎呀，弟子有礼，您老人家为什么见面就打我呀？"

这个人中等的个儿头，细条的身材，很灵便。长圆的脸膛儿，两道细长的眉毛，瞳仁发亮，越黑天越发亮。穿着一身蓝，腰里别着一口刀，这刀有尖儿没有刃儿，刀背刀刃都一样，骑着走三里地都刺不了屁股。把这刀往墙的砖缝里插，来回一晃摇，砖就活动了，如果挖窟窿偷人最合适，所以这口刀叫"摇山动。"这个人姓孔名秀字春芳，有个外号叫"走遍天下无遮拦探囊取物"，他是扬州人。孔秀小时候，家里很苦。在他八岁那年，由于闹瘟疫，父母双双去世。上无三亲，下无六故，孩子就在街上要饭充饥。钞关街上有两座大庙，西边是老道庙，叫"玉顶九龙观"；东边儿是和尚庙，叫"龙泉寺"，方丈名叫普照，有个外号叫"长眉罗汉铁背禅师，很好的功夫，他就是童林的二师哥。这座大庙的山门外，左右有两根大旗杆，高有一丈八尺，十几道铁箍，底下两块大灰杆石。孔秀总和他一般大的孩子，爬这两根旗杆，孔秀身体灵便，比谁都爬得快。每次爬的时候，影壁旁边站着个矮个儿小老头儿，瘦小枯干，花白胡子，穿着一身米色绸长衫，茧绸裤褂，福字履，笑眯眯地看着孔秀。有时候也给孔秀几个钱，叫他买吃的。这天孔秀爬完要走。老头走了过来叫道："孔秀哇！你还没吃饭吧？""嗯，这就讨去。""来来来，你到我这里来。"孔秀答应着，跟随老头来到东院，到了北屋，老头叫孔秀等着，时间不大，叫孔秀到房去吃饭。吃完以后来到北屋。孔秀磕头说道："我谢谢您老爷子。""不谢不谢。你家里还有什么人哪？""家里只剩下我一人，其余的全部死绝了。""孩子你也应该学一技之长啊。""老爷子哟，不要担心，我现在对当乞丐很有些能耐的。"老人摇头说道："孔秀哇，乞讨不是长久之计，别的你都没有学呀，即便是偷人家，没有师父也是行不通的。"

原来这位老英雄姓陶名润字少仙，有个外号叫神手东方朔。他弟兄两个，都是横跳黄河竖跳海，万丈高楼用脚踩，日走千家，夜进百户，偷富而济贫，做了很多善举的人。老二现在扬州北边开了个大店，日进斗金，姓陶名荣字少华，有个外号叫"狸猫草上飞。"前十年就给哥哥捎信，叫他去店里享福，可大爷为人耿直，不愿给兄弟找麻烦。陶大爷爱好下棋，这普照禅师也喜欢手谈，为了这个，就在龙泉寺东院租了这个院子，没事就跟和尚下棋。就这样，陶大爷发现了孔秀，尤其是那双眼睛，做为绿林人可太好啦；其时，越黑他越看得清楚，这样才把孔秀叫到东院。现在老英雄告诉孔秀：你的身体练别的不行，只能练黑道儿的买卖。孔秀乐意，拜陶大爷为师。教孔秀盘腰窝腿，学拳脚军刃，然后学上道儿，开始偷人。

光阴似箭，日月如梭。孔秀从八岁开始学艺，眨眼就十二年。这身小巧之艺，很不错。陶大爷给了他一身夜行衣百宝囊，一口摇山动，把门户的规矩都告诉孔秀，虽是黑道，也不准越理胡行。二十岁的孔秀，在江湖路上行道，很快出了名，而且品性端正，闯出个外号叫"走遍天下无遮拦探囊取物。"

孔秀游历江湖，来到常州府，自己的钱已不太多了。北门里路东，五间门脸的一个大饭馆，黑匾金字"满春园"，上边有两个小字是："清真。"里边刀勺乱响，香味笼罩着半趟街。自己想着先吃饭，然后踩道，晚上偷一点钱花。他一进屋，伙计们跟穿梭的一样，来往端酒上菜，饭座满着。一个伙计过来："爷台，上楼吧。""好吧。"伙计一声喊："楼上看座。""唉！"楼上有人答应。孔秀来到楼上一看，人也不少，西边临街的楼窗儿，有张八仙桌。孔秀坐好，一边吃一边往外看。他瞧路西有一条宽宽的胡同，路南有两家大户人家，敢情这是后门儿。孔秀吃完饭，给完了钱，来到前边这个胡同，更显得宽敞，胡同口有个木牌子，上边三个字"清风巷。"东口路北头一家敞亮大门，东边有走马门，一边八棵门槐，整砖到顶的高墙。里面房子不少，甲第连云。再往西来，路北又是一座大门楼。西边的走马门，门口也是八棵门槐，磨砖对缝的墙。这两家都关着门。孔秀一想：今晚上就在西边这家照顾照顾吧。他一看路静人稀，在走马门旁边的墙下，用粉漏子拍了个暗记儿，然后找了个地方休息。耗到天交二鼓，换好夜行衣，小包袱往身后一背，"摇山动"往腰里一别，飞身上房，施展小巧之能，直奔清风巷。先到墙角认清粉记，用手抹掉，然后上房，加小心各处窥探。到了三层院，北房以内灯光明亮，孔秀施展"珍珠倒卷帘"之技，从横楣子往里看，东头是个暗间，里边没有灯。眼前是两间一通连儿的屋子，迎面几案盆景都是最珍贵最讲究的，八仙桌上放一个五彩的大果盘，上面放着几个大佛手，散发清香。上首坐着一个千娇百媚的大姑娘。穿着素衣服，两只小脚穿南绣平金的小靴子，一身藕荷色衣裙，系一条粉绫子汗巾。藕荷色的绢帕，在二纽儿上系着。这姑娘也就是十四五岁，圆脸膛面似出水芙蓉，弯眉大眼，长得太俊啦。她正坐在椅子上看书哪。孔秀是个正人，他一瞧这是姑娘的闺房，有银钱自己也不能进屋窃取。他正要收身上房，就看这姑娘一拍桌子，站起身来，一挑粉绸子门帘进了里间屋。也就在孔秀要翻身上房的时候，他的后腰上"叭哒"一下就重重地挨了一弹儿。"哎呀，哎哟，好疼啊。"他知道坏了，一松手"唰"地一下，一个"云里翻"，脚坠实地，抬头往房上看，刚才那个姑娘身后背着宝剑，斜身背着弹囊，左手拿插把弹弓正站在房上。传说五代时候，四川眉山有一位张远霄，入青城山学道，遇见一位四目老人传给他打弹弓。蜀国国主孟昶有一张远霄挟弹的画像，后来宋太祖派大将曹彬灭了蜀国，花蕊夫人把这张像带到宫中来交给宋太祖赵匡胤了。其实最古的时候，茹毛饮血的年代，父母死了弃尸荒郊，任鸟兽啄食。孝顺的儿子研究出掷弹的方法，为的是不忍父母遗体被毁，用弹打鸟，叫"飞土逐肉"，赶走鸟兽。后来人类进一步的发展，弹弓的尺寸是十八拳，两头叫"脑儿"，拴这竹排子要用水牛筋，叫"牛筋爪儿"，用别的东西不行。当中盛弹儿的地方叫"斗儿。"斗的两边并不均等，一边长些，一边短些，用的时候短的方面冲上，若要拿反了，这弹正打在自己手腕子上。再说这弹丸要用胶泥，就是有粘性的泥。把头发铰成碎末，还要掺上铁末，为的是分量重，团成滴溜圆，差一点也不成，晾干了才能用。这姑娘左手持弓，右手拿弹，孔秀可叫苦了！他往上一仰头，"哎呀！"姑娘的弹丸正打在脑门上，孔秀抹头就跑。这正是，姑娘弹打孔春方。

第七回

童海川收徒李家店
侯振远应邀巢父林

上回说孔秀在常州行窃，姑娘用弹弓打他，"啪啪啪"，孔秀的脖子后脑勺，脊梁骨，屁股蛋，这一阵弹弓，可把孔秀打得够呛。"哎呀，要了我的命了，这位姑祖宗打得真准。"孔秀慌不择路，他往后院跑，姑娘追着打。正好后边是一趟街。东门外正对着路东的清真饭馆"满春园。"赶巧楼上有个年轻人，看上去二十多岁，正扶着栏杆，往胡同里看，一眼就看见孔秀往胡同口这边跑。这个年轻人扶栏杆一飘身，"唰"地一下翻身进了胡同口，张开双臂把孔秀给拦住了。孔秀一看这个人七尺上下，细腰窄背，身穿蓝绸子长衫，白绸子裤子、汗衫儿，腰系绒绳，缎靴子高桶儿白绫袜子，松散地梳了一条漆黑油亮的大辫子。面如冠玉，剑眉朗目，鼻直口正，大耳有轮，是一个倜傥的英俊青年。

后边这个姑娘边追边喊："师哥，这个人上咱家窥探，被我给追出来了。"年轻人说了一句："知道了。"看了看孔秀，便问："你是哪的朋友？为什么越礼胡行，我们家中只有小妹在家，你因何前去？"孔秀一瞪眼："混账东西，你不要多说，我是正门正户的，管你什么姑娘不姑娘的，因为她是个小姑娘，一个人在家，我若下手多有不便，要是你在家，那我早就偷你个混账王八羔子了。"年轻人也大笑起来："朋友，这一说你倒有理，我们倒没理啦。""一点也不错的，我又没拿你们什么东西，可是这个小姑娘打破了我的头，还要追着打。你又来截我，天底下还有好人走的道没有？"这姑娘听了也不敢笑，怕师哥数落自己。这年轻人把脸一沉："你偷盗窃取反而有理，你叫什么名字？"孔秀伸手把摇山动拿出来，往自己袄袖上蹭，一边蹭一边往前走："你要问我，姓孔名秀字春芳，任你走遍天下无遮拦探囊取……""物"字还没说出来，冷不丁儿用小刀对准年轻人的胸前便扎。孔秀原以为这个年轻人没有经验，哪知道他受过高人传授，只见他不慌不忙，用了一招断掌，"啪"地一下，"铛啷啷"把小片刀打飞，卧腰一脚，"嘭"地把孔秀踹出一溜滚去。"哎呀！"孔秀想要起来，办不到了。年轻人一个箭步过来，磕膝盖顶腰眼儿，抹肩头拢双臂，把孔秀给捆啦。

就在这个时候，南墙上有位老人家咳嗽一声："孩子们，黑夜之间与何人动手？"男女二位都叫了一声："师父，您快来。"也没看见老人家怎么晃身，离孔秀有三丈挂零，一阵风似地就站在了孔秀的身旁。孔秀嘴可不闲着："我说这位老爷子，您给说句好话，把我的绑绳解开，我好给您行个礼，免得叫您挑理呐。"老人家一听大笑起来："把这位的绑绳解开。"年轻人过来给孔秀解开。孔秀站起来一看这位老人家，是个大身材，猿背蜂腰，身穿蓝绸子长衫，挽着袖口，腰系骆驼毛绳，白绸子小褂、蓝绸子中衣儿，高桶白袜子，寸底福字履。赤红脸，头顶全歇了，白剪子股小辫垂于脑后。两道蚕眉，双鬓斑白，寿毫长到唇边。虎目如灯，鼻如玉柱，唇似丹涂。一副银髯满胸前，不散不乱，真是发欺三冬雪，须压九秋霜，老马嘶风，雄心不减。

孔秀说："老爷子老前辈，小子给您叩头了。""起来起来。""老爷子贵姓啊？"老人摇摇头："你姓什么？叫什么？有门户么？师承谁呀？""我名叫孔秀，自幼父母双亡，拜"神手东方朔"陶润陶少仙为师，学的就是偷盗窃取。可门规很严，小子不敢做损阴丧德之事。"老人点点头："你说得不假。不过萍水相逢，我想劝你几句，这偷富济贫，恐怕也不是长久之策吧。你二十多岁，正是年富力强的时候，岂能把这锦绣年华白白虚度。应该堂堂正正地做番事业，扬眉吐气地走路，应该找个安身立命之处。陶少仙是你师父，这个人品性端正，偷富济贫一辈子，结果还是两袖空空，老境堪怜哪！你应该另投师门，重学技艺，找个正当事情干干。不然日月蹉跎，老将至矣，那可就一事无成呐。我看你是两只鲜眼，这很难得，可不能不用在正途上，将相本无种，男儿当自强嘛。把你的刀拿过来。"孔秀答应，把刀捡起来递过去道："老爷子，我听您的话，改邪归正，您可不要杀我。再说我这口刀专为挖窟窿偷人用的，也没有刃。""哈哈哈……"老人家一阵大笑："冤家，老夫杀你何需用刀哇！"老人家把刀用左手接过来，把刀央儿夹在右手中指和食指中间，左手一推刀把，"嘿！"就看这刀"喀喀喀"围着两个手指转了三圈儿；好么，成了钟表的发条啦！孔秀看得傻眼了："老爷子神力，小子低头服输了。""哈哈哈，你再看这个。"老人家把二指抽出来，攥住刀把，左手在刀把前边也攥住，右手往下拉，左手往前一推，"喇"地一下，小片刀又直啦。"哈哈哈，孔秀，你看如何？"孔秀"咕咄"就跪下啦："老爷子，我这是'太岁头上动土，老虎口边拔须'，您老爷子恕罪吧。"

这孔秀哪知道眼前这三位是谁呀？常州府北门里清风巷东口路北第一家住着的这位老人家，姓冷名镇表字远回，江湖人称百折不挠青云叟，十二剑客里数得着的上上人物，掌中一口剑，内外两家俱臻绝顶。

挨着老剑客西边住的是"赛判儿飞行侠"苗泽苗润雨的家，论辈份论资格，苗老侠可比不上冷老剑客。苗老侠红毛宝刀一口，天罡刀三十六路，也很了不起。老妻去世，只留下一个女儿，名叫飞霞，从五六岁就跟随冷老剑客学艺，全凭一口剑、一把插把弹弓。剑客爷们给起了个美称，叫金弓女二郎，今年才十五岁。这女子不但功夫好，人品也出众。男青年名叫满玉华，是个清真教徒。这满春园饭馆就是冷苗二老拿的本钱，由满玉华当掌柜。苗老侠去山东访朋友，冷老剑客在家。孔秀画的粉迹，冷老剑客早已发现，便到家里嘱咐飞霞，晚上留神。又去饭馆告诉玉华：你叔叔家今晚兴许要闹贼。孔秀一来，冷老剑客就看由来是个"初出茅庐"的人物。姑娘在屋里坐着等孔秀，他可就到啦，姑娘到屋里取剑拿弹弓，挂弹袋从后面打将出来，老剑客爷知道孔秀的能耐不大，怕孩子们把孔秀给杀了，便制止弟子，又现绝艺警告孔秀。冷老剑客叫玉华取来纹银二十两："给你拿了去，希望你回头猛醒，万一偷盗有本领的人物，焉有你的命在？老夫不是逞强，只是让你明白。""我谢谢老爷子。"磕了个头，然后带起摇山动走啦。

孔秀离开常州往北走，到了扬州拜见老师陶少仙。孔秀提起自己挨打的事。陶老英雄心中难过，也愿意孔秀另投老师。孔秀才来到直隶清河油坊镇，打听李源是位有名的老侠，他头顶门生帖儿前来拜师。跟李源见面时，孔秀把从前的经历都作了说明。李老侠想了想说："收下你吧，不过今后要改掉你这偷盗恶习。"没想到孔秀一学武艺，事情根本不那么简单。李老侠的功夫是硬功，孔秀练不了。两年也没学出一点眉目来。孔秀万般无奈，偷了老侠二十两银子跑啦。李源知道以后这个骂呀："好小子，竟敢偷师父。兔子还不吃窝边草哪！"倒是李大奶奶直劝："徒弟花你几个钱，你还生气，算了吧。"孔秀离开油坊镇已经三年多啦，又从江南回到清河，想起师父来，这样今晚才赶到油坊镇。远远听到师父在喊，他顺着庄稼地走出来，没想到叫李老侠打了一棒。韩宝已经逃走。李老侠把他解开，问从什么地方来？"师父，我从扬州来。"跟我回家。"爷儿两个顺东墙走进来。先给王爷请安，细细地把刚才的事情一说，王爷很高兴："老侠客，这倒是件好事，咱们的事情好办了，总算知道国宝是谁偷的啦。"海川问道："哥哥，怎么韩宝跑啦？"又指孔秀："这是谁呀。"李源道："海川，要不是他，我就把贼人给拿住啦。他是我徒弟孔秀。快给王爷磕头。"孔秀先给王爷行礼，再给海川行礼。王爷很喜欢孔秀。李源一想，海川正在用人之际，王爷也需要有人侍奉，何况海川还要自立门户收桃李哪，不如让孔秀拜童林，学点内家功夫。老侠便把自己想法跟爷儿俩一说，王爷挺乐意。海川想了想说："哥哥，我就先收个记名弟子吧。"李老侠才让孔秀拜师。孔秀给海川磕了八个头，再给王爷磕。然后给李源磕，改口叫伯父，彼此道喜，然后都坐下。

　　李源跟王爷商量："今晚之事，说明不是侯门弟子盗的国宝啦。看来我们该着手访韩宝他们，可他们家里有大人哪，八卦山李昆是武林高手，我想归根到底还是要去见李昆。王爷，如果要见李昆，就不是我和海川能办到的。咱们还要去山东见双侠，一定请出侯老哥哥来，那是武林中的佼佼者。再说还要通过他带着海川多认识武林高手，更需要他帮你创立门户哇。"王爷、海川从心里敬佩李源想得太周到啦。王爷道："李老侠，您说得太好啦，海川你真得谢谢哥哥。"海川就要行礼，李源拉住说："你们爷俩休息，明天还要赶路。我带孔秀到后边见见他伯母去。"这样侍候王爷躺下，孔秀随老人家到后面见伯母还有师弟们，不在话下。

　　一夜无事。次日清晨，爷几个吃完早饭离开油坊镇，踏上大道，孔秀背着大褡套，大家伙儿说说笑笑，颇不寂寞，进山东走济宁州，直奔东昌府。爷儿几个正往前走，李源用手一指："王爷、海川请看，东南方向就是巢父林。"王爷一看，喝！黑压压雾沉沉，烟峦弥漫，一望无际。"哎呀，李老侠，怎么这么大的树林哪？""这个树林，方圆近百里，里边有百八十个大小村庄镇店。不是本地人，不用说人行小路，就是大车道也找不着哇。""嗷，这个大森林有年头啦。""爷读书多年，知识渊博，一定知道，相传有巢氏积木为巢，到他死后，后代人就把他葬埋于此，所以才叫巢父林。巢氏的坟就在林中正北。一道大河，从东南方向流出巢父林，这就是明堂河。这里是水旱保收，景致清幽的好地方。"说着，可就来到树林附近，但见森林浩渺，树叶飒飒，好不怕人。桑柳榆槐松柏，应有尽有。王爷他们随李源一进树林，林中浓荫蔽日，杂草丛生，顿感凉爽。再往里走，只见一片绿油油的庄稼，禾苗茂盛。水网交错，都是从明堂河流出来的支流，百姓日出而作，日落而息，安然自在。离侯家庄越走越近了。这不过是百户人家的小村庄，周围树林围绕，一条宽敞的街，侯家在村西口路北，外边都是土地圈儿，里面全是瓦房。大门敞亮，座北朝南，一边四棵大门槐。路南是个大场院，足足有三十多亩，门口有不少的长工月工。台阶上站着一位一身粗布衣服的老头，须发皆白啦，这是侯家的老总管侯宝。老侯宝一眼就看见了李源，别看这么大的年纪，腿脚很利索。赶忙带着几个人迎了过来："李老员外爷，侯宝给您请安，您有些日子没来啦。"李源可不敢受他的礼，抢前几步拦住道："老哥哥，您倒好哇？""托福托福。"李永、李宽过来磕头："侯宝大伯您好。"侯宝作揖还礼："折寿折寿。""侯宝老哥哥，您快到里边提一声，我和北京的朋友看大爷、二爷来啦。""是，是。"

年轻的搀着侯宝总管往里走，没想到侯二爷正出来，连王爷、海川他们都看见啦。有这么句话："在家无常礼。"侯二爷光着膀子，手里一把大芭蕉扇，"嗯哒嗯哒"扇着就出来啦。侯宝喊道："二员外爷，快换衣服去，来了北京的客人啦。"其实，侯二爷已经看见李老侠啦："不就是李源贤弟吗？"可再一看，还有海川和另一位生人，老侠脸一红，撒腿往里跑。

说话间，侯老侠侯振远带着弟子们出来啦，王爷眼睛一亮。只见老侠中等身材，身穿米色绸长衫，白绵绸裤子汗衫儿，白色高桶袜子，寸底福字履，大红缎子镶边，上边五福捧寿，红缎子沿边儿，雪白的寸底，上边连个泥点儿都没有。顶都歇啦，白剪子股儿的小辫，脸上皱纹堆累，饱经风霜，两道蚕眉寿毫老长，一双虎目含威，赛似两颗明灯。鼻如玉柱，唇似丹朱，一副银髯胸前飘洒，这可就难得啦。多数老人下半截胡子都发黄，可侯老侠全是白的，不散不乱，根根透风。形神潇洒，一点武夫之气没有，文诌诌好像一位教书的老先生。王爷再一看，这位老侠客左肋下佩带一口宝剑，绿沙鱼皮鞘，金饰件，金吞口，蓝带子勒把儿，双垂蓝色灯笼穗儿。这口宝剑折金断玉，削钢剁铁，价值连城，名叫"龙渊古剑。"老侠客今年八旬开外，精神矍铄，按剑把往外走，步履刚健，面带笑容："李源贤弟。"李老侠抢步过来跪倒磕头："兄长，您倒好哇。"侯老侠双手相搀："贤弟，愚兄怎敢受此大礼，托福托福。"海川赶紧走过来，"您是侯老哥哥吧，请受小弟一拜。"李源赶紧介绍："哥哥，这是北京来的朋友，童林童海川。"老侠一听："久仰久仰。贤弟，你二哥带着孩子们去北京，多蒙你大力关照，回来一说，愚兄就该立刻去京都登门致谢，奈因俗事冗杂，未能如愿，兄弟倒先来了。请起请起。"老侠伸手拉起来。

王爷过来一抱拳："这是侯老侠吧，久慕高名，梦想眠思，今日得会尊颜，三生有幸啊。"老侠一怔："二位贤弟，这位是……"海川一乐："哥哥，这是我的主人。"侯振远恍然大悟："哎哟，原来是王爷驾临寒舍。草民不知，死罪死罪。恕草民接待来迟，请千岁恕罪。草民衣冠不整，给王爷叩首啦。"说着跪下来，王爷赶忙双手相扶："老侠客请起，本爵此番前来，乃是微服至此，请老侠原谅。""爷驾光临，蓬荜增辉。先前几个不懂世事的孩子，到王爷府中搅闹，真是无法无天。虽说是他们胆大妄为，也是草民教诲不严所致，请爷驾开天地之隆恩，饶恕草民无知吧。""老侠客太谦啦。如无此举，海川何识阁下？此番与海川冒昧而来，一是得见尊颜，二有大事相求，愿与老英雄尽叙肺腑之言。"侯振远一听，心中沉吟：这爷俩不远千里来到山东，屈尊下教，到底有什么事情呢？"爷驾，侯振远恭敬不如从命啦。"

刚说到这里，侯二爷穿好长衫，红光满面的出来，海川跑过来磕头："二哥，小弟有礼啦。"二爷抱住："兄弟兄弟，欢迎欢迎。"李源过来行礼："二哥，您好！""哎呀，承问承问。"海川拉着二爷："您这儿来，我给您介绍介绍，这是王爷，我的主人。王爷，这是我哥哥侯杰。"侯二爷抢步行礼："草民接待来迟。"王爷伸手抱住，冲着侯杰侯二爷的光头大笑："哈哈哈，二侠客真亮啊。""嘿，王爷见面就跟老头儿开玩笑了。"侯二爷臊得满脸通红。李永、李宽过来给两位伯父行礼。海川叫过孔秀给两位老伯父行礼。众弟子也过来给王爷叩头，然后又都见过李源、童林。家人接过被套包裹。侯振远抱拳，请王爷和李贤弟、海川到里边。进大门过垂花门，穿过腰厅，来到北大厅，王爷看着房屋整齐，院里栽种异草奇花，浓郁芬芳，十分幽雅洁静，不由得暗中赞叹。他们把被套放到廊下，底下人打帘子，来到屋中，几案方桌，明窗净儿，四壁上挂着字画，真草隶篆都是名人手笔，也有侯老侠自己写的，真是琳琅满目。王爷就知道侯振远文武全才。大家掸土、擦脸、漱口，然后入座品茶。老侠才问海川、王爷："爷和海川怎么会和李贤弟同时来到山东呢？"王爷把经过一一说明，并且还说有要事情老侠客鼎力相助。"海川，你不妨把事说给老侠客听听吧。"海川就从自己学艺开始，一直说到困京师，王府当更头，五小侠闹府，出任教师，打贺豹、丢国宝、奉旨捕盗，自己如何想的，王爷怎么说的，下山东送单刀拐，韩宝行刺，诈出实话，由兄长李源带我们来到山东拜见兄长，详细说明。王爷这才搭话："老侠客，本爵此次专程来山东，就是恳求你大力帮助，拿住韩宝、吴志广，请回国宝，请老侠万勿推辞。"侯振远一听，一阵为难。本来自己年过八旬，与兄弟闯荡江湖这么多年，仰仗朋友们的捧场和自己的武艺，可以说没栽过跟头。急流勇退，见好就收，寿终正寝，盖棺定论，也算不错啦。现在海川、王爷亲自相邀，要说拒绝的话，难以启齿；如果答应下来，哎呀，我八十多啦，韩宝、吴志广是八卦山的弟子，我侯廷的本领能敌八卦山吗？万一栽个跟头，岂不坏一世美名。千思万想，左右为难。又一想王爷亲到山东相请，得啦，士为知己者死。便一拱手道："王爷，海川，按理说侯廷技艺微薄，唯恐有负王爷重托，不过海川既以我为识途老马，好吧，我情愿出力协助。"王爷一听，都站起来啦。王爷多聪明啊，他知道侯振远是发自肺腑的话，他更知道功成名就的八旬老人出山是多么不容易。"老侠慷慨仗义，本爵实深敬重，我替海川谢谢。海川，还不给老哥哥磕头道谢！"海川撩衣跪倒："谢谢兄长的厚爱。""贤弟请起吧。"海川又给二爷侯杰和李源磕头道了谢。然后酒宴摆下，海川又叫阮和把被套内的单刀拿出来。王爷居中而坐，大家相陪，轮流劝酒。王爷看到绿林侠义的豪爽，真是酒逢知己干杯少哇。

正在这个时候，老总管侯宝进来啦，走到侯廷的旁边，低言悄语说了两句，老侠点头："叫他进来。""是。"侯老管家出去啦。一会儿功夫，从外边进来了一个人，王爷一瞧，这个人看上去五十多岁，虽说瘦小枯干，倒也显得精明强干，矮身材，一身土布裤褂，脚下搬尖洒鞋，打着皮弯子，黄脸膛，黄眉毛，黄眼珠，小鼻子头，四字口，薄嘴唇，黄头发打着小辫。斜背一个小包袱，满脸风尘。进来之后，先给侯振远磕头：

"王三虎给老爷子行礼。"起来又给二爷磕头："给二老爷子行礼。"二爷说："这么大岁数，快起来吧。""谢谢二位老爷子。""三虎，你回家有事吗？""有封书信请老人家观看。"说着话，王三虎取出一封信来，往上一递。侯老侠伸手拿过来，抽出信纸，仔细观瞧。看完之后，把信收起："三虎，你把事情详细说说。""是。"王三虎这才备叙前情。

原来侯振远他们哥俩，对徒弟十分慎重。杭州上天竺街住着一个人，姓黄名灿表字金铎，家里十分豪富。他自幼练武，苦于得不到名师指点，离开乡井来到山东投师访友。后来听说巢父林有侯老侠，就托人把自己带进巢父林侯家庄，住在东头德义店内，第二天头顶门生帖，来到侯家跪门拜师。家人们问清后，回禀老侠。侯振远叫下人告诉黄灿，说自己年迈体衰，没有精力授徒，请他另投名师去吧。黄灿无奈回店，次日又来跪求。一连半月，天天都来跪门，老侠还是不收。黄灿回店，晚上独对孤灯，发起愁来，有些意懒心灰。这个时候店伙计进来了："这位爷台有什么心里不痛快呀？""唉"黄灿叹了一口气，把事情经过说了一遍："我千里迢迢来到山东，慕名拜师，可老侠拒而不纳，自己心里难过呀。"伙计摇了摇头："爷台，您的办法不对呀。""怎么？""您从江南来，是好人，还是坏人，侯老爷子都不知道，人家能轻易授艺吗？"黄灿一听，点了点头："伙计，你说得对，可怎么让他知道呢？"伙计一乐："客人，我给您出个主意，那位老管家侯宝，在府上最有威信，您给他买份礼物，再去磨他。只要他一说话就成啦。"黄灿听了伙计的话，真的买了一份重礼，来到侯家要见侯老总管，下人给通禀进去，有人把他领到东院来见管家，黄灿见着就磕头："老主管，黄灿给您行礼。"侯宝把他扶起来："你叫黄灿？快坐下，听说你来了不少日子啦。"黄灿就把求师的事细说一遍，老侯宝点点头："黄灿呐，我劝你回家，我们员外爷脾气古怪，不好说话，你托谁也不行。他要说不收你，就是不收你呀。"黄灿先把礼物送上，然后苦苦哀求。时间长啦；侯宝真是被磨得够呛啦，这才答应："黄灿你回店去，明天早晨来吧，我替大爷收下你。"黄灿高兴地趴地下磕个头。当天晚上侯宝来到客厅，见双侠行礼坐下，侯宝把黄灿求师的事情提啦："我替大爷收下黄灿，一来这小孩不像是个坏孩子，二来听了他的家世，也还可以，我让他明天来。"这样才收下黄灿。

黄灿在山东练艺八年，功夫很不错。这一天，他向师父提出想回家看看，老弟兄答应下来。黄灿回家，街坊邻居，亲戚朋友，都来看望，才知道他学了一身武艺。没有多少日子，亲戚朋友拿出五万两银子，黄灿自己拿了五万两银子，在上天竺街开了个镖局，临街大门脸，里边有二百间房子，油刷一新，写好了匾："金龙镖局。"一切就绪，黄灿来到山东，面见老师，一来请老哥俩带着师兄弟们去巡游江南，二来请侯宝大爷去杭州玩玩，三来请师父把有经验的老人儿给介绍几位。侯振远先叫王三虎带着十几个人去杭州帮忙，侯氏双侠带徒弟们去杭州为金龙镖局开张剪彩，回来再叫侯老管家去杭州玩玩。事情顺利办好。这以后，侯宝经常去杭州住几个月，黄灿年节准来山东。这买卖可就做起来，非常兴隆。年终结账，雪花白银盈余十几万两。谁看着都眼红啊。

在下天竺街住着一位武林人物，姓潘名龙字宏鼎，江湖人称威镇长江，为人仗义疏财，很有血性。他跟黄灿关系不错。潘龙幼年时拜在宣化府秋林寨，师父是一位赫赫有名的老侠，姓秋名田字佩雨，人称独占北方笑鳌头南极昆仑子北侠客。此人年近九旬，受异人传授，掌中一口辘轳大宝剑，斩金断玉，当年秦始皇佩此剑斩过荆轲。天罡剑三十六式，打遍天下无敌手。潘龙还有一个师叔，是个出家人，名叫法禅，江湖有名的铁背罗汉法禅僧。他和北侠是亲师兄弟，又是云南八卦山李太极的拜弟，身为四庄主。潘龙是当地的大财主，看别人有钱，他并不生馋。可他手下有个伙计，叫蝎虎子白亮，这个人心术不端，几次鼓动潘龙说："咱又不是无名之辈，干什么都叫黄灿挣去，咱也开个镖局，最起码也争他一半买卖。"潘龙说："我跟黄灿从小就是朋友，他挣个钱不好？再说，这样做也不仗义。"白亮说了几次都不成，他又撺掇潘龙的儿子金角鹿潘震，这个年轻人叫白亮说活了心，跟他父亲磨，潘龙一想：得啦，开一个吧。您想他自己有钱有房子，从外表上看跟黄灿那边差不离，叫"飞龙镖局"，同行同道的镖局来了不少人祝贺，黄灿也带着镖师们来贺新挂红。买卖开张以后倒也不错，但比起金龙镖局，生意要差一半，白亮他们就生气，往潘龙的耳朵里吹风，让他设计把黄灿挤垮。虽说船多不碍江，可也挤得慌啊。黄灿跟王三虎商量："三哥，飞龙镖局那边和咱们有些争啊。"王三虎也看出来啦："黄镖主，你这几年也挣下几十万两，说真的是够过几年啦，广厦千间，夜眠八尺。你跟潘镖主是多年邻居，潘镖主是个好人，口快心直。可这人性如烈火，耳根又软。咱们不要因为买卖伤了和气。依我说就让他们几份买卖，咱们少做些。你乐意吗？"黄灿一听很高兴："三哥，难怪人家都说您心地忠厚善良，您跟我想到一块儿去啦。不过我想的跟您想的不完全一样，咱们让他们镖行买卖，也可以干点别的补上。""别的干什么？""我正要跟您商量。我有个朋友，在钱塘县衙门里做事儿。我看西湖里的鱼真多，咱们花几百两银子办张鱼帖，再置几十只打鱼船，不就行了吗？"王三虎一拍大腿："黄镖主，还是你年轻，脑子好使。对对，这样，咱们不至于跟'飞龙'家伤和气，你办吧。"

没有半个月，鱼帖办下来，打造了五十只船，又花钱请了几位把式，制了几十副网，放船打鱼，好发利市啊。这打鱼的盈余胜过保镖。镖行买卖尽量往飞龙家推，实在是老主顾推不开的才应下来。没想到这些主顾，即使是黄灿金龙家不保，也不愿去找飞龙家。飞龙家的生意日渐萧条，潘龙也很发愁。晚上白亮进来："潘镖主，您知道吗？""什么事？""'金龙'家不但保镖欺行霸市，看来买卖也让他们抢啦，他们办斤鱼帖来，西湖打鱼，'金龙'家发了老财啦。您说，他们让别人吃饭不？"潘龙一听，心里可就不痛快啦。第二天到西湖一看，金龙镖局热火朝天地打鱼。潘龙一想："好啊！黄灿，咱俩对着干吧。"他也花钱请客，办一张鱼帖来，再买几十只船，由白亮率领下湖捕鱼。钱塘县令把黄灿、潘龙都找到衙门，当面说清，以"三潭映月"为分界线，西边由'金龙'负责打鱼，东边由'飞龙'负责打鱼。双方各不相扰，任何一方不准越界捕鱼。

黄灿回来后，十分生气，他想：真是人善有人欺，马善被人骑，我对得起你姓潘的呀！保镖我让你，怎么我打鱼你又找上门来，你是成心跟我过不去呀！看来祸到临头需放胆，我斗斗潘龙。正在这个时候，王三虎进来，黄灿便说："三哥您坐下，我跟您说，我要跟潘龙闹事，他不能得寸进尺。"王三虎一摇头："黄镖主，您不是够花的了吗？让他们也吃口肥，双方打鱼也可以么，不必伤和气。"黄灿一想："对，三哥，您的心意我全明白，惹气伤财，忍了吧。"

您说这事情也真够蹊跷：飞龙镖局不打鱼的时候，西湖里的鱼真多，他们一打鱼，三潭映月以东的鱼，就好像有人通知一样，连一条大的都没有，奇怪的净是小鱼，可三潭映月以西的大鱼直跳蹦儿，一网下去就好几十斤，喝，可把白亮他们气坏啦。回来跟潘龙一提，他也很生气，保镖干不过黄灿，打鱼也干不过黄灿，莫非鱼也捧黄灿吗？不过这没法了。"白亮啊，既然到了这种程度，咱就认晦气倒霉，过些日子，也可能咱们这边有，他们那边没有，凑合着干吧。"

潘龙并不想把事情闹大，可白亮不安本分。第二天打鱼的时候，他就带人越境，果然一网下去可真不少，一连撒了十几网。这一来，金龙镖局的船可就不让啦："飞龙家的，你们过界啦。"白亮他们只好回去。当晚收工，潘龙知道了这事："白亮，这么干不好吧。"白亮却不在乎："咳，这算什么？"第二天白亮带人打鱼，他总是用话来煽动这些人，抽冷子就拥过十几船去，打几十网就过来。这件事传到黄灿耳里，黄灿一想，街里街坊不要伤了和气，就让王三虎告诉下人。他越界打鱼，就让他们打一些去吧。可一回是情，两回是例，后来就全部过来打啦。不管金龙镖局怎么喊，飞龙镖局置若罔闻，我行我素。黄灿也来到湖边看了几次。他可有些生气，想飞龙镖局得寸进尺，真是忍无可忍。他暗暗地派了二十几个镖师，跟着一块去："只要'飞龙'家的船一过境，你们就打。"果然刚一下湖，"飞龙"的鱼船比"金龙"的鱼船还气势，径直闯了过来；金龙镖局的船迎头拦住。三说两说就说不到一起，打了起来。"飞龙"家的人可吃亏啦，打伤了十来个，船也翻了十几只，灰溜溜地逃到东边去啦。

白亮气急败坏，回来禀报。潘龙勃然大怒："嘿，是福不是祸，是祸脱不过。白亮，把受伤的人全抬到后面医治。"跟着又补充了鱼船，第二天潘龙亲自带白亮还有全部镖师伙计直奔西湖。黄灿听说飞龙镖局要拚命，他一想：干吧，看来再让也是不行的，便带了所有的人来到西湖。两边的头领皆在，到这儿就说翻啦，结果打起来。幸亏钱塘县书办孟广仁，呈请县太爷曹成带着一部分官人赶到现场制止双方，就地说合。孟广仁提出按照府定的界限打鱼，不得超越。黄灿一想，见好就收，潘龙也无话可说了。当天晚上，白亮来到潘龙的屋中："潘镖主，这亏咱就这么吃啦？我白亮不算什么东西，可你潘镖主在同行同业当中，本是一位有身份的人哪，这一来咱们在杭州还能抬得起头呀？""白亮，官府调停，只能如此。再说越境捕鱼，责任在我们，怎么能说栽呢。只能是咎由自取。""潘镖主，您没法斗他，我白亮就是只小鸡儿我也要啄他一口，明儿我别着刀子找他去，你不知道，人家议论你是软货，我都抬不起头啦！"这一句话，说得潘龙无名火起，"啪！"一拍桌子："白亮，咱们跟姓黄的拚，告诉镖局所有的人，明早全带兵刃，随我到西湖。我不宰他几个，我不姓潘！"白亮称心啦："潘镖主，有您这话就成，姓白的绝不含糊！您先给我五十两银子，我先安置安置。""好吧。"白亮高兴啦，拿了银子，通知大家。您想一个街上，又是一个行业，没有不透风的篱笆。黄灿知道啦，心想：这是遇见冤家啦，干吧。也准备停当。次日清晨，黄灿带人到西湖岸上等候。时间不大，潘龙带人也到啦。双方剑拔弩张。黄灿用手指点："潘龙，黄某对你忍让，你当做软弱可欺，乡里桑梓之情全然不顾，今天咱们拚个你死我活。"说着一按刀把顶崩簧，呛啷啷钢刀离鞘，夜战八方藏刀式。

潘龙却是个不善辞令的人——嘴上不行，他也回手拉刀，左手晃面门，右手刀缠头裹脑，斜肩带背就砍，"唰"地一下刀到啦！黄灿弓左步，褪头一躲，右手刀跟步扫挡。潘龙脚尖点地，纵身躲过，两个人当场打起来。本来双方都没有混战之心，可白亮抽冷子喊了一声："哥们爷们，吃过豆面儿，长过豆虫儿的，来个牦牛阵，一齐上吧！"一言兴邦，一言丧邦，两造双方，一二百号人，各持刀枪打在一起，刀光剑影，血肉横飞。早有本地的百姓飞奔钱塘县衙报告。县太爷曹成一听，十分震怒，命令县两名守备率领二百名武士打手，他上了大轿，亲自带领来到西湖岸边逮捕闹事头目，把黄灿、潘龙双双拿住，制止了恶战。金龙镖局死三名，重伤十二名，轻伤二十四名。飞龙镖局死七名，重伤十一名，轻伤三十二名。可把曹大老爷吓坏了，此事关系重大，小小的县令做不了主，立刻传话："把潘龙、黄灿押往县衙。"

黄灿跪在县太爷的面前："请示大老爷，此事皆由我和潘龙引起。请太爷开恩，黄灿愿取保假释，因为死伤这么多人，别人无法处理。待后事办完，罪人自来衙门领罪，决不食言。"潘龙也要求假释取保，事毕到案打官司。正在这个时候，杭州府知府大人胡文涛来了公事：把案犯带往府衙，听候审讯发落。其实胡知府怕曹成吃私，又怕他独吞，因为他知道黄灿、潘龙都是腰缠万贯，是当地的大财主。曹成写了三个禀帖，呈报杭州府，并准予黄灿、潘龙同时取保，两个人取了保，打了水印儿，各回镖局，总之一句话，花钱就是啦！掩埋死者，医治伤者，厚恤家属，事情平息啦。两个人来到县里，由曹成给他们把案子报到杭州府。花钱请刀笔师爷，各写供状，申述理由，活动府衙里外上下，以及钱塘、仁和两县。这银子花得像流水儿一样，胡文涛大人一来受的贿赂太多，二来双方各说各有理，三来又牵扯到镖行行规。结果胡文涛请来两位县太爷会审，最后判决：在北高峰下，由双方出钱，立一擂台，由双方各请武林能者打擂。期限一百日，限期以内如黄灿败北，鱼帖尽归潘龙；如潘龙败北，鱼帖尽归黄灿；如果到限未分胜负，可以延期。开擂时，由钱塘、仁和两县令带员弹压。双方在擂台动手，各凭己能，或死或伤，由两方各负其责。

再说黄灿回到镖局，晚上坐在屋里发愁，为了争口气，花多少银子是小事。潘龙的师父师叔，都是武林前辈，恐怕自己斗不过他。正在这个时候，王三虎进来啦。黄灿可不敢小看王三虎，一来他是师父跟前的老人儿，二来这是从师父那里请来的，三来他为人忠厚，总教黄灿往正道上走。"三哥，快坐下。"王三虎坐好。"三哥有什么事情？""黄镖主，我看你从回来到现在，一直神不守舍，都想什么哪？"黄灿长叹一口气："唉，我发愁呀。""发什么愁？""三哥，这立擂之事，恐怕小弟斗不过姓潘的。""哈哈哈，是不是怕他请人哪？""对呀！他师父师叔都是了不起的高手，咱们只能甘拜下风呀。""他请人，你不也会请人吗？""唉，三哥。咱们到哪里请高手去？""黄镖主，紧要关头，你可应当报告他们老哥俩。"黄灿听了，一个劲的摇头："您说请我师父师叔去？""当然哪。""不成！我自己闯祸自己搪，再说，我没有孝顺过师父，他老人家偌大年纪，我不忍心去找麻烦。""你错啦，我侍候老爷子几十年，他的为人我朗白，他没事不惹事，有事不怕事。你这件事，不经过他老人家绝对完不了。你是他徒弟，他也绝不会袖手旁观。你写信吧，不清楚的地方我替你代禀。"黄灿无法，把信写好，让三虎带路费来到侯家庄，三虎没想到这里正招待王爷、李源、海川他们哪。

三虎说了以上经过，王爷他们一听也很生气。老侠听完却微微一笑："你下去休息，然后带路费回去见黄灿，告诉他，我很快就去杭州，见面再谈吧。"王三虎答应着行礼出去。王爷可就怔啦，心想老侠已经答应海川拿二小请国宝，怎么又答应徒弟镇擂哪？王爷不好意思问，他用眼看李源，李老侠可就明白啦，他一抱拳："哥哥，我问您一句话。"老侠点头："大弟请讲吧。""您已经答应海川贤弟捕盗，怎么又应黄灿贤侄的擂台呢？"老侠笑了笑说："大弟有所不知，韩宝他们盗国宝留的字笺上有一句'棒打三江任纵横'，看来他们在三江地面有朋友，他们作案后绝不敢回云南。我知道李太极门规极严，看来他们只能在外面漂游，只能去三江躲避，这是第一。还有，他们既然在你府上行刺，看来这二人仍在附近，我们去杭州镇擂，实际引蛇出洞，这是第二。还有，海川要独兴一家武术，擂台能招来四海人物，可使海川多与武林接近，多交朋友，才能立足武林哪，这是第三。第四，既然海川随着爷驾离开北京，爷驾又喜欢武林一道，也让爷驾耳闻目睹一些武林侠义道的情形。何况海川原来还要贺个江湖美号，戴一朵守正戒淫花。这些都必须由你我弟兄完成。大弟，你想过没有，如果由你我弟兄出头，遍撒书笺，人家还有个瞧得起瞧不起咱们呢! 如果借着杭州立擂，不就省了你的事了吗? 王爷、李大弟、海川，你们爷仨听我这话对不对?"王爷听了，心里很感激: "老侠心细如发，办事周到，太好啦。本爵明白老侠客的深谋远虑。拿二小请国宝事当然重要，可实在拿不着他们，还可以去云南找到他们家的大人去要嘛。而这杭州擂，对海川初入武林倒是个千载难逢的良机。本爵谢谢您，也替海川谢谢你们九位。"说着就作揖，海川也感激地站起来给兄长磕头。饭毕，大家喝茶畅谈，老侠又叫阮和、阮壁等收拾东西物件，以及衣服行李，准备了马匹，又陪着王爷来到村口外转了个大圈儿。侯家庄周围也是大树丛林环绕，风景十分优美，王爷游兴很浓，又逛逛有巢氏的坟墓，明堂河水碧绿澄清，游鱼可数，直游到夕阳西下，才回到家中。侍候王爷擦脸、漱口，掌上灯来，摆好酒席，牛羊二肉。酒过三巡，菜上五道。

正在这时候，就听见"当啷啷"，外面响起了急促的锣声，这是村中救火的锣声，阮和从外边进来说: "师父，侯家庄周围起火。"老侠一听站起来，连王爷都往外走。海川把钺包袱打开，怀抱双钺，也走了出来，站在院中。一看天都红啦! 分西、北、东三面烧的，一片"救火"、的喊声。其实海川一出来就闻到硫磺、硝硝的味儿很大，知道这是有人故意放的火。老侠客侯振远能闻不出来吗? 老人家心里不是滋味，多年来，侯家庄百姓，由于我弟兄在此居住，连个草刺都没损失过，怎么今天王爷来啦，倒有贼人放火。脸面何存。"李源贤弟，你在家中保护王爷。二弟侯杰，你带阎保、鲍信、侯俊、侯玉、张旺还有一部分家人分头救火。告诉乡亲们，只保人口平安，房屋柴草被焚，事毕皆由我弟兄赔偿。""是。""阮和跟你师弟保护家宅。""是。"老侠一回头: "海川随我来。"说着，一按剑把，右手一撩长衫，"嗖"地一下，直奔西箭道。哥俩一前一后，越过花园大墙，后面一片火海，街坊邻居都在救火。海川纳闷儿，哥要上哪儿? 原来侯家庄西北方向有一片丘陵，最高的有十几丈高。老侠想: 仇人放火，火烧起来，他们很称心快意，必要找个高处了望，这个地方最好不过，哥俩刚穿过一片小树林。借火光抬头看，喝! 海川这高兴啊，上边果然站着四个人，海川认识俩，侯老侠认识俩。海川认识的两位是韩宝、吴志广，那两位都在二十岁挂零，一身夜行衣，斜背小包袱，背一口钢刀。

原来韩宝、吴志广已经知道李源带王爷他们去山东巢父林。两个人一商量，他们决定暗中跟随，趁机下手行刺，就这样来到东昌府城中。

他们到东大街一看路边有座饭馆，里边刀勺乱响，香味飘溢，字号是"醉月楼。"门口十分洁净，门上有一副对联，上联是"猛虎一盅山中醉"，下联是"蛟龙半盏水底眠。"韩宝说："哥哥，咱们先吃饭吧。"吴志广点点头，两个人一进屋，伙计就迎来："二位爷台楼上请，上边凉快，座位也宽敞。楼上看座位！"上边一搭话，两个人便走上楼去。楼上有雅座，也有散座，二人找了个靠窗的地方，伙计擦抹桌案，端酒上菜。两个人很快吃完："伙计算账吧。"伙计乐呵呵地摇头："爷台，有朋友候您二位的饭账啦。"两人都一怔，人生地生谁候账呀？这时候，雅座一扯帘儿，出来二位："少庄主爷，我们小哥俩给您请安啦。"说着话就行礼，韩宝他们一看认识，八卦山后庄菜园子的小头目过墙小蜜蜂吴得玉，窗前一枝花柳未成。他们家住巢父林外东北三十里地的李家台，十几岁就不学好，男人堆里不走，女人群里晃悠，所以才得这么个外号。后来他们想拜侯老侠为师，写好门生帖，来到侯家把礼物献上，家人给他们一通禀，侯老侠叫他们进来。老侠一看，这俩人獐头鼠目，尖嘴猴腮，二目无神，面色蜡白，一看就知道不是好东西。问他们叫什么名字，二人报名姓还提外号。老侠大怒，派人把他们俩轰出去，礼物给扔出去。吴、柳自讨没趣，便记恨在心。柳未成还有个弟弟，也叫他们俩给引坏啦。两个人想到外地去投师，这才到了云南，来到金家渡口。在金家酒店喝酒，金荣、金亮一盘问，才知俩人访友不遇，这样儿把他们带进山来。被八庄主田方派去后庄管理菜园子，一呆四年，这才想回家看看。途中他们在醉月楼吃饭，巧遇韩宝、吴志广。

四个人见面，倒很亲热，他乡遇故知么。吴、柳说是探望老家的，又问韩宝怎么到了山东。"我们跟着童林来的。"柳未成也高兴啦："您二位幸亏遇见我们两个，不然进不了巢父林哪。我们也跟侯振远有仇，这回一块干吧。"四个人商议好，出了醉月楼，买了四十根长香，四十斤硫磺碰硝。到了侯家庄，他们一起看了地势，晚上把引燃的东西分成四十份，一个人点十份，完了以后到西北角见面，居高临下看热闹。四个人分头行事，各自点火。等四个人来到西北土山顶上，又等了一袋烟工夫，火才着起来。火大无湿柴。四个人正看得痛快，老哥俩就到啦。海川道："内有盗宝贼人。"侯振远一回头："愚兄知道，你喊什么？"老侠客一按剑把，左手一托剑鞘，大拇指一顶崩簧，"呛亮亮"，龙渊古剑离鞘，犹如一道立闪，寒光刺人二目。侯振远蚕眉直立，虎目圆睁，要剑斩二贼！

第八回

法禅僧踩街显威风
童海川打擂见神功

上回书说到火焚巢父林，老侠客侯振远带着童林到西北村口，借火光发现四个人。海川喊道："老哥哥，内有盗宝二寇。"老侠一亮龙渊古剑，用手点指："好贼人，竟敢火烧老夫的巢父林，还不下来受死！等待何时！"韩宝、吴志广是惊弓之鸟，吴得玉、柳未成是两个臭贼，可他们想在二位庄主面逞英雄："呔，看我二人的本领。"说着，往下纵身过来斜肩带背就砍。老侠左腿一上步，右手宝剑从下往上一撩，剑走青龙出水，"呛啷"一声，吴得玉的刀就两截儿啦。就在一怔神儿的工夫，老侠右手剑反腕子一推，就是贼人的脖子上。"唰"！剑从脖子上过去，脑袋就搬家了。柳未成一看，急了，从后边蹦起来，对准老侠后脑就劈。老侠久经大敌，听风辨物，鹞子翻身，轻如落雁，宝剑一压刀，"呛啷"！跟着剑尖照定柳未成的哽嗓一点，"噗哧"就扎进去了。老侠也不拔剑，往下一矮身，照着贼人小腹上一脚，"蹦！"死尸一溜滚儿出去好远。

韩宝、吴志广亡魂失胆，撒腿就跑，急如丧家犬，忙似漏网鱼。老哥俩脚一加紧迫了上去，眼看追上，韩宝二位"噗咚"都跳下河去了。海川不会水，问："哥哥，您会水吗？"老侠把宝剑带好，说："劣兄不识水性。"海川一跺脚道："咳，怎么我不会，您也不会哪！"没有办法，哥俩只好回去了。这时候，火也救灭了。等来到家中，王爷他们都在大厅里等着。本村的村正、村副、排头、户主，一些老人们，都是盛世耆英，十几位全来了。

二爷拿着一张纸问："哥，您看吧。谁家损失多少，都在上面。"乡亲们过来道："老爷子，二老爷子说是您的话，乡亲们损失都要赔。这不能啊。"侯老侠面带笑容道："老哥老弟们，真的是自己不慎失火，我弟兄当然不赔；这把火是跟我有仇的人放的，我会叫侯宝管家按户赔偿的。"于是叫来侯宝。头一件事，让他按户赔偿。二件事，连夜杀猪宰羊，预备二十桌酒席，明天给乡亲们压惊。把该请的父老，开出人名来，挨户通知。侯宝接过纸条答应着走了。

次日清晨，在大厅前摆下二十桌酒席，王爷他们也入座。老哥俩给大家轮流斟酒，开怀畅饮。酒过三巡，菜过五味，老侠传话道："酒菜慢上。"大家也就停杯不饮。只听他道："乡亲们，侯廷与弟兄侯杰，当年随父下居巢父林，落户栖身已经两代了。多蒙乡亲抬爱我弟兄，常言说得好，好汉护三村，我弟兄身为侠士，拜师习武，多年来村中不失一草一木，总算对得起乡亲们。不想昨夜竟有仇人纵火，使乡亲们受惊，乃我弟兄之过也，已命侯宝管家如数赔偿，以补罪过。今天请乡亲们吃杯薄酒压惊，略表寸心。从今日起，我弟兄蒙好朋友邀请，暂离家乡，今后再有昨夜之事，我弟兄就不能负责了，千万请乡亲们多多谅解。"老乡亲们异口同声道："老爷子，乡亲们沾了两位老侠客的光，为我们遮风挡雨，我们是感激不尽。"大家吃得酒足饭饱，全都告退了。

当夜，老侠把家事安置停妥，计算一下人数，王三虎提前回去不算，王爷、海川、李源、侯振远、侯敬山、孔秀、李宽、李勇、阮和、阮壁、徐源、邵甫、阎玉、鲍信、侯俊、侯宝、坏事包张旺，再带上七个听使的家人，一共二十四位。次日清晨，备好了马匹，来到村口，先请王爷上马，然后老少上马，出离巢父林。饥餐喝饮，晓行夜宿。行船过渡，行隘过关，直往杭州进发。

长话短说，来到杭州。进北新关，穿城而过，一出钱塘门就是西湖，众人顺着苏堤而行。真是上有天堂，下有苏杭。王爷初到江南，看这锦绣江山，美景如画，目不暇接。仕女如云，如燕瘦拟环肥，粉白黛绿，一个个红飞翠舞，玉动珠摇。苏堤两岸，杨柳摇曳，随风飘摆，令人心旷神怡，胸襟舒畅。两旁碧波千顷，涟漪荡漾。湖中的彩莲画舫，油漆得五颜六色，走马王孙，扬鞭公子携带歌妓，在船上听弹观舞。琴韵悠扬，笙歌悦耳，醉生梦死。远望青山叠翠，直入云端。天空白云片片，洞内流水潺潺。飞来峰上寺庙隐约可见，猿鹤相亲，松竹为友，樵子讴歌，渔夫撒网，山清水秀，人物精奇。远眺雷峰夕照，近睹三潭映月。树影入湖鱼上树，槐荫照地马蹬枝。江南美景，别有洞天。

王爷贪看风景，早已来到上天竺街，熙来攘往，十分繁华，路北临街一大片房屋，当中大门，两边走马车门，一块黑匾金字："金龙镖局。"上首斜插着镖旗，黄缎色旗面，红蜈蚣走穗，红火焰红飘带，葫芦金顶红缨子。一行小字："金龙镖局小孟尝"，当中一个"黄"字。镖师伙计足有一百多名，很是威风。

王爷一看当中站着一位上年纪的人，看来有六十多岁，是练武艺的人，身条儿很美。身穿蓝绸子大衫，腰系绒绳，白绸子裤子衫，白绫袜子福字寸底履。面如冠玉，白中透润；眉分八彩，目若朗星，鼻如玉柱，唇似涂朱，颔下一部黑胡须，微见几根白的，一条发带。形神潇洒，风采可爱。这人年轻时候一定很俊，到老来还是那么利索。左肋下插着一把大铁扇，看来不是为扇风止热的，大股小股都是纯钢打制，一尺八寸长，帆布的面儿。您看着像竹子的，其实不是。这种兵刃，专讲究点穴，右手用扇子，左手和用剑一样，也是并食、中二指的剑诀，这是金刚指点穴法。点穴共分四种，每种九手，共三十六手。有九手轻穴，九手重穴，九手醉穴，九手软麻穴。点上轻穴，人就好像岔气一样，不能动转挪移。软麻穴位被点之后，非软即麻，跟过电似的。醉穴被点，如同酩酊大醉，东倒西歪，必须在旁穴上顺气才能好。也就是用手指点在醉穴上，他就不能自控，相反在别的穴上一点，马上又恢复正常。但是重穴可就不然了，不能随便点在人的身上。如果一点，人当时毙命。如华盖穴、咽喉穴、涌泉穴、阴交穴、肾腧、命门、天聪、百会、承泣、四白，这些穴道点上，轻则重伤，重则丧命。

这位老侠家住镇江瓜州张家庄，姓张名鼎字子美、江胡人称风流侠铁扇仙。他的教师是山西太原府管辖下尚家台的人，姓尚名秉字均衡，有个外号叫银钩无敌镇太原。家传十八趟形钩，威镇武林。张子美当年长成之后，尚老侠有个姑娘，就给了徒弟张鼎了，现在张鼎有个儿子正在广东学艺。尚秉有个老来生的儿子，小名叫二嘎子，大名尚义，跟父亲学武艺。兵刃是亮银双钩，外号双银钩太保。张老侠跟侯老侠是结义弟兄，他听武林人说到摆擂台的事情，他先来到金龙镖局。黄灿当然很高兴，把事情都说了。爷几个盼着侯廷他们早日来到，今天听说来了，张子美才带着黄灿他们接出来。黄灿跑过来跪在侯老侠的面前，眼睛发红，眼泪差点流出来，道："弟子无德，给师父惹事，使您和叔叔偌大年纪，为弟子奔波，弟子良心何忍。"侯老侠把他拉起来，道："事情我已尽知，非你之过也。"又叫伙计把马拉走，安置一切。侯老侠跟王爷说："咱们还是到里边去吧。"

黄灿带着大家来到二层院子的北房，把隔扇全都打开，成了一通联。大家擦脸、漱口、休息。老侠这才把张子美叫过来："贤弟，为了孩子们的事，叫你操心受累，我给你介绍几位朋友吧。"转脸道，这是当今万岁康熙老佛爷的四皇子，分府固山多罗贝勒府，雍亲王爷。"张子美赶忙磕头，道："草民给王爷叩头。"王爷立即抱住道："不敢当，振远老侠，这位是……""王爷，他是我的拜弟，江湖有名的侠客，张鼎张子美，风流侠铁扇仙的便是。""哦，张老侠，久仰久仰啊！"张子美真没想到一个皇子贝勒爷，能这么平易近人，真不简单。老侠叫海川道："过来，张贤弟，这是你二哥的拜弟，咱们的好兄弟，王府教师童林童海川。"海川磕头道："张老哥哥，小弟童林拜见。""唉哟，兄弟，我不敢当。"王爷这才跟张老侠说话："我和海川还有要事，以后如实奉告，还请子美老侠协力相助。这次是微服出京，请老侠不要到外面言讲。""王爷放心，今后如您用得着草民，我万死不辞。"侯老侠又把李源等叫过来给张老侠一一介绍完毕，黄灿过来从王爷往下排，按次序磕头。这时，侯二侠也进来和张子美见面，然后大家落座喝茶。黄灿才把这次闹事的详情说明，大家都认为潘龙不对。张子美又问海川道："贤弟的门户，还有王爷金枝玉叶，怎么也到江南来？"海川才把自己的事情说明："请仁兄鼎力相助。"

大家各叙前情之后，黄灿向老侠道："师父，您说咱家的镖还应不应啦？""买卖又没关张，为什么不应啊？该做的还是要做！"侯老侠还没说话，就听外边响起了震天的鞭炮，王三虎进来道："禀爷台们，飞龙镖局踩街哪，很快就到咱们门口，爷台们看看吗？"侯振远可不乐意，谁输谁赢还难以预料，有麝自来香，何必迎风站哪！"黄灿，潘龙请人啦？""禀爷，据说是八卦山的四庄主、潘龙的亲师叔，铁背罗汉法禅和尚。""还有谁呀？""据徒儿所知，同行同道他都请啦。有浙江绍兴府镇远镖局镖主神镖手黄仙舟，以及他们的镖师伙计；有苏州南门外镇海镖局镖主巡海夜叉石伦，以及他们的镖师伙计；有汉口利胜镖局镖主，陆地仙狐上官伦，还有他弟弟玉面小灵狐上官瑞，以及他们的镖师伙计；有营口水发镖局镖主神枪张凯张四爷，以及他们的镖师伙计；还有辽阳远东镖局三位镖主边老桥、侯老佩、金老寿和他们的镖师伙计；还有关东梁家庄的梁氏三杰闪电手梁志、电光手梁兴、琉璃手梁光；还有镇江府丹徒县莲花山荷叶岭的寨主九朵朝花实武实文志、铁爪鱼鹰左雄、分水鹭鹰陈海；还有江西省夹江驿龙泉坞的王氏三杰金鬃铁背苍龙王增、吒海乌龙王甲、翻江小白龙王凯。山南的英雄，山北的豪杰，飞龙家倒是请了不少，听说有一二百位南七北六十三省的人物。"老侠点点头："你都请了谁?""弟子只请三虎哥给师父去了个信，不敢惊动别位。瓜州张叔叔是因为到杭州来，住在弟子的镖局里正赶上。"

这时候，鞭炮声就到啦。王爷都着急啦："黄灿，快领着我们到门前看看去。"黄灿答应，躬请大家往外走。来到门口，王爷一看，嗬！势派可不小哇，足足有几百口子人，高的矮的，胖的瘦的，丑的俊的，等等不一。再加上看热闹的，男的女的，老的少的，真有成千上万的人。最前边的全份执事，金瓜钺斧，执掌权衡，花钱顾的人。再往后，两边有十几个年轻力壮的小伙子，双手高举长竹竿，挂着万子头的鞭，还单有人抬着大筐，里边都是鞭炮，"嗵—哒—"响彻天空。再往后，鼓乐手又吹又打。再往后是飞龙镖局的镖师伙计，全穿的是新衣服，一位位挺胸叠肚，雄赳赳气昂昂，撇唇咧嘴。到了金龙镖局子门口，都使劲撒，都快撒到后脑勺上去了。原来镖主潘龙有话，到了金龙门前，谁撒的大，给谁五十两银子，您想谁不鼓着劲儿的撒哪！再往后是高举红罗伞，下面一乘竹椅轿，两个棒小伙儿抬着。上边儿坐着一位大和尚，看身量晃荡荡足有九尺，胸宽背阔，虎体熊腰，头如麦斗，面似镶铁，黑中透亮，两道浓眉，一双大三角眼铄铄放光，大狮子鼻，四方海口，连鬓络腮一部大黄胡子。身穿黄色僧袍，腰系绒绳，高桶白袜子，厚底僧鞋。上领插着白马尾儿的大蝇刷，显得特狂！两边都是请来的武林人物。到了金龙镖局门口，停一会儿，鞭炮锣鼓，响得震耳欲聋。

原来潘龙写好了信和请帖，邀请四海英雄来杭州。又叫白亮带书信，昼夜兼程，赶奔云南八卦山。八位庄主爷全在，白亮挨次行礼，李大庄主问白亮："你来此何干?""禀庄主爷，小子白亮奉镖主之命，给四庄主爷带来一封信。"说着，他把信拿出来。双手举过头顶道："请大庄主爷观看。"李太极一摇手道："交你四爷看信。"法禅接过来，看完之后就是一皱眉："众位哥哥贤弟看吧。潘龙镖局子里出事啦!"又把信交给李昆，李昆看完，问白亮道："你们看金龙镖局挣了钱，才开飞龙镖局，对吗？”"正是。""你们又看人家包了鱼帖眼热，你们才包鱼帖，对吗？""是，没错。""由于你们越境捕鱼，才争斗伤人，官准立擂，对吗？"“对对对。”李老侠把脸一沉道："白亮，潘龙无事生非，见利忘义，品德甚是不佳！你还要助纣为虐，从中蛊惑。到现在把事情闹大，你还要把我们老弟兄牵扯进去，再引起杀人流血，使武林道蒙此奇耻大辱，你们简直是绿林败类！你们胡涂，我们老弟兄也落个胡涂吗？"又向众人道："来人，把白亮赶出八卦山！"下人过来就赶，白亮吓得汗都出来了。七庄主清风过柳柳叶猫韩忠韩殿远一伸手，道："慢着，我有几句话说。"八卦山的山规很严，山庄大事，当然由李昆作主，但也得三位庄主都同意才能成。李昆问韩忠："贤弟何事？"韩忠一抱拳道："大哥，这镖局子的事情，我们可以不管，不过潘龙到底是四哥的亲师侄，又是秋田老哥哥的弟子，看佛敬僧，我们也不应该袖手旁观。再说咱们是长辈，他派白亮来也可能跟四哥请示个主意。您看这样好不好，让我四哥去，到了杭州不见得兵戈相见，由我四哥作主，出头给双方了结此事。这样，上对得起秋老侠，下对得起潘龙，请兄长三思。"李昆听完之后，稍加思索，点了点头道："四弟，你看七弟的话怎样？"“阿弥陀佛，大哥，我想应该去一趟。置之不理，也是不好。"“不过，不要助纣为虐，是非应该分清。"于是，备酒席与四庄主钱行。

次日清晨，法禅带大弟子铁腿狻猊谢宏谢宝泰，二弟子浪里蜉蝣高俊，三弟子灯前粉蛾南宝桃，另外两个童儿，金头虫刘勇，银头虫刘猛，一行人等出八卦山直奔杭州而来。

这一天，来到下天竺街飞龙镖局，门前站着足有一百多位，都是外请来的众位英雄，潘龙带着大家过来磕头道："师叔，为弟子的事情，劳动了师叔的金身大驾，弟子于心不安。"法禅眼空四海，目中无人，见大家恭维，就忘乎所以了。问道："潘龙，你师父知道了吗？"“已派孙儿去禀知他老人家，他只说知道了。"法禅一撇嘴："哼，你师父枉称北侠，胆小怕事。你派人打听金龙镖局，请来哪路英雄？"“侄男已经派下几拨人去，现在都已回来。黄灿只叫王三虎去山东请他师父师叔来杭州，可现在又打听得从北京来了一位王爷，看来他们有势力呀！"“哼！武林中的事，皇帝来了他也无法管。"“师叔，还有一个是王府的教师爷姓童叫童林，他扬名要兴一家武术，帮助黄灿镇擂。"法禅一听，勃然变色："好哇，小儿童林，看不起我八卦山，打了雷春、贺豹，与我们结下两掌之仇。我正要找他，他倒送上门来，帮助黄灿欺负贤侄，哪里能容！冲着他也完不了。快去打听，他们何时到杭州？”

没几天的工夫，侯老侠他们刚到杭州，法禅就踩上街啦，敲山震虎。王爷他们回到后面客厅，大家坐下，纷纷议论法禅的飞扬跋扈。正在这时候，黄灿进来向侯振远道："师父，飞龙家的伙计白亮求见您。""好，叫他进来。"一会儿，白亮进来道："奉我家罗汉爷之命，前来下书。"说着，从怀里掏出一封信来往上一呈，黄灿接过来交给师父。侯振远打开信纸仔细观看，上写："侯老英雄亲启：久仰大名如天心之皓月，欲瞻山斗，无缘识荆。今幸杭州立擂，借此得亲受教，快慰之心无以照状。即请阁下批准，明日开擂，以便会晤。专此布达，敬候回示，并请武安。法弟法禅和尚。"老侠又请王爷看完信，再请大家传看，然后微然一笑道："王爷、众位贤弟，法禅仗血气之勇，踩街示威，文字挑衅，看来和解无望。爷和众贤弟意思如何？"王爷也说得好："侯老侠，法禅不可一世，十分狂傲，怎能有和解之心？要打就打吧！"海川站起来："老哥哥，遇见文王讲礼义，每逢桀纣动干戈。古有名言，兵来将挡，水来土屯，那就打吧。"张子美道："这时候要提出和解，他认为咱们软弱可欺。您写信吧。"侯振远文武全才，不但学问深奥，而且两手能写字，学谁像谁。他取过纸笔，一挥而就。上写："法禅大和尚座下：华函已至，敬悉一切，君之所言，敢不如命？准于明日上午，在擂台上相见，磨掌操拳，以待法驾光临。专此奉上，决不爽约。侯廷顿首。"先递给王爷看了，把信交给白亮带回，侯老侠叫黄灿拿名片，到钱塘、仁和两县，躬请派员弹压地面儿，预防有坏人滋事生非。又叫黄灿挑选精明强干的伙计，准备茶水点心水果等物，以备擂台使用。余外看马遛马、侍候、听差等杂役，尽皆派好。

晚上，准备丰盛酒席，请王爷大家落座。侯振远轮流敬酒。酒过三巡。菜上五味，侯老侠吩咐慢上酒菜，大家停杯不饮。侯振远站起来一抱拳道："王爷、众位贤弟，明天就要擂台上决胜负、分雌雄。常言说得好，文不加鞭，武不善坐，当场动手，各凭己能。但是本领有大小，武艺有高低。侯廷不敢奉请贤弟们鼎力协助，只能自愿。黄灿取纸笔过来。哪位愿去，哪位签字吧。"王爷第一个站起来道："哈哈哈，振远老侠，我帮个人缘儿，这个热闹我一定看，我先签名。"王爷第一个签上啦。海川拿起笔要签，侯老侠一拦："兄弟，你别签。""为什么？""重任在身，我怎敢让你签名？""哈哈哈，哥哥。都知道侯不离童，童不离侯,士为知己者死,怎能不签!"海川签上啦。张鼎、李源、侯廷、侯杰,再往下阮和、阮壁、徐源、邵甫、阎保、鲍信、侯俊、侯玉、张旺、孔秀、李勇、李宽,连黄灿都签了名,一共十九人。再带着四十名伙计,还有镖局早就派到北高峰擂台上的值更上夜、看棚守擂的,将近一百号人。大家吃饱休息,养精蓄锐,一夜无话。

次日天明,吃完了饭,外面备马,大家陪着王爷出来。海川问了一声:"哪匹是王爷骑的?"一个马夫拉着马在门前等候。海川过来比了一下镫,知道王爷骑着合适,遂请王爷上马。王爷骑术特别高明,小时在御书房读书,还要练习骑马射箭放鸟枪。然后老少群雄上马,各拉丝缰,直奔北高峰。

这一路之上,拥挤不动,伛偻提携,挈妇将雏,男女成行,敢情都是到北高峰看打擂的!活了八十八、九十九,白了胡子也没看过呀,千载难逢。来到擂台切近,王爷他们都下马了,下人把马匹全都拉走,刷洗喂遍。大家陪着王爷看看擂台。这片席棚,座北冲南,北面是擂台,南面是弹压台,弹压台上两县衙役可不少,东西角门贴着两县告示,写着立擂的原因。擂台前已经人山人海了。王爷一看像戏台,一丈二尺,一尺见圆的柏木桩,埋入地下二尺,上面铺着一尺厚的柏木板,前边是四丈见方,后有草棚,当中挂着大红缎子南绣平金的大帐。两边上下场门,挂着红缎子的门帘。擂台周围有二尺高的万字不到头的绿拉杆。在擂台的东西两面衔接的有两个一丈见方的小台儿,每个台上坐着四位彪形大汉,上边放着抬人使用的门板、木棍、绳子、软布兜子,当中有一堆沙土,还有铁簸箕、笤帚。如果台上有流血的,可以用沙土洒一洒,用笤帚一扫,簸箕一收就齐啦。擂台两侧还有两架木梯子,不会蹿不会蹦的也可以从梯子上登台。擂台底下距离五尺,周围埋着木栏杆,有绳子圈着三面,就不让看打擂的人再往里来了。里边洒有半尺来厚的沙土,被打败的人从上边掉下来不致于摔坏身体,也砸不着看热闹的。台的正面顶上挂着一块横匾,金边红底儿黑字,是"以武会友。"周围都堆着花儿,悬灯结彩。台口两根抱柱上挂着一副对联,上写:拳打南山斑斓虎,脚踢北海赤须龙。

王爷看了擂台,点头赞叹。东看台是金龙镖局的,最南头有扶手楼梯。大家陪着王爷来到看台上坐好。下人们献上湿毛巾,都擦了手,落座喝茶。王爷往对面观瞧西看台,铁背罗汉法禅僧,由潘龙引路来到看台上。后面一百多位,前呼后拥,纷纷落座。潘龙请示法禅:"师叔,时间不早啦。您看开擂吧?"法禅点头:"你拿我名片,叫白亮面见侯振远，邀他开擂。"白亮拿名片，来到东看台下。王三虎带着几个人在下面站着，白亮哈腰点头道："三爷，我们潘镖主邀请黄镖主去开擂，您给回禀一声。这是法禅师父的名片。"王三虎接过来，转身上看台，把名片交给黄灿。黄灿持名片到了师父的面前："师父，他们要求开擂，这是法禅的名片。"侯振远道："叫他们回去，开擂吧。"白亮将信儿带回来，潘龙禀明法禅，法禅叫潘龙登台开擂。

　　潘龙一手按着台的栏杆，飞身形下来，脚扎实地，分人群走了几步，垫步拧腰，"嗖"地一下上了擂台。他站在台口往下看，真是万头攒动，声音嘈杂。他伸起两手："乡亲们压压声音，我有两句话说。"老半天的工夫，声音静下来。他作了个罗圈揖："乡亲们，请你们离擂台远一些，以免动手掉下人去，把你们砸伤。我们今天是第一次开擂。现在我叫人练趟功夫，咱们就开擂。"说着，冲西看台一招手，"唰"地一下就纵身形下来一人，跟着一拧腰儿，蹿上擂台。看这个人二十多岁，中等身材，面目消瘦，两眼无神，一身蓝色衣服，辫子盘在脖子上，不像个好人。潘龙嘱咐两句，就回西看台了。这个人往台口一站，抱拳拱手道："四海豪杰，天下武林同行听真：在下姓高名俊，有个外号叫浪里蜉蝣，提起在下本是末学后进，可我的老恩师名震环宇，艺贯九州，驰骋江浙，威慑天下，本系云南昆明县八卦山四庄主，三宝教下沙门弟子法禅，人称铁背罗汉。我们师徒是被飞龙镖局潘鸿鼎所请，前来助拳的，只因金龙镖局镖主小孟尝黄灿黄金锋，为了争西湖的鱼帖，两造争斗，经一府两县批准，在北高峰立擂百日。在限期以内，如果金龙镖局和他所邀请的宾朋与飞龙镖局所邀请的宾朋双方经过较量，哪方获胜，鱼帖即归哪方，败方永远不准过问，不准干涉！不论哪方，在百日期满不敢应战，即判为负，决不强词夺理！如果有武林高手，不论僧道两门、回汉两教、六扇门里六扇门外的师父们，能将潘、黄两家的宾朋尽皆战败，鱼帖就奉送于阁下！我练趟小拳就开擂啦。"高俊说到这里，练了一趟大红拳：托钵式，站中央，绕步斜身逞高强，喜鹊登枝沿边走，凤凰展翅远高翔。"啪啪啪"，功夫练完，气不涌出，面不更色，往当中一站，冲着东看台道："哪位请上台吧。"王爷在台上恨不得赶快打起来，自己好看热闹："老侠客赶紧派人吧，人家叫阵啦。"侯振远点头问："哪位朋友，见过头阵。"身背后走过一位来道："阿弥陀佛，师父，弟子不才愿往。"老侠一看，从鼻子里出气儿"哼"！原来是坏事包张旺。侯老侠知道张旺的为人，大案贼出身，手黑心狠，成事不足，坏事有余，不过他聪明绝顶，总有个先见之明。便说道："第一仗取个吉利，必须要胜不许败，你的能力我知道，不许去，换别人前往。"张旺不敢言语，王爷却替张旺说了话："侯老侠，我想练武一生，不见得准能遇见开擂台的事，这是千载难逢的良机，为什么不让他见识见识。张旺去吧，本爵看看你们的本领。"侯振远多聪明，心想：张旺托了王爷的人情啦！王爷的意思是不管我同意不同意，也让张旺上台。其实侯老侠猜得不错，张旺当然没有在前辈面前说话的权力，可他知道，这场事已经出了十来条人命啦，想平平安安地完结是不可能的。当王爷坐好以后，他就给王爷端过茶去，低言地跟王爷聊天："王爷，您看这场事不费点周折能完吗？"王爷摇摇头："不容易。""一会儿我们晚辈要想登台，伯父一定不许，您要说句话，我们就能上去露露脸。"王爷一笑："哈哈，好吧，张旺啊，上去咱们可要赢啊。""爷请放心，您瞧好儿吧。"果然现在王爷发话啦。侯老侠不能驳回，瞪了张旺一眼："去吧。"张旺转身一按栏杆，飘然而下，分人群往前走，拧腰登擂台。

张旺来到近前，合掌打问讯："阿弥陀佛，施主，贫僧姓张名旺，人称坏事包，是金龙镖局邀请助拳的。来吧！跟您讨教讨教。"高俊一撇嘴："和尚皈依三宝，秉教沙门，也愿助拳，您不怕死吗？""阿弥陀佛，出家为僧，以圆寂涅盘为超脱，死又算得了什么？来吧。"张旺本是山东螳螂门户，侯二爷的入室之徒，手上有鹰爪力的重功夫。往下一矮身，左脚虚，右脚实，拿桩站稳，二目凝神，聚精会神。高俊往前一凑步，左手晃面门，上右步，右手握拳，"恶狼扒心"，照定张旺胸前便打。张旺看到拳来啦，故意不动，叫高俊认为这一拳就打上自己了。眼看都挨上破僧袍啦，张旺猛然一翻左手，用力一压高俊的手腕子，右手并食、中二指，"金龙吐须"，"唰"，奔高俊的两只眼睛来了。高俊再想躲来不及啦，正是他的两只眼睛上，"噗"地一下红光崩现，手指进去硬把两个眼珠给抠出来。高俊往后一躺，倒在台板上，满脸的鲜血，当时就死过去了。"哗!"台底下一阵大乱："真狠哪，这和尚好凶啊!"张旺真沉得住气，蹲下身来，用高俊的衣服擦净了血，合掌道："阿弥陀佛，善哉呀善哉。"张旺口诵佛号："阿弥陀佛，方才众位看到了，这高俊被贫僧掏去二目，一灵不昧，定升极乐。还有哪位登擂台，慈悲慈悲。"侯振远十分震怒："王爷，您看这张旺多么可恨，竟将人家二目挖去，看来这场事越闹越大呀！"王爷大笑道："老侠客，事情小有什么意思？本爵很欢迎，张旺打得好。"侯老侠这个气呀，核算看热闹的总嫌事小，冲着王爷这场事都好不了啦！

猛然间，西看台有人答话："和尚休要逞能，某家来也。"飞身下看台，拧腰登擂台，回手按刀把顶崩簧，"嚓愣愣"钢刀出鞘，夜战八方藏刀式："和尚，有能为与某家一战。"张旺看这个人也在二十多岁，瘦条的身材，脸色苍白，一身青衣服。"阿弥陀佛，施主通上名来！""刚才的是我师弟，某名灯前粉蛾儿南宫桃。快过来受死！"说着，斜肩带背照定张旺就砍。好厉害的坏事包张旺，上右步一斜身，"海底捞月"，正中南宫桃小腹，"噗哧"一下就扎进去了。张旺拔刺一抬腿，"嘭"！踹出死尸有七尺多远，南宫桃当场毙命。"哗！"台下就更乱了。张旺往旁边一站："阿弥陀佛，善哉善哉。"侯老侠真不愿意，向雍亲王道："王爷，以武会友，点到而止，这奴才怎能无端致人于死地呢？""老侠客，官准立擂，格杀勿论，我看张旺致死的这两个，都不是好人嘛。再说人无害虎心，虎有伤人意，哈哈，这叫除恶人即是善念。老侠客您想想，擂台摆在这里，焉能不伤人哪？"侯振远长叹一口气道："唉，爷不知道，这事关系重大呀！"

就在这时，西边上又来人飞身登上擂台，身形站好。张旺一看，喝！好样子！二十六七岁，扇子面的身骨，膀宽腰细，宝蓝绸子大衫，白绸子裤褂，缎鞋白袜子，圆脸型白净子，浓眉大眼，鼻直口正，新剃的青头皮，松三把儿一条大辫子，叠抱英风，满脸正气。张旺披刺打问道："施主通上名来。""在下铁腿狻猊，姓谢名洪字宝泰。奉陪师父走上三招五式。"说着撩长衫，套挽手，一对练子锤"大鹏展翅。"他是法禅的大弟子，在八卦山少庄主里面也数得上是高一等的。张旺抽刺，左手晃面门，右手刺对着谢洪的左肋就扎。谢宝泰的份儿很大，上右步，左手锤"哗铃"往下一盖，右手锤轮起来，"单锋贯耳"，奔太阳穴就打。张旺低头一纵身出走七尺，谢宝泰往后一撤步，双手抡锤，看住门户，两个人彼此道请，插招换式打在一处。谢洪的招数很稳，张旺也是头经大敌，两个人动手一加快，招法步眼一加紧，张旺可就不行了。封封闭闭，躲躲闪闪，谢宝泰心里咬牙：自己的两个师弟，不爱护门规，在山外有时胡为，做一些为人不齿的下流事，做师哥的也经常劝他们，虽说一死一伤，也是恶贯满盈，而自己是师哥，也应该为师弟报仇。链子锤加紧，这时候张旺已然退到台口，台边没地啦。谢宝泰猛一抖手。锤走"双凤贯耳"，"哗啦"，"唔"地一下就到啦。张旺一着急，心说完了，只可闭目等死！东看台的师兄弟们都吓坏了。

敢情这个张旺最近交了个知心的朋友，就是蛮子孔秀，两人一见如故，也说得到一块儿，睡觉都在一个屋，现在看出张旺要输招，孔秀就喊上啦："混账东西，不会往后仰，摔自己一下吗？简直是混账！"嘿，给张旺提醒啦。他就势往后一仰，"喀喳"把栏杆撞折，"咕咚"摔在沙土上，然后站起来了。当张旺一仰的时候，谢宝泰双锤相撞，"当啷"，谢宝泰点手唤罗成，"哗啦"双手抱锤，往东看台上瞧。张旺晃晃悠悠，飞身上东看台去了。"师伯：弟子无能败下阵来，在您面前请罪。"侯老侠把脸一沉："哼，无知的东西，还不站到后面去。"那张旺心里不痛快。王爷把张旺叫过来："张旺，你师伯责备你，我不能管，可你这头一位就开市大吉呀，我总要有点赏赐。"王爷伸手把左手中指的一个大翡翠戒指拿下来，"得啦，这个给你吧。"张旺一看这戒指光华烁目，真正的上品映绿，水头儿出好，价值连城。侯老侠心说：您就奖赏吧，将来这漏子越捅越大。

这时候，人家谢宝泰冲着东看台上可问哪："刚才哪位给提醒来的？"孔秀一指自己的鼻子："是我老人家提醒的。""好，看来您的功夫不错，请上来吧。""我老人家的功夫，是盖世无双的，可你叫我上台，我是不去的。你的本领是不配的。""你既然不敢上台，为什么说话？""老子说话你管不着！"您别看孔秀没能为，可他的嘴很厉害。猛然间，东看台上蹿下一个人来："朋友，无需斗口，我来讨教。""唰"地一下，飞身上擂台道："在下滋毛吼名叫鲍信。"回手拔刀，"呛啷啷"一声响，往前进步，斜肩就劈。谢洪功夫果然不错，上右步，左手锤"哗楞"一抖，砸鲍信的手腕子。鲍信抽刀，谢宝泰右手锤"枯树盘根"，"唔"地一下就到啦。鲍信脚尖儿点台板，长腰蹦过来。谢洪左手拖锤，往右一转身，照定鲍信的后背，"啪嚓"就一锤，正砸上。鲍信撒手扔刀，往前一栽身，"咕咚"一声，趴在台板上，两手一按，要站起来，一张嘴，"哇"地一下，一口鲜血就吐出来了。

鲍信要输招时，老侠侯振远就看出来了，怕鲍信的命没了，急叫："阮和快去。"阮和飞身上台，救鲍信下去了。派阎保随后飞身登台，顶住谢洪道："朋友，斜睛太岁阎保，前来领教。"大宝剑举火烧天式，左手剑尖点面门，右手宝剑"横锋扫叶"，奔谢洪的脖子来了。谢洪躲左步，缩颈藏头躲剑，双锤走扫趟。阎保脚点台板，飞身起来，宝剑盖顶就劈。谢洪闪身躲过，两个人插招换式打在一处。谢洪的本领确实不错，阎保要给师弟鲍信找回面子，急于求成，反倒失策。二人动手五个回合，阎保剑奔胸膛，谢洪上右步闪身，双锤抡起来照定宝剑就砸，"呛啷啷"，阎保剑被砸掉。谢宝泰往右面一推链子锤，"唰"！就向阎保的双腿迎面骨上打。这个地方最不禁打，"啪啪"，阎保双腿折了，往后一仰身，摔倒在台板上，当时就昏死过去。谢洪虽是法禅弟子，品性可不同。如果抡锤再砸，阎保可就没命啦，谢洪并没有这么办，收双锤往这儿一站，等着金龙镖局的人员救走阎保，捡起了宝剑，然后站在台口，围上双锤："乡亲们，在下铁腿狻猊谢宝泰，是飞龙镖局请来的。提起我本是无名之辈，我的教师就是八卦山四庄主铁背罗汉法禅，方才这位阎保师傅，是金龙镖局所请助拳的，跟我比还差一点。还有哪位登台？在下奉陪。"东看台有人答话："朋友，不要口狂，在下讨教。"飞身形下看台，长腰登搓台，"噌"地一下，真是走如风，站如钟，纹丝不动。谢洪一看，是有七尺上下，黑黢黢的脸膛，四方脸型，粗眉大眼，青胡须茬儿，一条大辫子，一派英雄气概。"朋友，通上名来。""问某家，姓邵名甫表字春然，江湖人称过渡流星赛电光的便是。""请。"邵甫打包袱里亮出一对短把追风荷叶铲，包袱皮往腰里一围，双铲一分，"大鹏展翅。"谢宝泰套挽甩双锤，一抖腕子，双锤奔邵甫面门打来。邵甫是侯振远亲传，再说年岁也大，阅历经验又好。谢洪一招便败。邵甫上左步斜身躲锤，左手铲一扬，右手铲立着，用铲杆一推铁链子，再一耷拉铲头，手腕一裹，铲头一转，把谢洪的双锤缠住，往回下里一带，左手铲一道立闪相仿，"唰"奔谢洪的面门，平着就戳，打闪认针，呼吸之间见生死。谢宝泰由于双锤被邵甫拽紧，他的双手抽不出来，邵甫的力气又大，谢洪随着往前一栽，铲可就到啦。如果邵甫想致谢洪于死地，只要往前一推铲，他的脑袋就要下来半截儿，邵甫是个最忠厚的人，把铲停住。右手一松劲儿，链子锤落下来，谢洪脸一红道："朋友手下留情，谢洪五衷铭感了。再见。"收双锤抱拳下台。

正在这时候西看台上又有人说话："好功夫，朋友，我来讨教。"飞身形上来一个年轻人。大家伙儿一看，好样子！中等身材，细腰窄背，一身蓝，脚下薄底靴子，油黑刷亮的大辫子，目如朗星，鼻直口正，好漂亮啊。邵甫插双铲，抱拳拱手道："朋友请通名姓。""在下湖北利胜镖局的二镖主复姓上官单字名瑞，有个美称玉面小灵狐，看阁下武艺精通，斗胆讨教。"上官瑞抽出兵刃铁双镢，左右一分，邵甫分双铲，一个指天，一个划地。上官瑞年轻气盛，双镢奔胸膛点来。邵甫上左步，一顺身体，双铲往下砸。上官瑞一撤双镢，邵甫"燕子分云"，左手往外一蹦，上官瑞看铲奔面门，迈步躲过。两个人都很谨慎，护住自己之后再进招，四条兵刃，上下翻飞，棋逢对手，将遇良材，胜负难分。就听擂台旁边有人说话："两位且请住手，在下有话说。"邵甫虚点一铲纵身出去，十字一搭封住门户，上官瑞长腰出去。再看旁边站着一位老人，一身米色绸，花白剪子股的小辫儿，脚下福字履，拈着胡子，笑容可掬。上官瑞上下打量："老英雄怎么称呼？""老夫祖居清河油坊镇，姓李名源，人称展翅金鹏铁掌李，看二位武功精湛，不相上下，因此不揣冒昧，上台请这位邵壮士先休息，老夫要向您领教两招。"邵甫带好兵刃下台回去了。上官瑞说："老英雄，您是武林中成名的老侠，晚生当然不敌，但愿奉陪您两招。"上官瑞左手镢一晃，右手镢奔李源胸前点来。老侠用左手往上提，"嘡"！"反左手镢搀住，右手照他胸前轻轻一捺，上官瑞随掌而倒，来个屁股墩儿。小伙子脸一红站起来，把双镢带好："老前辈手下留情，感激不尽，告辞了。"抱拳一长腰纵身下去。

老侠来到台口道："乡亲们，在下清河李源，学了几手庄稼笨艺，不值识者一笑。我被金龙镖局所请前来助拳，刚才这位上官镖主他让着老夫，还有哪位上台？"西看台上有人高声喊："李老英雄，盛名之下无虚士，在下不才，当场讨教。"只见飞身登擂台，上来一位五十多岁的老人，细条身材，一身蓝衣服，搬尖洒鞋，八字燕尾胡，细眉单眼，花白的小辫子。手拿蜡标儿枪，犀牛尾的红缨儿，枪杆使得紫红紫红。其实西、东两边的看台，跟他都是朋友，此人是营口永发镖局的镖主神枪张凯，排行在四。李源也认得他："啊，这不是张四爷吗？"张凯抱拳："李老英雄，您好哇，正是张凯。""哼，张四爷也是老江湖了，您跟双方都有交情，怎么能不一手托两家，给了结了结，为什么还要逞强助战呢？真的杭州擂完了，黄灿就吃不了这镖行饭了，我看未必吧。四爷您说呢？"张凯的脸一红："老侠言之有理。""是啊，都是朋友，为什么香一家臭一家呢？黄灿也没把您家的孩子扔井里呀！依我说您回去找些朋友商量商量，出头说合，比杀人流血强得多啦。""老英雄，我这样回去，也不光彩，还是动手之后再回去。""行啊。""您请亮兵刃吧。""哈哈哈，跟您动手还不必拿兵刃，您不是使枪吗，来吧。"张凯也有点儿气道："恭敬不如从命。"一伸手摘下镶牛皮的枪帽儿，往绒绳上一掖。阴阳把一颤枪，"扑噜噜"，照定老侠哽嗓就扎。李源左手捋胡须，右手伸出，一看枪到啦，右步前伸，左腿后撤，左手顺枪杆底下一穿，手腕一捋枪杆，"嘭"地一声攥住，右掌接风照张凯左前胸一打，"啪"地一下，铁掌李呀，只用一成劲，张凯撒手扔枪，出去一条儿。他一趔台板儿，鲤鱼打挺儿腾身站起，脸臊得像大红布："老侠客手下留情，张凯告退。"李源把枪交给张凯，张凯含羞回西看台去了。

"方才这位神枪张凯，不叫神枪，应该叫送枪张凯。"老百姓"哗"地一下笑了，西看台有人答话："老朋友，何必如此口尖舌巧，讽刺绿林宾朋？不才讨教。"飞身上来一个，大高个头儿，肩宽背厚，一身灰色，薄底靴子。紫红色脸膛，浓肩阔目，大鼻子头，大嘴岔儿，连鬓络腮的黑胡子，灰色绢帕缠头，脸上长着九块白癣。肋下佩刀。李源一抱拳："阁下怎么称呼？""在下姓窦名武字文志，人称九朵莲花。""嗷，原来是镇江府丹徒县莲花山荷叶岭的大寨主，您还有两位拜弟铁扑鱼鹰左雄、分水鹭鹚陈海两位庄主呢？""小小虚名，何劳挂齿，请吧！"说着，摸刀把，"嚓楞楞"亮出轧把翅尖厚背雁翎刀，刀走缠头裹脑，照着老侠左肩就砍，李源弓左步藏头躲过刀，跟着往起一长身，轻舒铁掌往下砸刀背。"呛"一下把刀砸出了手。老侠双手一拢胡子，右脚扎根抬左腿，"啪喳"一脚，正端在窦武小腹上，"噔噔噔"往后一仰，一溜滚儿。

忽然台下有人喊："好武艺！"李老侠就觉得从东面"嗖"地一刀对着自己脖子剁过来，正是左雄，想给老侠来个金风未动蝉先觉，暗算无常死不知！孔秀在看台上早就看见左雄从西看台下来，鬼鬼祟祟从人群里转到东面来，到现在，看到他上台要暗算李源，孔秀这个气，口里骂："左雄！混账东西，小人之行，简直是个王八羔子！"刚要喊"李伯父。"老侠侯振远一沉脸道："孔秀，临大敌勿多言。"其实，李老侠眼观六路，耳听八方，哪能吃亏？闻听刀到，老侠猛地一撤左腿，吞头躲过，伸左手照着左雄的后背，"嘭"地一掌："鼠辈，你敢暗算老夫。"左雄就"噔噔噔"，顺着张旺撞坏了的栏杆栽下擂台去了。

正当老侠脸冲东打下左雄的时候，又觉西边上来一个人。"唰"！照着李源脖子又剁下来，正是陈海。老侠猛地往下矮身，变成左腿绷，右腿弓，从刀下钻过来，伸右手掌正打在陈海的左肋上，陈海也顺南边栽下去了。左雄摔得够呛，好容易爬起来，正叫陈海砸上。"啪喳"一声，俩人全倒了。潘龙派了好几个人到擂台前，把他们俩人全搀起来，都走不动了。擂台之下，百姓交头接耳议论纷纷：这位老英雄本领太大，无人能敌呀。这时候，法禅站起身形，口诵佛号道："南无阿弥陀佛。潘龙，请大家不必登台，李源武艺高强，名不虚传，非尔等所能敌，贫僧上台。"说着一招手，刘勇、刘猛抬着纯钢打制的月牙方便铲，顺着看台下来，直接进入后台，伙计挑上场门的帘子，缓缓走出来。

人们一看，抬的这条兵刃都吓得一哆嗦。原来，不会武艺使的铲杆就跟大枣那么粗，又细又长，铲子头不过两三寸大小。干什么用哪？出家人慈悲为本，方便为怀，举足不伤蝼蚁命，爱惜飞蛾纱罩灯，走在荒郊路上遇见什么死猫死狗的，凡是生灵之物，弃尸路旁，就用这方便铲刨个坑埋掉，或者有各种兽骨、人骨，不能叫它暴露在三光之下，也要给埋掉。可真把它放在武术上使用，俗名就叫铲子。这种兵器乃达摩老祖从南方到北方来传道所扛。脚踩一个苇叶渡过长江，宣扬佛法，宏大三宝。这种兵刃讲究三才五行八卦十干十二支。大月牙数天，铲头数地，当中的抄梁为三才天地人。月牙子的两个尖儿，铲头的两个犄角儿，再加上铲杆为五行。月牙挨着铲杆有五个云头儿耳朵，铲头儿这边有四个云头耳朵，这叫九耳。头尾云头耳朵挂八个环子，叫八卦，合为九宫八卦。大月牙子的两个尖儿相隔一尺叫十干。铲头宽为一尺二寸叫十二支，达摩老祖留下的招数叫八法神铲，一招分八式，共为六十四式，深奥无比，变化无穷。不过里边儿有一招儿不够意思，可还是绝招儿，那就是当场动手，打不过对方的时候，可以用大铲铲土迷对方的眼睛。

法禅合掌道："阿弥陀佛。李施主，看阁下武艺超群，贫僧技痒，斗胆请教。拳脚兵刃由施主挑选。"李源也知道法禅了不起："高僧，本是以武会友，点到而已，不才掌上有些功夫，就请教掌法吧。""哈哈哈，全依施主，请进招来。"和尚合掌当胸，老侠李源两手下垂，两人彼此道请，脚踩黄瓜架，斜身绕步。李老侠左手出拳虚晃，右手劈拳一掌奔和尚面门，掌挂一团风。和尚大模大样，向右闪身，左手挂掌，右手斜劈。和尚用的劈挂，李源用的是行拳。和尚每天打沙袋，一劈一挂，几十年如一日。李老侠借来势，左脚扎台板，往下一蹲身，左腿随身体往左转是扫堂一腿，大和尚飞身越过。李源站身封住门户，和尚站稳打问讯。二人彼此道请，当场动手打在一处。

二个都练艺多年，功夫纯熟，运用自如，王爷可看不出来："老侠客，您看这二位谁好哇？谁能赢哪？"侯振远微然一笑："爷的心思是不愿李贤弟下来。不过李贤弟绝非和尚对手。"果然李老侠不敢进招，封闭躲闪，不求有功，但求无过。法禅僧招数加紧。两个人动手在二十个照面儿，李源左手护中穴，右手打法禅胃脘。法禅一看，上左步，用右手一穿一捋，"金练缠腕"，一拿李源的手，李老侠再行招来不及了。和尚左手一搭，胳膊肘一压，这要一发力，李源的右手臂非折不可。李源高声喊："高僧，有啦，李源认输啦！"和尚鼻孔之中一用力，"哼！"李源"噔噔噔"倒退七八步，拿桩站稳道："高僧，高明高明，改日再会啦。"跳下擂台回去了。和尚迈步来到台口，合掌问讯："阿弥陀佛，施主们，山林的英雄，海岛的豪杰，南七北六十三省武林同道，同业教师傅们，贫僧铁背罗汉法禅，身为八卦庄庄主，幼年尚武，在江湖路上略有微名，今天为侄儿潘龙前来镇擂。方才众位也曾看见，清河铁掌李源威镇武林，在贫僧手下是甘拜下风。贫僧上得台来，我要会斗那成名的好汉，著名的侠客义士，类似兴一家武术之人，至于戳杆子教场，打把式卖艺，保镖的护院的，你千万别上来，上来贫僧也不奉陪。"话音刚落，东看台有人说话："和尚，何必口狂，某来讨教。"正是英雄童海川，一长腰，"唰"地一下，侯老侠一把没抓住，海川纵身出去二丈六七。身子刚要往下落，右脚面一挺，左脚尖儿一顶右脚尖儿，左肩往上挑，左肩往下沉，"噌"地一下，出去一丈五六，然后左脚尖一挺，右脚尖儿一点，右肩上挑，右肩一沉，"哧"地一下，又是一丈多。这叫燕子三抄水。和尚上下打量："阿弥陀佛，你是何人？""我就是你口口声声呼唤的兴一家武术之人童林童海川。"法禅一听，真是三尸神暴跳，五陵豪气腾："童林，老僧正要寻找于你，我八卦山与你有两次一掌之仇，今日必报。"童林一阵冷笑："哈哈哈，和尚，童林输招之时，即是你报仇之日，不然就在你身上记下三次一掌仇。进招来吧。"

　　这时候，老侠吊胆提心，为海川耽心害怕。童林二目凝神，抱元守一，提顶吊裆，把姿式站好。法禅怒容满面，先下手为强，左手一引，上右步，脚踏中宫操身而进，右手掌奔海川面门就打。海川实受高人传授，因势利导，左手前掌一立，顺法禅来的掌，用后吸穴一沾地，这叫搂膝，往下压法禅的右掌，右手掌"麒麟吐玉藏"，直戳胃脘。法禅久经大敌，也绝不敢让海川的左手粘住自己的右掌，往后一撤身。海川就势进身，"狮子滚球"，左手掌掌走连环，撩阴就打。法禅拧腰出去，合掌问讯，海川撤步抽身，两个人当场动手，打在一处。走行门让过步，一招一式的往下打。海川初出茅庐，第一次遇到劲敌，他脚踩八门，招数展开，大褂兜起风来，如同蝴蝶一样，两个人扭在一团，绕在一处。开始慢，后来快，眼睛慢的都看不出来了。有的点头赞叹，真是大泽藏龙蛇，田野埋麒麟。老侠侯振远心有所思：你童林跟我是弟兄啦，咱俩人风雨同舟，荣辱相共。你有王爷做你的靠山，从势力的角度，你当占优越，可武林道净凭势力不成啊，你自己得有本领，才能兴一家武术，法禅在绿林中也算是高手，可你真要胜了他，也能一举成名，我捧你也算值得，你也能够兴一家武术。现在老侠一看，暗暗点头。作为身怀绝技，阅历丰富的镇东侠来说，他只感到海川的招术简单一点儿，不够细致，大架儿多，小架不足，招术与招术之间的衔接，稍稍有些欠缺。侯老侠是个心细如发的人物，看出海川的毛病。您往后听，海川有二次学艺蜜蜂岭，传艺赠剑，他每一个大招之内还缺六招，还有三百八十四交飞命连环掌法和钺法。和尚看海川功在己上，勃然震怒，劈挂掌加紧。海川也是吃惊，如果不是在卧虎山受恩师的传授，想胜法禅势比登天！今天能战败法禅，离门三级浪，平地一声雷，能给师门兴一家武术；如若不能，设法寻回国宝，找师父再学再练！我仗亲不能富，凭嘴不能饱，净指着哥哥的提拔，王爷的势力，不能使同道们心悦诚服，嗳！藤萝绕树生，树倒藤萝死。海川把心一横，两个人动手近三十个回合。海川右掌奔和尚胸膛，和尚身往右移，立左手拿海川的右臂。英雄撤步抽身往后一转，法禅双掌用足力气，照定海川左肋打去。原来海川下决心要法禅，他刚才是佯招，故意引法禅上钩儿，现在一看法禅上钩儿啦，童林撤左步，身体可就正过来。这样刚才撤右步，现在撤左步，和尚的身体往前扑打海川，海川在撤左步的同时，左手在面前划个大半圈儿，一压法禅的双臂，同时猛地上右步，右手掌偏探马，正是法禅的脑瓜顶！海川也明白，随便打法禅一下子，不疼不痒。招术就是眼要准，心要稳，手要紧，打上人要狠。海川是内家功，打的是气，后发制人，也许掌刚挨上的时候，还感到肉肉头头地，软软绵绵地挺舒服哪，哪知道这里边包含着生死大事。海川一看自己的招数有了，掌锋罩住和尚，中指点住正顶百会穴，掌根挂住和尚的神庭穴，这叫指按百会，掌挂神庭，指法为龙，掌法为虎，龙骧虎坐。从肾眼一口直气叫上来，顺着脊梁骨往上运行，三车拉上昆仑顶，贯在顶梁，润在任、督二穴，就势咬牙，达于右臂，含在掌心，中指一点百会，法禅就好像被雷击过一样，混身的血液往上涌。海川掌心一用力，

"哈嘭"，把这么大个儿的法禅打出去足有一丈开外，"咕嗵"躺在台板以上。法禅猛地往起一坐，没有坐起来，又往后一仰，跟着又往起一坐，一张大嘴，"噗"！这口鲜红的血，溅在擂台之上。海川一看打上啦，往后抽右步，双掌往下平放，鼻孔之中出来两道白气儿，气归入丹田血海。老侠客一看王爷，乐得前仰后合："哈哈哈，振远老侠，您看见没有，我们海川打得好哇！哈哈哈，真是长江后浪推前浪，一代新人换旧人。张老侠客，李老英雄，侯二侠，你们说对不对呀？"侯振远心里说：王爷总嫌不热闹，还高兴哪，这国宝怎么去要哇！大家都点头："海川好俊的工夫。"潘龙已经带十几个人上了台。侯振远也飞身上来，手按剑把："潘龙，怎么说？"潘龙脸上很不好看："侯老前辈，今天是第一次开擂，还有九十九天哪，您以后听信吧。"说着，命人搭起法禅走了。海川扎撒背膀，还在发威哪！老侠心里这气可就大啦："你打得不错呀。"其实老侠嗔怪海川打重啦，海川听不出来："哥哥，您看小弟打的还成吗？""哼，你呀，真不懂事啊！"黄灿也上擂台啦："师父，宣布一下收擂吧。""对，你派人把擂台有损坏的地方都进行修理，我们陪着爷和大家先回镖局。海川，咱们走吧。"英雄答应着，回到东看台，张子美、李源都有一番夸奖。王爷高兴："海川，怎么不接着打啦！本爵看着真过瘾，太好啦，就照这样打。侯老侠，西看台人还不少哪，怎么不继续打呀？""爷不知道，法禅一输，就没人上擂台啦，咱们先回去等着吧。"这时候黄灿在台上宣布停擂。百姓散去，大家陪着王爷下了看台，拉过马匹，众人上马回镖局。

进了大厅，有人侍奉着擦脸漱口喝茶，准备吃饭，议论着今天的事。侯振远先到后面看看阎保、鲍信伤势如何，鲍信已然用下药去，阎保的折腿已经合上敷好药，不太要紧啦。老侠从后院奔前院，刚到厨房门口外边，就听里边有山西口音的人跟黄灿口角相争。老侠一挑帘儿走进来："黄灿，这二位朋友是干什么的？"黄灿紧皱双眉说出一番话来，真是一波未平，一波又起。

这两位客人是中天竺街长顺魁干鲜果品店的，他们要去山东济南府办货，有两万银子的镖，长顺魁的大掌柜、二掌柜都是山西人，在杭州多年，跟黄灿是很不错的朋友，便叫写账先生找黄镖主，求金龙镖局给保这只镖，黄灿现在心里烦，北高峰就要开擂，需要用人的地方很多，结果婉言谢绝了。可这大掌柜又亲自前来见黄灿，说了很多好话，黄灿情面难却，只能叫自己的弟子，落地燕子张雄去保这只镖。张雄今年十七岁，功夫也很不错。临走的时候，黄灿嘱咐张雄："咱们镖局正多事之秋，今后怎样，尚难预料，你又年轻，千万按着规矩行车，凡事不要自做主张，多跟叔父伯伯们商量。"黄灿又叮咛镖头张二这些人，然后出发了。

一路之上，兢兢业业，小心翼翼。过了苏州，顺着浩渺八百里太湖往前不远，来到枣林庄。原来这太湖产鱼虾，里边有东西洞庭山，钟山狮子寨，盘踞着绿林豪客，共有五家寨主。大寨主金头狮子孟恩孟少伯，掌中一条虎尾三节棍；二寨主座山雕彭飞彭万里，掌中三尖劈水刀；三寨主病獬豹何豹何跃山；四寨主金毛海马袁德亮；五寨主并肋大蟒韩大寿；还有两家小寨主镜里兰花崔美、水底金蟾郝东天。水寨主有两个，是亲兄弟，水上漂刘成，一文钱不沉底刘顺。

话说在云南昆明管辖地界，南盘江以南不足一百里，有片大山叫孤儿山，山上有座大庙叫铁善寺。这座大庙，威镇武林，独传武艺铁蝠拳一百零八招，庙里僧众几百位，而且桃李满天下，铁善寺三个门户为人敬仰。可有一样，由于前任方丈退隐，现在的二位，一位方丈叫紫面伽蓝佛济慈，一位监寺的叫铁面伽蓝佛济源。他们俩本领超人，教了许多弟子，都据盘山寨，打家劫舍，两位方丈虽然知道，也充耳不闻，这样一来，外面弟子的不法行为，越来越多。孟恩、彭飞、何豹、袁德亮、韩大寿他们都是铁善寺的门人弟子，绿林中无人敢惹。原先是韩大寿一个人在太湖，只是在船上使个漂儿，劫些少数的船只，后来他把孟恩等请来，修造大寨，招来不少喽罗，现在足有一千多人，势力可就大啦。今天袁德亮、韩大寿带着四十人坐船出来到枣林庄察看，正巧碰上张雄的镖车。张二骑着驴，手举镖旗，按规矩办事，掩旗拜山，张二把小镖旗一晃，刷刷，旗子就卷起来，身体在驴上往西边一拱双手，把镖旗举过头顶，一直过了枣林庄，意思是镖主跟寨主有交情。没想到韩大寿心里有些不痛快，他问手下小头目："这是哪儿的镖车？""报告四寨主、五寨主，杭州金龙家。"韩大寿一听："哼，耀武扬威的怪不错呀，来人哪，动手劫镖银！"太湖丢镖银，一波未平，一波又起，真是：

屋漏又遭连阴雨，行船偏遇顶头风！

第九回

讨镖银苏州逢于恒
请南侠庙中遇仇人

　　上回说到头次杭州擂三结一掌仇，童海川掌震法禅。不想又生事端。张雄保镖过太湖，有人劫镖车，韩大寿可能喝多了酒，要拿金龙镖局开开心。袁德亮从中一拉劝道："老五，别胡来，黄灿也是个朋友，年里节里都有礼到，再说咱们到杭州去玩儿，什么时候人家都盛情招待，镖车又没非礼之处，别惹是非。"韩大寿反而没事找事："弄俩钱儿花。劫他们。"呛亮亮锣声一起，小头目一个箭步蹿出来，手里钢刀一横。"呔！不服王法不怕天，终朝每日在湖边，天子从此过，留下买路钱，华光爷爷从此过，也要留下一块打金砖。牙崩半个说不字，钢刀一举项上餐。"袁德亮、韩大寿带着兵把路挡住了。镖车周围的伙计，枪去枪帽儿，刀出刀鞘儿，脸冲外一护镖车，把式举鞭子在里手一蹲。张二陪刘先生往旁边一站，手拉缰绳，张雄甩镫下马，按着刀把来到前边。他一抱拳说："朋友们辛苦了，在下落地燕子张雄。众位寨主与敝教师黄灿都是朋友，请问在下保镖路过贵宝寨有越轨之行吗？"韩大寿一提蜡杆枪："娃娃，什么叫越轨之行？五大太爷看你不顺眼，要劫俩钱花，把镖车留下，不然要你的小命儿！"张雄浓眉一立，拉刀说道："告诉你，礼尚往来，小太爷没事不惹事，有事不怕事，过来动手。"韩大寿一撇嘴："好小子，你还敢叫横儿！"噌地一下就跳过来，阴阳把一拧，噗噜噜一颤枪，奔心就扎。张雄滑步一闪，刀走缠头裹脑，斜肩带背就砍。两个人动手打起来，张雄还是个孩子，他还没有一点经验，韩大寿是一家山王寨主，能耐也强得多。也就几个回合，张雄用刀一砍他，韩大寿闪身一躲，裹手一枪，正扎在张雄的左肩头。虽说不重，血刷地一下流出来了。小伙子脸一发白，带着镖师伙计上马就跑，韩大寿一阵狂笑："哈哈哈，小小年纪，也敢轻捋虎须。把镖车押走。"把式赶车进枣林庄，上了大船，回山了。

长顺魁刘先生也吓坏啦，回到杭州，正赶上海川掌震法禅，从擂台上刚回来。刘先生禀报二位掌柜的，两个人立刻来到金龙镖局。黄灿从北高峰刚到家，张雄把事情都说了，真是福无双降，祸不单行，黄灿看了看张雄的伤势，已然敷了药，倒是不重，这件事也不怨自己的孩子，安慰几句叫他去休息。这时候，长顺魁掌柜的就来了，黄灿陪着进了柜房。三个人坐下。掌柜的道："黄掌柜，咱们可得说说。我们是相信你，才请你给保镖的，丢了银子你们是要赔偿的。"黄灿是个讲理的人："由于现在太忙，请两位先回去吧，等我杭州擂台的事情一完，再去太湖。二位放心，两万银子我还赔得起，只是我现在没工夫。"掌柜的一听很不乐意："黄掌柜这话不对呀，您的事情办完了，可我们的买卖还做不做啦？镖银是有限期的。"双方争执不下，老侠进来。黄灿等教师进来，这才把丢欠镖银之事详细谈了。老侠听完，冲着老客一抱拳："两位先回去，我立刻派黄灿前去要镖。"这二位只好走啦。

老侠叫黄灿来到后院大庭，徐源、邵甫哥俩也跟着过来，问："师父有事吧？""你们俩跟着你师弟黄灿去太湖要镖去。"说完，二人带兵刃包袱，跟黄灿到柜房取了路费，就奔苏州去了。饥餐渴饮，晓行夜住，不几日来到苏州，找个饭馆吃了点东西，三个人就从枣林庄穿过去，来到湖边，有不少的船只，也有不少的人。黄灿过去一抱拳道："在下杭州金龙镖局镖长黄灿，随着师兄们拜见你家孟大寨主，烦劳通禀。""嗷，黄镖主请进湖吧。"说着，一只小船划过来，三人上了船，直奔西洞庭钟山狮子寨，快到船坞码头，有水寨主刘成、刘顺迎接。下船之后，恭请上山，来到大寨以内，五位寨主站起来迎接，分宾主落座，孟恩这才问道："黄镖主前来做甚？"黄灿一抱拳："大寨主，敝镖局因和本镇飞龙镖局闹了一点事，因此局内之人大部都不能出来，才遣小徒护镖去济南。小徒张雄未出师门，镖行规矩全然不懂，未免有失礼之处，闻寨主将镖银留下，因此特地前来拜山请镖。"孟恩微然一笑："黄镖主，劫镖是我兄弟们所为，只是不应耀武扬威，因此以示警告，才将镖银留下。请问，你们三位拜山请镖，是出于本意么？"
"当然不愿伤我们两造和气，确是一片诚心。"孟少伯一阵冷笑："哼！
既然如此，他们为何手提兵刃。"黄灿一看，哎哟，脸色都变了，道：
"众位寨主，我这两个师兄，不做镖行生意，对绿林规矩并不知详。他
们都是我恩师圣手昆仑镇东侠的入室弟子，此番奉师命随我到贵宝山，
赖我黄灿一时大意，与我两个师兄无关。"原来拜山请镖，不能带兵刃，
必须徒手而来，这是规矩。黄灿一大意，心里后悔得不得了！袁德亮站
起身来："黄灿，人敬人，鸟投林，你们带兵刃拜山，岂有诚意？分明
强行要镖，还敢指出你师父侯振远来。我弟兄占据太湖多年，不知道什
么猴振远、羊振远的！要怕我们还不干这个哪，你也打听打听，铁善寺
的门徒怕过谁？"徐源、邵甫真急了，各自把兵刃双手一分："山贼好
大胆，无故劫镖，还敢强词夺理！少侠客爷就是要镖来的。"黄灿伸手
相拦："师兄，这可不行，您赶快收起兵刃。"黄灿绝不怕死，也不怕
事，他只怕给师父惹祸。他一拦，却把邵甫的牛脾气给挑起来了："黄
灿你滚开，这些贼寇，当着我弟兄辱骂教师，你都无动于衷，这是你的
孝顺吗？山贼出来。"哥俩都蹿出大厅，来到院中。五家寨主，各自抄
兵刃，一个个的都飞身出来。金头狮子孟少伯一抖搂铁虎尾三节棍：
"无知的东西，敢辱骂我弟兄！哪个不怕死，过来！"邵甫一分双铲，垫
步拧腰，来到近前，双铲走"流星赶月"，盖顶就劈。孟少伯上左步，
抡起前节，哗哗一响，"当"，把双铲打掉，拍手一棍打在邵甫后腰上，
一合未完，邵甫就输了。徐源一看，急了，赶忙飞身过来，"仙人解
带"，拦腰就打。孟恩藏头一躲，三节棍一扫，徐源双足点地往起一蹦，
没想到孟恩一带棍，"猛虎寻食"又回来了，正是徐源的小腿肚子上，
徐源应声而倒。韩大寿又把徐源捆好，两个人一招，往邵甫旁边一站，
孟恩用三节棍一指黄灿道："你怎么样？"黄灿一阵大笑："孟恩，姓
黄的不能破坏绿林规矩，并不是我姓黄的怕你，来吧！你给黄某人来个
痛快的。"说着双手一背，兵丁过来把黄灿捆好。有这么一句话：英雄
出在嘴上，好马出在腿上。徐源、邵甫都不敌人家，黄灿绝对敌不住，
再说自己也没拿兵刃。徐源、邵甫输了没关系，黄灿是开镖局的，要输
了，以后还怎么干哪？所以他不能动手，可黄灿明知不敌，嘴里可不能
那么说。那么徐源、邵甫怎么显得这么无能？这倒不是，真论本领孟少
伯也比他们强得多，何况徐源、邵甫都生着气。正在这个时候，喽兵往

里跑，来到孟恩的面前："报告大寨主，枣林庄现有圣手昆仑镇东侠
侯老侠客，还有他的好友童林童海川前来拜山。"孟恩心说：来得好
快呀！"刘成、刘顺两位寨主摆队相迎。"于是，"呛亮亮"锣声响
起，迎出山来。

侯振远、童林哥儿两个怎么来到太湖？原来打发黄灿等走后，海川才
听老侠详细说明。老侠侯振远本是个心细如发的人，海川也替黄灿他们担
心："老哥，黄灿他们去，成吗？""你放心，只不过是拜山请镖，没什么
关系。"刚说到这里，张子美可搭茬儿啦："老哥哥，不对呀，我看见徐
源、邵甫他们都拿着兵刃呐，要是拜山请镖，那不就坏了吗？"侯老侠也是
叫事多闹的，经张老侠一说，可提醒了："嗯，我也想可能徐源他们拿着
兵刃的，黄灿懂规矩，可又不敢说。事情恐怕要闹大，众位兄弟在杭州保
护王爷，海川带兵刃跟我辛苦一趟。飞龙家如果催咱开擂，王爷作主办
理。""老侠客只管前去，海川要听兄长的话，不要任意而为，快走吧。"

于是，老哥俩离杭州走下来了。海川还有不明白的事："哥哥，
徐源他们是不应当带兵刃么？那咱们为什么还带兵刃呢？""这是两回
事，你我弟兄又不是保镖的，更不拜山请镖，怎能不带兵刃。""噢，
兄弟明白了。"二人饥餐渴饮，直奔苏州。过了宝带桥，这显得十分繁
华。临着太湖边上有座大饭馆，字号是"临湖酒楼"。哥俩挑帘子进
去，伙计迎过来："爷台上楼吧，也宽敞也清静。"哥俩一点头，扶着
扶手楼梯来到楼上。两个人一看，真是胜友如云，高朋满座。靠着后
楼窗有张桌子，三个座位，老侠脸冲北，海川脸冲南，把当中的座位
空出来。伙计拿了两份杯筷放好。哥俩要酒要菜，时间不大可就吃上
啦。正在这个时候，听楼下喊："楼上看座儿。"跟着就听"嗒嗒嗒"
地上来一个人。海川一看，喝！真是钢铸金刚，铁打罗汉，荡荡身高
过丈，前胸宽，背膀厚，虎体熊腰，一身土黄布裲子，腰里系着牛皮
带，足足有一巴掌宽。尺二的豆包儿鞋，骆驼毛绳勒着十字绊，身背
后背着镶牛皮的软鞘，里边装着八方紫金降魔杵。头如麦斗，黑黢黢
一张大脸，浓眉插入鬓角，剃的青头皮，一条大粗辫子盘在头顶之上。
一对雌雄眼，一大一小，大的睁圆了像个大鸡蛋，小的一道缝，大狮
子鼻头，大嘴岔，憨憨厚厚。上了楼四下张望，舌头一个劲地咂嘴唇，
好像是饿极了。海川正瞧他，他的眼睛也正看到海川。见当中有个座
位，这个大个儿毫不犹豫地就奔这儿来。伙计拿着一份杯筷，还认为

是侯、童二位的朋友哪。正好把酒杯放上，伙计可又到别的桌上去了。侯老侠看海川冲着大个笑嘻嘻的，还认为是海川的朋友哪，可不能慢怠，立刻拿起酒壶斟上酒。傻大个冲着老头儿，一呲牙，端起酒杯，一仰脖就下去啦。海川心里想，啊，原来这位是哥哥的朋友，我怎能慢怠。赶忙夹起菜来给递过去。傻大个也一呲牙："哼，好好。"夹起来就吃。老侠赶快斟酒。"哼，好好。"端起来就喝。老侠斟着酒心里不高兴：海川，既是你的朋友，哪有不给哥哥介绍的？海川夹着菜，心里也别扭：这个人既是哥哥的朋友，为什么不给兄弟介绍一下？海川一赌气，自己不吃啦，一个劲儿地给大个儿夹菜。老头儿更沉得住气，傻大个喝完就给斟上。时间一长海川不成啦，问："哥哥，这是谁呀？您倒是给我介绍介绍啊！""这位不是你的朋友吗？我还想你也不给介绍。""嘿，真有这种新鲜事，伙计。"伙计赶快跑过来道："二位爷台来了朋友，我已经告诉灶上啦，多给准备几个菜，今天客人多，忙一点儿，说话就得。"海川这个气："我问你，这位是谁呀？""哟，不是两位的朋友吗？"海川要急，老侠给拦啦："伙计，要的菜快给端来，再给我们添酒。""好，您哪。"伙计要走，傻大个说话啦："小子给我来一筷子饼，一盆牛肉。""哟，您这一筷子是多少哇？""真混蛋，一大张一大张的摞起来，够一筷子那么高儿，就成啦。"侯老侠叫伙计快给要去。老侠心里想：这大个明明是缺心眼，是个傻小子，那么我跟海川不傻呀，为什么他喝一盅我给斟一盅呐？看来我跟海川是傻子！"你叫什么名字？"大个站起来，两只手一捂肚子，雌雄眼一瞪："家住淮安府漂母河于家庄。姓于名恒号宝元，师父起的外号叫吃海金牛，小名儿叫牛儿小子。"哥儿俩心中暗笑："你叫牛儿小子？""哟，老头儿，你怎么会知道的？""不是你告诉我的吗？""老头儿，我喜欢你，才告诉你，别跟旁人提，你要是跟旁人提了，牛儿小子可就不疼你啦。""嗷，你这是上哪儿？""哟，我忘了。这可怎么办哪。""别着急，慢慢地想。"傻小子想了半天，道："我去杭州打擂。"海川在旁边一听，心里也是乐，这是谁呀，让傻小子去杭州打擂呀。"我问你，你到那儿找谁呀？""我哥哥，还找饭东，就不致于挨饿啦。""你哥哥是谁呀？"傻小子乐啦："哥哥在我兜里揣着呐。"老哥俩一听，傻小子怎么把哥哥揣起来啦，傻大个伸进手去摸半天："嘿，在这呐。"二位一瞧，是庙里隔扇门上的铜合叶儿。"这是什么？"

"姓童。""嗷,合叶儿,叫什么?"傻大个站起来,隔着窗户往外看,"坏了,这儿没有哇。""哪儿有?"傻小子往东边指:"外边有。""有什么?""树林,我哥哥叫林儿。""你哥哥叫童林。""对了,要不我疼你哪。"老侠看童林:"海川,看来这是咱们的傻兄弟,你又添了左膀右臂!"海川很高兴,拉着大个坐下:"我问你,你认识童林吗?""不认识,找着不就认识了吗!""你是怎么回事儿,跟我们说说。"傻小子这才细说,哥俩听着,半听半猜,大致也能明白。

原来海川学艺快出师之前,尚道爷、何道爷很高兴能收这么个好徒弟,将来让他兴一家武艺,尚道爷先去四川告诉大弟子,叫他们将来帮助海川。又去扬州找二弟子,由于十几年来没有离开江西,一高兴就往苏北平原一带来了。到了淮海地界,这正是大运河的边儿上,水旱两路,繁华似锦,传说本地武将出过韩信,文臣出过甘罗,孝出王祥,逆出杨耿。王祥家里穷,冬天母亲有病想吃鱼,他脱了衣服到冰上卧着,冰化了钓上一条鲤鱼给母亲吃。杨耿传说是个不孝顺的人,父亲死了逼着母亲改嫁。甘罗十二岁为秦国上卿,游说张唐。韩信三岁丧父,七岁丧母,十二岁淮河钓鱼,乞食于漂母,受辱于胯下,在楚国三年执戟郎,未能升官,后来金台拜帅,明修栈道,暗渡陈仓,智取大散关,三载亡秦,五年灭楚,成为历史名将。他官居淮阴侯,衣锦还乡,备千金之礼,赠送漂母,谁知漂母已亡,就在漂母河岸,修建漂母祠以示纪念之意。有贤士书下《漂母吟》刻于石上:"一饭千金漂母功,二贤书剑逞英雄。三天际会君王宠,四海称王汉沛公。五方旌旗人马动,六韬三略破重瞳。七旬亚父风尘避,八千子弟丧江东。九里山前排绝阵,十大功劳一场空。"老仙长来到漂母祠观赏一番。由于年久失修,已然垣塌墙坏了。从祠里出来,到山门切近,自己点头赞叹,功名如土,富贵如浮云哪!猛然间,漂母河中水开锅一样,白亮亮的河水翻起一人多高。老仙长藏在树后要看个究竟。等水落下去一看哪,喝,一个大汉圆睁雌雄二目,身上一丝不挂,只当中围着一块破布,天生来的高水性,在这么深的河水里,从小腹往上都露着,晃悠悠地踩着水上岸啦,左右掖下夹着两条大活鱼,头尾乱动,每条足有五斤多重。这个猛汉上了岸,来到山门前,先摔一条,照着石阶上叭喳一下给摔死啦。然后再摔那一条,照样摔死:"小子,不闹了吧,这就吃你们。"猛汉伸手抄起鱼来,一张大嘴,一口把鱼头就咬下半个来。喀吧喀吧嚼着就吃，一会儿工夫，两条大鱼落入肚儿啦。傻小子站起来，伸伸懒腰，就在影壁后面荫凉的地方，躺下就睡。老仙长看着纳闷：这傻小子吃了生鱼就睡觉，也不怕得病，我看他到底什么时候醒。喝，这大个打起呼来，哧嗡哧嗡，庙外边听得见。老仙长来到庙外的大树下，坐在石头上闭目养神，就听有脚步声传来。老人家抬头一看，来了两个老人。老仙长站起来："无量佛，两位老檀越歇一会儿吧。""啊呵，道爷，您快坐，我们一天到晚，都到这漂母祠来坐着，这不，我们老哥俩又来啦，可巧碰上您啦，坐吧坐吧。"三位都坐下啦。那位老人问："这是从哪儿来呀？""无量佛，贫道云游四海，到处为家。两们檀越说话声音小一点，庙里还有一位睡觉的呢。""嗷，您说的是那个傻孩子吧，这您放心，不用说聊天，您在这放炮他也听不见，这孩子不饿急了不知道醒，醒了就得下河捞鱼吃，这才叫穷吃火化食。街坊们看着怪可怜的，可又没法管他吃啊！"两个老头说着叹息。老仙长念了声佛："二位老檀越，这孩子是怎么回事？""老仙长您不知道，这孩子是我们漂母河于家庄的人，姓于名恒号宝元，小名叫牛儿小子。他父母为人忠厚，在本村数得上的善良人，只有本村的一门表亲，这傻孩子有两个表弟，前几年因为惹了祸都逃走了，生死也没有消息。前年当地闹瘟疫，他爹娘相继死去，这孩子可就受了罪了。虽说皮粗肉厚不爱得病，可缺心眼啊。本来家里就没什么，这一来就一贫如洗啦，街坊也好，婶子大娘也好，谁能看着孩子挨饿，总要把孩子叫到家吃顿饭。可这孩子不管到谁家一吃，第二次就不敢找他啦！""无量佛，这是为什么呢？""嗨，道爷，您哪知道，他到人家时，半斤一个的大馒头，必须二十五个，少了不行。您说谁管得起？"另一个老头接荏啦："道爷，您别看没人管饭，老天饿不死瞎眼雀。有回我远远看他下河啦，下去就上不来啦，我想别让孩子淹死啊，我到这来看着，要不成，好叫人捞他。哪知道这傻孩子天生来大水性，能在水里待上一天。他抱上两条大鱼来，在这阶石摔死全吃啦，吃完了就在影壁后边睡啦。也不管五黄六月，也不管寒冬腊月，冬天他就砸开冰捞鱼，吃完了就睡，睡醒了就吃。他也不得病，而且力气特别大，我们村里张家财主两头大青牛都拉不过他一个哪！"老剑客一听，自己心里主意打定："无量佛，老檀越，贫道出家人，应该以慈悲为本，我要管他一顿饭吃。"老头儿一听："道爷是佛心人，那好办，西村口路北有饭馆，您上那买馒头去，二十五个准饱。"尚道爷果然来到饭馆，拿出钱来买了二十五个，叫饭馆伙计给找了一个大破筐，十几斤哪，装好了提到漂母祠，先藏在大殿里，直等到天快黑啦，傻小子才起来。晃悠悠刚要走，老剑客过来："无量佛，你叫什么名字？"傻小子告诉尚道爷。尚道爷道："我收你当徒弟，让你学些本领行吗？""那好啊。"从此老仙长教给猛英雄金刚八式掌、八法神杵，又给他浑身过操，练金钟罩铁布衫，刀枪不入的硬功夫。

书要简短，二年多的光景，猛英雄功夫也出来啦，吃得也足啦，老仙长给他抓招饮招，都是给饿出来的。师父现在给于恒也换了土黄布的衣服，傻小子真有样儿。"徒儿，为师给你起个外号叫吒海金牛。""小名哪？""小名还叫牛儿小子。""记住啦。""为师要走啦。"于恒见师父走了，趴下大哭不止。这傻小子，不傻装傻，不愣装愣，揣起明白，往外使糊涂。他舍不得师傅走。老人家回卧虎山不久，打发海川回家。然后把收于恒的事情都跟何爷说了。老哥俩一商量，头件事把收海川、于恒的事要禀告师父，还有师兄师弟们；二件事暗中看看海川为人；三件事要设法叫于恒找师兄帮助立门户。海川打雷春、探家宅、困京师、闹王府、丢国宝，这大半年的事情，尚老剑客爷全知道。海川下山东，还有杭州打擂的事情老仙长也都探明白。他打了一条降魔杵，重六十二斤，做了个皮鞘，才来到漂母祠。猛英雄一看高兴："师父，想死徒儿啦。"趴地下就磕头。老仙长拉他起来道："我给你做了一身衣服，你穿上。"于恒在河里边洗了澡，从头上至脚下一堂儿新，扣上皮带、背上杆，还真威风。"师父给你路费，你去杭州金龙镖局找你师哥童林童海川打擂去，帮助他兴一家武术。"说着，掏出一大包银子来："带起来当路费。"猛英雄带好，就直奔杭州而来。谁想到在"临湖酒楼"碰上童林。

老侠侯振远很高兴："海川，你又添了一条好膀臂，可喜可贺。"海川一听很高兴："师弟，你先别去杭州啦，先到太湖办点事儿。""行啊，反正不离开你们啦。"

三个人直奔枣林庄，来到湖边，侯振远问水手："哪里有狮子寨的船哪？"过来几只小船："这位老英雄，您有事吗？""在下杭州金龙镖局黄灿的教师，山东侯振远带好友童海川前来会见盂大寨主，烦劳将我们渡进狮子寨。""老侠客爷们请上船吧。"哥仨上了船，早有小船飞也似地提前去大寨报告。小船漂摇摇奔大寨而来。海川知道自己和侯老侠都不会水，看看傻兄弟，他叫吒海金牛，一定会水，可这水性到底有多大呢？也不能问，这浩渺无边，深不见底的太湖，傻兄弟能成吗？这时候已经到了湖心，浪显得更大啦。从钟山狮子寨里边，"呛亮亮"地一阵锣响，出来大小战船四十多只。老侠侯振远拈着胡须，注意往山里听，影绰绰听到里边的喊声，估计是徐源他们，老人家放了心。现在一看这些船，二龙出水式，当中一只大船旗幡招展，船头上站着小寨主水上漂刘成、一文钱不沉底刘顺。"哪位是侯老侠，请上大船吧。"他们的船距离侯、童二位足有两丈四尺远。哥俩明白，这是诚心试探他们，海川往下矮身，气贯丹田，抱元守一，脚尖一点船板，嗾！一缕轻烟儿飞身形登上大船。刘成、刘顺一瞧，喝，好俊的功夫。老侠一按剑把，用左手一撩长衫，眉头微晃，银髯一飘，嗾地一下也上了大船。傻小子可急啦，"咳！闪开了！看我的！""嗵"，一下子掉在湖里。海川的心，"噔"地一下就到嗓子眼儿啦。坏啦，兄弟不懂深浅，自己又救不了。刘成、刘顺是行家，他们俩一看，水皮儿上一溜水泡儿，随起随灭，直奔大船而来。哎哟！这是江猪浮水，不是一般人所能练得了的，看来这个傻大个会蹿会跳，好厉害！到了大船切近，哗！水花四起，傻小子都快站在水皮儿上啦，又露了一手高的。刘成、刘顺心里明白，这大个儿的水性太大啦。傻小子咧着大嘴乐呐，只见他左胳臂夹着一条大鱼，足有七八斤。猛英雄一扬右手扣住船舷，哗！整个的人上了大船："老头哥哥，你吃鱼吗？""愚兄不吃，先放到水里去。"傻小子把鱼一扔，嗵！鱼立刻跑掉。"老头哥哥，要想吃鱼的时候，我还给你捞哪。"刘成一抱拳："在下刘成奉大寨主之命前来迎接。"老侠拱手："有劳有劳。"傻小子一身的水，他也不在乎。来到船坞下船，顺山道往上走，到三道寨门。五家寨主，孟少伯、彭万里、袁德亮、何耀山、韩大寿以及小寨主崔美、郝东天，一个个趾高气扬。孟少伯抱腕当胸："老侠客光临敝山，恕过孟恩等未曾远迎，当面请罪。"老侠还礼："您是孟大寨主，侯廷与兄弟童林、于恒，来到贵宝山，请寨主原谅。""老侠客说哪里话，此处非讲话之地，大厅待茶。"一直往里让，来到大厅前，徐源、邵甫、黄灿三个人都给捆在那里，十分狼狈，低头不语。侯老侠往里走进了大厅，海川一看迎面有十二扇围屏，围屏前有张长条桌子，桌子后有一把全虎皮蒙着的金交椅，两边都有椅子。孟恩伸手让座位："侯老侠请居中落座。"这可是绿林中的规矩，你真要往这椅子上坐，就认你谋夺山寨，人家就要跟你动手较量胜负，不提你是属于不知规矩的。当中这个座位，除去本山大寨主以外谁也不准坐。侯振远阅历丰富，怎能不懂？他一摆手："大寨主，我们还是便座相谈吧。""哈哈哈，看好座位。"上首宾位三个座儿，下首五个座儿。哥三坐好，献上茶来，老哥俩也不喝。"大寨主，老夫年近八旬，早已在家中闭门思过啦，对于江湖中的朋友，很长时间不通往来。这次由于弟子黄灿在杭州主擂，才抽暇来到江南，对于镖行规矩，老夫不太知情。据我弟子黄灿说，贵山劫了他的镖，因此命徐源、邵甫陪他前来拜山。可他弟兄来到宝山，被寨主擒住，押在阶下，不知所因何故？""老侠客有所不知，绿林有规矩，既然拜山请镖，就该寸铁不带，少侠客手持利刃，有违绿林之规，因此将他们拿下。"老侠点头道："看来是老夫教导不严，还请众位寨主包涵。""老侠客既然前来赔礼，我们也不能过为己甚。来人哪，请黄镖主与两位少侠客进厅吧。"徐源、邵甫、黄灿低头进来，跪在侯老侠的面前："弟子等有辱师门，请师父责备。"老人家蚕眉微皱，虎目含嗔："徐源大胆，怎敢带利刃前来，破坏绿林山规？本应按山规治罪，寨主宽宏饶恕你等，还不谢过。"三个人脸一红，站起身来，冲着五家寨主作揖："谢过五家寨主。"哥仨往身后站。老侠抱拳："众位寨主高抬贵手，老夫铭之肺腑，这镖银之事，还请赏下。"镇东侠实在是因为杭州擂台，意思是给了镖银，息事宁人，好回去对付擂台去。可童海川就不然啦，他想这个：徐源他们的年龄都比我大，可自己辈份高，在这种时候，我不能给晚辈遮风挡雨，叫晚辈看不起。海川伸手一拦："哥哥，我有两句话说。"老人家一看海川的脸色就明白啦，由于他三个侄子受委屈，心里有些不痛快。"贤弟，家里很多事需要你我弟兄料理，你是知道的。"海川对老侠的话若罔闻，对孟恩道："大寨主，愚下有两句话说，不知当问不当问？"

孟恩他们知道，这个乡下人既然和侯振远在一起，一定有功夫，与虎同眠，焉有善兽，与凤同飞，必是俊鸟，可他衣不惊人，貌不压众，孟恩他们根本看不起："阁下是哪位？""在下家住直隶省京南霸州童家村，姓童名林表字海川。请问寨主一件事：金龙镖局保着镖在您的治下路过，可曾犯了什么绿林规矩吗？"海川问这话和老侠侯廷是一个心思，不过侯老侠不愿再多闹事啦，一来有杭州擂，二来他们是铁善寺的弟子，说真心话，有点不敢惹人家。现在海川问出来啦，那叫祸到临头需放胆，任恁海川啦。老侠还有个想法，自己是过来人，可以忍气。童林刚出世，畏首畏尾，前怕狼后怕虎怎能成名？所以老侠就不拦啦。这句话把孟恩给问住啦："啊，朋友，此事乃四寨主袁德亮所为。四弟，你给说说。"前者咱们交待过了，张雄并没犯规矩，袁德亮一撇嘴，一阵冷笑："哈哈哈，姓童的你多管闲事，他们犯不犯规矩我管不着，姓袁的想劫就劫，这是四太爷的脾气，你何必多出一口气呢？"童林仰天狂笑："嘿嘿嘿，姓袁的，你是身具衣冠的人，而绝非披毛带角的畜生！绿林规矩，只有我们遵守，我们破坏就要赔礼拜山，你们就可以狂妄胡行，妄自尊大，你们无故劫镖，实属挑衅！你们也应该给黄灿磕头赔礼。不然姓童的要教训你。"袁德亮一听，三尸神暴跳，五陵豪气腾空。哇呀呀，怪叫如雷："好你个乡下人，有何德能之处，敢在我钟山狮子寨如此撒野。""哼，小小的贼巢匪窟，你们也不过是狗仗人势。"袁德亮一颤红缨枪："姓童的你过来。"海川刚要往前走，敢情有人过去啦，正是猛英雄于恒。

　　您记住，这个牛儿小子，他是真傻，可有时候不傻，要聪明劲来了，比谁都聪明。今天这事，您要让他说他是说不了，可是他全知道，徐源、邵甫、黄灿，他也知道是他的晚辈，叫人欺负啦，自己哪能不管？所以他就过来："好小子，你真横啊，敢欺负我老牛的三个侄子，给他们都气哭啦，老牛焉能饶你？宰了你，好让我三个侄子痛快痛快。"说着一伸手，嘣——把三十二斤的八楞紫金降魔杵亮将出来，双手一攥撬把，雌雄眼儿一眯缝："来吧，小子。"镜里兰花崔美一颤枪，飞身形蹦过来："猛汉，通名受死。""淮安府漂母河于家庄，姓于名恒号宝元，师父起的外号吃海金牛。"崔美一颤枪，"扑噜"，奔于恒胸前便扎。猛英雄一只眼睛瞪圆，纹丝不动。崔美认为他缺心眼儿，阴阳把加劲扎，眼看一枪到啦，傻小子高声一喊："再来点儿吧。"随着右手杵猛地往起一杵，崔美的枪脱手而飞："啊！"傻小子"唤虎出洞"，宝杵对准崔美的胸前，扑哧——从前心直透后心，脊背都露出尖儿。随后于恒一抬腿，一尺二的大脚丫儿，照崔美身上一蹬，"扑通"，崔美死尸出去一溜滚儿，血"唰"地一下就流出来了，大厅前一阵大乱。

　　猛英雄往这儿一站："还有谁，快过来，晚了你就追不上美小子啦，孤零零的多叫人心疼哪，快点搭个伴，有说有笑的省得闷得慌。"井底金蝉郝东天提刀蹦过来："猛汉，你拿命来。"于恒也学他的话：

"猛汉你拿命来。"郝东天刀走缠头裹脑，斜肩带背就劈。猛英雄一抢杆："再来点。"往上一撩郝东天的刀，嚓楞楞脱手而飞，虎口震裂，吓得抹头就跑。猛英雄一奋神威："好东西。"金刚亮背，降魔杆脑后摘筋，"叭喳"，万朵桃花开，脑浆进裂。大厅前又一阵大乱。孟恩传话，把两具尸体拉到一旁。孟恩用眼睛看了袁德亮一眼。那意思说，祸可是你惹的，解铃还需系铃人。袁德亮也是恼羞成怒，一颤枪就过来啦。海川怕兄弟有闪失，包袱皮打开往腰里一围，双手分钺，垫步拧腰，飞身过来："兄弟，回去。"于恒没敢说话，退了回来。袁德亮恶狠狠摔杆儿一枪，扎前胸，挂两肋，霸王摔枪式。海川上左步，右手一压袁德亮的前把，左手钺"麒麟吐书"，对准袁德亮前胸就来啦。他抽枪一横，往外一挂，海川右手腕随着往里进招，脚踏中空，"白马卷蹄"，从他小腹往上挑，大钺尖子从小肚子扎进去，往上滑，好么！大开膛，袁德亮死尸栽倒。这时候并肩大蟒韩大寿，从后边蹿身过来，给海川来个金风未动蝉先觉，暗算无常死不知。海川眼观六路，耳听八方，听风辨物，右脚尖儿当轴儿，嘀溜溜一转身儿，左脚划过来，左手钺使了一招"巧摘天边月"，又名"金猴戏月"，钺尖子正扎在韩大寿右边太阳穴上，扎进去用力一拧，"嘎吧"，额骨就给揭啦！韩大寿一声惨叫，死尸栽倒。老侠侯振远高声喊："贤弟！适可而止吧。"海川分双钺，在大厅前一发威，那意思，要是哥不拦着，我给他来个疥癣药——一扫光。海川威震狮子寨，给徐源、黄灿出了气，可也给自己惹下大祸。孟恩立刻走来，给侯老侠作揖："老侠客，童师父杀了我两位师弟，以后再请我师父见您二位赔礼，今天之事，算我弟兄甘拜下风，来呀，备船只把镖银送到枣林庄，排齐队伍恭送侯老侠、童师父出山。"呛亮亮锣声响起。二百名兵相站在大厅前。侯振远抱拳："孟大寨主，我弟兄谢谢了，改日再会。"来到船坞上船，一篙支到了枣林庄，镖车下船，这才告辞。孟恩等回山埋尸体散山，然后回铁善寺报告两位方丈，跟侯廷、童林为仇做对不提。

这时候张雄带着枪，张二哥以及镖师伙计从杭州赶到，还有长顺魁的刘先生。把镖银查点一下，并不缺少，原班人奔山东走啦。爷六个才回转杭州，难得的是牛儿小子连衣服都不换。进镖局往客厅来，王爷他们全在，大家伙过来给王爷行礼，王爷答礼，看着傻小子够意思，海川忙拉于恒到王爷面前，把收于恒的经过全说了。王三虎进来：

"禀报老爷子众位爷，飞龙镖白亮求见。"侯振远一听，心里有些不高兴，我刚到杭州，他们就来人了，叫他进来。时间不大白亮进来："给侯老侠客爷请安，小子这儿有封信，请您观看。"说着，从怀里掏出一封信来递给侯老侠，老人家把信打开，上写道："振远老侠如晤，两次呈书，未得回音，探知阁下因公外出，今日洞悉阁下回庐，故此来信，仍请明日开擂，得见庐山真面，以慰平生渴念。年月日。秋田顿首。"老侠看完，请王爷看，大家传看一遍。老侠叫黄灿取来纸笔，自己要写回信。这时候张子美来到切近，用手一捂纸："哥哥是要写信吗？"老侠点头："不错。""您写信是要开擂吗？""正是啊。"张老侠回过头来道："黄灿贤侄，你派人把白亮陪到外面款待。"黄灿马上叫王三虎同白亮到前边去了。侯侠忙问张鼎："贤弟你意如何？""哥哥，前几天秋老侠就到了，已经来了两次信，约请开擂，小弟征得王爷同意都回绝啦，今兄长刚刚回到杭州，坐未安席，书信就到，看来是急于开擂，请问哥哥，凭您的掌中剑能胜秋老侠吗？"老侠微然一笑："贤弟也是武林中的人物，武术练到老学到老，盖棺方能论定，胜与不胜，无法预料哇。""老哥哥，您与北侠都是鼎鼎大名的人物，谁胜谁负不能决定，可负者即将一世英名付于流水，岂不可惜？再说，头次主擂就是你我，现在还是你我，叫北侠秋田藐视我弟兄没有朋友。"老侠连连摇头："贤弟，王爷在这里，为海川的事，我可以请朋友。为了擂台的事，我不敢请朋友。贤弟是明白愚兄的。""哥哥，小弟提出请人，也并不希望人家拔刀相助，只是您和北侠都不能输，为什么不请出个朋友，从中斡旋，言归于好呢？"王爷听到这里，答话啦："振远老侠客，子美老英雄的话是对的，多请几位武林高士，叫海川也多交几位朋友嘛。"侯振远点头："王爷也乐意请人，贤弟想请谁呀？""小弟提起两位朋友，一位居住在常州府北门里姓苗名泽字润雨，掌中一口红毛宝刀，天罡刀三十六路，人称赛判儿飞行侠；另一位是扬州钞关街玉顶九龙观观主，南侠客海内寻针昆仑道长司马空，掌中巨阙宝剑，钟馗五式剑法，这二位都是武林豪侠，可以给两造说和。万一不成，天罡刀也可以对付天罡剑，南昆仑也可以对付北昆仑吗？"老侠心里明白：要请别位还可以说和，这两位来恐怕更是火上浇油！不过不能辜负子美老弟的好意："贤弟，常州苗泽是我和你二哥的好友，可以让你二哥拿着我的信去。只是司马道爷必须劣兄亲往的。""不必，小弟和他是要好的朋友，镖局子由哥哥奉陪王爷坐镇，让海川代表您就可以啦。""贤弟多受累，海川替哥哥辛苦一趟吧。"童林抱拳："小弟当得效劳。"孔秀过来："师伯师父，弟子的教师也在扬州龙泉寺居住，徒儿想去探望可以吗？""这可以去。"结果商定，由侯二侠去常州，张老侠和海川带孔秀、王三虎去扬州，叫黄灿告白亮，叫他回去，何时开擂派人去飞龙镖局送信。

次日清晨，两路分兵，路途差不离，扬州稍远，爷儿四个行船过渡，直往扬州而来。等进了扬州城，在东关找了个店房，字号叫兴隆店，伙计给带到跨院。爷儿四个擦脸漱口喝茶吃饭，把饭吃完。张老侠叫伙计给锁好门，四位直奔钞关街。这条街最繁华，人烟稠密，做买做卖，熙熙攘攘。不远的路北有座大庙，三座山门，门前有两棵大旗杆，两面红旗黄穗儿，孔秀告诉师父，神手东方朔陶润陶少仙就在庙里居住。海川点头。再往前走不远，到了玉顶九龙观。这座老道庙，前后足有七层大殿，东西跨院，三座朱红庙门，正蓝额金字："敕建玉顶九龙观。"角门开着，张子美用手拍拍门扇，时间不大，出来一个道童，认得张老侠："无量佛，这不是瓜州张师叔吗！弟子稽首。"张老侠还礼："贤侄，你师傅可在庙中？""师叔，我师父这几天可忙啦，因为从广东来了几位棋友，咱们扬州城的几位高手，随我师父每天赛棋。我师父几天不在观中，您请进来吧。"张老侠沉吟一下："你师父他们在哪里下棋？""每天都在御花园风暖阁，从早晨起来，一直下到很晚。""这样吧，你师父什么时候回来，你告诉他，我同着朋友来看他。请他在观中暂留鹤驾，我一定前来拜会。明天我们去松萝镇访他。""无量佛，小侄遵命。"爷四个回去了。

到店里，伙计开门，泡茶。海川才细问："哥哥，这儿怎么还有御花园哪？""贤弟，我也是听司马道兄说的，扬州西北十八里地，有个松萝镇，是个小镇甸，这个地方正处在三岔河口，是邗江、大运河和高邮湖三水交界，水网交错，风景宜人。这镇上在顺治年间出了个大官，家资巨万，这样他把家里修得好极啦。不过美中不足，他膝下无子，一共四门本家，和他都一边远。当他死去的时候，哪一位想独吞财产都不行，这四门就在扬州经官判断，当地官员也想染指。这一来就无法完结啦，四门的人除去种地，便抽出人来打官司，年复一年，足足打了有二十年。从扬州来了一位姓陈的官长，很贤明，把这笔财产，经官准修建公益事业，拿出部分钱来，把他们的四门本家迁往泰州，这笔钱用在松萝镇上。

把大官的家，扩大建成一个大花园，真山真水，成了方圆几百里的避暑胜地，由官府直接掌管，富余了钱就扩建。已经二十多年，老百姓认为这个花园比皇上家的花园都好，所以管叫御花园。实际上叫陈家花园。"

一夜无话不提。次日清晨，爷四个离开扬州直奔松萝镇而来，水路里彩画莲舫，笙歌悦耳，旱路上车马轿络绎不绝，都奔御花园而来。等了大半天，左等也不来，右等也不来，天到下午，西北可就上天气啦，大块儿的黑云，把太阳遮住。一会儿的功夫，淅淅沥沥的小雨，刷刷刷就下上啦。他们爷四个耐心地等待，由于下雨阴天，风暖阁都掌了灯啦。这时伙计也就过来啦："爷儿们还喝吗？我再给您续些水吧。"张老侠摇摇头："我们不喝啦，今天的雨停不了啦吧？""您想能总下雨，今天停下不了啦。"张老侠叫伙计算了茶饭账，然后又给了小费，伙计道谢："爷台趁着雨小，赶快回尊府吧。"等爷四个出了风暖阁，海川用右手的袖子遮雨，左手提着粗布大褂儿走在前头，张老侠用自己的大扇子遮雨，在后边跟着，孔秀、三虎紧跟后边。

咱们交待过啦，在御花园内有碎石子铺的道，年来还好走，但也要瞧着点儿。张老侠认为海川记得道儿，没想到走来走去拐弯儿抹角儿跑到北门了。海川一看不像是来时候的门，问："老哥哥，这是哪个门儿？"张老侠一看："咳，我总认为你知道呐，原来你不认道儿。"孔秀一瞧："哎呀，师父您把我们领到后门儿来了。""是啊，这是北门儿。这可就远了五里多路啦，出去吧。"等出了御花园，道路泥泞难行，因为张老侠穿厚底福字履，就更不好走啦。转到御花园的东北角儿，这是旷野荒郊，大片大片的树林，这时候来了一阵较大的雨。"坏啦，咱们要挨淋。""哎呀，师父，北边有座庙，我们到那里避一避吧。"孔秀头前带路，出去有二里来地，果然有座大庙。爷四个一看，这座庙两殿，有西跨院儿，鹰不落的长墙，山门角门都关着。张老侠问孔秀："贤侄，你看看是和尚庙，还是老道庙哇？""师伯，这座庙叫飞龙观，是个老道庙。"海川上前去拍打角门儿，时间不大，里边有人问："谁叫门哪？""我们是过路的，因为落雨，请道长行个方便吧。"咣啷一响，门分左右，两个小道童，都在十六七岁，一个手提牛角儿灯，一个打着雨伞。"无量佛，几位檀越请啦。"海川抱拳："小仙长，我们从御花园来，走错了道路，又值下雨，想要在贵观打扰可以吗？""檀越贵姓？""在下童林。""噢，童檀越，请稍候。"依然把门关好，时间不大两人出来："无量佛，我家观主身体不适，不能出迎，几位檀越里边请吧。"角门关好，穿过头层殿，来到东配殿。接火种打着了火点好灯。海川一看靠北边是个暗间，桦木隔扇，迎面几案八仙桌，椅凳全有。爷儿四个坐下，擦脸漱口。海川问道童："小仙长，你们观里有吃的么？""有是有，都是素菜。""有酒吗？""酒是上供用的素酒。""行，给我们预备点，一定多给香资。""您候一候吧。"两个小道童全走啦。这时候，雨也不下了。

一会儿道童们进来，把桌子往前搭，四面放好座位，摆上四盘素菜，一盘芝麻酱拌粉皮，一大盘炒鸡蛋，一盘老腌鸡子，一盘花生米，两大盘馒头，一小锅米粥。一个茶壶大小的黄沙酒壶，四个黄沙碗，四份竹筷。道童们走啦，爷儿四个放座。张老侠正面居中，海川上首，孔秀和师父坐对门，王三虎坐着靠门口。孔秀把手巾找出来把四个碗都擦了擦，斟上四碗酒，送到每个人的面前："哎呀，师大爷，师父，王三哥，我们喝口酒解解乏，真有一点累啦。"说着端碗就喝。张老侠伸右手一按孔秀的胳膊："贤侄，你先别喝，这酒有毛病。""哎呀，师大爷，看来这座庙是黑道上的，定有贼人在此隐藏！"

第十回

飞龙观夜赶乔玄龄
北高峰二次杭州擂

　　上回书正说到：下扬州请南侠，误入飞龙观，小老道端上酒来，孔秀要喝，风流侠张子美不让他喝，那意思是喝了酒就没命啦！孔秀的心里有些不服，说："咱爷儿们从小就干这行当的。"老侠微然一笑："哈哈哈，贤侄你所见到的是第三等最次的蒙汗药，既有色也有味。第二等是有味无色，或有色无味。第一等是无色无味，清亮透明，这是最好的蒙汗药，叫双无散。"海川在旁边一听，脸上有些发烧，看来自己初入江湖，经验阅历还差得远哪！看来，吃一堑，长一智。老侠张张子美这个人物，自幼在江湖闯荡，那些大道边儿、小道沿儿、蹲包头、放响箭、红胡子、蓝靛脸、、花布手巾缠头、坟前装神、坟后装鬼、打网棍套白狼、偷鸡摸狗拔烟袋、隔着窗户拉被窝、大喊一声"褥套留下"的那些白天放火、夜晚杀人、穷凶极恶的勾当，没有张子美没经过的。海川忙问："老哥哥，您怎么看出来的？""海川，你看这种药放在酒里，其性最烈，沾唇即醉。你看这酒面底下，被药力拿得这酒在酒杯的周围转，不仔细看不出来。"海川一看真是这样："哥哥，这是贼庙？""别忙，孔秀贤侄，你出去藏在柱子后面，等小老道来了，你把他拿进来，咱们用酒灌灌他。""好的。"

　　孔秀出来躲在一棵抱柱的后面。果然没多大工夫，小老道蹑足潜踪来了。一上台阶，孔秀一个箭步到了身后，右手奔脖子用力一掐，左手一拢小肚子，脚尖一点帘子板，麻利脆！叫道："师大爷，来灌他。"张老侠一点手："贤侄把他放下。道童，你不要怕，干什么来啦？"小老道哕嗦着道:"看看众位檀越酒饭够不够。""你喝酒吗?""不,出家人忌五荤三腥,不敢喝酒。""今天喝点吧。"老侠右手一托下巴颏,中指拇指一掐腮帮子,左手拿酒碗,照他嘴里一倒。咕噜噜,想不喝都不行啊!一口酒下去,道童口吐白沫,一摊泥儿似的就躺下了。海川打包袱亮双钺:"哥哥,这是贼庙!""你别忙,咱们出去看看,不要莽撞。"哥俩出来,孔秀、王三虎也跟着出来。爷四个飞身上房,施展轻功,来到西跨院南房上,扒中脊往北屋观看。鹤轩内有三个人正在饮酒,左右两个正是盗国宝的二小韩宝、吴志广。当中坐着一位道长,身高有六尺,蓝道袍卡青口,系水火丝绦,肋下佩宝剑,薄底云鞋,细脖子大颏嗦,小脑袋,生羊肝的一张脸,黄眉毛,三角眼,大嘴岔儿,挽着牛心发纂,金簪别顶,背插蝇刷,连鬓络腮的胡子,十分凶恶。

原来这个恶道,姓乔名叫乔玄龄,有个外号紫面分水鳌。他还有个亲弟弟,叫卧虎道长乔玄清。在四川白龙江岸有座山,叫剑山蓬莱岛,归剑州管辖,这个岛上有当今皇上康熙的亲哥哥英王富昌富宝臣在内。山外边有个庙,叫玉皇观,观主姓华名图号亮羽,外号叫九尾金蝎道,英王封他为护国军师。华亮羽这个恶道,专门发卖熏香蒙汗药,补助英王的军饷。这个乔玄龄就是华图华亮羽的弟子,叫他带着大批的蒙汗药,上中下三等药全有,去云南"安座子挑汗"——意思就是买卖蒙汗药。乔玄龄来到昆明县,他知道八卦山九宫八卦连环堡有八位庄主,必须靠他们遮风挡雨。乔玄龄买了一份重礼,来到金家酒店,面见金荣、金亮行礼,把礼物献上:"二位头目,贫道能不能请八位庄主爷赏脸,见我一面。"金荣细一盘问,乔玄龄详细一说。金荣哥俩直摇头:"乔道爷,咱们不客气,八位庄主爷身居绿林,可嫉恶如仇,类似您的门户出身,恐怕是不能允许的。我不敢给你通禀,更不敢把你的礼物呈进去。"任凭乔玄龄怎样哀求,金家弟兄不敢应承。正在这时候,贺豹、韩宝、吴志广出山办事回来,到酒店歇歇腿儿,顺便喝点酒。金荣一看:"来吧,你们三位来。乔道爷,这是山里的少庄主,你们近乎近乎吧。"给三个人一介绍,乔玄龄忙给行礼。几个人坐下一问,乔玄龄不敢隐瞒,实话实说:"请三位少庄主爷通融通融。"贺豹大包大揽:"乔兄,你放心,有我们哥三呐!给我预备船。"金荣立刻备好船只,把礼物放在船上,一支篙渡过南盘江,来到船坞下船。三小陪着乔玄龄来到大厅,三小叫乔玄龄在厅外等候。三个人进来给师伯行礼:"启禀师伯,来了一位朋友,从四川至此，在厅外候命求见。""有请。"贺豹出来："乔兄请进吧。"乔玄龄来到大厅，一瞧这气派，他就含糊啦："小道乔玄龄参拜大庄主和众位庄主爷。"说着跪下磕头。"道爷，请起，我与你素日无交，何故前来？""老庄主，久仰您乃武林前辈，特地前来拜谒。并有礼物献上。"说着，把礼物一样一样呈上。乔玄龄他想着：有钱偏能役鬼，堵上你的嘴就行。可李老庄主更起疑心啦，素不相识，为什么礼物这么重？和双方的交情不相符。"乔道爷是什么门户？""贫道下五门。""令师是哪一位？""九尾金蝎道华图华亮羽。""你来此何干？""愿在贵方借地求财，出售薰香蒙汗药。"李昆一听，把脸往下一沉，虎目含嗔："乔玄龄，我八卦山乃上三门弟子，你敢以此丑行污辱老夫弟兄，本应将你致于死地，老夫不忍。来呀，把这不齿于人类的东西给我赶出八卦山，所有礼物扔了出去。"乔玄龄只得抱头鼠蹿，狼狼狈狈出了南庄门。

乔玄龄正在为难，贺豹、韩宝、吴志广来啦："乔兄，真是对不起。"乔玄龄直道歉："对不起少庄主爷们。"韩宝拍着他的肩膀："乔大哥，你别难过，我师伯为人固执，请你原谅。我四师伯法禅和尚、五师伯贺永他们叫我跟你说，礼物收下，你只管在本地做买卖，有什么事发生，四庄主、五庄主、七庄主，还有我们小哥三给你担着。"贺豹、吴志广把礼物拿进去，一会儿回来，四个人乘船来到南岸，进了金家酒店，叫金荣、金亮准备许多酒菜，几个人畅饮开怀。韩宝把事情跟金荣、金亮说啦："今后只要乔玄龄来，你就告诉四、五、七爷，必须瞒着大、二、三、六、八，五位庄主爷。"金荣、金亮答应。"乔道兄，还有一事，三位老人家叫我跟你提，你每月交给三位庄主爷纹银一千两，必须办到。"乔玄龄大喜过望，完全答应。乔玄龄走后，按月给银子，他的买卖在云南府一带可就做起来啦。每到三节，他都暗进八卦山，其中金荣、金亮得了很多的好处。乔玄龄、贺豹、韩宝、吴志广四个人又结为异姓兄弟。几年光景，乔玄龄净剩雪花银五万多两。

这时候，华图来信，叫他回四川交银子再取货。乔玄龄一捉摸，干脆，我跑奔内地，银子归我自己吧。这样，找韩宝一商量，韩宝也同意："哥哥，你上哪儿？""劣兄本扬州人，我还回家乡，等我有了安身之处，再给你们送信。"乔玄龄回到扬州。飞龙观原先这个庙，坍塌倒坏，根本无人管理，他拿出几个钱来重修了这座庙，又托人给韩宝他们送情。韩宝他们等乔玄龄走后，花几个钱雇了一些人，在绿林中吹风，乔玄龄被官人捉起来杀头啦。华图派了几拨人来问讯，都是这么一种说法，只可认倒霉完啦。

这次火焚巢父林，二小来到扬州，在他们盗宝的时候，知道不能回云南，也想到来扬州躲灾避祸。这回到了飞龙观，乔玄龄很高兴。韩宝把事情说啦："哥哥，我们来投奔您躲一躲，您要怕连累，我们就走。"乔玄龄一听，横打鼻梁："兄弟们，士为知己者死，女为悦己者容，人在难中想宾朋，你们哥俩瞧得起愚兄，只管住着，万无一失。"韩宝就住下来，每天三个人到御花园来，一待就是一天。因为这儿赏心悦目的地方很多。今天在风暖阁雅座吃茶，外边一说话，韩宝撩了个门帘缝隙："道哥，您看，这就是童林。"乔玄龄一瞧，把嘴一撇："兄弟，我认为姓童的是个什么样儿的大人物，原来是乡下老赶哪，哈哈……"韩宝一下儿把嘴给捂上："哥哥，你不要命啦。"乔玄龄道："二位贤弟，你们久历江湖，怎么怕这么个人物？""乔大哥，你别瞎说啦，我没告诉你呀，杭州擂上我四大爷多大本领，差一点叫童林把脑袋给拍碎了！你别看貌不惊人。"吴志广也说："道兄，我们能杀他，何必冒风险盗国宝哇！看来童林访我们已到扬州，咱们不能再出庙啦，忍几天吧。"

三个人商量好啦，外边也下起了雨，天色渐黑。点亮了灯，叫徒弟备饭，三个人可就喝上啦。正在这个时候，道童进来："启禀师爷，外边来了四个人避雨，有个人名字叫童林。"韩宝一听："乔大哥、吴大哥，怎么办呐？"乔玄龄沉得住气："把他们让到东配殿去。""是。"道童走后，乔玄龄看他们俩惊慌失措的样子："无量佛，兄弟们放心，他们又不知道你们在这儿，喝酒喝酒。"这时道童进来："师爷，他们要吃些素食，还要喝酒。"乔玄龄哈哈大笑："这叫天堂有路不走，地狱无门自投，贤弟，童林他们末日到啦，好吧，给他们准备，把砂酒壶拿出。""是。"韩宝、吴志广忙问："道哥，您要干什么？""给他们放点药。"吴志广摇头："道兄，千万别放药，打不成黄鼬闹身臊，引火烧身！""兄弟们，没有金钢钻，不敢揽瓷器活儿。我这药，童林他们见都没见过。"小道童把砂酒壶拿来。乔玄龄把箱子打开，拿出一个小匣子来，打开匣子，里边有个瓷瓶儿，是个珊瑚盖儿，把盖儿取下往壶里倒了一点儿。"不用温酒，凉酒即可，去吧。"韩宝有点儿犹豫："行吗？"乔玄龄冷笑："哼哼哼，我这药十两黄金也买不了一两药哇，二位贤弟，这是最上等的双无散呐！"韩宝他们这才放下点儿心，三个人又喝上了。过了一会儿，乔玄龄叫小道童去看看："贤弟准备兵刃杀童林吧。"乔玄龄真是忘乎所以。海川他们已经来到南房上，仇人见面，分外眼红。海川分分双钺从丹田一声断喝："呔！盗宝钦犯韩宝、吴志广还不束手就擒吗！童林在此。"英雄飞身往下走。鹤轩里的灯灭了。乔玄龄毫不在意："二位贤弟，随我来。"回手按剑把顶碰簧，呛啷啷拉出宝剑，伸手抄起木凳来，往外一扔，垫步拧腰，嗖地一下蹿出来。他回头一看，嘿，好朋友韩宝、吴志广都没出来！当乔玄龄往外蹿的时候，吴志广也拉刀往外来。韩宝用手一拉后窗户，吴志广低声说："乔大哥可出去啦。""不管他，咱是什么案子，快跑吧！"两个人一前一后飞身出了后窗户，一伏腰，施展夜行术撒腿就跑。乔玄龄就知道二小跑啦。"什么人敢在祖师爷面前撒野？""恶道通名上来！""紫面分水鳖乔玄龄。"刷——宝剑顺风扫叶，奔海川脖子就抹。乔玄龄怎知海川的厉害。海川往右一斜身，左手钺一立，用鸡爪一拿剑，呛啷就叼住啦。左手一歪，嚓楞楞宝剑脱手而飞，右手钺用了一招"金猴戏月"，刷——就到啦，其快无比。老道往下一矮身，稍慢一点儿，噌了一下把发簪给挑啦。"无量佛喻！"吓得老道魂不附体，扭头就跑。海川高喊："恶道哪里跑。"脚下加紧追下来。张子美怕海川吃亏，也追下来。黉夜之间，前后三条黑影，从飞龙观出来，一直往西北奔跑。乔玄龄急急如丧家之犬，忙忙似漏网之鱼。江南水乡，水网交错，不远就是三岔河口，眼看都追上了。韩宝暗地里高声喊："合字，龙沟里扯呼。"乔玄龄一听，见是韩宝他们。于是三个人前后跳进水里逃生去了。海川他们哥俩也追到了："哥哥，您的水性怎么样？""对不起贤弟，哥哥也是旱鸭子。"海川长叹一口气："又被他们逃啦；咱们回去吧，这也没法子。"

　　哥俩回到飞龙观，越墙而过，喝，孔秀正在审讯四个小老道儿。现在孔秀派小老道弄凉水把另外那个小老道给灌过来。孔秀伸手把小刀抽出来，在袖口上备刀："混账东西，竟敢跟你的师父老杂毛，老牛鼻子来害我们！现在机关败露，我孔秀是不能饶你们的！一定送你们去见三清教主请罪。"王三虎在旁边儿看着也不言语。四个小老道吓坏了，环跪在孔秀面前："壮士，这不关我们的事。我们听师父的，师父叫我们干什么，我们就干什么。""混账东西，那个牛鼻子叫你们杀人，你们也要去么？混账话，我来问你，那个老杂毛叫什么名字？""紫面分水鳖乔玄龄。""鳖是什么东西，是不是叫紫脸大乌龟？""对对对。""你们都是小乌龟。""对对对。""那个乌龟是干什么的?""他是出家人,卖薰香蒙汗药的。""混账,那两个东西干什么来了?""我师父的好朋友,一个叫韩宝,一个叫吴志广,他们在云南的时候就认得,这次听说盗了国宝,到这儿来躲灾避祸。"哥俩一听,张老侠点头道:"很好,三虎,你马上带路费,去三岔河口,查看两个钦犯,只要探知下落,你立刻回杭州报信,以便捉拿。"孔秀用脚把小老道给踢起来:"混账东西,快起来,不要气我老人家!"张老侠走过去,温和地道:"你们都是哪里人哪?""我们都是扬州人。""家里都有父母吗?""我们四个人全有父母。""为什么又跟老道出家呢?""家里都很穷,兄弟姐妹又多,没有法子。""姓乔的老道很有钱吧?""师父的银子很多,都在大箱子里放着。""好吧,你们跟我来。"小老道领着张老侠他们进了鹤轩东里间,果然有个大箱子,老侠施展鹰爪力,把锁拧开,箱子盖一打,咳哟,八月螃蟹——顶盖儿肥!老侠一笑:"你们四个人,能拿多少就拿多少,回去把钱交给你们的父兄,做个小本经营,或买几亩薄田,也能糊口,千万要安份守己,记住没有?""无量佛,记住啦。""好,你们四个人拿吧。"四个小老道可就玩命了,伸手就拿,往兜里就装啊。孔秀一看,气得直骂:"混账,什么都不懂,老爷子叫你们装,你们就不想一想,你们身上能有几个兜!兜里又能装多少金银?简直是昏了头,不会动脑筋好好地想一想么?""檀越,您快给我们出个主意,多拿一些呀。""老子告诉你们,你们把两条裤角在腿腕儿上绑紧了,然后把裤带解开,往裤子里面装,那就装得多了。""哟,这主意太好啦。"四个道童,把自己两个腿腕儿绑好,腰带解开,把两条裤腿儿装得鼓鼓的。"哎呀,你们装得怎样啦?"四个小老道吊着腿肚站在那里动不了啦!张老侠、海川老哥俩哈哈大笑。孔秀这个气:"真是混账东西,迈步都不成了。快拿出一些来吧。""我们又舍不得。""你们舍命不舍财,我这就点火了。"四个人万般无奈,蹭到庙外,掏去一些埋起来,等回家之后再来拿。老侠张子美把金银全都弄到外边埋好,然后一把火把飞龙观给烧了。火光大作,此地既不着村,也不靠店,就没人管啦。

这爷儿四个回转扬州城店里,都快上店门了。稍微休息,天光大亮。算还店账,多给一些小费,这才来到九龙观的东角门。张子美用手拍门,时间不大,小道童出来开门:"无量佛,原来是师叔,弟子有礼。""请起,你师父可在观中?""昨天下午就候几位,现在下棋呐，您请进去吧。""好，海川，咱们爷仨去鹤轩吧。"孔秀问道童：
"小师弟，我的教师可在观中下棋么？""您快去吧，会在哪。"角门关
好，一直来到西院，院内栽种异草奇花，浓郁芬芳。小道童挑帘子，海
川一看，迎面站着一位老仙长，大身材，猿臂蜂腰，身穿银灰色道袍，
黄缎子护领，佩带一口宝剑，剑名巨阙。长四方的一张脸，面似银盆，
两道蚕眉，慧目放光，鼻如玉柱，唇若丹涂，颔下一部银髯如扇盖满小
腹，白鬓挽道冠，金簪别顶，笑容可掬，慈眉善目。八仙桌桌面上放着
棋盘，上边有不少棋子。两边站着两位，上首是一位高大的和尚，黄色
僧袍黄护领，黄中衣黄缎子寸底僧鞋，光头顶六块受戒的香疤瘌，赤红
脸，两道长眉毛，寿毫特别长。下首是个瘦小枯干的老头儿，米色绸一
身儿，脚下厚底福字履，短眉圆眼，大白胡子，白剪子股的小辫儿，很
精神。张子美抢步进身跪倒磕头："道兄，张鼎有礼啦。""无量佛，张
贤弟请起请起。"道爷把张老侠扶起来："听说贤弟们来啦，很高兴，昨
天就没出去，在观中等候大驾。""道兄，我给您介绍一位新朋友。"
"无量佛，好哇。""海川，过来行礼，这就是司马道兄。"童林磕头行
礼："司马道兄，小弟童林拜见。"司马空伸手相搀："哎哟，久仰贤弟
之名，今日方始如愿。"司马空说到这儿，回过头来："高僧，快来见一
见，你们是大水冲了龙王庙，一家人不认识一家人哪！""阿弥陀佛，师
弟童林，哥哥早就知道你啦。"海川恍然大悟，知道这是自己的二师哥，
长眉罗汉铁背禅师普照。普师父细问海川一番，海川把出世以来的事情
全说了："这次小弟代替我哥哥侯振远，恭请司马道兄，还有在座的众
位兄长，出山相助，不胜感激。"老仙长司马空听完之后，口诵佛号：
"无量佛，海川兄弟、张贤弟，我与圣手昆仑镇东侠侯振远，神交已久，
总想专程拜谒，只因俗事繁忙，未能如愿，今日二位贤弟来到敝观，敦
促愚兄，敢不如命么？不过依贫道管见，杭州设擂，与贤弟捉贼得宝这
原是两回事。童贤弟拿二寇请国宝，倒是应该认真对待。至于杭州擂的
事情，真要邀愚兄擂台以上，与秋老侠当场动手，分个强存弱死，不是
愚兄怯阵，恐使贤弟们失望。因为愚兄八十有五，年纪高迈，自问所学
也难比秋老侠，应该知难而退，不去杭州为对。为什么还要去？只是盛
情难却。可有一节，我想秋、侯二老因为徒弟们的小小争斗，便欲兵戎
相见，也很不要。愚兄此去杭州，想为两造平息此事，如能办到，两方
化干戈为玉帛，化吴越为一家，化嫌为好，我们多交几个朋友，不是更

好么？二位认为愚兄的想法如何？"海川一抱拳："道兄的高见，实为我兄侯廷的原意，我们都是这么想的。""无量佛，那就使愚兄放心啦，普照禅师跟海川是师兄弟，不需山人再请啦。陶老檀越也该拔刀相助啦？""陶某我没有什么本领，但也愿随众位之后，赴汤蹈火。"海川一一道谢。

正在这个时候，从外边进来两个人。海川一看，喝，好样子啊！两个人都在二十来岁，前边这个中等的个头，细腰窄背，身穿宝蓝绸子长衫，腰系绒绳，长圆脸儿，面如冠玉，两道剑眉如漆刷，一双虎目似朗星，英俊之中显得诚实。后边这个好像小一些，白润润的脸色，两道弯眉，一双大眼睛，鼻如玉柱，齿白唇红，显得淘气似的。海川很高兴，也很喜欢这两个孩子："道兄，这两个孩子都叫什么名字？""无量佛，贤弟，这大一点儿的今年十九岁，是我的一个小侄子，复姓司马单字名良，我给起的外号叫玉麒麟。后边这个十八岁，名叫夏九龄，外号多臂童子。前边这个老实，后边这个最淘气。"海川听了一笑："哈哈哈，叫多臂童子，一定会打暗器？""两个人全会，一个是链子锤，一个是链子槊，一个会打毒药镖，一个会打毒药箭。"海川一听就怔了，脸上很不高兴："道兄，你很不对呀，不是小弟嘴直，您身为南侠，就应该教子弟走正路，勿入于邪途。两个孩子很小，暗器就不该教，何况是毒药暗器呢，未免伤天理丧德性啊！最好给他们收回，不让他们使用。"司马仙长长叹一口气："贤弟责备愚兄甚是，现在已经不叫使用了。此事皆怪愚兄大意。"

司马空的武艺，是和他的一位伯父练的，他伯父复姓司马单字名彦，出家在云南大理玉真宫。这位老仙长文武两科，水旱两面，内外两家，俱臻绝顶。南侠司马空的钟馗五式剑法，是伯父教的，巨阙宝剑是伯父给的，会打暗器，会配毒药，也会配解药，而且精通水性，人称海内寻针，成名多年，隐居在九龙观。钞关街上有个卖豆腐的夏老头，夫妻两个都很好，有一年染时疫，相继去世，只留下一个五岁的小男孩叫九龄。南侠的一个侄子叫司马良，六岁时也丧去父母，这样老仙长把这两个孩子都收留在庙中。由于孩子们聪明伶俐，老仙长教两个孩子盘腰窝腿站架子，三十六大架，七十二小架，这是学习拳脚兵刃的基本功夫，然后教孩子打拳。练习兵刃，开始是为了解闷才教，后来一看两个孩子真行，就把二、五更的真功夫拿出来了。两个孩子越学越高兴，从来不用别人督促，老道爷也越教越高兴。光阴荏苒，眨眼间十二年，两个孩子真用功，一个会打亮银镖，一个会打肘袖箭，真是上打飞禽，下打走兽，夜晚之间打香头，百发百中，从不落空。

有一年，老仙长把两个孩子叫到鹤轩："良儿、龄儿，今天把你们叫来，有点儿事情，当年我的伯父授业于我，有一种制毒药暗器的方子，我准备炮制一料，你们两个要帮助于我，记住了么？"小哥俩赶紧答言："记住啦。"到了第二天，南侠开始买进药品，等把药味买齐，一共七十二味，开始炮制，什么药应该研面，什么药应该去皮，什么药应该焙，什么药应该煎，每味药应该多少分量，君臣佐使，用了一个月才配齐制好，老人家把药收起，并且告诉他们两个，还有配制解毒药的药方，将来也要制一料，到时还叫他俩帮助，事情就这样过去。没想到有一天，老道爷想查看他们使用的兵器暗器，不料镖囊里的亮银镖，怎么是毒药镖啦！再查看夏九龄儿的袖箭，也是毒药箭啦！"无量佛，这两个孽障，竟敢背着山人，身染下流，胡作非为，妄交匪类，哪里来的毒药暗器？"老仙长回到鹤轩，把戒尺放在桌子上，等他们回来。没有多大时间，司马良，夏九龄回来啦，进了鹤轩，老仙长把脸一沉，手拍桌案，啪地一声："奴才大胆，还不跪下。"司马良是个胆小的孩子，吓坏了，双膝点地，噗哃就跪下啦，吓得要哭，可夏九龄就不然了，不但淘气，而且胆子还大，因为司马良管南侠叫大伯，他也叫大伯，九龄一跪："大爷，孩儿们犯了什么罪了？招您老人家生这么大气呀？""奴才，还不知罪，还敢嘴硬，你们两个奴才背着伯父在外边结交了什么坏人，从实讲来，如若花言巧语，欺骗于我……"说到这里，一伸手把戒尺拿起来："为伯的就要着实拷打！""伯父，我和良哥哥，谨遵教诲，怎敢有半点错误，招伯父生气，至于结交匪类，弟子二人十余年来，并未交过一个外人哪。"老侠客气得直吹胡子："无量佛，冤家你还敢嘴硬，我知道良儿是个忠厚的孩子，就是你胆大妄为。你既然没结交匪类，我倒要问问你，你们两个奴才的镖和袖箭，怎么都是毒药的？怎么来的？讲！"南侠认为这句话一问，两个人都得吓得颜色更变，没想到夏九龄笑啦："大爷，那不是您教给我们做的吗？""什么？我教你们做的？更是胡说！""您别着急，听孩儿我跟您提提。""好，你给我讲。"九龄这才细说一番。

当初老道爷叫他们俩帮助配药，当天晚上练完了功夫，小哥俩回房休息，九龄可问司马良："良哥哥，大爷叫咱们俩明天帮助配药，你说这是干什么？""老人家一个人忙不过来，必须有人帮忙啊。"夏九龄摇头："不对不对，哥哥，您到什么时候才能聪明一些呢？""你又数落我？""我不是数落您，您想想这是配毒药，咱们俩是伯父心爱的孩子，他要配药，应该躲避咱们才是，为什么还要咱们帮忙呢？"司马良想了半天，直摇头说："想不出来。""我告放您得啦。这是试试咱俩机灵不机灵，有心肺没有。""我不明白。""哥哥，伯父人称南侠，海内皆闻，而这种毒药又是为绿林不齿的东西，可又万分珍贵。如果老人家要明说传咱们，这不太合适。如果不传，可伯父年纪已大啦，唯恐百年之后，就要失传，为了这个才让咱们帮助配药。""是这么回事么？""没错！这叫暗中传授，明天配药的时候，您记药味和份量，我记炮制方法。"两个人商量定啦，第二天开始配药，两个各人记各人的，一月时间配好，南侠把药收起来，事情也就过去啦。夏九龄在暗地里把药味份量还有炮制方法都记下来，两个人开始攒钱，够数啦，到药铺去买药，分几次买好，两个人也配了一料，跟着就订做镖和袖箭。毒药暗器分两种，一种是用毒药镖箭，还有一种，镖的中心是空的，镖尖儿上有个极小的孔，从镖后边把药放进去堵严，当用暗器打伤对方之后，药力即可顺着镖尖儿到了对方的身体以内，从而达到伤人的目的。夏九龄、司马良的暗器就是属于后一种的，其实两个孩子出于好奇心理，倒不是为了伤人去。到现在九龄婉转的把事情原委说明。南侠听了，一个劲地念佛："无量佛，是为伯父之过也！好孩子，九龄你很聪明，但一定行端履正，不辜负山人疼爱你们一场才对，把镖箭中的毒药退出来，今后不准使用。伯爷还会专门治毒药伤，有了机会我也传授给你们。"两个孩子答应着跑回自己房中，把毒药退出来，全都交给司马道长。道爷收起戒尺，藏好毒药，事情就过去啦。今天海川一问，老仙长才把从前的事叙说明白。

按理说，这本是个小事，何必要提出这么件事呢？我们说书的也讲多少种笔法，如明笔、暗笔、倒插笔，咱们这笔书叫栽笔，意思是将来有用。说书讲究来龙去脉，忌讳用什么拿什么，不用什么忘什么，所谓没根的书不行，这两个孩子永远不打暗器，更不伤人，为什么要提起来？就是到后文书，陕西凤翔府金凤山古刹玉皇顶的方丈、金鸡好斗双钢掌赤胆侠慧斌僧，在四杰岭用锯齿峨眉毒药弩，打了山西太原府银面仙猿铁背昆仑石择石金声。当时无人能治，若非三侠赶到，司马老侠给医治，焉有这九十六岁老英雄的命在？到那个时候过来就治伤，您不就感到突然了吗？

　　闲话少说，老仙长一看童林很喜欢这两个孩子，问："你看这两个孩子怎么样？""道哥的亲授当然高明，所谓强将手下无弱兵。""可惜，这两个孩儿的天赋资质都不错，只是山人年岁高迈，也无精力，你要兴一家武术，必须广收桃李，好光大门户，这两个孩子，干脆归你得啦！""哥哥，这两个孩子是您心爱的，怎能夺师长的爱哪？""贤弟不必客气，你就多受累啦。"夏九龄第一个就跪下了："师父，您就收下我们哥俩，我们早就听伯父提过您，上次摆台，您用阴阳手打了法禅和尚，人常说，学会阴阳手，打平天下遍地走，您就收下吧。"童海川点头答应："好，收下你们两个，算我正式弟子。"小哥俩趴下磕头。海川挨着给介绍，又叫过孔秀来道："孔秀，给你两个小师兄磕头吧。""哎呀。"孔秀一听就怔啦："师父，我是先进门的，再说弟子的年龄也大，怎么后进门的算为师兄呢？""胡说，你是记名弟子，他们两个是正式的弟子，怎么能论进门先后哪。"孔秀一想：哎呀，我这个徒弟还是个悬着的！"徒儿遵命啦。"孔秀给司马良、夏九龄磕头叫师兄。道爷吩咐摆好素菜席，大家入座，开怀畅饮。吃完饭之后，道爷安置一下庙里的事，老和尚也回龙泉寺安置一番，拿着自己的兵刃镔铁亮银枪，陶少仙也回去收拾一下，带好兵刃，两个孩子收拾停妥。老少群雄八人从扬州出发，饥餐渴饮，过摆行船，直往杭州而来，到了金龙镖局门口。

　　侯振远、李源、侯杰，还有一位老侠碧目虬髯，佩带红毛宝刀，是赛判飞行侠苗泽苗润雨。原来这老哥俩先到了。侯二爷来到常州北门里青枫巷，第一家是冷家，第二家是苗家，这就是当年孔秀偷钱的那家。二爷上前去，啪啪啪，拍打门环。时间不大，家人把门开啦："爷台，您找谁呀？""管家，老夫山东侯杰，来拜访苗老英雄。""您稍候。"伙计往里报告，苗老侠赶忙出来赔礼，二爷立即挽扶，请了安方才往里让。客厅里落座，献上茶来，喝了碗茶，苗泽问道："二哥从山东来？老哥哥身体可好？""家兄托庇粗安，代问贤弟好。劣兄不是从山东来，是从杭州来。"二爷把事情详细说明："子美叫哥我来请你，你能前去吗？""二哥这是什么话，小弟正有意去杭州苏桥镇避主轩，要拜望久占江南吕留良晚村老前辈。再说众哥哥兄弟看得起我，还有新朋友童海川，我一定前往。先吃饭。"哥俩喝着酒，苗老侠叫人到后边告诉姑娘苗飞霞出来。这姑娘今年都十九岁啦，比前几年更俊美啦。姑娘出来，拜见二伯父。侯二爷很高兴，自己没儿没女，看见人家的孩子更羡慕：“闺女起来，二大爷没带着什么，只是小的时候，我的婶母给了一个金如意，在我身上佩带多年，送给孩子做个见面礼，祝你长命百岁，事事如意。”二爷从脖子上摘下来，送给姑娘。飞霞磕头道谢。

次日带好路费，老弟兄才奔杭州。到镖局往里奔客厅，与王爷、侯老侠见面，各道寒暄。侯二爷把请苗老侠的经过跟王爷都说清楚，直到今天南侠才到，侯老侠带众人接到门前。张老侠跟苗泽是把兄弟，先过来磕头问好，然后叫海川认识，海川行礼。南侠跟侯老侠等人见面，大家高高兴兴往里来。一进客厅，王爷恭候，侯振远给介绍：“道兄，这是王爷。”“无量佛，爷驾在上，贫道稽首。”“哎哟，老仙长，偌大年纪道骨仙风，果然是武林豪杰，风尘侠隐，久仰久仰。仙长不要行礼，快快请坐，大家坐下坐下。”海川把司马良、夏九龄叫过来给王爷磕头，把南侠介绍的事说明。然后一一介绍。弟子们全进来行礼。王爷爱这两个孩子，拉着他们的手问长问短。尤其是九龄，口齿清晰，王爷更爱。海川告诉他俩：“今后侍奉王爷，就是你们两个人的事啦。”二小答应着下去。

侯振远把请他们的来意细说一遍，希望息事宁人，免动干戈。刚说到这里，黄灿进来：“师爷，白亮求见。”侯振远一摆手：“叫他先回去。”“是。”南侠拦住：“既然来了，叫他进来吧，他不是飞龙镖局的吗？”“是。”黄灿转身出来，不大工夫白亮进来道：“小子白亮，奉秋老侠的命令，给您带来一封信。”说着，把信拿出来。侯老侠接过信：“黄灿，把白亮带出去待茶。”白亮出去，侯老侠把信打开，上面写道：“振远我兄座次：三次奉函相邀，未见回示，心实忐忑不安，因何黄鹤无音，甚为闷闷。欲请阁下明日在擂台相会，以慰渴念。书不尽言，敬请客安。秋田顿首。”侯老侠把信交给王爷，王爷传给司马道爷，大家全都看完。司马空口诵佛号道：“无量佛，王爷，侯大弟，众位贤弟，贫道以为来到杭州，与贤弟商议如何斡旋此事，双方言归于好，没想到坐未安席，战书即到，何欺人之甚呀！爷驾有何高见？”王爷微然一笑：“司马仙长，秋佩雨三次下书，无理太甚，有这么句话，兵来将挡，水来土屯。本人认为事已至此，不妨回信明日开擂。”司马仙长点头道：“振远大弟，王爷明鉴，看来秋老侠偌大年纪，十分跋扈，即使现在去见他，也是难以如愿，不如回复他，有什么话擂台去说。”可怎么到擂台上去了事呢？打架摊上怎么能了事啊！老侠侯振远答应取来纸笔，一挥而就，上写："秋老英雄台鉴：久钦高名，如仰瞻泰山北斗，云树之思，何可言状。三次来函，一切尽悉，奈因冗事繁杂，未克如命。今蒙阁下相邀，就依尊意，明日北高峰得聆教诲，快何如之。草草不恭，敬乞原宥。侯廷顿首。"书信写好，派人交给白亮回复北侠。王爷同这些位武林豪侠高谈阔论，对武林真有了进一步的了解。在这些人里谈到北侠秋田，没有一位小瞧小看的，王爷恨不得马上见见这位年高有德的出奇人物。海川也把在扬州飞龙观发现二小之事跟王爷与侯老侠说了，只是现在不见王三虎回杭州。

到了晚上，大摆筵宴，大家入座，酒过三巡菜过五道，老侠吩咐慢上，道："众位仁兄贤弟，上次擂台，由于王爷在此观临，一福压百祸，总算化险为夷。看来明日擂台，依然能够平安过去。话虽如此，也难免当场动手，愚意还是和上次一样，愿去者签字，不愿去者不勉强。"说完，黄灿把纸笔拿来，猛英雄于恒头一个站起来："谁不去，谁是小狗儿。不叫牛儿去，那哪儿行啊，给我签上。"黄灿真给他签上啦。王爷赞成："来，我签字。"大家纷纷签字。然后归座。侯老侠执酒壶，从王爷以下都给满酒，开怀畅饮。吃完饭残席撤下，早早休息。

次日清晨，大家陪着王爷梳洗盥漱已毕，摆上饭来。外面人等早已传齐伺候着，直到里边传出话来：准备起程。众星捧月，来到镖局门前。海川到王爷的马前，请王爷上马，老少群雄纷纷上马，各抖丝缰，马上加鞭，来到擂台。喝，万头攒动，比前次的人还要多。大家下马，下人们把马拉走，来到东看台。到北头按次序坐好，献茶摆点心。王爷看了看前次撞坏了的地方完全修好啦。不过擂台下面，绳子拉得密啦。老百姓不能靠得太近。海川挨着王爷，一指西看台，王爷往对面一瞧，果然一百多位英雄好汉，最前边潘龙引导首一位老英雄，是个矮身材，足有八十六七岁。按南侠、北侠、镇东侠这老三位排行，镇东侠八十二岁、司马道爷八十四岁、北侠八十六岁。秋老侠身穿米色长衫，扎绒绳儿，左肋下佩长剑。往脸上看，面似银盆，两道蚕眉，寿毫老长，一双虎目炯炯放光，鼻如玉柱，唇若丹涂，一部银髯胸前飘洒，精神矍铄好神采。有两个小童儿高清、高和，身后还有三个大弟子：双手托天逍遥鬼蓝田宝、低头看山自在鬼蓝田玉、迈步过岭无形鬼蓝田璧。这哥儿仨都是宣化府著名的财主，很早就跟秋老侠学艺。司马道爷跟侯老侠商量："现在秋老侠来啦，劣兄想到西看台去一趟，给两造说合说合。"

侯振远沉吟一下：“道兄的美意，小弟感激，只恐在这里谈说合二字，恐怕不好吧。”侯振远想得对呀，要说合在城里说合，怎么到擂台上来说合呀。南侠一摆手：“振远大弟，我想秋田也是武林前辈。不能过为己甚。还是去一趟好。”老侠答应道：“黄灿，你陪着师伯去趟西看台。”“是，师伯跟我来吧。”爷俩一前一后，顺扶手梯子下来，来到西看台。白亮带着几个伙计都在下面哪：“黄镖主有事吧？”“白亮，告诉你们潘镖主，就说扬州司马道长专程拜谒秋老侠客。”“您候着。”白亮跑上去，一会儿潘龙下来行礼：“司马老仙长，家师叫我前来迎接，您请吧。”等南侠上了西看台，北侠早在上边等候：“哎呀，鼎鼎大名的南侠客海内寻针昆仑道长司马道爷，恕过小老儿接待来迟啦。”“无量佛，老侠太客气啦，贫道此番拜见阁下，原为两造争斗之事。”南侠刚要接着往下说，北侠伸手一拦：“我还认为阁下面见秋田叙叙江湖旧事，原来阁下是为了镖局打擂之事，这确不敢奉命，今日之事，只有擂台之上分个强存弱死，真在假亡。您要帮助秋田，谢谢您，老朽不敢奉邀，您要帮助姓侯的，打架不恼助拳人，我姓秋的不在乎，请回吧。”南侠把脸都气白啦：“无量佛，好，既然如此，贫道告辞。”“不送！”南侠气吭吭往下走，黄灿也不敢问，二位回到东看台。侯振远一看南侠的气色，就知道生气了。“道兄，怎么样？”“无量佛，秋田枉为人间侠客，偌大年纪，不通情理，事到如今，只有擂台之上见生死。”

　　王爷在旁边提醒大家：“众位老侠客们，飞龙镖局已经派人登台啦，我们准备应战吧。”果然有人上去了，这个人一登擂台，台底下“哗”来了一阵嘲笑：“哟，这个人怎么这样啊？”原来此人身高不过四尺，双肩抱拢，身穿蓝布裤褂，腰里扎着青布带子，搬尖大洒鞋，白布袜子，圆脸型黑紫脸膛，短眉毛大三角儿眼，黄眼珠子，小鼻子，大嘴岔，两撇黄胡子，大约有五十多岁。这个人来到台口一抱拳：“乡亲们，在下宣化府的人氏，复姓蓝田单字名宝，有个外号双手托天逍遥鬼。受飞龙镖局所邀，前来助拳。哪位上来，某家奉陪。”刚说完，听东面看台有人说：“呔，小小顽童，身不满四尺，也敢擂台论武！看来你们家里的大人们不管孩子，我来管教管教你。”话音一落，嗖地一声，蹿下看台，拧腰上擂台。正是多臂童子夏九龄。擂台下一阵大笑，高个头的孩子怎么这么损哪！

　　根据上次擂台的死人伤人，老侠侯振远不愿意叫小弟兄上台啦，因为年轻好胜，没轻没重。没想到夏九龄过来啦："师大爷，侄男不才，愿见头功。"老侠把脸一沉："小小年纪，抢赢斗胜，有什么好处，你应该好好地侍奉王爷。"谁知王爷说话啦："老侠客，这也是千载难逢的好机会，就让孩子上台阅历阅历么！九龄，我的面子，去吧去吧。"侯老侠心里有气：这帮孩子，将来都被王爷给宠坏了！老侠侯振远哼了一声："这前两仗必须打胜，你能成吗？""能成，师伯您等好吧。"夏九龄这小孩儿挺精明，知道蓝田宝本领比自己强得多。师伯用话激我，前两仗必须打胜，分明是叫我上台挨揍去，我必须胜了才露脸。他想出个损主意来，上台就气他，把他气晕了就能胜他，九龄才说出那么一片话来。果然蓝田大爷气得哇呀呀怪叫如雷："好小辈，才出娘胎，就敢藐视某家，过来进招。"九龄故意地把脸往下一沉："蓝田宝竟敢在小爷面前无礼，你是个不够尺寸的人，谁也不愿跟你动手，小爷也是拿你开心解闷儿，你倒登着鼻子够脸！好吧，我就把你扔下去。"说着一个箭步蹿过去，举双拳，"双锋贯耳"，照着蓝田宝左右太阳穴打去。蓝田宝跨左步，右脚扫堂一腿，小短腿真利索。夏九龄脚尖点台板，"嗖"地一下蹿起来，左脚扎根右脚鸡登步就踹。蓝田宝纵身出去，两个人插招换式打在一处。有这么一句话，行家一伸手，便知有没有。两看台的人是练武的，都瞧得出来，九龄非挨打不成。西看台上的一些人也在秋老侠的面前捧场："老前辈，蓝田大爷是您得意弟子，果然身手不凡，功夫很好，这个姓夏的孩子，真是小蚂蚱行嫌路窄，鹏飞云外恨天低。他差得太多。"

原来北侠秋佩雨，别看这么大的份儿，可不善辞令，说话不成，老头儿有个脾气，最讨厌说奉承话。"众位，不要捧场吧，我看老大非输不可。""哟，老爷子怎么看呢？""哼哼，他脾气太暴，这个小孩儿机灵，嘴尖舌巧，并且还会冒坏。众位不信，可以看么？"现在擂台上两个人动手已经十几个回合了。蓝田宝搂打开封，招数加紧，身法特别快，把九龄围在当中。九龄只有招架之功，并无还手之力，真打不过人家。他一着急，再看蓝田宝，"猛虎出洞"，奔胸膛打来，九龄根本躲不开。九龄一声喝喊："站住。"蓝田宝听他一喊，自己不知道什么事，马上把招数停住，往回下一撤拳，刚要问九龄你为什么喊站住？他还没问，九龄用手一指："蓝田宝，你们哥们为什么上台，俩打一个儿算什么英雄？"这可是猛鸡夺食儿！蓝田宝想：你们上台干什么？他一回头，那意思叫他们回去，就在他一回头的工夫，九龄一个跺子脚正踹在蓝田宝的胸口上，嘭——"哎呀！"叭喳，把栏杆撞折啦，蓝田宝咕嘟一下从擂台上掉下去了。他哎哟哎哟爬起来，用手往台上一指："好小辈，你为什么说瞎话？你诳我！"九龄站在台口，双手叉腰："蓝田宝，应该置你于死地，幸亏你跑得快呀。""你胡说，你诳我！""哼，告诉你，这叫本领，有力使力，无力使智，你输了没有？输了就认输！"蓝田宝有心再上台，又觉得没意思。只好分开人群来到西看台下，拧腰纵上去。台底下又乱又笑，议论纷纷："这小孩真机灵，把矮老头给打下来啦。"

老侠秋田等蓝田宝回来，笨嘻嘻地看着他："你这么大岁数，叫小孩诳啦。"其实东看台上候老侠很不乐意："爷以后可不能净惯着他们，您看这孩子品德多坏。"王爷微笑摇头道："老侠客，司马仙长，你们众位很有经验，在作战上，九龄这孩子颇合兵法，这叫兵不厌诈。照您说，九龄不敌，站在那里挨打，品德就好啦，心地就诚实啦。换句话说，人家给一刀，设法反败为胜的不诚实，可等着刀来致自己于死的算为诚实。小则比自己，当然是暴虎冯河无所谓，可大则于国可就不一样啦。一个战斗打胜威武不加，一个战斗打败则有败国亡身的关系呀！老侠您再想一想，这个孩子在将要被打的时候，还能出奇制胜，看来这个孩子不简单，我看得奖励。不知说得对不对。"王爷的话，说得大家都十分佩服。老侠侯振远连连点头道："爷真是远见卓识。"

这个时候，夏九龄在台上一抱拳道："乡亲们，在下夏九龄，一时侥幸战胜蓝田老师父，人家比我强得多。现在再请一位。"猛然，西看台有人高声喊："姓夏的，小小年纪狡诈得胜，有何德能之处？某家来也！"飞身影下看台，长腰登擂台，看热闹的一瞧，"哗"又全都笑了，又是个小老头儿。九龄一看，穿装打扮年纪，跟刚才那位一样。问："老朋友，你叫什么名字？""某家复姓蓝田单名玉，有个外号低头看山自在鬼。小娃娃，你取巧胜了某家兄长，你胎黄未退，乳臭未干，竟敢欺心奸诈，谅你不是某家敌手！快快换能者前来。"九龄一阵冷笑："蓝田玉，你真是目光短浅之徒，岂不知有志不在年高，无志空活百岁？秤锤虽小能压千斤，舟桨空长终被水没，防风氏身横九亩不脱会稽之诛，巨无霸腰大十围难免昆阳之败。你怎敢小看年轻人？你就留神吧！""小辈嘴尖舌巧，有功夫只管施展。"九龄一笑："蓝田玉，你藐视小爷，我要凭一招一式赢你，那就不算本领！这样吧，咱俩比比轻功，不用动手自见分晓。"蓝田玉一想：这孩子可坏，要是跟他动手，还要防备他冒坏，他提出比轻功，这倒不错，他无法冒坏，我胜他易如反掌。"姓夏的，这轻功怎样比法？"夏九龄用手一指上面顶棚的天花板："蓝田玉,你看这儿钉着一尺见圆的铁圈儿,我们从这儿纵身蹦起来,顺铁圈底下钻过去,然后头冲下,再从这个铁圈儿钻回来,落在台板上,身体不能碰这铁圈儿,就算赢。"蓝田玉抬头往天花板上看:"这铁圈儿在哪儿,我怎么看不见?"夏九龄一瞪眼:"嘿,你这眼睛往这儿看。"九龄猫着腰,左手往上指,蓝田玉仰着脖子往前凑合,九龄一瞧够上啦,猛地一抬右脚,照定蓝田玉的小肚子上,嘭,"下去呗!"蓝田玉的乐可大啦,"哎呀"一声从台上像一个皮球似的摔在台下,老百姓哗一下子全跑开了,可把这位二爷给摔坏了,起也起不来了。"哎哟呀哟,姓夏的好小子,你趁我不防范,给我踢下来,你好、好不了。"说话都费劲啦。九龄一阵大笑:"蓝田玉,我替你师父教训你,这擂台,不是你们家的客厅。姓夏的踢你一脚,叫你长经验长能为,要给你一刀,你都不知道怎么死的,你丢人不丢人?快回去吧!"蓝田玉气得一抱拳:"遵命。"啊,还遵命哪!夏九龄在台上洋洋得意,刚要说话,猛然,西看台有人喊:"小娃娃,以诈取胜算什么人物,绿林道没有你这种好汉子!来来来,某家与你讨教。"飞身形上擂台,台底下哗地一下,又全都大笑起来,怎么又是一位身体矮小的人物。此人正是迈步过岭无形鬼蓝田璧。夏九龄心里明白:这三位谁都比我高得多,难道说这位还能让我蒙了么?干脆见好就收吧,想到这儿,他一跺脚:"嗨,我只说上得台来,会斗成名的大人物,原来又上来一位矮小的人物,得,算我倒霉,回见吧。"说完,一打腰下擂台走了。气得三爷蓝田璧哇呀呀怪叫如雷:"姓夏的你上来!"九龄连理都不理,回到东看台,站在侯振远的面前:"师伯,侄男想会战两位出类拔萃的英雄,没想到还是个矮老头,就不愿再战啦。"老侠哼了一声:"不好好学能为,只在奸巧上下功夫,怎成大器?"九龄一吐舌头,心想,费了半天力气不落好哇!王爷倒是很夸奖。

蓝田璧在台上一站:"四方朋友听真,在下名叫蓝田璧,刚才这位姓夏的有自知之明,不敢动手,东看台还有哪位朋友登台较量?"蓝田璧连问数声,无人答言。王爷可说话啦:"侯老侠,人家叫阵哪,赶紧派人吧。"夏九龄一指:"王爷看呐,那不是有人去了吗?"王爷一看,喝!傻小子于恒,晃晃悠悠,双手分人群:"起来起来,快让我打擂去,好吃大馒头。"到了擂台边,两边都有大木梯子,他顺着梯子就上来啦。老侠侯振远很生气,他冲着张旺、孔秀瞪眼:"又是你们指使的吧。"

这回没说错,其实傻小子明白,跟坏事包张旺他们在一起自己总吃亏，可他跟别人呆不到一块儿，他们三人总在一起。张旺、孔秀冤他："哎呀，我说牛儿小子，你晓得今天到这里来干什么？""我哪知道？""我来告诉你，我们大家到这旮旯赢大馒头。""大馒头都是我的。"张旺念佛："阿弥陀佛，牛儿小子。""哎，坏事包，馒头是我的。""你看看西边。""看什么？""那边有馒头，要想吃，你必须上擂台。""上擂台去呀？""对，你打躺下一个是两个馒头一碗肉。""不够吃啊？""你打躺下俩人，就是四个馒头两碗肉。""谁给我记数？""我们俩替你记着。""别记错了。""记不错。""我就去。""哎呀，你不要忙，实在不够吃，你看见那个白胡子老头了？""老头儿？看见啦。""你要把他打躺下就好了，他一个人儿就是一屉馒头一锅肉。""那可就够吃啦。""快去吧。"这样儿，猛英雄于恒下看台，分人群登上擂台。往当中一站，两只手一捂肚子，雌雄眼儿一瞪："馒头肉过来。"蓝田璧一想：谁是馒头肉哇？傻小子扣着食哪！"猛汉，通上名来。""哟，麻烦啦，你听着别吓趴下了。我乃淮安府漂母河于家庄姓于名恒号宝元。师父起的外号叫吒海金牛！来吧！"说完一捂肚子，雌雄眼瞪圆。蓝田璧左手一晃面门，右手拳"猛虎出洞"，照于恒胸前就打。傻小子嘴里嘀咕："再来点，再来点。"吓得蓝田璧往回下一撤："猛汉，你说什么哪？""混蛋哪，馒头肉！还招早了，就得饿着。"蓝田璧一咬牙，蹦起来就一拳，眼看拳到啦，于恒又道："再来点吧。"随着左手往起一撩，右手一托他的小腹，"嘭"，把蓝田璧给托起一丈高。往下一落，"叭嚓"，差点给摔死。他一咕碌爬起来，捂着肚子转了好几个圈儿，才缓过这口气来。傻小子一捂肚子："臭豆腐、坏事包，给我记着馒头肉哇！还有谁上我这儿擂来？"

猛然间，有人喊："傻小子不要装傻充愣，某家来也。"西看台飞下一人，长腰登擂台。猛英雄急看来人，大高个儿，五十多岁，宽脑门大鼻子头，大嘴岔儿，黄眉毛黄连鬓胡子，深眼窝黄眼珠子，一身蓝系绒绳，倒是英雄形象。"猛汉，某家会会你。""好说好说馒头肉，你叫什么东西？""我乃江西临江府夹江驿龙泉坞金肩铁臂苍龙王增是也。""馒头肉，你是龙儿小子，快过来。"王增也是老人物啦。往前上步，右手掌奔傻小子胸前就打。于恒的招数是一招接一招的用，不能错了。他要第二式：伏虎将军神威广，急提猛按莫因循。他一说再来点，左手往上翻，一提王增的右掌。王增往后一撤，哪知道傻小子的厉害，右手从上往下，这手叫"月罩云龙"。大巴掌猛的往下一按，正是王增的脑瓜顶儿，"叭——"可了不得了，把王增的鼻涕眼泪全打出来，硬给打了个大坐墩儿，疼得他龇牙咧嘴。傻小子两只手又一托他的下巴，一按脑袋，这通晃悠！擂台下一阵笑声，傻小了捂肚子，朝东看台张旺道："记着两馒头一碗肉。还不够吃哪，还有哪位再给添一点儿？"西看台有人答话："我来也。"飞身形下看台，长腰登擂台。傻小子高兴："好小子，真孝顺，知道我不够吃。"这个人一瞪眼："让你知道叱海乌龙王甲的厉害。"王甲抢步进身，抡双拳打虎式，"泰山压顶"奔傻小子头部砸来。傻小子一看双拳到啦，上右步顺右手，斜肩带背奔脖子砸来，真是迅雷不及掩耳，王甲想躲焉得能够？右手拿正剁在脖子上，"叭"，可了不得了，把王甲的脖子给砍歪了，疼得他一个鲤鱼打挺起来，捂着脖子直转悠。再看傻小子一只眼睛瞪圆，在台上也转上啦。一边转一边喊："嗨哟，错啦错啦，要了我的命啦，师父不给馒头吃，错啦。"两看台上的人都纳闷儿，傻小子怎么啦？王爷忙叫孔秀过去问问。"哎呀，傻老牛，你怎么了？""混蛋，我的招用错啦。"

　　刚才咱们提啦，他的招换着用，按秩序应该是：前冲锤法谁能挡，倒推九牛勇绝伦。那就是王甲双拳到啦，于恒该是上右步，用右手封拳，右手用前冲锤奔王甲的小腹或者前胸就对啦。傻小子当时一急跳过去啦，用了立掌斜臂开山斧，这样把王甲给剁啦。他自己的招儿错格儿啦，猛英雄焉能不急呢？"错啦，哪位快来给找补找补吧。"——看来没人给找补上，傻小子就得急死！猛然间："有人喊："猛汉，我来给你找补上。""太好啦，你真孝顺。"飞身形上擂台，正是远东镖局镖主单鞭将边老桥，六十多岁很精神。傻小子笑啦："老头儿，看见就喜欢你，快找补。"边老桥真没瞧起傻小子，上右步脚踏中宫，右手掌奔于恒胸前便打。"再来点，真合适，再来点，真合适。"傻小子高兴，边老桥掌奔胸膛，正好给傻小子递过来，他左手一攥拳，从下往上翻，反拳一压，右手攥拳，正好使用前冲锤，"呜"地一下正打在边老桥的胸口上，这么大的年纪，差点给打死！"哇"地一声，仰面朝天出去一条儿，扑通，倒在台板儿上，当时都昏过去啦！潘龙潘宏鼎亲自带人上擂台把老桥抬回西看台。傻英雄两手捂肚子，又道："嘿，你是个好人，到底给我找补上啦。坏事包哇，记着馒头肉，还有谁再给添一份？"这时候，有人高声说话："傻小子，待某来。"说罢飞身形登擂台，正是营口永发镖局镖主神枪张凯要会斗于恒。

第十一回

秋佩雨力战众侠客
童海川双镜分双剑

　　上回书正说到：二次杭州擂，猛英雄于恒登台，连赢数阵，永发源局的镖主张凯上来，双手一顺，这手儿叫"虎扑子。"刷！直奔于恒胸膛来了。猛英雄等张凯的掌到了，一伸左手，虎口冲着自己，把张凯的右手腕攥住，左脚当轴，自己的身躯从右边往后转，使自己的后背跟张凯的后背正对上，然后大喊一声："呵！"这手叫：山熊硬靠山蹲纵！这一下张凯可惨了，叫于恒摔了一个嘴啃地，鼻子也破了，门牙也活动了，脑门子起了个大包。猛英雄在台上，自言自语："哟，多少碗肉啦，多少馒头啦，全忘啦！"他一着急，冲西看台点手叫北侠："老头，你来吧，有你这一锅肉，一屉馒头，就够吃的啦。"北侠秋田告诉大家，谁也别过去。

　　老侠站起身来，小童儿高清捧着大宝剑，高和在后面跟随。爷仁下木梯，直奔后台，高和把台帘高高挑起。老侠上台，两个童儿站在大帐前头。猛英雄高兴："来吧老头儿，快躺下，我们吃馒头肉。"老侠大笑："行啊，你只要把我打躺下，吃什么都可以，进招吧。"于恒用的是以逸代劳，招术是一下准，你要叫他先动手，他立刻就抓瞎了。猛英雄"举鼎托闸"，伸双拳照老侠顶梁就打。唰地一下就到了。秋老侠上左一滑步，伸右手一攥于恒的左胳膊，稍一用力，顺手牵羊，底下右脚一绊，借劲使劲，猛英雄来了个马趴！于恒面傻心不傻，知道自己不是老头的对手，傻劲上来了，说："老头，你真损哪，我只能吃半饱。"说完了，顺着梯子下去了。

　　这时老侠秋佩雨站在台口道："众位乡亲们，武林同道们，，这飞龙镖局的镖主潘龙是我的徒弟，他与金龙镖局两造的事情，在下本不想过问。无奈一节，听说有位新出世的英雄，要兴一家武术，在擂台之上把我七十岁的师弟法禅和尚，打得口吐鲜血，这倒不怨这位英雄手狠心毒，还是我师弟经师不高，学艺未到。为此老朽打算见见这位师傅，给他道歉而来，现在擂台恭候。"说完往后一撤步，很自然地站在那儿。童海川一听，点了自己的名，非出台不可了。只好拿双钺上去。王爷可显得慎重，用手抓住海川的胳膊："干什么去？"海川一阵冷笑："爷没听见秋田叫我么？"王爷点头："听见啦，我想你还是应该慎重，先跟众位哥哥们研究一下好吗？"老侠侯振远也抓住海川道："王爷的话如金石，贤弟着什么急？今天你想不登擂台都不行，不过不要忙，先看几位兄长的，到时候上去也好有底呀。"二爷侯敬山也过来劝道："兄弟你别着急，哥我先抛砖引玉会会北侠。"老头子刚要走，海川拉住："二哥，上次把和尚打重啦，您不能去。"老头子一乐道："哈哈，不对；你打法禅，和愚兄会北侠可不一样，北侠不是你，二哥也不是法禅，你放心吧。"

老英雄一按护台栏杆，飘身下看台，飞身登擂台道："秋老英雄，愚下不才，愿在台前领教。"秋佩雨上下打量，道："阁下莫非是山东侯二侠吗？""正是在下。""好哇，你们弟兄联袂江湖，一世成名，今天倒要讨教。"二爷伸手打包袱亮出镔铁双镰，包袱皮儿往腰里一系，大鹏展翅；左脚在前，右脚在后拿桩站稳："秋老侠请吧。"北侠一抱拳："恭敬不如从命了。"一转身，高清把剑往前一递，老侠攥剑把，大拇指用力顶崩簧，"喀嘣呛啷啷"，声音如龙吟虎啸，光闪闪冷森森，犹如一道电闪，光芒四射。这是切金断玉、削钢剁铁的宝剑，名叫辘轳宝剑。老侠秋佩雨右手宝剑冲天，左手掐剑把往前指，举火照天式："侯二侠，请来进招。""有僭了。"二爷左手镰晃面门，上右步，右手镰"丹凤朝阳"，对准秋老侠左边太阳穴就打，镰挂风声，十分迅速。老侠秋佩雨久经大敌，一看镰到，并不慌忙，微然往右一斜身，宝剑斜着往侯二爷右臂上一放，二侠突然往后撤右臂，秋老侠右手一翻腕子，"紫燕抄水"大宝剑从侯二侠的右肩上往上一挑，剑招来得好快。二侠左肩一闪，往后一纵身，"嗖"地一下子蹿出足有七尺。侯二侠心想，好厉害的秋田哪！双镰一分，看住门户。秋老侠就势宝剑尖往下落，手往上提，左脚如钉，猛提右脚，"金鸡独立"。两位彼此道请，当场动手又打在一处。有这么一句话：棋高一招，杀得你乍手乍脚！放在武术上更是这样。二爷侯杰的本领可比北侠差得多呀。人家北侠驾轻就熟，运用自如，天罡剑三十六式施展开，走行门让过步，随着加快的步法，把二侠围在正中。二爷秃脑袋一晃，双镢展开，上中下走三盘，封避躲闪，自己本不贪功，不求胜，这样破绽少漏洞无，也就不易输招。北侠秋田很佩服侯二爷，知己知彼，百战不殆，这个人有自知之明，够个侠客。二侠也明知不敌，可老头想这个：为了我家的事，山南海北的全来了，我要不上擂台，恐被宾朋耻笑。二位动手，侯振远很注意台上，他看秋佩雨的武艺精湛老练，可用的都不是赢人的招数，可见是位忠厚长者。其实北侠心里想的是：这些位都是成名的人物，一来不敢都得罪，二来是输了招就把一世美名葬送，我只对南侠司马空，因为他跟我对着号哪！侯振远心里很服气秋老侠，南侠也看得很仔细。王爷是外行，也看出些门道来了，道："司马道爷，本爵看着二侠客要不行啦？""无量佛，王爷您成了行家啦！"王爷一听这话非常高兴："老侠夸奖，当然本爵还不真懂，我只觉得侯二爷进不去招，好像是在挨打？""爷的话说得很是，侯二弟从开始就不敢进招，我看哪位贤弟去替换一下吧。"展翅金雕铁掌李源站起来道："王爷，道兄，众位哥哥弟弟给我看着点儿，我来会会北侠客。"侯振远一抱拳道："贤弟多加小心。"李源答应，一按栏杆，飘身而下，飞身登擂台："二哥，您先住手，秋老侠请出招。"二位各自纵身出去。侯二侠收双镢拱手抱拳："秋老侠客，现有清河油坊镇，李源老侠前来讨教，侯杰失陪。"说完走了。李源一躬到地："老侠客，您是武林前辈，李源本不敢班门弄斧，因看着前辈的武艺绝伦超群，一时技痒，斗胆给您接个三招两式，请前辈不吝金玉为是。"秋佩雨倒提宝剑，连连作揖："李老侠，您太谦了，秋田忝为武林后进，听说您乃当代著名大侠，西方老侠长臂昆仑飘髯叟于洞海老前辈的高足，秋田久仰啊！我们只能弟兄相称，江湖无辈，绿林无岁，秋田不敢当，李老侠请亮兵刃吧。""恭敬不如遵命，李源无礼啦。"这叫你敬我一尺，我敬你一丈，人敬人鸟抬林。李源背过身去一撩长衫儿，"唰"亮出鹿筋藤蛇棒，往前一纵身，"白猿献果"，后把对准秋佩雨胸前便捣，从身法带招数，一碰面儿秋老侠就知道李源的本领不比侯二爷差呀！老侠秋田剑诀变掌，弓左步，左手一扶藤蛇棒，李源一撤，秋佩雨右手剑随着身体一刹矮式，"唰"！对准双腿一扫。李源点台板，长腰往前，"鲤鱼跳龙门"，蹿出有六尺，跟着调过脸来，右手棒"唰"起来盖顶就砸。老侠闪身躲过，两个人彼此道请，抢步进身打在一处。展翅金雕李源把三十六手白猿棒展开，拨挂扒打，上中下走三盘，棒带风声，一招一式十分紧密。老侠秋田剑招加紧，盛名之下绝无虚士，步法择得准，"唰唰唰!"十几个回合过去，冷森森一片寒光，把李老侠罩住了。李源一看自己的能耐就到这儿啦，不敢贪功冒险。司马道爷跟侯振远老侠商量："侯贤弟，我看李檀越气力不敌，如若恋战很是危险，赶快派人吧。"老侠张鼎站起来，道："王爷，哥哥兄弟给我看着点儿。"说着一按栏杆，飞身而下，然后长腰登台，来到旁边抱拳拱手："秋老英雄且请住手，李老英雄也请罢招，愚下有话讲。"二位各自纵身出去。张老侠面带笑容："李源贤弟，你的白猿棒非同凡响，秋老侠乃武林名流。二位真是棋逢对手，将遇良才，战到何时是了？请李贤弟暂时下去，待愚兄抛砖引玉吧!"

李源的本领远远不如秋佩雨，张鼎的话明明是贬低秋佩雨，抬高李源。若一般人都要生气，脸色有些不痛快，可秋田脸上丝毫没有。张鼎暗暗惊服，心想：秋田是个了不起的人物，我真心愿意交这个朋友，无奈势成水火，实不容易。张鼎又躬身施礼："秋老侠，看阁下的武艺绝伦，不愧为前辈。晚生明知班门弄斧，一时技痒，斗胆请教，望老侠不吝金玉才是。"秋佩雨连连提剑抱拳："张老侠夸奖夸奖，实使秋田汗颜无地。您我都是江湖路上的人，交流技击之术，也不过是点到而已。老朽早就知道张老侠师出高门，点穴功夫有独到之处，纵有心登门拜谒，趋前聆诲，以增术艺，奈因年纪衰迈，未能如愿。今日机缘凑巧，得识尊颜，还先请你赐招吧。""恭敬不如从命，张鼎献丑了。"张鼎伸手拉出大铁扇子。右手一拎，左手剑诀一晃，右手扇子，"孔雀剔翎"，照定秋老侠精厥穴位上缠点。秋田剑一搭手腕，右手剑一迎铁扇子，"秀女穿针"，奔张鼎左肋便扎。张鼎跨左步绷右腿，"拨草寻蛇"，在秋佩雨左腿足三里一点，唰地一下就到啦。秋田抽身点头，好俊的功夫，比刚才二位也都强。秋老侠脚跟蹬劲，"虎坐坡"出去有四尺，拎宝剑左手一推银髯，看住门户。张老侠也往后一撤步，右手拎铁扇，封好门户。两个人彼此道请，趋身进招，打在一处。张子美把铁扇子的招数展开，脚下碾得台板哧哧作响，大衫兜起风来好像一篷伞儿，身法加快。北侠秋田封避躲闪，见招化招，见式迎式，确是一个久经大敌的人物，不慌不忙展开天罡剑式。十几个回合，难解难分，到二十个回合，老侠张鼎已经占不得丝毫便宜。秋佩雨剑招加紧，霞光万道，瑞彩千条，舞成了一座剑山，把张鼎围在当中。

南侠等人在看台上看得触目惊心：这秋佩雨不仅为人忠厚，而且功夫炉火纯青，造诣非浅。苗老侠也在想：自己本领绝对难敌北侠，可哥哥兄弟大远的把我找来，无论如何也要上擂台。最起码也撤一撤秋田的精力，不然恐怕司马道兄也非对手。想到这里，一抱拳："王爷，司马道兄，众位哥哥，我看子美难胜秋佩雨。你们爷几位给我看着点儿，我到台上讨教秋老侠。"王爷和大家伙都嘱咐他多加小心。

老侠苗泽一按刀把，飞身下看台，拧腰登擂台，往这儿一站道："子美贤弟，你与秋老侠战够多时，且请住手，愚兄苗泽有话讲。"张鼎纵身出去，封住门户。老侠秋田站稳身形。张鼎把大扇子掖好："秋老侠，张某暂时失陪。"秋佩雨答应道："张老侠请回。"张鼎冲着苗老侠点头道："老哥哥多受累。"说着，跳下擂台去了。苗润雨躬身行礼，道："秋老侠剑术绝伦，实令愚下敬佩。不揣冒昧，愿为阁下接上三招两式，以增教益，望您不吝金玉才是。""老英雄太谦了，看您堂堂仪表，莫非是常州府赛判飞行侠苗泽苗老侠客？""好眼力，正是苗泽。""苗老英雄久历江湖，老朽早有耳闻，本当早该趋前拜访，实因家事多忙，未能如愿。今日相逢，堪慰平生渴念。"其实，北侠心里很不痛快，他想：你侯振远老奸巨猾，邀南昆仑对我北昆仑，你还邀天罡刀对我的天罡剑！不过人家秋佩雨腹能容物，脸上不带出来就是了。苗泽抱拳道："秋老侠请赐教吧。"说完，一按刀把，顶碰簧"嚓楞楞"，宝刀离鞘，夜战八方藏刀式。秋老侠二目凝神，剑在右手，左手剑诀前指："请。"苗泽左手晃面门，刀走缠头裹脑，斜肩带背就劈。秋佩雨弓右步，宝剑一指苗泽的手腕，苗泽一撤刀，秋佩雨"仙人指路"，奔苗泽胸前便点，苗泽左手搭右腕"白猿献果"，用刀一截，两个人刀剑并举打在一处。老侠苗泽几十年闭户精研天罡刀翻天三十六式，戳砍劈剁，刀光闪闪，脚下既清楚，又准确，身如练翅云燕。秋老侠暗自钦佩，果然是盛名之下无虚士。自己不敢疏神大意，剑招走开，身法展动，银髯乱摆，守如处女，动如脱兔。苗泽心里明白，自己绝非秋田敌手。开始慢，越来越快，扭在一起，好像一团大火球，咕噜噜在台上滚转，都看不出来谁是谁了。

王爷目不转睛，仔细观看。心有所思，这些人不论哪家哪派，都是年高有法、行端履正、嫉恶如仇的武林侠义，国家法律森严，但也有鞭长莫及之处，这些人浪迹天涯，与人排难解纷，抑恶扬善，正是补朝廷王法所不及，他们含辛茹苦，练就本领，不求仕禄，自带路费，常年遨游在外，一手托两家，主持公正，给贪官污吏和顽匪刁民以惩罚，使他们稍加收敛，少做恶事，强不凌弱，众不暴寡，闾里安然，也是大好事啊。

王爷一边看一边想，两看台的人还有台下看热闹的人都是目瞪口呆。这时候，台上二位已经是三十个回合了，仍然不分胜败。南侠司马空看了看大家，自己也有个想法：侯振远大远的把我请来，不就是为了遮风挡雨吗？长眉罗汉铁背禅师普照的本领不济，陶少仙根本上不了台，如果等到侯振远、童林他们本家儿上去，我再替换也无意思，干脆，我现在就上，这叫两强相遇勇者胜。想到这儿，口诵佛号："无量佛，王爷，侯大弟，山人看苗老侠虽然功夫纯熟，也非秋田对手，贫道登台吧。"王爷点头："老仙长，您可要多加小心。"侯老侠也站起来："道兄受累了。"侯老侠为什么不上擂呀？他有个想法："无论怎样也应该请南侠上台，自己才能最后跟北侠秋田一拚。司马道爷从看台下来，飞身登擂台，轻轻一落，一点声音都没有。"无量佛，秋佩雨老檀越，润雨贤弟，两位暂请住手，贫道有话讲。"老二位各自纵身形出去，秋老侠把剑还到鞘内，苗泽把刀也插入肋下鞘中，问："道兄，您莫非有意与秋老侠谈论谈论武艺吗？""正是此意，请贤弟休息去吧。"苗泽冲北侠拱手："现有司马仙长与阁下交谈，苗泽失陪。"司马空单掌竖在前胸："无量佛。秋檀越，贫道稽首。"秋老侠面带笑容道："哎哟！老仙长，老朽还礼，阁下到底登台啦！""秋老侠，咱们都是偌大的年纪，争杀好勇还有什么意思呢？一笔写不出两个武林，红花白藕青莲叶，三教原来是一家。此佛家所谓不二法门。老侠客是说理之人，何不采纳愚言呢？"秋老侠一阵冷笑道："首先谢谢仙长，千里跋涉来到杭州，原为两造说合，息事宁人，秋田非草非木，岂有不感激之理？可惜道长你把事做晚啦，道长来到杭州为什么不了？在镖局为什么不了？单单到了擂台上来了事？秋田再无能为也不能接受！道爷既然来到台上，多费唇舌，唯智者不取焉！"老侠说到这儿一点手，高清递剑把，秋佩雨按剑把，一顶崩簧，"呛啷啷"辘轳剑离鞘，一道寒光，射入二目，秋田对南侠说："道爷你威镇武林，秋田明知不敌，班门弄斧，请勿见笑！"右手剑尖儿冲天，右脚扎根，左脚招起，金鸡独立："请。"司马道爷气得直念佛，回手亮巨镢剑，"嚓楞楞"，光华耀眼，右手剑紧贴后背，弓右步，绷左腿，左手剑往前指："无量佛，老侠心意已决，贫道奉陪就是，请！"秋老侠左脚往右落，右脚跟着上步，剑走顺风扫败叶，唰！奔南侠脖项便抹。司马空也往右上步躲剑，自己剑走"飞蝠落地"，奔下盘。二位双剑展开，一招一式，探身进招打在一处。南侠把五式剑走开，有赞为证："开剑式。巨镢惊秋风瑟瑟，寒似银龙蟠烛影，冷如彩风绕梧桐，出户魁星双提斗，回巢燕子巧穿林，大则鹏展翅，小则鹤衔翎，进式走连环，退式剑撩阴，开招必用击刺携，斜跨太乙棒七星，果得其中真奥秘，剑部班中挂首名。"南侠招术发动，北侠身法更快，两个人的道袍长衫兜起风来，真像穿花蝴蝶，难解难分。开始每招每式还能看得出来，到后来就看不清了，遍体纷纷，如飘瑞雪。内行外行，台上台下，无不点头赞叹！

　　侯振远老侠也称赞，看来练到老，学无止境，看了这二位的武艺之后，就不必再谈武啦！曾经沧海难为水，除却巫山不是云哪。南侠司马空有自己的想法：如果不动手，言归于好，那就万事皆休啦；现在动上手了，有道是当场不让步，举手不留情！你是北昆仑，我是南昆仑，我不能把一生的名誉断送！自己是个出家人，跳出三界以外，不在五行之中，酒色财气完全抛去，可荣誉难求哇！北侠秋田也自忖：我原与人无隙，与世无争，哪位动手我都能客气，唯有司马空，丝毫不能让！你既是了事人，为什么到擂台来了事？分明借南昆仑的威名来压我，我是个泥人儿，也有点儿土性吧。秋老侠看道爷的身法剑法，实受高人传授，无懈可击，想着走后留招，看他追我不追，北侠用剑奔南侠面门刺来。司马道爷是"老子坐洞把门封"，用剑一闭，秋老侠猛一回身，脚尖儿点台板，噌的一下，蹿出去有一丈挂零。司马道爷一看，秋佩雨走后留招，便道："无量佛，秋老侠别走。"左手剑诀一搭右手腕，这招叫"长河斩蛟"，唰！一纵身追过来，剑尖对准秋田后腰便扎。秋佩雨"鹞子翻身"，大宝剑往下一落，剑身平着，正落在司马道爷的剑身上，两口剑搭上啦，秋老侠的剑尖儿入了司马空宝剑的吞口以内。这样一来，谁也不敢松劲儿，如果南侠的手腕乏力，那么北侠就可以把南侠的剑绷出去，然后剑往里扎，南侠就有性命之忧。相反，北侠腕力不及，南侠也一样，北侠就有性命危险。呛啷一声响，北侠左手剑诀搭于右腕，右脚在前，左腿往后一撤，气贯于腕，躬登步的架式。南侠蚕眉一立，二目圆睁，左腿一绷，右腿一弓，气贯丹田，达于右腕，老二位一用力，"唰"地一下，两口剑平着就拱起一个桥弯儿来！二位侠客的浑身骨节，咯嘣嘣地乱响。这可就凭借功力啦，看谁的劲儿长，功夫深，把对方耗倒，那么谁就能赢。台上台下鸦雀无声，看台上的宾朋，全都愣住了。

　　在这千钧一发的紧要关头，燕子三抄水，有人从东看台飞身而上，正是新出世的英雄童林童海川，双手合着子母鸡爪鸳鸯钺，轻巧地落在二人的中间。好大胆量，双钺高举，气力贯足，往下就砸。耳轮中就听"呛啷啷"，好大的劲头，不是二老侠的腕力足，就把宝剑给砸出手了！这正是：南北仑昆会，双钺分双剑。二老侠各自纵身出去，拎宝剑捋银髯，注目观看。这一下儿看台上群雄的心，才从嗓子眼儿落下来。台下看打擂的人嗯噜噜交头接耳，议论纷纷："这个乡下人，怎么这大胆子?"旁边的人搭茬儿道:"老兄,上次你没来吧,就是这位把大和尚的脑袋给打漏了的,你往下就看热闹吧。"好哇!您要问双侠的剑都是宝刃,海川怎么敢砸剑呐?因为剑身是平着的,真要是立着刃儿,海川绝对不砸。秋老侠用手点指:"你是什么人?"海川一阵狂笑:"阁下要问,我就是你必欲杀之而后快的童林童海川。"老侠一听,蚕眉直立:"噢,你是童林?我钻冰取火,轧沙求油,千里迢迢,从塞北来到江南,寻找于你,一定要为我师弟法禅报仇雪恨!来来来,你我在此较量!"南侠真不敢下擂台,唯恐海川有失闪,又不准站在台上,只好退到大帐前观战。海川分钺发威:"姓秋的,我童林也正要会会你这倚老卖老,昏庸无知的野蛮侠客。进招来!"海川分双钺往这儿一站,虎视眈眈。老侠秋田一听,甩手相拦:"等一等,你我动手,各凭已能。为什么辱骂老夫!""哼!你本就是野蛮无知的剑客!""不对,话说不明,如同钝剑杀人。你说说,我怎么个野蛮无知?""你不用问,遇文王讲礼义,每逢桀纣动干戈,跟你说你也听不进去!""童师傅,你还是说出来的好。""好,你既然要问,我就跟你说说。海川从误伤老父,江西学艺,奉命下山,丢失路费,头结一掌仇,夜探家宅,老父染病,风雪困京师,王府当更头,地坛会二侠,二结一掌仇,丢失国宝下山东,油坊镇行刺,才知二小盗国宝;请兄长相助,杭州立擂,法禅无礼,欲报两掌之仇,才有掌打法禅之事。童林王命在身,怎奈法禅无礼,二次开擂;我童林原以为你这威名的老侠来到杭州,不难解决,因为圣旨赐限期百日,不想你倚仗艺业高强,执意黩武穷凶,将我等战败,方显你出人头地呀!话已说完,你进招来吧。"海川口似悬河,滔滔不断,凡是听得见的人无不赞叹。老侠秋田把宝剑还鞘:"朋友,你说我无知野蛮,我并没想给法禅报仇哇?再说我也有难言之隐哪!""老侠客不妨说出来让大家听听。"秋佩雨一声长叹,说出一番话来,使海川伤心落泪。

塞北宣化府正南十五里,有个大村子叫秋林寨。一百多户人家,大部分都姓秋,没有有钱的财主,当然别的姓也有几十户。本寨东口路北有个关帝庙,叫红马关帝庙,因为关羽在四十岁以后曹丞相送给他赤兔马,所以叫红马关帝庙。西口路北还有个关帝庙,叫白马关帝庙,因为在他四十岁以前骑白马,所以叫白马关帝庙。秋林寨这村子又叫双马关帝庙。白马关帝庙受香火,有和尚主持,求财求福,都要到庙里烧股香。可这红马关帝庙就不成了,年久失修,坍塌倒坏,破烂不堪,断瓦残垣,栋折梁摧,已经是无法居住了,不过还有两间正殿,凑合着遮风挡雨。

有一天，村里的头目村长王焕早晨起来，到村口遛个弯儿，他发现破殿里走出一个人来，是位出家的道长，而且长得很古怪，又矮又瘦，细长的脑袋，挽着发纂，穿青布道袍，系丝绦，厚底云鞋，长眉朗目，云绺墨髯。王焕可就过来啦："道爷您早哇？""无量佛，您早您早。""唉，真不知道，仙长爷几时来的？""昨天晚上才到。""哎呀，这座破庙都坏啦，没法住人，道爷您太受委屈啦。这样吧，我叫几个壮年人来，给您收拾一下，修葺修葺。"王焕这人是热心肠儿，他到村里叫了七八个年轻小伙子，两三天的时间，殿上殿下都修好啦，屋里屋外收拾得干干净净，锅盆碗灶准备齐全。王焕一看老仙长随身的东西太简单啦，有个大蒲团，一个小包裹行李，引人注目的只有一口大宝剑，王焕看着高兴："道爷，您怎么称呼哇。""王檀越，贫道姓谷双名道远，还有个道号叫知机子。"这个老仙长就是前文提到童林他师父尚道明何道源的亲师弟谷老剑客。谷道爷身怀绝技，云游四海，他来到宣化地面，一看本地老乡，朴实厚道，想在这里找个品德好的年青人，把武艺传授给他。老仙长说出名姓，王焕很喜欢这位道爷："谷道爷，您来到塞外，指何为生呢？""唉，我本是个化小缘的出家人，随遇而安，化一点粗茶淡饭以充饥渴就可以啦。""道爷还带着宝剑呐？""啊，防身之物。""您一定会武艺呀？""无量佛，是啊。我想教几个弟子，村长问问有没有学的？"那年月，上元甲子，人人好武习练。王焕点点头："道爷，咱们这儿的年轻人都很能干，可也有个不好的风气，都爱耍钱赌博，说真的，到时候输急了眼，房子土地都押得出！妻子老小，全跟着受罪。俗话说得好，久赌无胜家，您要能教他们些武艺，健体防身，到了农闲的时候，也省得赌钱闹事。先问问您，每月束修多少哪？"老仙长也说得好："愿多给就多给，少给就少给，实在穷苦的可以不给。金银财宝都是身外之物，出家人视如粪土，没有钱不成，钱多了也无用。"王焕大喜："老仙长好痛快，您看需要什么东西？"道爷画了个兵器架子的图，又把该买的刀枪剑戟、斧钺钩叉，十八般武器全写好。王焕派人去买兵器，找木工打好架子，拉了几车土，砸好了地，又搭起了硬顶儿天棚，一切准备就绪。王焕挨门挨户去喊："有愿学武艺的，束修不限，去到村公所报名。三天后全到村公所，我领你们去拜师学艺。"

到了正日子，红马关帝庙喜气洋洋，天棚下摆着桌子，祖师牌位，三炷香，两支蜡，红毡子铺地。王焕带着足有三十多个小伙子，名单交给仙长，叫一个名字过来一个拜师磕头。典礼完毕，叫徒弟围了一个大圈儿，道长坐在椅子上，给弟子们上第一课。告诉弟子们，练武艺为了健体防身，将来为国家效力，绝不是为了打架斗殴，谁要学会了武艺去仗艺欺人，为师可不许。从这以后，给大家盘腰腿腿站架子，万丈高楼从地起，树从根处水从源。

一晃就几个月过去啦，弟子们都有长进，谷道爷暗中一考察，这三十多人里，真能练艺的才两个，一穷一富、一僧一俗。穷的是本寨南街卖豆腐秋宝善的儿子秋田号佩雨，为人忠厚，品行端正，只是家里太穷。秋田还有老母康氏，勤劳贤惠，一家三口，指卖豆腐为生，连练武的束修银子都给不起。另外一个是白马关帝庙的小和尚法禅，因为庙里香火盛，师父又疼他，有的是钱，每月法禅都要多给师父几倍，可是这个人性情暴烈，非常急躁。秋田家里穷，在师兄弟里不多说不多道，显得不合群儿。法禅因为有钱，显得跟谁都合得来。法禅学艺，领悟得快，他自己认为别人不如他。晚上弟子们各自回家，秋田也要走，谷老师把秋田叫住："秋田呐，等师兄弟都回家之后，你打扫院子，擦擦兵刃再回家吧。""是，弟子遵命。"其实他还要回家推水磨去呐！众弟子都出庙啦，法禅显得多知多懂："师兄师弟们，你们知道师父为什么把秋田留下吗？""不知道哇。""告诉你们，这个月我正好跟他一齐交钱，我给了师父十两银子，你们猜秋田呐？""他交多少？"法禅一伸两只手："交了这么多。""那是多少？"法禅两只手一拍巴掌："他交了两巴掌，就让师父听了个响儿，一分没有！""师父可能叫着他，催他给钱吧？"法禅摇头："不对，秋田家穷得挂了粮锣儿——叮铛乱响，急了眼也就交二斤豆腐呗。师父叫住他替咱们干活。""对！"大家伙儿也是这么想。过了两天，秋田干完活，给师父行完礼要走。谷道爷微笑："秋田哪，你知道叫住你干什么吗？""师父，弟子不知。""秋田，你的性格内向，不好与人争斗，更兼你骨格清奇，适于练武，每天你晚走一些，为师教你一些武术精华。但有一节，不得无故卖弄，也不准往外透露。""弟子谨记就是。"这样，就每天晚上给秋佩雨说拳脚套路，完全拆开，并且给秋田还招，这就是学以致用的意思。有这么一句话：念书不讲，等于种地不耪；练武不拆招，等于没有学，因为你不会用。

这一来，经过三年的苦功夫，秋田大有长进。早晨起来，弟子们全到啦，遛腰遛腿，谷道爷出来道："徒弟们都过来。"大家围上了老仙长："师父，您有什么吩咐？""你们都练了好几年啦，今天叫你们动动手，验证验证自己的功夫，咱们按擂台的性质，由一个人出场，另外的师兄弟可以攻他，谁败了谁下去，不要用力过猛，以免伤了对方，大家听明白了吗？"听明白啦。""好，现在开始吧。"法禅素常就看不起大家，他早就擦拳磨掌，跃跃欲试啦。到了现在，一个箭步蹿到场子当中："阿弥陀佛，来吧，谁不怕挨打就过来吧！"法禅扬眉吐气往当中一站。一个小伙子叫周武，过来举拳就打，法禅用左胳膊一架，抬左脚正踹在周武的肚子上，"嘭！"踹出一溜滚去，疼得他直不起腰来，双手捂着肚子，"唉呀唉呀"地转了好几个圈儿，才缓过这口气来；又过来一个叫郑旺，也叫法禅打了个嘴啃地。一连气儿法禅胜了六阵，还有人要过来。谷道爷给拦住啦："秋田，你和你师弟比一比。""师父，弟子不是师弟的对手。""无量佛，俗语云，文不加鞭，武不善坐，当场不让步，试试吧。""是。"秋田过来道："师弟，我来给你接接招。"法禅把嘴一撇："秋师兄，你成吗？留点儿神。我会打出你的豆腐渣来！"法禅往前栖身，左手迎面一晃，上右步，右拳"泰山压顶"打下来了。人家秋田可不是硬接硬架，他一甩脸，往左微微一错步，伸右手立着一穿，法禅往回一撤右手，秋田"叶底藏花"。左手横在法禅的胸前，又叫单扛掌。就听"扑通"一声，法禅仰面冲天摔在地上。秋田赶忙过来把法禅扶起来："师弟，摔着没有？"法禅一甩袖子："姓秋的，你少来这一套，硬打软热和，我和尚懂得。这回我没防范，再来！"说着，冷不防双拳走"双风贯耳"，"呜"地一下，就奔秋田的两太阳穴下狠手了。秋田手急眼快，他猛地往下一矮身，右脚照定法禅的迎面腿骨上端来。法禅闪躲不开，真的用上三成力，他的腿非折不可。可秋田只是轻轻地用脚尖儿一点，法禅坐在地上了。法禅站起来，黑脸一沉："嘿，真没想到哇，花银子练的武艺跟花豆腐练的武艺比，咱还不成，太新鲜啦！"谷道爷来到法禅的面前："法禅，同是一样学艺，看来你不知用功，今后好好地练吧。"老仙长一摆手："都回家去吧，只有秋田一个人留下收拾。"

众弟子从里面出来，法禅很不乐意："众位，怎么咱们这些花钱的，这杂毛老道不教真能为？姓秋的不花钱倒比咱们强啊？"有的弟子可就说啦："法禅，师父说得对，你不好好地练功啊！""不对，要说练功，咱和尚从不偷懒，看来老杂毛吃着咱们，喝着咱们，他暗地里净教卖豆腐的，像话吗？"刚说到这里，就听山门里念佛："无量佛，法禅你真个大胆！"法禅一看，"哎哟"！吓坏啦，正是老师谷道远。老人家面沉似水："法禅，你背地里竟敢辱骂为师，要知道一日为师，终身是父！你骄傲自满，不思上进，还敢出口木逊！恨师怨弟，还算是个正人君子吗？怠慢师尊，天诛地灭！你小小年纪，羽翼未丰，尚且如此桀骜不驯，我门户之中岂能容你这害群之马？从今后你不必再来见我！"说完，老仙长转身进庙。

法禅无法，回到庙中，自己苦练。后来白马庙方丈圆寂，他就各处飘荡，寻师访友，来到八卦山，才跟李昆结了义兄弟。他对秋田始终不满意。

后来，谷道爷的门下弟子也越来越少了。这天晚上，秋田练完功告辞要走，谷道爷跟他说："秋田呐，现在庙里弟子不多了，我的收入也只能糊口而已，宣化城里为师有个亲戚，过些天要办个喜事，为师准备随个人情，无奈我没有一件干净的道袍。你回家跟你父母商量，记住我的身量，设法借一件，等为师回来再还你。可以吗？"秋田立即答应："师父放心，这能办到，不知日期远近？""还早呐，下月今天。"秋田答应着回家了，他可就犯愁了，秋宝善夫妻看出儿子为难，问："秋田，你这孩子到底心里有什么事？快说出来。"秋田把师父相求的事一说。然后又道："爹知道，我师父比我的个头儿还矮，想借一件，无奈咱这一带连个道观都没有，即使是有，也不见得合适。真的合适，人家也不见得借呀。"秋宝善一听："噢，就为这件事发愁哇。佩雨，谷教师对你额外恩施，几年来一文束修没要过，又知道咱家十分贫苦，他不是山穷水尽，不会求咱们。上山擒虎易，开口求人难！作为你来说，也应该孝敬师父一件道袍吧。""爹所说的，也正是孩儿想的，可咱家的情形，没有钱呐！"老人一笑："哈哈哈，你别着急，咱抽出半套豆腐的本钱不就成了吗？"商量好了，次日清晨，到城里买来青布。回到家里，秋田说出尺寸，康氏老安人亲自裁好做得了。秋田到庙里见师父，练完了功便问："师父，道袍借来了，您什么时候穿？弟子好给您拿来。""无量佛，真借到了，明天就拿来吧。"秋田答应。第二天拿来，谷教师一穿，真合体，说："怎么还借人家的新道袍哇？""师父穿着合身儿就好。"老仙长进城了，一直到了晚上才回来，一见秋田，老仙长有些不好意思："唉，徒儿，我到亲戚家，本想吃完饭就回来，没想到有几个老人要斗牌，一定让师父我来。你想，我又不会，结果输了，我把道袍给当啦。"谷道爷从袖口里摸出当票来说道："北门里仁和当铺。你要能赎就赎，没钱赎先放着吧。""师父不要操心啦。"秋田带好当票，练完功回家，把事情一说，秋宝善想了想："还是赎回来，什么时候谷教师要穿也便。明天你去赎吧。"秋田答应了。难得的是一家三口，绝没有一句怨言。

秋田把道袍赎回来，交母亲收好。秋田练武也更刻苦，到了最后，师兄弟只剩下秋田一个人了。老仙长又跟秋田提到上次的道袍穿着非常合适，问："秋田，道袍赎回来了吗？""弟子早就赎回来啦。""啊，还能借吗？""能。""那明天再跟人家借一次吧。""是的。"第二天就给老师拿来了。谷道爷穿着走了一天，晚上回来把道袍交给秋田："我也忘了问你了，这道袍怎借得这么省事？"秋田笑了，道："师父，我一家人不认识出家的道长，怎么去借？"把事情原委一说，又禀道："是我孝敬您的。""那样你们的生活更困难了！""弟子一家人多年就过的苦日子，不算什么。""唉，你一家都是忠厚人哪，你到里屋来。"爷俩进了屋，谷道爷把小包袱打开，拿出两封细丝纹银说道："这是一百两，你拿回去交给你父母做生意。""师父，弟子还没孝敬您，怎么能花您的钱呢？就是弟子拿回去，也要受父母的申斥，还得给您送回来。""不，回去对你父母讲，这银子是叫你父母再雇个力壮的人帮助做买卖，并且告诉你父母，从明天起，你就不能回家了，为师要以绝艺相传，助你成名天下。去吧。"秋田高兴道："弟子叩谢恩师的栽培，弟子这就回家禀明父母。"说完，趴地下行礼，拿银子回了家，交给母亲，把事情说明，一家人都很欢喜。

次日，秋田拿着简单的行李来到庙中，见师父问候。在教师旁边一站，谷道爷打开包袱拿出三本书来："秋田，你看看这三本书。"说着，给了秋佩雨一本。秋田一看是古版老书，上边写着《混元一气法》，他翻篇儿一瞧，都是老年人的画像，什么姿式的都有，有坐、有立、有躺、有卧、有歪、有斜、有仰、有俯、有劈腿、有竖臂，他一点儿也看不懂。"无量佛，你练武到一定程度了，应该明白，人的四肢八节为外丹，五脏六腑为内丹。俗语云：外健不如内健，内练一口气，外操筋骨皮。要想熬炼筋骨。必先练气，以后天之功力，补先天之不足，才能体健身轻。古人练武不为的是伤他人，也不为防备他人伤己，实为练体，益寿延年。这混元一气法，乃武术之源，物有本末，事有终始，这就是先立本而后求末，才是不老之法，益寿之力气，实为上乘功夫！你看这第二本。"秋田接过第二本，一看是《易筋经拆解》。第一个目录是无极图，第二是有极，第三是太极，第四是五首，第五是解说前边的图象，第六是三元图，第七是十三单操法，第八是自锤图法，再往下画的全是图，都是拳脚的姿式。秋田茫然不解："师父，弟子对这十三单操法、自锤法，这双法的运用，一点儿也不明白，望恩师赐教？"谷老仙长微然一笑："徒儿，你现在当然看不明白，将来把武艺练到火候，自然融汇贯通。这书总的是拆解易筋经的。武术是我中华国宝，当初就以它来保卫国土和家乡。因为远古之人穴居而野处，茹毛而饮血，既要防范猛禽野兽侵袭，还要防范敌人的掠夺。除去两种，还要与洪水风沙自然搏斗，必须具备捕食竞争的本领。轩辕皇帝指猴子而留技艺，远取之于物，近取之于身，动转挪移之物，皆通灵性，皆有防身保命捕食的本能，如猫蹿狗闪，兔滚鹰翻等本事，把这些长练到人的身上，就是技击之术。从轩辕一直传到鬼谷子王祥，再传到孙膑老先生，几十代又传到大明朝洪武二十年，有位洞玄真人张三丰，还有他族弟张景悦，在武当山精研练艺，才留下混元一气法，但必须切磋易筋经，由于这门功夫非常繁杂，因而删繁就简，按五行三才来说，内含八封九宫。五才就是这第四目录的五首，三才为天地人，号为三元。一元一百八十招，共计五百四十招，内含八卦。这十三单操法，即十干：甲乙丙丁戊己庚辛壬癸，再加日月，为十二，当中一点为十三式。地下有十二个字的跑字工，暗中含着十二支。外元三元十八个字架，地下有十八趟摔子，就是地躺拳。这就是上盘、中盘、下盘。所谓三盘武功，又叫三盘法。你再看自锤图说，就是太极图上的两个眼，俗说阴阳眼。如果解透练精了，真是四海无敌。当你练到这一步，为师再给你详细讲说。你看这第三本是《灵略图》。"秋田一看："喝！"这一本画的都是龙、虎、蛇、骆驼、猴、马、熊、鹰，不是飞禽，就是走兽的图像。各种姿式不一，可谓所有灵动之物都有。"秋田你看，刚才为师提到轩辕皇帝，察天地的气候，仿万物的灵动，唯猿猴最灵，它有三躲六闪的本能，因此借猿猴之能悟出击技之术，运用后天之法。再用黄帝内经补先天之不足，后辈叫它《洗髓经》，在僧门为吐纳之术。轩辕皇帝集万物的灵动所长，练到人身上，可防身健体。如有四时不正之气，也难侵入人人体。后代肝胆照人的英雄之士，凭借功夫行侠尚义，才有秦廷匕现，博浪推发，暴虎冯河之事，屡见不鲜。你能把此法学成，苦心锻炼，艺业有成，遵守侠道的准绳，为师门增光，使我衣钵传人，也是为师的心愿哪！当然，没有苦功，难通达道，你要珍惜时光，好自为之。"秋田眼含痛泪跪在地下："弟子何德，得遇恩师，敢不如命吗？"从这时起，秋田开始练功了，万丈高楼从地起，树从根处水从源。重新站架子，武术的架子是根基，根不深蒂不固，岂能长久呢？老仙长叫秋田站直，双手下垂，闭口屯舌，舌顶上腭，取自然之义，不许用力，这就是书上的无极。无极生有极，有极生四象，四象生八卦，武术从太极化出，所以这第一个架子，又叫祖架。拳经有云：提顶用裆心中念，两膀轻松身自然。万万不能用一点力，忘掉自己，似有如无，功夫到了火候，连自己都感到消失了，如在云雾之中，虚无缥缈。又教揉掌，疏散他身上的笨浊之力。然后混身过操，取其静止，教他打坐的功夫。爷俩个不论寒冬酷暑，二、五更的真功不断，眨眼就是三年。秋田内外两家之功日新月异，突飞猛进。三十六大架，化成七十二小架，这就是单式。一边苦练，一边把揉掌、撕掌、揣掌、披掌、挤掌、暗掌、劈掌、托掌、撩掌、换掌、摔掌，随着往里加进去。各种腿法：曲腿、踹腿、蹦腿、跨腿、劈腿、拨腿、截腿、蹲腿、单磨盘、双磨盘，还有乌龙搅柱、十二阴截腿，也都揉合到技艺中了。跟着到庙外练习跑步轻功，所谓陆地飞行术，共有十二个架子，犹如戏剧舞台上蹲着走的矮子功。双手左右下沉，膝盖冲自己前胸，腿往前伸，悠起来走。当右脚着地时，左腿又从后面悠过来。往返循环跑，每一步将近一丈远，差点儿的也有七八尺，跑起来像一条线儿一样，要不怎么叫千里脚程呢？仙长给秋田拆招解招，教他如何后发制人，如何发力，这些用的都是五脏之力。

光阴荏苒，日月如流。从前的不算，爷俩朝夕相处十八年。这其间父母双双去世了，佩雨孑然一身。这天，老仙长把秋田叫过来："徒儿，你的功夫很不错了，挟此技击之艺，与天下英雄争一时之短长，倒也不落人后，咱爷俩该分手啦。"秋田一听可就怔啦："师父，您这是什么话？""无量佛，秋田呐，消长盈虚，天地至理，离合聚散，人之常情，没有百年相聚的事啊！"秋田热泪直流，跪在地下："弟子不愿与恩师离开，您就给弟子挽发，弟子愿入三清教下。"老仙长摇头："不到时候，你先到江湖闯荡闯荡去吧，我把门户告诉你，你师祖是江西龙虎山玄天观主，清朝四大名剑的三爷，太极八卦庶士张鸿钧，为师弟兄四个，我排行在末。大师伯庄道勤，二师伯尚道明，三师伯何道源。"谷道爷给秋田说得很详细，并把门户之中的五戒说出，不可犯戒，秋田一一答应。老仙长又道："秋田，你的剑法是我们门户中的绝艺，今后要守身如玉，我再送给你个物件。"说着，把宝剑拿过来，托剑鞘，按碰簧，呛啷啷一道寒光刺人二目，一汪秋水相仿。老仙长道："此是辘轳宝剑，当年秦王用此剑斩过荆轲。此剑乃五金之铁精，六合之金英冶炼锻造而成。斩金断玉，削钢剁铁，唯遇锤棍之物要注意，好在你艺已学成，要善视此宝。你师祖珍藏两口宝剑，一口赠与你大师伯庄道勤。你师祖要将此剑送给你二师伯尚道明，为师与你二师伯孩童练艺，就在一起，感情最好，我私下里求你二伯父央告师祖把此剑赠给为师，你二伯父慨然应允，因此才落在为师手中。此剑虽在我身上多年，我并未伤一个生灵。今将此剑给你，望你好自为之。""弟子怎敢夺恩师所爱，弟子不要。""宝剑虽好，终是杀人之利器，出家人举足不伤蝼蚁命，爱惜飞蛾纱罩灯，带剑何用？为师心意已定，你不必推辞。"秋田这才把剑收起，问："师父什么时候走哇？""明日早晨，你今晚收拾一下，明晨送行即可。"秋田给师父行完礼就回家了。自从二老双双辞世，就搬在家里居住。稍微休息一下，起来收拾，天光闪亮，来到庙中，谷道爷已经飘然远扬。秋佩田只有往空一拜。

把家里安置好，秋田这才在南七北六十三省闯荡江湖。一来是武艺超群，二来是为人忠厚，结交不少绿林豪侠。在苏北铜山松棚会上，献艺簪花，当众贺号，人称独占北方笑鳌头南极昆仑子北侠客。有一年去云南昆明县的八卦山，才知师弟身为四庄主，因此结交了李昆等人，来往频繁。秋田跟李昆的交情很深，又是师兄弟儿，相反跟法禅显得不很近。回到秋林寨，就有蓝家寨的蓝田宝、蓝田玉、蓝田璧弟兄三人，头顶门生帖前来拜师，北侠收留了他们，又收了不少的弟子，潘龙也在内。蓝氏弟兄是本地的大财主，拿出钱来给师父起盖房屋，置办田产，俨然大户。潘龙要开镖局，亲自到北侠府上来报告。这时秋老侠已经八十多岁，阅历丰富，不叫他干。潘龙一看师父不愿管，才去八卦山拜见师叔法禅。法禅道："别管你师父，他胆小怕事。你干去吧，有什么事找我来。"杭州搞起来了，潘龙写了封亲笔信，叫儿子潘震把信送往秋林寨。潘震面见秋田秋老侠，跪倒磕头："祖父在上，孙儿叩见。""起来，孩儿，千里迢迢怎么来到塞外呀？"潘震把信拿出来，道："孙儿奉爹爹之命，有信面呈师祖。"老侠把信接过来一看，问："孩儿，这是怎么回事？"潘震不敢隐瞒，说出真情。老侠一听，蚕眉直立，虎目含嗔，道："你父实为大胆，当初开镖局，老夫不许，他一定要开，到现在为争渔业，打伤人命，老夫岂是那助纣为虐之人，为虎作伥之辈？把小冤家给我撵了出去！"底下人把潘震给带出去，潘震狼狼狈狈狈回到杭州，细说一遍，潘龙吓坏了，他万般无奈，又亲自来见师父。老侠严厉责备："我偌大年纪，不能因为你得罪侯振远。我也相信，侯振远也不能因为黄灿得罪老夫！再说我们俩又怎能受你们的指使，快回去息和此事！"徒弟来了，虽然没撵，但也绝对不管！潘龙回去发愁。白亮进来道："您别发愁，秋老爷子请不动，还有和尚老爷子嘛！您写信我去云南。"这才把法禅请来。童海川探掌打法禅，潘龙叫潘震多带人把和尚送往八卦山。他又马不停蹄备路费来到秋林寨老侠的家中，进门就跪下哭道："师父，侯老侠不但亲自前来镇镖，而且邀请一位要在武林中自兴门户的童林，把我师叔险些一掌击死！"秋老侠一听，心里不痛快啦，我秋田决不给弟子撑腰，你侯振远又为什么给弟子撑腰？当然我知道这件事起因完全是潘龙不对，你到了杭州也应该以长辈的身份，给说和一下，怎么你还邀人打法禅示威？你是打法禅哪，还是打我秋田？我和师弟没什么感情，可这童林为什么这样狠毒呐！法禅也七十多岁的人啦，为什么打这么重啊！唉，祸到临头需放胆，隐忍避让，叫人看我秋田软弱可欺。老侠是这么想的，可不这么说。只道："潘龙，你是想让我去么？""弟子想请师父去。""看来这就是你对我的孝顺？"潘龙知道师父恼了，赶忙跪下道："只求师父别生气。""起来吧。"秋田把家安置好，带着大小五个弟子，还有潘龙来到杭州。

到了镖局，当然是远接近迎，各路英雄相陪。老侠告诉潘龙："你要叫为师登台打擂，为师年纪已高，我只能出头给你们两造和解。"写好了信叫白亮送去。白亮回来说，侯老侠不在，过几天再去送信，才知道侯老侠太湖要镖去了。直到回来，才送去第三封信。白亮回来说侯老侠身体不爽。秋老侠一琢磨：这里有事吧？侯振远你来跟我姓秋的见个面，也小不了你呀！秋老侠派白亮去打听，白亮回来报告，侯二侠去常州请苗泽，张子美去扬州请南侠。秋田一听，再沉得住气也有些儿火了："侯廷啊侯廷，想不到你年逾八旬如此办事！你用天罡刀来对我天罡剑，南昆仑来对北昆仑，不但要胜我，而且还气我。好吧，我接着吧！"后来又一想，我别以小人之心度君子之腹，万一请司马空说合呢？没想到司马南侠跑到擂台底下说合来啦，才发生今天之事。到现在叫海川一挤，把老侠心里话给挤上来了，连从小到老的事情全都说了出来："我不袒护潘龙，他侯廷也别袒护黄灿！"

海川听完，站在擂台上发怔："老人家您的老师是知机子谷老前辈？""不错，童师傅认识家师？""您知道谷老仙长的二师兄、三师兄是谁吗？""我二师伯谈笑清居无极子尚道明，三师伯爱莲居士太乙剑客何道源。""哟，您提的这二位仙长，是我童林的授业恩师，谷道长是我的亲师叔哇。"秋老侠一听："啊！你是我的师弟呀，这可是大水冲了龙王庙，一家人不认得一家人啦！师弟，是愚兄的不对了。"秋佩雨好度量啊！海川一听，心想：我该认这个哥哥。可他年纪太大，我年纪太小哇？有些不敢。现在一看北侠，笑容可掬，风采可亲，双手抱拳，显着内疚于心似的，抛双钺于擂台之上："哥哥，小弟童林参拜兄长。"说着话，行大礼。北侠伸手相拦，南侠过来给北侠行礼："您是哥哥，小弟稽首。"北侠马上把南侠抱住："大弟，这显得愚兄不通情理啦！""不对，俗语说：好汉子怕调个儿，文言讲故事欲反诸己！哥哥您没有错，小弟错啦！"北侠摇头："不，不，愚兄不对。"海川拦住："全没错！有道是不打不相识，老哥哥不出气，您就打兄弟我吧。""岂有此理呐！"海川拱手："秋老哥，对小弟的事您还有不痛快的地方吗？""我与贤弟一天云雾散，结识贤弟就是愚兄最大的痛快！""那您跟我哥哥侯振远呐？"秋老侠闻听此言，"唰"地一下，脸上的颜色更变，蚕眉微皱，虎目睁圆："两位兄弟莫笑愚兄心地狭窄，腹不能容物，我与侯振远，不同天地，不共日月，江湖路上，天之所覆，地之所载，有他没我，有我没他，势不两立！"风云突变，正是：

酒逢知己千杯少，话不投机半句多！

第十二回

雍亲王化嫌了争端
借祝寿夜探清云寨

上回书正说到：南北昆仑会，双钺分双剑，在擂台之上与秋老侠见面，师兄弟巧相逢。可秋老侠一定要和侯振远一死相拚，海川、南侠、老哥俩一听可急坏了。海川忙问："老哥哥您这是为什么？"秋老侠哼了一声："老夫绝不袒护潘龙，他也不能袒护黄灿，为什么他来此镇擂？又为什么聘请司马大弟？"海川一听笑了："哈哈，老哥哥，您错怪他啦。"海川就把保王爷下山东请双侠出山相助，蒙侯老兄长慨然应允，明下杭州镇擂，暗地查访二小的事全说了，海川最后说道："我实不是为了镇擂，小弟与八封山已有两掌之仇，打法禅是小弟之事，与擂台无关。请道兄原为与您讲和，不是来对垒交锋的，可惜老道哥跑到擂台下说和来了。"南侠一听，敢情我说合不是地方！刚想解释，镇东侠已然飞身上擂台，"扑嗵"跪在秋老侠面前："秋兄，千错万错是小弟一人之过，只请兄长原谅。"常言道，人受一句话，佛受一炷香，堂堂的圣手昆仑镇东侠，也是八十多岁胡子都白了的老侠客，千人瞧万人看，趴在地给您磕头，杀人不过头点地！北侠是位忠厚长者，赶忙曲膝一跪，双手一抱："贤弟，请原谅愚兄年迈张狂吧！"司马南侠、海川分头把哥俩搀扶起来。侯振远抱拳当胸道："秋老哥哥，事情原委，以后细禀。您先带朋友回镖局。小弟带黄灿一定给您请罪。"北侠一摆手："贤弟说得不对，此事皆由潘龙所起，罪在潘龙身上。贤弟海川侠陪司马道爷回镖局，愚兄带潘龙前去赔礼。"北侠命令潘龙宣布擂台完毕，叫拆棚付款，然后回镖局。秋老侠叫潘龙把上身衣服脱掉，然后命其跪在自己面前，老侠用手点指："潘龙，你和黄灿之交，竟然见利忘义，挑起争端，以至杀人流血，为师要亲自责罚。"秋老侠用荆条打了他四十脊杖，打得鲜血直流。又叫伙计捧着衣服，用绒绳把荆条背在潘龙身上，秋老侠恭请天下英雄一百多位陪同，直奔金龙镖局而来。

侯老侠他们回到看台，禀明王爷，大家都很高兴，陪着王爷上马回镖局。一路上海川细细地先禀王爷知道，王爷心里太高兴啦。来到客厅，侯老侠跟王爷商量："爷驾，草民要打黄灿去请罪。"王爷直摇头："侯老侠，本爵要为黄灿说句公道话，此事黄灿无罪，将来见秋老侠，本爵要说清此事，为好息事宁人，也不能滥责无辜，老侠客不要性急。"大家也认为是对的。这时候下人跟进来："禀侯侠客爷，飞龙镖局秋老侠带所有宾朋押潘镖主负荆请罪。"除了王爷以外，众人嗡嗡啦啦全起来了，随侯老侠来到门外恭候。秋老侠道："振远贤弟，潘龙有违师训，酿此大祸，愚兄重责，押来见贤弟。请贤弟消气，你随便责罚。"潘龙跪在侯老侠面前："请叔父责罚。"侯老侠伸手相搀："侄儿受屈了，快起来。"撤去荆杖，拿来好药治伤，然后又让把衣服穿好，叫道："黄灿过来，给你伯父磕头谢罪。"黄灿精明，没等话说完，远远地跪下往前爬，爬到秋老侠面前："伯父只要不生气，请伯父严厉责罚侄儿。"秋老侠把脸一沉："你起来，你跟你哥哥潘龙孩童厮守，现在却见利而忘义，使无辜人流血死去，皆你二人之过。他无事生非，你也不是省油灯啊！本应重责，念你还是错误不大，还不过去给你哥哥见礼。"黄灿过来向潘龙磕头道："原谅小弟吧，是小弟的不对，您大人不记小人过。"哥俩抱在一起都掉下眼泪。黄灿给潘龙擦泪："大哥，当着咱们的老家儿，说句良心话，是怨您还是怨小弟？只要您说这事怨小弟，就叫师大爷狠狠揍我一顿。"潘龙脸儿一红，瞪了黄灿一眼："告诉你贤弟，这事全赖愚兄。"互相赔礼道歉，表过不提。

王爷面带笑容："侯老侠客给本爵介绍一下吧。"侯老侠对秋老侠道："秋老哥哥，这就是兄弟童林的东家，当今万岁康熙老佛爷第四皇子、雍亲王爷府的固山多罗贝勒爷。"秋老侠跪倒行礼："爷驾在上，草民秋田拜见。"王爷一伸手给抱住："秋老侠，你是圣朝人瑞，盛世耆英，久仰久仰。"后边的全过来给王爷磕头。潘龙也请罪。王爷请大家全坐好，说："秋老侠德高望重，给他们两造了结一下吧。""爷对这件事都亲眼目睹，请爷给了结吧。您的口谕，都要谨遵。"大家异口同声：

"请千岁给了结吧。"王爷点头:"好吧,本爵给你们说和一下。"略停片刻,又道:"潘龙、黄灿,你们两人仔细听,有说不对的地方,你们只管提出,先说你们俩谁是谁非。在这件事上,黄灿跟潘龙是从小弟兄,黄灿开了镖局,潘龙要想干,就应亲自找黄灿,哥俩商量一同干,不更好吗?你一定单开一号,想开镖局到别处去;为什么还在一条街上开呀?看来你是斗气,黄灿在这件事上不错,不但没有不乐意,还给你挂红随礼,这是第一次让你。黄灿包下鱼帖,你也去包鱼帖,黄灿再让你,这是第二次。飞龙镖局越境捕鱼,黄灿第三次相让。看来弟忍兄不宽,才酿成大事!潘龙你说是这么回事吗?""王爷说得千真万确,草民对不起兄弟,不为赚钱,只为斗气。请爷罚吧。""哈哈哈,罚你是一定要罚的,你认了错,这事就好办啦。第一、从明天起,两造镖局暂不营业,清理账目。黄灿、潘龙各找两个既公正而又能办事的人,把双方有关镖局的动产、不动产折合银两。如果金龙是十万两,飞龙是八万两,潘龙再拿出两万。资本平均之后,把飞龙、金龙两镖局全经官府注销,重新报为双龙镖局,赔赚两人各半,利益均沾。潘龙为总镖主,黄灿为副镖主,有关镖局之事,需二人商妥,你们两人乐意吗?"黄灿赶紧答应:"乐意。"潘龙也答言道:"爷有所不知,论言谈我不如他,论做买卖我也不如他,请爷做主叫我兄弟当总镖主吧?""潘龙你想得很好,但我不那么想,你是笨些,但你憨厚,黄灿能干。"北侠一抱拳道:"王爷的话,都要照办,只有一个人不能要。"王爷一怔:"老侠说的谁呀。""就是白亮这个奴才!王爷有所不知,草民也不袒护潘龙,对黄灿贤佞这件事,每件坏事都是他出的主意,真正罪魁祸首是他!潘龙、黄灿两个人刚刚和好,留这么个害群之马,会把这两个人给搅了,王爷不能心慈啊!""本爵没想到这个东西这么可恶。您想得周到,把他轰了吧。"北侠叫人把白亮找来,道:"白亮啊,潘、黄两家之事都是你一人挑拨离间,从中蛊惑的。老夫有心致你于死地,王爷心慈不忍,从此镖局以内除名。来人哪,把白亮赶出去,不再起用!"白亮眼泪都流下来了,道:"小子遵命。"说完,抱头鼠窜而去。北侠抱拳:"请爷吩咐吧。""第一,给负伤人员医治,一切花费,均由两号担负。因伤致残者,由两号负责生养死葬,抚恤家属,其子已成人者,可以到镖局干活,如年少者必须养到能自立为止。无子无女者,概由双龙镖局负责到底。第二件,黄灿、潘龙打架斗殴,其原因就是你们俩都有钱,俗话说叫'闹油儿'。我要讹你们俩出点钱,在灵隐寺预备几十桌席,邀请在座英雄一同前往。"王爷又对秋田道："秋老侠您是位德高望重的老英雄，海川又是您的师弟，众位老少英杰都有江湖美称，借着您的脸面，让海川在北高峰上献艺，您给贺个号，不知秋老侠和众位意下如何？"秋老侠赶忙站起来道："爷驾想得太周到啦，我先代表振远贤弟，还有潘龙、黄灿给爷道谢。有您在就是一福压百祸。至于给我师弟贺号，很是应当。就烦爷驾的大笔先给写两块匾，将来他们俩的买卖一定兴隆，不知爷驾肯为其赐福吗？"王爷大笑道："老侠命笔，本爵当仁不让啊！""谢谢王爷赏脸。"秋老侠一招手，潘龙、黄灿洗净了手，拿过来上好的南宣纸，研好浓墨，也搭着王爷高兴，大笔一挥，精神饱满，笔力遒劲，胜过褚遂良、不亚虞士南的四个字："双龙镖局。"派人选木料，请金石镌刻。各镖局镖主，都过来给黄灿、潘龙道喜。正在这时候，牛儿小子过来冲着潘龙、黄灿一瞪雌雄眼："你们两个小子混蛋啦，诚心饿我是不是？"黄灿道："傻爷们，这就开饭！"于是山珍海味，水陆杂陈，不外乎猴头燕窝，海参熊掌，摆有十几桌。秋、侯二老亲自敬酒，先从王爷往下来，众雄谦虚客套一番。

秋田正要跟王爷商量簪花贺号之事，帘子"叭哒"一声响，从外边进来一个人，海川一瞧，心中暗自发征。这个人满脸风尘，进来给海川行礼，然后往旁边一站。侯振远一看是王三虎。老侠向秋老侠长叹一口气道："秋老哥哥，这就是跟了我一辈子的伙计，叫王三虎，他和白亮可不一样，心地善良。他三次在黄灿面前劝黄灿不让闹事，黄灿都听了。"侯老侠把当时的事情一说，秋佩雨很感动："这是好伙计。"叫潘龙拿纹银二百两，赏给三虎。三虎抢步上前："谢老人家的赏。"跟着又给潘龙行礼："谢潘镖主的赏。"潘龙下腰扶起来道："三哥请起，咱们以后一锅抢马勺啦，有不对的地方，你对我跟对黄灿兄弟一样，该说就说，千万别见外。"王三虎单腿打跪："谢谢镖主看得起我，我一定尽心竭力。"张鼎张老侠把王三虎叫过来道："老三，你从哪儿来呀？"王三虎没敢说话。张老侠一摆手："说吧，没有外人。""小子已经探出盗宝钦犯落在什么地方啦。"于是他详细说出跟踪的经过。

前面说过，张老侠爷儿四个请南侠误入飞龙观，打跑了乔玄龄，韩宝、吴志广逃跑啦。追到三岔河口，二小跳水潜逃。张子美打发王三虎跟踪密访。王三虎是个老江湖，绿林道之事，他颇有经验。三虎出飞龙观，恰好阴云散去，露出皎洁星斗。他来到三岔河口，顺水路往西北方向走，仔细观察。这时候天光大亮，他发现一滩水印，三虎瞧了瞧有不少泥脚印。噢，贼人是从这里出来的。跟着再往北，又发现了一片泥脚印儿，看来又是一个贼人从这儿出来的。再往前走没多远，有片树林。三虎进树林蹲在树根儿底下，稍微休息一下，四处张望，想看出点痕迹来，判断这三个贼人，逃往哪一方。突然间他发现几棵小树上架着三根青竹竿。啊，王三虎明白啦，原来这三个贼人，前后上岸，在这儿碰面了。这三根竹竿，一定是晾衣服的。想到这儿，三虎站起来走出树林，查看脚印儿往北了。他跟着下来，可是一人大踩脚印儿就看不到了。走出有三十多里路，到了辰时左右，来到一望无际的太湖附近，眼前有个村子，足有五千户，是个大镇甸。东西一条大街，南北铺面房，村口外，路南一大片密树松林。树林北面紧靠道边上，有个菜摊儿，四根竹子腿，支着一个薄板儿的案子，上面蒙着白布长单儿，两边两条长板凳，树根底下蹲着两个木桶的清水，桌子东头，有个很大的壶碗架儿，一摞摞地茶碗扣着，还放着一大筒茶叶，一个铁架子生着火，上边有一把大铜茶壶。一个五十多岁的老头儿，系着蓝布围裙，盘着小辫儿，手拿芭蕉叶儿，猫着腰儿唿达唿达地扇火。三虎觉得口干舌燥，也有些渴，脸冲南坐在凳上，喊："老掌柜，给我来壶茶。""哎，客人照顾，您别急，水还没开哪，候一候吧。"老头儿拿扇子紧着扇。一会儿水开了，老头把芭蕉扇儿插在脖子后面，拿个大瓷碗，放上叶子，然后泡好，端到三虎眼前。三虎给了茶钱，嘴挨着碗边儿慢慢地吹着，好叫它凉得快。

这时候，从村里走出一个人来，手里提着一个大竹篮子，里边买了不少的菜，往菜摊走来，从三虎身后到了茶摊的东头，道："掌柜的，给我泡一碗儿。""好吧，老兄弟莱又买好啦？一天一趟。"掌柜的话，惹起这位的心烦，用竹篮子往薄板上猛地一蹾，"叭嚓"，王三虎这个乐儿可就大了，因为他在碗边儿上正吹呐，这篮子又有分量，用力一蹾，案板一颤，茶水溅了王三虎一脸，他一捂嘴，"噌"地一下蹦起老高来，掌柜的跟这位提篮子的都吓坏啦，全都跑过来："对不起，烫坏了吧？"掌柜的又端上两碗来放好。

提篮子的叫张二，是王三虎的把兄弟。认出王三虎道："兄弟，不咋吧？你这些年都在哪儿混啦？""别提啦，咱哥俩分手之后，我也是各处奔波劳碌，您的买卖怎么样？""可以。""你们的瓢把子还仗义吗？""还行。""你们这儿混得住吗？""不瞒三哥说，水旱营生，山里也十分富余。""总瓢把儿有名吗？""大有名焉！都是云南狐儿山铁善寺的门人弟子，大寨主姓罗名烈字焰光，人称紫面龙君；二寨主姓何名豹表字跃山，人称病獬豸；三寨主姓彭名冲字伯言，人称分水忽律，都有万夫不当之勇。""兄弟，你出山干啥来啦？""唉，是这么回事儿。大寨主夫人马氏，是湖南沅江金银乱石岛大寨主三孔独角蛟马彪马云龙的妹妹，夫妻只有一个儿子，人称玉面小龙神罗威罗声远，两口子爱如掌上明珠。最近，少寨主罗威来了几个朋友，山里边有的是鸡鱼，非让我出来买几只活鸭，要吃八宝填鸭。这不刚定好了，顺便又买些菜。""什么贵重朋友，这样招待？""嘿，要是高一头的英雄，指使我还可以，不是什么了不起的，是个老道叫乔玄龄。""就是他一个？""不，还有俩。"说到这里，张二的声音很低："听说是盗国宝的钦犯！一个姓韩，一个姓吴。依着三寨主彭冲，不让大寨主留下，可这是少爷的朋友，再说下月初十是我们大寨主的生日，那意思过了生日再叫他们离开清云寨。"两人说着几碗茶都下肚儿啦。张二又道："三哥，您要愿意来就跟我一块走吧。""谢谢兄弟的提拔，我还得拿行李去。""好，您看这大镇甸叫望潭庄，出北镇口很近就是清水潭，二百多里的水面，水深浪急，四水团围的孤岛就是清云寨，到时候你找我就可以啦。天不早啦，我先走。""贤弟请吧。"王三虎等张二走后，又给了掌柜的几个钱，然后溜溜达达地进了望潭庄，一进东口不远，路南里有座大店，金匾大字上写"陶家老店"。再往西是买卖行，人烟稠密。他转了一个圈，出村口上大道，直奔杭州而来，回到镖局。镖局伙计们对王三虎没有不尊敬的。一来是他忠厚善良，敢于说公正话；二来他是侯老侠的人，爱屋及乌，看佛敬僧，何况这是在黄灿面前说一不二的人！大家把擂台的事情一说，三虎听了，从心里高兴，来到客厅与群雄见面。现在张老侠一问，王三虎备叙前情。侯振远吩咐："老三，你很辛苦啦，快到下边休息去吧。"王三虎去了。

吃完饭，秋佩雨跟大家一起商量："振远，王爷刚才所说的，由愚兄督促他们去办，海川贺号之事，等待拿住钦犯，请回国宝再定。这拿人的事情，由你来安排。我叫潘龙、黄灿清理账目，找人刻圆，两号之事由愚兄办理。我看有不少的人还没有簪花，回头叫他们去银楼定做，也别误了事。""哥哥说得对，分头行事吧。"这时神手东方朔陶润陶大爷凑过来："两位侠客爷，在下有点事情跟您二位提一提，你们知道我祖居高邮湖畔，家里还有个二弟姓陶名荣字少华，外号狸猫草上飞。他在家里开了个店，就是王三爷提的那个陶家店，前十年他给我来信，叫我回家，我不愿意，始终也没回去。清水潭在我们村镇的北口，您二位商量着派人，就让我带着他们去望潭庄，然后再设法捉拿钦犯，您看好么?"侯老侠道:"太好啦,陶老英雄多受累。海川呐!"童林正要走,赶忙过来:"哥哥,快一点去扬州吧。""你先别忙,我想叫你二哥带着徐源、邵甫、张旺、孔秀、夏九龄、司马良,随着陶大爷打前站,然后咱俩再去。""行啊。"把二爷侯杰请过来,叫小弟兄收拾水衣,带路费军刃,马上起程。这时候,有人嗡声嗡气地喊:"秃哥哥,你上哪?带我去。"侯二爷一看,是傻小子于恒,心里这气:"胡喊什么呀!喊哥哥就得啦!干什么还挂个秃字?多嘴,上哪儿也不带着你!""你要不带我,我就把你扛起来。"王爷听见了,走了过来:"二侠客,带着他,这是有用的人。"王爷给讲情,二爷不好驳回。又派了四个镖局的伙计,一共十几个人,从杭州起身了。

　　要说这位狸猫草上飞陶荣陶少华,可有一身好轻功,他出身黑虎门,虽说是下五门,可是下五门中最好的门户,不杀生不害命,专门偷富济贫,行侠仗义。他在外边跑了一辈子,手底下积攒了五万多两银子,越鸟南飞,狐死首邱,贤臣怀故土,良鸟恋旧林。陶二爷一想:还是回家买几亩地,将来老死在家中就完结啦!这样才回到望潭庄。本家近邻,亲朋故友,听说陶二爷回来啦,都很欢喜,这家儿请,那家儿叫,热闹了十几天。有几个老弟老兄跟陶二爷商量:"你在外边混了大半生,也不容易,我看你这回就别走啦,一人一口也好混,在镇上开个小店也总能温饱,大家给你凑几个钱。"陶二爷摇摇头:"我要买几亩地哪!""不行,你从小没干过庄稼活儿,都这么大岁数啦,风吹日晒带雨淋,你受不了。""对,我在街上开个店。"刚巧,没几天就发现东口路南临街的铺面倒闭了,前后五层大院子,东西都带跨院,后面大车门,陶二爷就请中人说合,把房子买下来,又花银子重新修整,托人给写了金匾,半年的光景准备就绪,调货再上人手就可以开张啦。这天陶二爷一个人正在柜房闷坐着,他想啊,要开张必须找些可靠的人手。正在这时候,外面有人叫门:"陶二爷在吗?"二爷一听,立刻出去开大门:"哪位呀?"这一开门,唿噜唿噜,进来有四十多位:"陶二爷,陶二爷,给您请安。"都走进了柜房。二爷仔细一看:"喝,太好啦。"这几位都是大道边、小道沿、蹲包头、放响箭、红胡子、花布手巾缠头、坟前装神、坟后装鬼、打闷棍套白狼、偷鸡摸狗拔烟袋、隔着窗户拉被窝、大喊一声留下来,犯科的人物!不管姓什么,小名儿都是一个"贼"!前边这位是闷棍手刘三,他打跪儿问候:"二爷您好,听说您金盆洗手,弃了绿林,回家享福啦。您是我们的前辈,给我们做出榜样,可我们都拉家带口，不做点儿无本营生就得挨饿，您开店需要用人，我们这些人都歃血盟誓，放下屠刀，到店里来帮您开店，今后谁手底下不干净，只要发现就把谁宰了。"陶二爷一听，很受感动："老三，你起来，如果众位真有这心，大家捧柴火焰高，可到时候青酒红人面，财帛动人心，你们当中有人故态复萌，咱也不怕，就把他开除出去，不叫他一马勺坏一锅。可有一样，大家都能干什么呀？"刘三一笑："都有安排，您看，他是劫道的周四，字写得很好，心也细，外号叫秀才，叫他写账不误事。老四兄快见二爷。"周四过来行礼。"您看，这是偷坟掘墓的张五、张六，精神好，能熬夜，叫他们值更上夜。老五、老六过来见二爷。"陶少华搀起来："老五、老六，你们能熬夜吗？""二爷放心，越到黑夜越精神，不带打盹的。"陶二爷一想：对，哪有白天偷坟掘墓的？"您看，这是套白狼的韩成、端鸡笼的韩顺，这叔侄爷俩炒的菜有味道，而且手头儿有准儿。您看这是坟前装神的李立、坟后装鬼的王胜，他们俩又勤快，嘴又巧，让他们当前后院的伙计。"刘三用手一指自己："您往这儿看，门前让座儿我的事。我嘴唇薄，能说会道。其余的挡槽喂马、添灯油叫起儿、看车辆打杂活儿、当替工儿、买东购西、拾掇桌椅、拆洗被褥，全都用得上。咱们陶二爷刚才说了，谁要眼馋手粘，到时候把他轰出店去！二爷您看怎么样？"陶二爷一抱拳："感谢大家，咱们就择吉日开张。"

这叫败家子回头金不换！买卖一开张，就红火起来。东西南北水旱两路，都来投奔。一年下来，雪花白银剩了足足两万多两。陶少华的意思，人头份儿，一人一股。最后大家不干，叫陶二爷分一半。大家除去月工钱，共分一半，这样一来，这些人都发了财。陶二爷备了一份重礼，打听罗烈是哪天的寿辰，头天雇船进山递名片求见。请进大寨，见面一说很投机。罗烈很喜欢陶荣。陶二爷很客气："罗大寨主，众位寨主，小老儿在治下开了个小店，以资糊口，今后有求于众位宾朋的地方很多，还请多多照顾。小老儿有不周之处，还望海涵。"罗烈大笑："罗某有何德能之处，敢劳老英雄前来祝寿？您给我的荣耀，五衷铭感！彭伯言贤弟，你把山寨四色旗拿一份来。"时间不大，拿来四杆小旗儿，分为红白蓝青四色。"陶兄，请收下！记住，不论哪路客人，带着多少珍贵之物，潭西入高邮湖水面用白旗，潭北走高邮湖、白马湖、洪泽湖用蓝旗，有旗就平安无事。"感激得陶少华热泪直流："您们哥俩赏我饱饭，有生之日，即是感戴之年呐！"罗烈大笑："陶兄何必客气。"这么一来，陶家店可就了不得了，珍宝红货，只要派个小伙计，拿着旗子就畅通无阻，比保镖都保险！远地方的客商，花重金请陶二爷派人执旗护送，日进斗金，这买卖蒸蒸日上。陶荣又给兄长陶少仙去信，可他始终没来。十几年的光景，就这样过去了。

这一天，天快黑了。闷棍手刘三刚把灯笼挂上，站在店门口让客人："来往的客人们，请住陶家老店，房子都是新刷的墙，四白落地，被褥都是新拆洗的，里面儿三新，没有蚊子虫子虮子跳蚤。想吃什么煎炒烹炸，做出来都跟御膳房的味道一样，请您住下吧！"原来这一帮并非别人，正是陶大爷带来的众位英雄。大家伙儿都说："到啦，就是这儿，没错！"傻小子于恒早就饿啦，喊道："没错，一个儿也跑不了。"他说这话的意思是，全别走了，都在这儿歇息吧。没想到，刘三一看，这些位都带着军刃，大个儿又说一个儿也跑不了！刘三心说："完了，可能堵门掏！连东带伙全是贼，要犯案！"他正嘀咕，陶大爷一抱拳："伙计，陶荣在店里吗？"刘三一听：这是点名儿捕贼呀！怎么着抽冷子设法告诉二爷，叫他跑了，我顶着打官司！问："您找陶荣啊，唉，他死啦。"陶大爷一哆嗦，差点儿眼泪下来。可刘三往下再说，陶大爷这气可就来啦。刘三知道陶二爷犯案都是旧案，因为近十年来，他没做案。他假说道："老爷子不知道，陶荣死了十五年啦。"陶大爷一听，犯嘀咕了："十年前给我来信，叫我回家，怎么能死后给我写信呢？这是拿我当了官人啦，咒我兄弟死，我吓唬吓唬他。""陶荣死了不要紧，还有个打闷棍的刘三哪！"刘三正想逞英雄，就听门洞里有人说话："老三，不要怕，一切事情我担着！"陶少华从里边出来，听说外边来了官人，这才出来一看。"啊！大哥来啦。"抢步进身，撩衣跪倒磕头："哥哥，想死小弟啦！"说着流下眼泪，陶大爷见兄弟也是热泪盈眶。刘三这才放心过来请安："刘三拜见大爷，拿您当了鹰爪啦，吓坏了小子刘三！"

群雄一齐来到东跨院北房，伙计打脸水，擦脸漱口。陶荣对刘三说："兄弟，告诉厨房，一律牛羊肉。"大家伙儿喝着茶，陶大爷便把两次杭州擂的事情都说啦。最后说："钦犯韩宝、吴志广以及国宝都落在清水潭，这次来就是办这件事，侯老侠、童老师随后就到。二弟，你有什么办法吗？"侯二侠也作揖："陶二爷能给出点儿力吗？"陶荣就把十年来清水潭关照的事全说了："现在有个机会，明天就是罗烈的生日，寿诞之期，每年我都要进山拜寿，韩宝他们是否真的落在清云寨，尚且不准。这样吧，我明天进趟山，探看一番，如果真的在山中，咱再设法擒贼得宝，不然的话，也别轻易得罪他们，因为他们是铁善寺的弟子。你们哥俩商量一下看看怎么办?"侯二爷点头:"陶老英雄老成持重,想得周到,家兄舍弟都没想到,这么办很妥当。"陶大爷也乐意:"这么办,明天你别一个人去,带着夏九龄、司马良两位贤侄,作为你的弟子,一同前往。"陶二爷一想:还是兄长老练,因为自己说出与清云寨有关系,万一进山,韩宝他们不在,回头侯二爷再疑惑自己通风报信,那就百口莫解,跳进黄河洗不清啦!这样就商量定啦。大家吃饭,饭毕撤去残席,叫刘三把店里人全叫来见过大爷,又让刘三准备礼物船只,明天进山拜寿。

次日清晨,陶二爷跟侯二侠商量:"每年拜寿都要在山里住三天,今天是正日,昨天就说去,我们爷仨尽可能今天回来。如果不回来,也不要打草惊蛇,因为这清云寨四水团围,并且有水寨竹城,十分坚固。"侯二侠道:"放心去吧。"四个年轻伙计捧着四色礼物,只有陶大爷、刘三爷俩送到北镇口外。爷儿三个上了船,船篙点岸,唰啦啦冲风破浪,刹时间被烟波吞没。爷俩回来禀报侯二爷,只好耐心地等待。从早晨等到中午,刘三几次去北镇口探望,杳无音信,又从中午等到晚上,掌起灯火,也没音信,爷几个就坐不住了。陶大爷不想别的,只想不应该叫夏九龄、司马良跟着去,这两个孩子要出点儿错,怎么对得起童海川哪。二爷把大家都叫到北屋里,对他们讲:"陶二爷他们三位没回来,你们也不必挂念,吃完饭大家都休息去,谁也不准无事生非。"说完话,叫伙计备饭,大家吃完饭,快定更了,陶二爷他们还没回来。徐源、邵甫哥俩回到东房,邵甫问徐源:"三哥,您说有危险吗?"徐源想了想道:"很难说,因为两个小师弟都在杭州抛头露面了,万一贼人认出来,就是个麻烦。""三哥,咱们就这么等着呀?""二叔不是说,不让大家闹事么?"邵甫摇摇头:"这里水性好的就是咱哥俩,咱们进趟清云寨探看一下,暗暗地去,暗暗回来,人不知鬼不觉,谁也不知道哇。""我也想过,怕二叔骂咱俩呀?""没事,走吧。"两个人把灯吹灭,把小包袱背在身上,从后窗户出去,飞身上房,施展轻功,蹿纵跳越,直奔北镇口。

夜静更深,只听清水潭水声如牛吼,惊涛裂岸,乱石崩云,其实离水还有一里多地哪。尤其是晚上,听着令人发毛,脊梁骨发凉啊!小哥俩塌身形走矮式,施展夜行术,走出没多远儿,哥俩站住啦。就看前边一排矮树丛后边,有个黑东西,一会儿高,一会儿低,上来下去,徐源一看:"这是什么东西?"他低声地问道:"这黑东西又缩到树后边啦。"

哥俩往前试探着走，快到切近了，突然间在树丛后面，半截黑塔一样站起一个人来："混蛋呐，怎么才来？"徐源、邵甫一看这气，原来是猛英雄叱海金牛于恒于宝元！"哟，傻爷们儿，您怎么上这儿来啦？""我想拉屎才来的，你们俩个小子干什么来啦？""我们是遛个弯儿，消化消化食。""混蛋呐，半夜遛弯儿，一定是找你们爹来啦。"徐源、邵甫一听这个气："您怎么这样说话呀？""没错，你们俩都是我儿子。""唉，傻爷们儿，您怎么找我们哥俩的便宜？""没有哇，你们是我老头儿哥哥的儿子，不就是我的儿子吗？""不对，我们是徒弟。""对了，徒弟、儿子差不多。"傻小子并不是跟徐源、邵甫开玩笑，他还真是那么想的。"得啦，是儿子就是儿子，您干什么去？""你们两个干什么去？""您知道两个小师弟随着陶荣陶二爷进山，到现在没回来，二叔不放心，我们想去探看一下。""那就对啦，你们说的不错呀！我也想去看一看。"徐源他们一听，心里很感动。于恒傻实，他知道夏九龄、司马良跟他近，他都惦着。说："可别忘了清水潭，水深浪急，下去就淹死啊。"于恒一捂肚子："三儿四儿，你们两个小子吃饭的时候，我就看你们眼珠乱转，是想来呀，又看我秃哥哥着急，我一猜我你们准打这儿过。我早就上这儿等着你们了，懂吗？"徐源他们一听真着急："您知道这水多深吗？""不管多深，我也要去。""您会水吗？""您俩混蛋不是？""怎么啦？""不会水上这干什么来呀！我在家里经常下水，我个头儿高，到不了脖子这儿，这点儿水趟着就过了。"他们俩听了一哆嗦："这水足有十几丈深，您过得去吗？您快回去吧，这可不是闹着玩的。""好小子，叫我回去，你们俩是办不到的。我会狗刨儿，没事。""啊，您会狗刨儿就下去了，不行！""让我回去，我把你们俩也扛回去！"邵甫把徐源给拦住："三哥，咱们先把水衣换好，叫他下去，不成咱把他再捞上来呀。"徐源一想，这是个办法。哥俩把油绸子包袱打开，把白天的衣服和夜行衣包紧，然后穿水衣，三岔吞口的水衣水靠，日月莲子箍，分水鱼皮帽，这分水帽是拿江鱼皮做的，头上有两把牛耳尖刀，穿好以后，把油绸子小包系紧，兵刃插好。于恒这乐："三儿、四儿！"徐源、邵甫都五十多岁了，比于宝元大一半儿都多，他俩笑道："瞧您叫的这嫩劲儿！""哈哈哈，你们俩这一穿戴，跟两个小兔子差不多。""嘿，真能比呀，傻爷您怎么办？""我就是这身！""好，您先下水吧。"说着，猛英雄一脚下去啦："我说没多深么，腿肚儿深。"清水潭离岸两三步就够不着底儿啊，没走几步，"嗵"，于恒没影啦。徐源、邵甫一瞧，坏了，马上飞身起来，扎入水内，在里面摇头换气，各处寻找，毫无踪迹。两个人从底下露出水面，用手往脸上一撸水："三哥，找着了没有？""没找到，是不是淹死啦！"刚说到这里，猛地从水里翻上一个人来，两只蒲扇大手，照着徐源、邵甫脑瓜顶就拍。啪地一声，这两个人就给拍进了水里，等翻上来吐水换气，仔细一瞧，猛英雄就好像站在水皮上一样，整个身体除两条腿在水里，全露在外面，这踩水的功夫太棒啦！徐源、邵甫大吃一惊："傻爷，你的水性这么大呀？""小子，老牛不会水？这儿的水还没有大腿这么深哪。""啊，您真能吹！""你们俩要不服气，咱们可以赛一赛。""您说怎么比赛？""小子们，咱们一齐往竹城游，谁先到谁就赢啦，谁后到谁就为输，不管你是扎猛子，还是狗刨儿都成。""好吧。"商议定了，三个人比齐，就看傻小子往下褪头没入水面。正值黑夜，看不太清楚，只见水面随着恒前进的方向，起来一溜拳头大的水泡儿，随生随灭，犹如一串珍珠相仿，其快无比。徐源、邵甫惊呆了，这叫江猪凫水，看来傻小子水性太大了。追吧！老哥俩也奋力击水，唰拉拉直扑寨门而去。

清云寨山势浩大，四水团围，陡壁悬崖，孤松倒长，槐柳低垂，怪石嶙峋，好不怕人！当中的山口，水面很宽，浪花激湍。从两面山上生起来的碗口粗细的大竹子，如同万里长城，两边用铁板，上下钉下三道。山口往里水面又最窄，跟人嗓子眼一样，就如同一道关卡。竹城从山上下来，一直到水里当中的寨门，用竹子扎成的千片闸。竹城上有绞盘辘轳，可以绞起来，水闸下边拉起来的拦江网，还有滚笼档，不时有鱼不留神叫滚笼档给绞死。等徐源、邵甫到这儿，一看傻小子用大杵往竹子扎进去三尺多，外边露着一尺的杵把，他往上一骑，揪着上边垂下来的竹枝，瞪着一个大眼睛，正瞧他们两个哪！"哟，傻爷早来啦！""混蛋哪！小子，我这都睡了一觉了啦。""嘿，爷们儿，您算把我们俩给唬住啦！""你们俩快想主意，怎么进去？"徐源、邵甫揪着竹子缓缓劲儿，仔细观察了一遍，跟着又一个猛子扎到下面，这滚笼档，被水一冲如同风车儿，上面挂满鲇鱼刀，利锐锋快，两个人提气上来，大失所望，邵甫跟徐源商量："三哥，看来陶二爷说的不错，清云寨真是无法闯入。"这时候傻小子搭茬啦："你们看了么？""您别添烦啦，根本进不去。""混蛋不是，进得去。""傻爷们，您说怎么进去？""就从门这儿进去！"傻英雄一伸手把大杵从竹城上拔下来，踩着水到了竹城跟前，这竹闸的竹子是死的，可也总是湿的，不容易弄折。傻人有傻主意，他用八楞紫金降魔杵，顺竹子的缝隙扎进去，用力往起撬进去一点，把竹子撬弯了，杆尖儿在弯竹子后边穿过来，猛英雄左手攥住了把儿，一提气，身子出了水，两只脚蹬住竹闸，身子往后拽，两只胳膊伸直用劲，"咔嚓"一声，猛英雄连人带杵，头冲下就扎进水中，半天的工夫，水花哗地一声冒上来了。"爷儿们，怎么样？"徐源、邵甫十分佩服。傻小子又把邵甫的铲要过一杆来，把竹子切开，就这样慢慢地，真把这竹闸弄了个大窟窿，三个人收拾一下，从闸门钻进去了。猛英雄他们踏水前进，直奔船坞寨门而来。

没走出多远，猛英雄一看，前边来了一只船，竹竿上挂着红灯笼，上边有号头儿，是十二号。两名水手，一名掌舵的，一边站着两个挂刀的喽兵，船头有个小马扎儿，坐着一个头目，三十多岁，旁边放着个大木盆，这个头的眼前船板上，有个一尺来长的木头立柱，柱上有个透眼儿，拴着黄豆粒粗的绳子，这根绳儿足有二十多丈长，在旁边盘着，绳子头上拴着一杆小叉儿，三个齿儿，头上有箭头，倒须的钩儿，叉杆儿有核桃粗细。头目跟弟兄们说话："咱们再有一个来回就交班儿啦，今儿个咱们的运气还不错，我可叉了三条啦，回去一烧，喝二两可太美啦！你们看又是一条大的。"其实，他们指的正是牛儿小子。傻小子一看船来啦，往水里褪头，把脑袋往右一歪，不但看得见也听得真呐。没想到，这头目正找酒菜儿哪！那头儿右手一抖，"唰！"小叉带着绳就奔傻小子来了。"嘭"，正叉在傻小子的脑袋上。真危险，要不是他有铁布衫的硬功，非叉死不可！人家往回拉绳呐，傻小子横着一蹬水，出去有个几丈远，慢慢地露出水面，就听那个头目后悔哪："我这叉准哪，再说也确实叉上啦，怎么跑了呢？"旁边有人说："头儿，叉上大甲鱼了吧？""对，一定叉上甲鱼啦，真丧气，有它的地方没鱼呀，快走吧。"小巡逻船刷拉拉眨眼之间就过去了。徐源、邵甫都看清啦。他们俩凑过来："爷儿们，您叫人家给叉啦！""没留神。""说是甲鱼呀，您是甲鱼啦。""对，我是甲鱼，你们俩都是甲鱼蛋。"嘿，一点不吃亏！

爷仨往里走有七里来水路，到了船坞寨门，随山势修的大寨墙，起伏不定。今天是大寨主的寿诞之日，头道寨门悬灯结彩，四十名兵丁，都穿的新号衣，东面的大船坞，里边帆樯林立。徐源他们不敢往前走，三个人定准方位，就奔船坞的南边上岸了。钻进一片大树林里，徐源、邵甫把水衣水裤全脱下来，抖一抖水珠，把包袱打开，夜行衣换好，兵刃插在背后，水衣包好往身后一背，收拾停妥。徐源一看，这山坡有个洞，洞口长满了青苔："傻爷们儿，您这儿来。""干什么？""我们俩到里边去探看一下。""混蛋呐，老牛怎么办？""您不会蹿纵，就在这洞里藏一会儿，到时候我们两个回来，咱们再走，您要听见里边锣声响亮，喊杀连天，您就从寨门这儿闯进去给我们打接应吧。""好，听你的。"傻小子一猫腰钻进去了。

两个人隐蔽身形，施展轻功，直奔寨门东边的大墙。来到墙下，纵身上墙，单胳膊肘跨墙头往里看，里边山势很大，不少窝铺都是驻兵的，巡更走卒，络绎不绝。二人飘身下来，绕过兵营，远看第二道寨门，也有人把守，戒备森严。二人上墙，过来奔里面大寨，里面大厅灯光照亮，犹如白昼。跨院后寨十分讲究，二人顺着东跨院花园假山，飞身形上了北大厅。跃房脊前坡，轻轻地往前爬，来到前檐，用脚勾住檐头瓦，挺胸折腰，双手揪住檐子头，脑袋扬起，顺着横楣子往大厅里面观看。北墙迎面挂着一张大寨主罗烈的行乐图，前边的大供桌，金香炉内插着万字不到头的长寿香。两边白银蜡烛儿，插着福寿大红蜡，四围的红色挂灯，彩绸彩球，喜气洋洋。大厅正中一桌丰盛酒席，侍奉人员，穿梭来往。客位上坐着狸猫草上飞陶荣陶少华，挨着的是韩宝、吴志广、乔玄龄、司马良、夏九龄。主位是罗烈罗焰光，何豹何跃山，彭冲彭伯言。推杯换盏，笑语喧哗，宾主尽欢。

原来，陶二爷他们的小船，冲风破浪，顺水面直奔清云寨，在船上陶二爷跟司马良、夏九龄商量："两位贤侄，你们在杭州擂台上都露过面，咱还是小心为妙，到山里面见着寨主或者见到钦犯，千万不要动声色。他们要问是谁，我想屈尊你们二位少侠客，就说是我的弟子，你可以不叫司马良，把司字去掉叫马良。你可以叫夏龄，行吗？"人家陶少华偌大年纪，对小哥俩很客气。两个人赶忙答应："前辈说得对，就这么办吧。"这时小船已经到了竹城。二小一看，山势十分险恶，确实很坚固。大闸放下来，上边有二十名兵丁把守，弓上弦，刀出鞘，戒备森严。远远的上边就喊啦："干什么的，慢往前进！"一个伙计抱拳拱手："众位头目，多辛劳，我们是望潭庄陶家店的，老掌柜给大寨主前来祝寿，您请开闸放行吧。"上面的喽兵也看出来了，先派人给山寨报信，马上绞辘轳，"喀扎扎"，两盘大辘轳一绞，竹闸就起来啦。这样儿小船飘摇摇进了竹城，大闸接着又"喀扎扎"地落下来。司马良、夏九龄心里明白：再想出城可就不那么容易了！小船顺水路直奔寨门，就听山里"呛啷啷"锣声响，一百名兵丁，崭新的兵装号坎儿。大寨主罗烈、二寨主何豹、三寨主彭冲都是崭新的衣衫，来到寨门外，罗焰光一躬到地："陶兄，每年讨礼，罗烈于心不安，恕小弟未曾远迎，当面请罪。"这时候他们爷儿三个也下了船。陶二爷抱拳答礼相还："罗寨主，在您的庇护之下，多年来沾您的光，使陶荣得以温饱，来给您拜寿，略表寸心，您又何必客气？来呀！礼物献上。"四个伙计手捧礼物，往上一呈。陶二爷道："请大寨主过目，不成敬意。"大寨主连连道谢，把礼物送往大厅摆列，赏银四十两，交给店中伙计。然后恭请陶二爷进三道寨门，直奔大厅。等进来以后，发现在供桌旁边还有几位，少寨主罗声远，还有乔玄龄、韩宝、吴志广。

原来韩宝、吴志广、乔玄龄他们先后都从飞龙观逃跑，韩宝二寇一个劲儿给乔玄龄认错，乔玄龄的气也就消了。韩宝可跟乔道爷商量："道兄，咱们现在是有家难投，有国难奔，您本来在飞龙观悠闲自在，叫小弟给您带来不幸，可能童林还没有离开扬州，咱们怎么办？"吴志广也央告道："哥，我们同祸福，共患难，同舟风雨，您说怎么办？我们俩听您的。"乔玄龄低头想了一想："得啦，谁让你们哥俩当初在昆明对我不错哪。此地往北有个清水潭清云寨。少寨主玉面小龙神罗威罗声远，那是我的拜弟，咱们暂时投奔清云寨，那里也很坚固。不用说童林不知道咱们去，即便知道，借给他们点胆子也不敢去。"三个人商议已定，这才奔清云寨而来。罗威坐船迎接出来，先请三位上了自己的船。罗威拜见乔玄龄："兄长您这是从庙里来？这二位兄台，又是何人？"乔玄龄搀起罗威："贤弟，愚兄从飞龙观至此，来探望于你，我给你介绍一下。"一指韩宝、吴志广道："他们二位都是云南昆明八卦山九宫八卦连环堡的少庄主，他叫小粉蝶韩宝，他叫闹海金龟吴志广。二位贤弟，这位是本山少寨主罗威罗声远。"罗威今年十九岁，小伙子长得很俊俏，韩宝也长得十分英俊，彼此是惺惺相惜，都很爱幕。罗威躬身施礼："不知二位贤兄莅临，未曾远迎，实在抱歉。"韩、吴二位赶忙还礼："岂敢岂敢！我二人与阁下素昧平生，今日落难相投，还望阁下容纳。"罗威一怔："兄台，您的话使小弟不解呀？"韩宝长叹一口气："说来话长，我们弟兄也是为了给绿林道争口气。"就把头结一掌仇，二结一掌仇，盗国宝的事情细说一番。韩宝说完了，微然一笑："少寨主，咱们都是绿林人，水米无交，可人不亲刀把子还亲呐！再说乔道兄因我弟兄已然抛家舍业，来到宝山，以求隐蔽，阁下有此胆量收纳我弟兄吗？"乔玄龄很佩服韩宝的口齿，心想这是激将法呀！果然罗威一阵大笑："哈哈哈，韩兄太小看罗威了，盗国宝乃英雄所为！大丈夫为朋友则生，为朋友则死！家父和叔叔们要听说您二位来了，也一定很高兴，为朋友两肋插刀。"说着执手往里让。立刻吩咐水手开船，进了竹城，来到寨门。下船之后，由罗威把他们陪进大厅，三家寨主都在，大寨主罗烈，紫脸大个头，肩宽背厚，一身蓝衣服很有威风。二寨主何豹，猛一看跟两个脑袋似的，人称双头巴虾。巴虾有力能负重，石碑下边形似乌龟的东西就是巴虾，他还有个外号叫病狮豸。三寨主彭冲，长得五大三粗，人称分水忽律。传说这种忽律既能在水里，又能在旱地，总喜欢在江边上爬伏，人要在江岸上一过，忽律嘴里含着水，水里有沙子，用这个来喷射行人的身影，能使人致病，所以留下一句成语，叫含沙射影，表示趁人不防范，暗箭伤人的意思。罗威给韩宝、吴志广、乔玄龄一指引，三个人给三家寨主行礼。落座细问，二小又重新说了一遍。罗烈听了高兴："两位贤侄连同乔贤侄，只管在此居住，绝无危险。"韩宝他们打躬道谢。备酒宴热情招待，又命罗威给安排住处。到晚上彭冲来到跨院书房，罗烈在这儿喝茶呐。彭冲问道："兄长，韩宝、吴志广进宫盗宝，犯了弥天大罪。当然，我们弟兄不怕事，这多年咱在水面上做买卖，没有人敢动咱清云寨一草一木。现在您把这二位留下，这可是祸！无奈这是罗威的朋友，咱们做长辈的也不能没有一点儿情面，您看怎么办好呐？"罗烈低头沉吟："贤弟之言是也，有两件事你应该知道。第一，韩宝他们盗国宝，为的是陷害那个童林，可咱们的师兄金头狮孟恩的狮子寨被童林、侯廷给灭了，师弟袁德亮、韩大寿被童林给杀啦！同仇敌忾，我们也要斗斗童林、侯振远。第二，愚兄的生日快到了，如果童林他们闻风来到咱们山寨，祸事临头需放胆，那就以死相拼。倘若过了愚兄的寿诞，咱们善言劝他们离开山寨。韩宝、吴志广是八卦山的，当初咱们学艺在铁善寺，相隔几十里路，乡土之谊，桑梓之情，当然要顾，不知贤弟意下如何？"彭冲也只好答应下来。

　　韩宝这个人可机灵啦，他准备在清云寨住两三天，就要赶忙离开这是非之地。因为韩宝知道，自己是惊弓之鸟，漏网之鱼，得时时提防。果然，今天来了一老二小祝寿的。罗烈先请陶二爷来到供桌前："陶兄请上，罗烈给您磕喜头。"陶荣立刻抱住罗烈："贤弟，愚兄要给您拜寿。""不，老哥哥这大年纪，罗烈不敢当。"彼此对作一揖，然后又叫过司马良、夏九龄："这是我两个徒弟，给寨主爷拜寿。"司马良、夏九龄只好过来一躬到地。罗烈伸手相拉："不敢当，不敢当。"

　　中午时分，寿席摆好，大家斟酒布菜，直喝到掌灯方休。陶二爷有些微醉，他放下酒盅，歪过头来问韩宝："韩少庄主，老夫每年都到山寨去为大寨主祝寿，没跟您们几位见过面，这次少庄主们能亲来，连老夫都为寨主们高兴啊。"陶二爷别看是黑虎门出身，但他为人正派，他一进山就想到了：韩、吴二小真的落在山中，侯振远、童林一到，就要山破事败！人家罗烈待我陶荣不错呀，岂能恩将仇报？可只要得了国宝，侯、童二位是光明磊落的侠士，不会过为己甚，自己说几句好话，别跟罗烈为难，那样自己也算尽了朋友之道！最好我把国宝设法弄到手，实不成我可以偷他的！所以才跟韩宝套话。韩宝为人机警，就要顺着陶二爷的话说，没想罗烈的酒也喝多了，他搭上茬儿啦："哈哈哈，陶兄，您在绿林道里可称前辈，南七北六十三省都跑遍啦，走的桥都比我们走的路多呀。可您去过北京吗？"陶荣一听，心里高兴了，罗烈话儿给引出来，连忙一抱拳："听您话的意思，难道二位上过京吗？不瞒众位，陶某一生走了不少地方，只是北京城没去。不怕众位见笑，我是没胆子去呀！京畿地面，帝王之都，天子脚下，南北两城，里九外七皇城四门，五营二十三讯，营城司防，五城十五家。大宛两县，南北二司，刑部堂，都察院，左右两翼，该管地面，三步一个堆儿，五步一个棚栏儿，眼明手快的官人，哎呀哎呀，太多太多，说真心话，老夫怕栽在那儿！不但我不敢去，恐怕在座的宾朋，谁也不敢去呀！"陶二爷说着话看韩宝，见他眉梢眼角儿，露出一丝冷笑，不过一闪即逝。心想：成啦，有门儿！罗烈大笑："陶兄。这二位贤侄就刚从北京回来，不但去了北京城，还做了一件震撼绿林的大事。"这时候韩宝可就拦住道："老前辈，我弟兄末学后进，何足挂齿。况且此事不宜对外人言讲啊。"陶二爷在一旁大笑："二位少庄主，陶某也不是外人，说出来在下也高兴高兴么！"旁边儿的夏九龄心里很佩服陶二爷，到底姜是老的辣。果然罗烈一摆手："贤侄，大家都是至交，何必隐瞒？"就把盗宝之事详细说明。陶二爷的心中翻滚，他想：既然探明无误，我就应该告辞，明天侯、童二位就到，请人家二位凭本领捕盗拿贼。可这位老英雄心有不甘，再说国宝是否在二人身上，尚未查明。他微一沉思，主意就来啦！立刻满满斟上一盅酒，恭恭敬敬地端起来："攀大了说，二位贤侄，我借花献佛，敬你们两位一杯。"韩宝、吴志广很不好意思地站起来："老英雄，这可不敢当。""不不，当之无愧。"说着斟了他们两个人每位一杯。陶荣双竖大拇指："二位贤侄，众位英雄，你们敢到北京大内，做出这样惊天动地，撼岳摇山，轰动武林的大事，实令老夫钦佩，真是长江后浪推前浪，一代新人超旧人。幼年时只听说过有位前辈赛毛遂杨香武，畅春园三盗九龙玉杯，威振绿林道；还有一位绍兴府飞镖黄三太黄老前辈，在海子红门镖打猛虎，沙滩放响马劫过银辇，惊动九门，了不起呀！哈哈哈，陶某实在羡慕！唉，话可又说回来啦，罗贤弟，我可觉得不大对劲儿，听说童林这个人衣不惊人，貌不压众，并不是什么高一头的英雄，也不过是我等之辈。二位少庄主虽在盛怒之下，也该找他理论，怎能惊动万岁？要知道天威难测呀！一旦发怒，牵扯多人，盗来国宝总要还朝，二位少庄主一时使气，后果如何？人无远虑，必有近忧。因小失大，智者不为也！"韩宝一听大怒："陶老英雄住口，我弟兄盗国宝，敢做敢当！就为的是两掌结仇，争一时之气！何能贪生怕死？只要童林一死，我们立即宫阙献宝，亲领死罪。"陶二爷点点头："好汉子，我想你们当中，就是没有说合人。如果有朋友斡旋其中，使两造归于好，国宝还朝，给二位报个畏罪自杀，也可以化干戈变玉帛。不然的话，这覆巢之下无完卵呐！"陶荣刚说到这儿，韩宝还没说话呢，罗烈一拍桌子，"啪"地一声，盘碗乱晃。"陶兄，您不要再说下去，即使韩、吴二位贤侄献出国宝，我罗烈和童林、侯廷也势难两立！"陶荣可就一怔："难道那姓童的也与贤弟有仇吗？""哼！我与他不共天地，不同日月！太湖钟山的师弟被小儿童林致死！他兴一家武术，与我无关，大不该要灭我铁善寺的山门！"罗烈一提这事，咬牙切齿。陶二爷不能再提啦，只有一个办法，那就是偷他的。陶二爷有主意："罗贤弟，愚兄还不知道这姓童的要与铁善寺为仇做对，那可是以卵击石！咱们今天是高兴的事，抛开不谈啦。不瞒贤弟说，愚兄偌大年纪，可没看见过国宝什么样。尤其是二位少庄主所盗的国宝，真要能看上一眼，死了都不冤呐！罗贤弟和诸位不知有没有这种想法。"

这位陶二爷很有阅历，他用投石问路之法。若要说自己要看国宝，姓韩的决不给瞧瞧，他指使罗烈瞧，韩宝就不好推辞啦。如果罗烈要说："我们已经早看过。"陶少华就知道国宝准在韩宝的身上，能偷就偷，不能偷等侯、童一到，好拿二小请国宝。果然，这罗烈也想开开眼："二位贤侄，说来也是千载难逢的好机会，能否请国宝，叫大家开扩眼界哪？"罗烈说完了，所有人都看韩宝，那意思全愿看看国宝。韩宝一抱拳："不是小侄驳众位前辈的面子，我弟兄也是高门弟子，循规守礼，只因一口气，才出此下策。国宝乃御用珍玩，我等焉能亵渎？这事实难从命！"韩宝的话真咽人，大厅内鸦雀无声，面面相觑，显得十分尴尬。吴志广觉得不好意思啦！"兄弟，看罗老伯和大家的面子，莫若请出来，让大家看一看，好在这里没有外人。"韩宝狠狠地瞪了他一眼："好吧，那么我就请出国宝来，大家看看吧。"陶二爷心里高兴，表面上却不显。下人们端上一盆净水来，韩宝洗了手，然后从软囊之内往外掏。大家眼神"唰"地一下全集中在他手上了，连个喘大气儿的都没有。就看这个小包儿，外边用防水的油绸子包着，再打开一层是黄云缎，里边是个绵垫，国宝翡翠鸳鸯镯，赫然在目。借着周围的灯光一照，唰拉拉，霞光万道，瑞彩千条，宝光艳艳，照得大家眼睛感觉之得十分明亮。大厅以内就好像春光丽景，百鸟鸣喧，百花盛开，空气显得都很新鲜。宝镯呈献，看得人目瞪口呆！韩宝面有得色。司马良、夏九龄想到教师赴汤蹈火正在寻找此物，现在近隔趾尺，怎奈势力太小，再说陶二爷本领平常，投鼠忌器，不能莽撞。陶少华却抽冷子伸手就抢！韩宝猛地往后一撤，把眼一瞪："干什么？这大年纪不自重！"立刻包好收起。老头儿笑："少庄主，不要见怪，说真的我想抚摸一下。"这一回韩宝起了疑心，他看陶二爷刚才的举动，便警惕起来，心思姓陶的可能为我弟兄来的，他只埋怨吴志广，没心没肺，叫姓陶的知晓国宝在自己身上。想到这里，站起身形一抱拳："众位先喝着，请恕罪，韩宝失陪了，我到后面方便一下。"大家都说："请吧，请吧。"韩宝离席从大厅出来，往西院有个月亮门儿，进门儿之后，轻轻地一提气，"嗖"地一下上房啦。他想的是不能傻喝酒哇，察看察看吧。他从西院房上往大厅周围瞧，嗯？怎么前檐珍珠倒卷帘挂着两个人往里偷看？啊！果然童林的伙伴到啦。他浑身都要发紧了！伸手解包袱，取出跨花拦，包袱皮儿围好，右手抓双拦，藏于背后，飞身奔后院，再往前翻到大厅后坡，轻轻地爬到中脊，从背后把双拦一分，猛地长腰到前檐，举拦照定夜行人的腿上就扎。徐源、邵甫正往里看，猛地感到房上有人到啦，再想翻身上房，绝不可能，两人一纵身儿，从房上下来，脚扎实地，探双臂亮兵刃往上看。韩宝抖拦一声赫喊："哒！什么人竟敢夜探清云寨？"就这一句，大厅内的灯光全灭啦，"哗楞楞"各抄兵刃，罗烈等人飞身往外走。陶二爷他们爷儿仨，准知道望潭庄来人啦，暗暗嘱咐两位少爷别动手。司马良、夏九龄答应，三个出来。

院中灯火通明，"呛啷啷"锣声响彻连天，喽啰兵各持刀枪喊杀助威。罗烈看了看徐源、邵甫，心中纳闷：水寨竹城十分坚固，周围山势全是悬崖陡壁，飞鸟难入，游鱼难通，他们是怎么进来的呢？莫非是陶荣吃里爬外，恩将仇报吧！陶二爷早看出罗烈的心思，伸手拉出轧把厚背翅尖雁翎刀，一个箭步来到当院，用手点指："你是什么人。吞了熊心豹胆，竟敢至山中搅闹！认识俺狸猫草上飞陶少华吗？"徐源"哗楞楞"一抖镔铁双怀杖，心说：这老头怕寨主疑心他是暗奸，才过来动手，我要打你还是狠着点儿！想到这里一瞪眼："无名的草寇也敢前来送死，进招来。"陶二爷左手晃面门，右手刀缠头裹脑，斜肩带背"唰"地一下砍到啦。徐源滑左步，一矮身躲过刀，右手怀杖反过来正砸在刀背上，"呛啷"，刀就撒手啦，陶二爷往前一栽身儿，徐源左手怀杖，照着老头子的腰上"啪嚓"就是一下。陶二爷心里这气，爷儿们你真使劲呐！应声而倒，来了一个大马趴。司马良过来把刀捡起来，大厅前一阵大乱。韩宝、吴志广、乔玄龄带着一些小寨主大头目，"嗯啦啦"各亮兵刃，二十来位把老哥俩围住。徐源、邵甫就算跟这些人拼啦，可双拳难敌百手，猛虎不如群狼，时间长了不行。这时，司马良、夏九龄就急啦，那意思是要上。到底陶二爷老成持重，冲着他们使眼神摇头，本山三家大寨主还没动哪，真是千钧一发呀！突然就看两边寨门的兵丁，一阵大乱，往里跑，高声喊道："了不得啦，山精大野兽哇，好厉害啦！""哗"地一下就跑到大厅前。罗烈他们一瞧："啊！"闯进一人来，跟半截大塔一样，一身红红绿绿，好不怕人！正是猛英雄于恒于宝元。

　　傻小子在洞里也是憋得难受，心里嘀咕："怎么还不响锣呀？赶紧响吧。"工夫大啦，他从里边挤出来，站在那一听："好哇，响上啦！"猛英雄顺着船坞后墙，绕过来直奔寨门。这里有五十名兵丁把守，里边有个小头目，正要关闭寨门，傻小子就来啦。有几个兵丁看见，用手一指："你们瞧，那是什么玩艺儿？晃晃悠悠，一身红绿。""啊，山精野兽吧？""不对，好像是个人，快对口令！"今天晚上的口令是祝寿二字。这边喊祝，对方接寿，就知道是自己人啦。傻于恒一听，什么祝哇？他还往前来，也喊道："祝。"这边喊"祝"，那边也喊"祝"。喽兵一听，怎么两边都祝哇。"是奸细，响锣。挡住他，别让过来！"猛英雄一瞪雌雄眼，伸手拿出八楞紫金降魔杵，抖丹田一声喊："好小子，挡我老牛，嗨——"就这一嗓子，石破天惊，真好像半空中响起沉雷，"嘎啦啦"！吓得喽兵屁滚尿流。

　　真是：

　　　　黄口孺子难闻劈雳之声，病体樵夫怎听虎豹之吼。

第十三回

释三寇火烧清云寨
贺美号簪花灵隐寺

　　上回书说到夜探清云寨，徐源、邵甫被困大厅前，猛英雄叱海金牛听见锣声响亮，亮出降魔杵，闯进山寨。把守这头道寨门的是两个头目，水上漂刘成、一文钱不沉底儿刘顺，他们俩从狮子寨到了清云寨，把太湖的事情全报告给罗焰光，因此派他们俩把守头道寨门。由于今天是大喜的日子，大寨出赏酒宴，他们都在山寨间饮酒。听锣声一响，五十多人各持刀枪，把猛英雄围在中间。猛英雄大喝一声，犹如虎荡羊群，大杵一摆，扑扑，横躺竖卧，就死了七八个。兵丁往上围，连砸带扎，又是七八个。刘成、刘顺一商量，刘顺拿着刀顺着寨门转到傻于恒的身后去了。刘成高声喊叫："别打啦！"喽兵往两旁一闪，傻于恒一抡杵："好小子，敢欺负老牛。"刘成蹦到切近，用力一指："猛汉，你从哪来呀？""我从那边来呀。""你怎么来的？""走着来的。"刘成一听真生气："废话！"傻于恒也说："废话。"其实，刘成是引于恒的注意力，只见刘顺蔫蔫地往于恒身后边凑。越凑越近，欲来个金风未动蝉先觉，暗算无常死不知，刷——捧刀照定于恒后背就扎，就听傻于恒猛然一声喝喊，一转身，用大杵照着刘顺的脑袋抡圆了就是一杵。啪嚓！脑浆崩裂。哗地一下兵丁就乱了。"这傻东西有后眼，刘头目叫他给砸死啦！"于恒打仗并不傻，他心里琢磨：这小子为什么净说话不动手哇？又见刘成的眼睛总往自己身后看，便想：哟，莫非后边有人要宰我呀？左眼睛微微往后一瞧：嘿！好小子真来啦！所以才把刘顺砸死。

刘成一看，这才明白，在太湖钟山狮子寨碰见的就是这个傻小子。"好猛汉，杀我胞弟，哪里走！"举刀就砍。于恒也顾不得念叨啦，"嘿！"大杵一撩，刘成的刀就飞啦，他抹头就跑。猛英雄往前赶步，"唤虎出洞"，大杵对准刘成后心就扎，"扑哧"一下，刘成丧命。喽兵一见撒腿就跑："好厉害，山精大野兽！"傻小子在后头也喊："别跑啦！"一直奔二寨门追去。于恒手持降魔杵追打着，喊道："好小子，竟敢欺负我们家的孩子，三儿、四儿，别害怕，老牛来啦。"撞到人群之间，不亚如钢铸金刚，铁打罗汉。徐源、邵甫一看牛儿小子来啦，精神倍长。三寨主分水忽律彭冲彭伯言一亮分水狼牙锏，飞身过来，用锏一指："猛汉大胆！"一举双锏，盖顶就劈。傻于恒一抱降魔杵："再来点，再来点。""唰"！锏就到啦。于恒猛地往上一撩："再来点儿吧。""当"，把双锏打飞了。彭伯言抹头一跑。傻于恒回手横杵一抢，正打在后背之上，"嘭噜"一声，硬把彭伯言给砸了个跟头，他"鲤鱼打挺"，"噌"地一下腾身而起，吓得脸色蜡白："好厉害！"有兵丁把狼牙锏捡回，交给彭伯言。何豹手持托天叉，"哗楞楞"，带着不少人围上于恒，又是一场鏖战。

这时候，前后就有两个更次，四鼓都过了，大厅前锣声响得更紧啦，喊杀的声音更高了。罗烈一看，来的这几个人当中最凶的就是牛儿小子，大杵抢开，逢着死，撞着亡，如在无人之境。他把彭伯言叫过来低声嘱咐："贤弟，你赶紧如此这般地去做，只要这个傻大个儿一死，谅那两个小辈就好对付了。"彭伯言点头："兄长说得对，我也是当事者迷。"说着他把狼牙锏一摆，闯进重围，高声喊叫："猛汉，敢随你家寨主爷，到宽敞地方一战吗？"傻于恒杀红眼啦："龟儿子混蛋呐，上哪里都行啊！""好，随我来。"兵丁一闪，彭伯言在前，傻于恒在后就往东啦。徐源、邵甫现在累坏了，可还是奋勇作战，看见傻小子被人调开，就知道要坏。立即喊嚷："傻爷们儿，别上当啊！就在这里打吧。"猛英雄连头都不回，就追下去了。彭冲明白，叫他追上，自己就活不了！他顺着东配房的北山墙，穿过一个月亮门儿，原来东院是个大花园儿，真有四时不谢之花，八节长春之草，桃红李白芬芳，绿柳青竹摇曳，浓香吐蕊，争奇斗艳。真的，罗烈要不把盗国宝的钦犯窝藏山中，何至于山破势败？彭伯言跑到一片假山石的旁边，垫步拧腰，"噌"地一下蹿出有一丈五去。可傻小子不会蹿，往前一迈步，坏了，这里有个陷坑！一丈见方，上边用竹竿架住，和平地一样，当中一个井口，这口儿上有根铁棍，用木板架在上面，也伪装好了，如果蹬上，这木板在铁棍轴上一滚，把人漏下去，然后恢复原状。傻小子哪里懂得？咕嚓！——他就漏进陷坑里了。彭伯言过来，这井口两边有个铁插管，他把这插管一插，于恒想出来势比登天。彭伯言转身走啦。这个陷坑有一丈五六尺深，里边垫着干石灰细面儿。傻于恒掉下来先扔杆，然后一抱脑袋。咚——砸下去的干石灰面儿就起来啦，滚了他一身，又把眼睛给呛啦。等了一会儿，石灰面儿落下来。他一流眼泪，慢慢地将雌雄眼睁开了。虽说眼睛辣辣的，但到底能看啦，站起来将杆拿起，脸冲上喊："好小子，我中了你的奸计！有本事让我出去，咱明着干！"傻小子喊一通又一通，就是没人来。于恒发怒了，把大杆一抢，在里边一通砸，"扑通扑通"，木板掉下来，上边儿有人说话："猛汉。""我叫牛儿小子。""嗷，牛儿小子。""干什么？""你愿意出来吗？""愿意，这里边很难受的。""那好，我给你拿个梯子来，你顺着梯子不就爬上来了嘛。"上边说着，顺下一个梯子来。猛英雄脱了大难。

你猜搭救于恒的是何人？原来是位老侠，七十多岁，家住云南狐儿山下黑熊镇，在镇东口开了一个客店，叫黔南客栈，他姓王单字名凤，江湖人称天灵侠。老侠一生不娶，贪练武功。有个弟弟，夫妻相继去世，留下一个女儿名唤素兰，被老侠收养在家，从五岁上就跟老侠学习文武两课。今年十九岁，长得又俊，功夫又好，也能操持店务。罗烈他们去铁善寺，有时候就住在店中，和王凤不错。老侠这次到杭州游玩，才想来扬州清云寨，本打算看看就走，罗烈执意挽留，盛情难却，这才提出来："你一定叫我多住几天也可以，给我个最幽雅最僻静的地方，派一个人侍奉我，你们哥儿几个也不用总在身边陪同，我独自游玩。要能这样，我就多住几天。"罗烈答应了，并且在东花园竹林深处的翠云阁款待王凤。今天的事，老侠早有耳闻，自从韩宝、吴志广一来，老侠暗中偷听窃看，已经知道事情的原委。大厅前锣声一响，老侠来到北房上，按屋脊往下看，彭伯言把于恒引到陷坑以后，老侠才来到这陷坑旁边拔下铁插管儿，摘下翻板，拿来梯子，猛英雄于恒这才上来。

傻于恒抬头看天，东方发亮，"噔噔噔"直奔前厅。徐源、邵甫本来动手就担着心呐，一看于恒来了，爷儿仨往外冲，何豹传令兵丁往上围。何豹过来问罗烈："大哥，这小子势如猛虎，应当怎么办？"罗烈也问彭冲："他怎么出来啦？"彭伯言也莫名其妙。三个人商议，事已至此，调弓箭手把这不明来历之人全都射死。

就在这个时候，竹城的头目跑进来，气喘吁吁，单腿打跪："启禀大寨主，现有圣手昆仑镇东侠侯振远，还有他的朋友童林童海川前来拜山，他们在竹城外恭候。"罗烈一听，勃然大怒。命令头目们率领兵丁把他们爷仨围住，然后对何豹、彭冲说："二弟、三弟随我到外面会一会侯振远、童海川。"何豹、彭冲答应，带领四个小寨主还有四十名兵卒直奔大寨门。来到船坞，登上大战船，水手解缆绳，撤跳板，船篙一点，"唰拉拉"冲风破浪，来到竹城里，然后吩咐把千斤闸绞起来，船到山外。水面上一只小船，一共有三个人，船头站着侯振远，左手按着剑把，右手持着银髯。旁边站定童海川，怀抱子母鸡爪鸳鸯钺，威风凛凛，船尾站着蛮子孔秀，另有三个水手。

原来侯老侠跟童海川等到陶大爷走了之后，一切事情托付给王爷跟北侠秋田，当晚又嘱咐黄灿一定听师伯秋老侠的安排。次日清晨告辞，弟兄俩奔清云寨走下来。到了望潭庄，天已快亮，孔秀正从里边跑出来："哎呀，师大爷，师父来啦。"侯二爷他们也出来了，彼此见礼，请到跨院。侯二爷把事情一说，最后道："陶二爷带着良儿跟九龄直到现在没回来，傻兄弟还有徐源、邵甫又不知去向，我和陶大爷正着急，准备派人去寻找。"老侠侯振远一摆手："他们一定去了清云寨，陶老英雄请店里给雇只船，我带海川立刻进山。"二爷侯杰立即找来闷棍手刘三，雇好船只，爷儿三个登船，从水路直奔竹城。到了切近，上面有人喊："干什么的？慢往前进，我们可要开弓放箭啦。"侯老侠抱拳回答："兵卒听真，我乃圣手昆仑镇东侠侯振远，带着朋友童林前来拜见罗寨主，烦劳通禀。""候着！"兵丁下城上船，到寨门下了船，才来报告。到现在罗烈的大船冲出来，海川知道，爷儿三个都是旱鸭子，不会水呀，幸好大船离小船一丈多远儿就停住了。罗烈在船头躬身行礼："对面小舟上敢是老侠客吗？"侯老侠也作揖还礼："面前就是罗大寨主吧，在下正是侯廷。""啊，久仰阁下的盛名，罗某幼年就知道您是我们武林中的前辈，道高德重。怎么今天身带利刃，来至草寨，不知何故？"侯振远微然一笑："罗寨主，老朽年逾八旬，隐居山东，闭门课徒，耕耘垄亩，乐老家桑。本期埋没于山林，老死于户牖，落个与人无海，与世无争，也算含笑地下啦。不想好友童林相邀于我，协助捉拿钦犯。今已访知韩、吴二寇躲避在贵宝寨，昨遣小徒来山中暗视，一夜未归，特此前来询问。"罗烈听了一阵狂笑："哈哈哈，哼！想我清云寨坚似金城汤池，固如铁壁铜墙，不管他项长三头，肩生六臂，如敢犯我山界，也叫他有去无回！老侠客明白吗？"海川一听勃然变色，侯老侠冲着他一摇头，然后面对罗烈一笑："好哇，大丈夫敢做敢当，果真钦犯落到贵山，老夫办的是案子，不用说死几个徒弟，只要侯某三寸气在，也要受人之托，忠人之事。大寨主既然襟怀磊落，那么韩宝、吴志广一定在贵山住脚啦？"罗烈点头："侯老侠，他二人现在敝山不假，弟兄占据此地，种地不纳粮，打鱼不纳税，专劫往来商贾，已是非法，何敢再容钦犯？实因你身旁的童林，他兴一家武术，与我们铁善寺无关，大不该扬言灭我们的山门，前在太湖杀我师弟袁德亮、韩大寿，要想捉拿钦犯，童林必须受死！"老侠侯振远蚕眉倒立，虎目含嗔，左手按剑把，右手一撩长衫，脚尖微点船板，"哧——"飞身上了大船，用手点指："罗烈，老夫以你为绿林英雄，敌视国法如无物！难道侯某惧怕铁善寺？不交钦犯，与案犯同罪，你还敢拒捕吗？"三家寨主身后有四个小寨主，两头蛇高成、无肠公子高宝、金枪虾叶德成、银枪虾叶德方，各操兵刃。现在一看翻脸啦，高成一压刀："三位寨主，某家不才，愿斩侯廷之头来献。""多加小心。""是。"高成一个箭步蹿过来："老匹夫侯廷，敢到我清云寨撒野，分明自寻死路！两头蛇高成要你的老命！"老侠把脸一沉："无知鼠辈，你敢辱骂老夫？进招受死！"高成左手一晃面门，刀走迎风劈柳，"唰——"就到啦。

　　侯振远多大的份儿！老侠身法展动，上左一滑步，剑"走青龙戏水"，手腕子一反，正是高成的脖子，"唰——"从脖子上就过去啦，右脚尖儿一点他的小腹，"嘭——"高成的死尸出去一条儿，人头"咕噜噜"滚出去老远。无肠公子高宝一看兄长死啦，红了眼睛，一颤红缨枪，"唰"！枪走一条线，奔老侠后心就扎。老人家眼观六路，耳听八方，左脚当轴儿，右步一滑，来了个大转弯，剑走"青龙出水"，正是高宝的小腹，"扑哧"一声，龙渊剑扎进有半尺。大船上一阵大乱。叶德成、叶德方每人一颤蜡杆枪，前后夹击，叶德成在前边分心就扎，叶德方在后面照老侠后心也是一枪扎来。侯振远听风辨物，知道后面枪也到啦，上左步一蹭，闪开二人的枪尖儿，右手龙渊剑"海底捞月"，"呛"一声，两个人的枪头儿都掉下来。老侠一个"长河斩蛟"，正是叶德方的胸前，宝剑扎死叶德方，就势拔剑，脚尖儿一点船板，腾空而起，顺势一落，宝剑正劈叶德成的头顶，"啪嚓"一声，当时身死。

罗烈吩咐把尸体搬开，一抖镔铁虎尾三节棍嘎楞楞："姓侯的倚老卖老，欺我太甚！"纵身过来。童海川来到侯老侠近前："兄长，您先稍微歇息一下，待小弟会战罗烈。"老侠宝剑还鞘："有劳贤弟。"海川分双钺，高声喝喊："罗烈，认识俺童林吗？""啊！"仇人见面，分外眼红，罗烈双手攒在当中，双摇风火轮，"哗楞楞"，三节棍的两头，奔海川左右太阳穴就打。童林往下一矮身，左手钺扬起来，右手钺的尖子"叶底藏花"，照罗烈右肋下就扎。不等罗烈还招，左手钺又奔罗烈右腿铲来。罗烈一看不好，想躲已经来不及。侯老侠怕海川年轻气盛，使罗烈不死也废，连忙招呼："海川，不要过为己甚吧！"海川知道哥哥怕自己多树强敌，这样他掐住招数，用左脚一勾罗烈的右腿腕儿，只见罗烈撒手扔棍，栽倒在船上。孔秀很机灵，趁势过去，抹肩头，拢二臂，膝盖顶腰眼儿，四马倒攒蹄捆上啦。"哎呀，我说罗烈呀，你先在这旮旯里躺一会儿吧。"彭伯言一分狼牙镗，飞身过来，"泰山压顶"，举镗就砸。海川滑左步，左手立钺一支，右手钺平着一搂，"嘭"地一声，把彭伯言的绢帕挑下来，就势跟身进来，一腿在跨股上脚就到啦！"啪嚓"一下，彭伯言仰面朝天，摔了个四仰八叉。孔秀又给捆上，连军刃也拿过来。何豹气得"哇呀呀"怪叫如雷，把五股烈焰托天叉一摆："小儿童林欺我清云寨太甚，看兵刃！"大叉奔胸前便戳。海川不慌不忙闪身一躲，右手钺一立，用鸡爪一钩托天叉的翅子，把何豹的大叉拿住，左手钺往前一推，"麒麟吐舌"，"唰"地一下就到了何豹的胸前，明晃晃两个大钺尖子跟牛犄角一样，何豹一闭眼，心想完啦！海川一个"鸡登步"，照胸口一脚，何豹应声而倒，孔秀也给捆上。

这时孔秀跑过来："师大爷，这些贼头目，成天打家劫舍，今天又和我们为仇作对，依小侄来看，除恶人即是善念，把他们穿了就完了！"老侠连连摆手："孔秀，不可如此，罗寨主乃铁善寺门人弟子，绿林英雄，岂能伤害！马上把咱们那只小船喊过来。"孔秀一招手，小船过来，用钩竿子勾住大船。老侠客亲自把三个人解开，罗烈他们臊得面红耳赤，低头不语。老人家微笑道："三位寨主，老夫成全你们，赶紧离开这里，不然你们要打窝藏钦犯的官司，快上小船去吧。"罗烈也知道完啦，他想这个童林衣不惊人，貌不压众，我弟兄的本领很不错呀，可没有一个在人家面前进两招的，全是一招即败！看来差得太远。他想到这里，一抱拳："谢谢老侠客不杀之情，容图后报。"说完，第一个跳下小船，彭冲、何豹也相继跳下。刚要走，孔秀把他三个的兵刃给抱过来："等一等，我也有几句话教育你们。"罗烈一抱拳道："有话请讲当面。""罗烈你为什么这样客气？"罗烈脸一红："败军之将，不敢言勇。"其实十个孔秀也打不过他们三人之中的一个呀！孔秀点点头："你们还有一些人情的，你们好好地听着，方才我们老爷子海量宽宏，贵手高抬，只当买鸟放生，释放了你们，我老师看出你们都是硬汉子，输手不输口的，这吃饭的家伙掉了没关系，不能说一句服软儿的话，叫什么士可杀不可辱，才说出容图后报的话来，为的是遮一遮羞脸儿，挺直了脖子充好汉，鼓着腮帮子装胖子！其实你们心里也是很感激他老人家的活命之恩的，如果你们没有良心，日后还要来找麻烦，老侠客爷也决不惧你等鼠辈，要知侯、童两位师父都是前辈，原不与你们铁善寺为仇作对的，因为无仇无恨，真的有仇，岂能宽囿你等？放你们逃走就是明证。如果你们知恩不报，反欲成仇，终不过充当一个以怨报德的绿林败类罢了。我老师怕你们将来再送死的时候没有兵刃，现在给你们送来，免得着急嘛。"说到这里，把兵刃都给扔到小船上，斥道："混账东西，你们死了老子都不会想你们的，简直不像话，菠菜韭菜烂芹菜，残头萝卜缨子，都滚吧，免得我教师看着你们生气！"小船荡悠悠地走远了。

侯老侠也不好意思地笑出来，其实老人家心里很高兴。这个孩子说出了我不能往外说的话，从而教训了罗烈，因为罗烈他们回铁善寺一定要在方丈面前搬弄是非，好与我和海川记仇。孔秀这番教训，给我和海川减轻了不少负担，因为太湖要镖就传来要灭铁善寺的山门嘛。这回清云寨杀了几个坏人，免得师父担这灭山门的罪名，这三个人回到铁善寺，方丈济慈、济源他们就有个想法，童林要我山门，怎么会把你们放回来呀？再说，问起这件事是镇东侠杀的，童海川并没杀他们。这是老侠侯振远把海川身上的担子往自己身上揽，这是为朋友的苦心，孔秀早就看出来了，可海川并没有看出来。孔秀真是绝顶聪明，不然像孔秀这人，真本领一点没有，又是黑道上的人，何能与上三门侠义为伍？孔秀对罗烈的这番话，正是希望他们改恶向善，所谓"放下屠刀，立地成佛。"

老侠吩咐几名兵丁催船进山，等进了竹城，往北看，顿使老侠一惊青云寨大火冲天而起，黑烟滚滚。

花开两朵，各表一枝，原来内寨的马氏夫人是金银乱石岛大寨主马云龙的妹妹，为人十分贤惠。自从韩宝他们一来，马夫人劝罗烈几次，叫他把二小送出山去，又为这个还教训了自己的儿子罗声远。但无奈说得舌敝唇焦，这父子俩置若罔闻！今晚外面响锣，马氏夫人立即派人前去看个究竟，直到现在，很多男女下人惊慌失措，马氏知道青云寨保不住啦，眼泪直流，把下人都叫到上房，多年的体己全部拿出来，给大家一分，然后传话把柴草木料往前后一堵，自己一把火，把后寨点着，也把自己烧死了。这时整个青云寨乱成一团，韩宝拉住罗威四个人跑到后山，罗威急得跺脚捶胸。乔玄龄念佛道："无量佛，三位贤弟，青云寨即将不保，我们赶忙逃走，留得青山在，不怕没柴烧。贤弟，我们有家难投，有国难奔，你说上哪吧？"罗威想了一想道："三位兄长，事到如今，我们是风雨同舟了。只可奔湖南流江金银乱石岛投奔我舅舅去，再图报仇之策。"罗威暗中找来一只小船，四个人逃走了。

罗烈他们逃走，侯敬山、陶大爷带着店中一些伙计，雇上一只大船，冲风破浪，也赶到清云寨。大家合在一起，直奔寨门。就看里边兵丁小头目四散奔逃，傻小子于恒打得这些人鸡飞狗跳墙。海川喊住牛儿小子，马上派人救火。等大家下了船，陶二爷、徐源、邵甫、司马良，夏九龄才和大家见面，把昨晚之事，详细说明，韩宝等已然逃去。众人来到寨中，火已经灭啦，马氏早已烧死。不少的死尸，不仅船上有，地上也有，老侠看完道："海川，你带着龙批大票，随着陶二爷到赵江都县报案，派官员前来收拾，办理善后。我们大家先回望潭庄，这里只派几个人看守。陶少华来时的伙计船只，还有花钱雇的船只，都带回店中。"

大家洗脸休息。闷棍手刘三给于恒洗衣服，烤干换上。中午海川、陶少华才回来，江都县抄封青云寨，招百姓进山居住。

事情办理停妥，恭请陶二爷一同回杭州，陶少华慨然应允。众位老少英雄，不管是旧友还是新交，大家一起赶奔杭州。朝登紫陌，暮宿江尘，非一日来到镖局，与南北侠、王爷等大家相会，把清云寨的事情说明。秋老侠劝慰一番，然后把这次簪花贺号的事情也跟大家说清了。"现在一切准备就绪，连海川在内一共二十四人，已经做了二十四朵花，今天银楼就给送到。只要花儿来了，咱们择的是后天六月十五日，就去灵隐寺献艺簪花。灵隐寺的方丈已经知道王爷进山拈香，佛堂庭院以及王爷休息的静室，全都准备齐啦。王爷和众位贤弟们看看还有什么纰缪遗漏之处，赶快提出来，也好补办。"侯振远听完站起来，一躬到地道："我先谢谢哥哥和众位仁兄贤弟，替我操心受累。老哥哥想得太周到啦，王爷还有什么吩咐吗？"雍亲王摆手道："本爵是外行，不过到正日子前一天，我们都要沐浴虔诚才是。再有，大家都穿整齐一些，所有两号去的伙计，每人都给几个喜钱，也算皆大欢喜。还要让潘龙、黄灿多准备些银两，到时候大家还要布施一些钱吧。""对，我看就这样吧。"说着酒饭摆好，大家陪王爷吃完饭，然后闲谈。

这时潘龙进来，提着一个匣子，到北侠面前道："师父，银楼把守正戒淫花给送到啦。"秋老侠接过包袱："王爷、海川大家看看吧。"这是个长四方的织锦匣，十分讲究，打开之后，里面有二十四个鸡蛋圆的小银盒，北侠拿出一个来，就好像怀表的簧一样，用手一按，崩簧一动盖儿开了。北侠秋田道："爷请看一看，"说着递过去。海川也没看见过。这里边放着一个银制的莲花，这花是十二个瓣一朵儿，好像两朵挤在一起，成了鸭蛋圆，光彩鲜艳，花蕊做得十分精致，还有两根长蕊。秋老侠拿出来微然一动，这两根细长蕊就动起来没完，颤颤巍巍，非常好看。北侠把花蒂翻过来，原来是两个根部，两朵花连在一起，这根部花把儿很短，当人们把缠头绢帕缠好之后，就把这朵花插在鬓边。长花须正好下垂到眼角边。王爷很惊叹："秋老侠，真是巧夺天工啊，做得太好啦！"老侠点头道："过去武林松棚会，值年年会首都要专门请工师傅打造此物。"南侠司马空、飞行侠苗泽、铁扇仙张子美以及各镖师，还有上三门的弟子，只要带过花的，对于这些事都明白，可王爷、海川这些人不懂啊，王爷当然要问个究竟："老侠客，会首头目人预备这个干什么？""爷驾有所不知，凡是师父教的弟子，还有镖局的镖师，总之一句话，凡是属于夜行人，三炷香两支蜡，红毡子铺地，有师父有徒弟的正门正户，都要献艺领花贺号。"王爷点了点头，可还不太明白，问："老侠博学多识，本爵钦佩，可领这花有什么用呢？"秋老侠说道："爷驾不知道，门户之中有五戒，然所表祖德，残害身体为武林不齿的就是淫。因为学会蹿纵之术，夜入深宅大院，见红楼幼女，深闺少妇长得好，所谓见美色起淫心妄动邪念，当他要越礼胡为的时候，这花须有两根长的，在刹那之间发颤，它一颤就扫自己的眼角。眼是心之苗，当时就能想到，人之姐妹，己之姐妹，就能守正去邪，也就是防止好人起坏心的一道栏杆。""啊！"王爷恍然大悟："老侠的话，本爵顿开茅塞，原来绿林中的规矩也是劝人学好哇？"王爷看着花发怔，又道："老侠客，这花为什么非要用两朵莲花铸在一起？"老侠一笑："贝勒爷问得真详细，您问的这些事，在场的老人们都知道。好吧，我就说出来禀明王爷。"海川亲自倒上一碗茶来："哥哥润润嗓子，说给我们听听。"北侠也不客气，一饮而尽，然后叙道："爷管它叫莲花，并没错，实际上叫并蒂莲。相传在战国时候，宋国国王名叫偃，他是一个极端暴虐的昏君。有一天他坐着车，去封父之墟游玩，走到一片桑林之外，发现一位采桑女子俊美无比，思欲霸占，就在不远处修建一座高台，取名青灵台。宋王偃经常到青灵台上偷看美女采桑，遣人去问，才知这女子本系舍人韩冯之妻息氏。宋王偃派使者晓谕韩冯，叫他把息氏献给宋王。韩冯一听心里十分恼怒，可迫于王命，才与妻子息氏说明此事，问其愿否？息氏作诗以对，诗曰：南山有鸟，北山张网，鸟自高飞，网当奈何？宋王偃闻听勃然大怒，立刻派甲士把息氏抓到青灵台上。他告诉息氏：'予，宋王也，能富人，也能杀人。若相从当封为后，不从死之。'息氏听了又以诗相对，诗曰：鸟有雌雄，不逐凤凰，妾本妇人，不乐宋王。他这诗的意思是：不管是雌鸟雄鸟，也不能总追着凤凰后边飞，仰他人的鼻息，别看我是个妇人，并不喜欢你至贵至尊的国王。宋王派人把韩冯抓来杀了。晓谕息氏，你要不听从我的命令，也一样杀了你。息氏十分从容道：'好吧，等我沐浴完了，一定侍奉大王。'宋王传旨：'准其沐浴。'息氏走进沐浴室，就从青灵台上跳下去自杀了。从息氏身上搜出一张纸条来，上面有字，请把韩冯和自己并葬，就感恩不尽了。宋王偃岂能答应？不但不给合葬，而且在一条青溪小河的两岸，把他夫妻分隔埋掉。过了不久，从他二人的坟墓上生长出两棵树来，枝叶茂盛，隔着河水枝干对长，直到扭在一起，越长越粗，不可分开。当地的百姓就给起名儿叫相思树。树上有鸟比翼双飞，溪内有鸳鸯戏水。在水中还生有很多的莲叶，长出花来都是两朵绞在一起，而且两根相并，人们给起名叫并蒂莲花。这莲花比为君子，出污泥而不染。我们武林的先辈用这花来比喻自己洁身自爱，不要误入歧途，遗门户之羞成终身之恨，才叫它守正戒淫花。"王爷听得津津有味。当北侠讲这事的时候，侯振远派黄灿把所有弟子都叫来听一听。现在讲完了，大家无不赞成。海川是闻所未闻，见所未见呐。把守正花收起，黄灿、潘龙把所有的事情都安置停妥，到了六月十四的晚上，王爷斋戒一番。

　　次日清晨，外面备好了马，恭请王爷上坐骑。老少群雄不下百多位，大家上马，浩浩荡荡顺着西湖的岸边小路，人马杂沓，走过岳王庙，直奔北高峰下。当初的擂台早已拆除，众人来到灵隐寺这座驰名全国的古刹，真是宏伟壮观，金碧辉煌。迎着宏阔高大的山门，有个大影壁，高有六丈，宽有十丈，三座朱红的山门全开着。王爷众人全都下马，早有伙计把马全部拉走，刷饮喂遛。正在这时候，庙里披编打乐器，出来有百名僧众。为首的是本庙老方丈法元长老，今年已经八十多岁，他身穿黄云缎子的僧袍，五领四带三不齐，古铜色的护领黄中衣，厚底黄僧鞋，白绫的高桶袜子。圆脸型，面色红润，两道蚕眉，寿毫老长，慧目放光，鼻直口阔，一部银髯飘洒胸前。光头顶，九块香疤，分三溜儿，手持引磬，脖子挂着一百零八颗罗汉珠儿。后边的监寺、斋堂以及三代僧众，尾随于后。来到王爷的面前，老方丈跪倒叩首："南无阿弥陀佛，爷驾莅临敝寺，恕过小僧等未能及时相迎。请爷驾宽恕。"王爷伸手相搀："高僧，此次本爵微服来到江南，也要避人们的耳目，还是不外传的好。请问我们休息的地方有吗？""已经给爷准备好静室，等爷净手以后可到大雄宝殿拈香。"王爷点头："大和尚，我看这灵隐寺修在半山，风景很美，可这座庙并不算太大呀。"法元笑了："爷的眼力真了不起。咱们西湖庙宇甚多，要说大庙就数静慈寺。大宋朝有位得道的高僧济公长老，由于长老济世活人，灵隐寺也就因人而享名，可后来依然归静慈寺。到了北方提到济公长老，名声甚大，到了咱本地，提济公长老就不成啦，必须提他的俗家名字——李修缘，人人皆知。"法元和尚说着，率僧众恭请贝勒爷、众施主进山门，顺甬路往里走。

左右钟鼓二楼，更有参天古树，枝叶参差。二道门里左右两个高台，上面塑的哼哈二将，足有一丈多高，十分逼真。王爷欣赏一阵，直奔三道山门，甬路两旁都是三足铁鼎。这三道山门叫穿堂殿，两边塑的是摩家四将，一个手持宝剑，代表的是风。第二个怀抱琵琶，代表的是调，第三个手持雨伞，代表的是雨。第四个手拿一条小蛇，其实是蜃，代表的是顺。当中塑的是大肚弥陀佛，两边有副对联，上联是：大腹能容容天下难容之事；下联是：见人便笑笑宇宙可笑之人。上边横批是：皆大欢喜。王爷他们转到弥陀佛的身后，是一尊护法韦陀神，金盔金甲，手捧降魔宝杵，非常雄壮。再往里才是大雄宝殿。院中收拾得干干净净，高大的硬架天棚，当中是月台。北大殿殿门紧闭，由北侠、南侠、镇东侠、海川哥儿四个陪王爷来到跨院静室，稍微休息一下，小沙弥端来净面水，大家都漱口洗手净面。法元奉陪王爷到大雄宝殿，殿门已开，钟磬齐鸣，香烟缭绕。当中供的是过去、未来、现在三世佛，庄严肃穆。法元带僧众手持乐器，不外九音云锣、大铙大钹、大镲小锣及笙管笛鼓号物。王爷一禀虔诚，拈着一股香插在香炉内，然后跪在拜垫上低头静默。大家认为爷在请神保佑，六气时调、八节宁谧、风调雨顺、国泰民安、五谷丰登、河清海晏。其实王爷正在暗暗祷告自己的心事，他祷告的话是这么说的："过往神灵在上，我大清开国列祖列宗已历四代，神灵默佑我大清天下太平，有凤来仪，刀枪入库，马放南山。强无凌弱，众无暴寡，万民乐业，此皆神灵降福，佛祖赐恩所致也。创业难，守业更难。额玛有子数十，能主神器者，寥如晨星。额玛春秋已高，倘能上天见怜，胤祯有九五之份，自当不负皇恩。宿兴夜寐，宵衣旰食，使国有泰山之安，民享平静之福，非弟子窃念神器，实为万民着想。若能国运巩固，帝族永延，自逊位于贤者。弟子一定皈依三宝，秉教沙门，永伴佛灯，焚香顶礼。"

王爷祷告已毕，这才顶足八拜。然后众人挨次上香虔诚。王爷出了大殿，月台上分三面儿排好座位。北面一趟桌子，王爷在当中，北侠上首，南侠下首，镇东侠海川以及众群雄陪坐。一会儿，献上清茶素点。黄灿、潘龙把戒淫花的匣子放在王爷面前，把花名册放在秋佩雨的面前，所有献艺之人，一个个擦拳磨掌，跃跃欲试。秋老侠请王爷说句话，王爷一摆手道："老侠客，本爵只是观光，还是您来主持。"北侠一抱拳："众位都听到了，王爷叫老朽办理此事，那么就恭敬不如从命了。我想今天试艺簪花的人，可能以前有朋友给贺了号，那就不再贺号了。现在开始，我叫谁，谁上来，就在这月台上或兵刃或拳脚，练上一趟就行啦。"说着，打开花名册，叫道："阮和！"灯前少影阮和赶紧过来，跪倒行礼："师伯，弟子在此。""贤侄师出名门，在江湖有些年啦，也有了美号，你练趟功夫吧。"阮和打起精神来，练了一趟螳螂拳。闪展腾挪，蹿纵跳跃，干净利索。练完了站住，气不涌出，面不更色。秋老侠、王爷一鼓掌，大家也跟着鼓掌。秋佩雨一拍手，阮和过来跪下道："请师伯为弟子簪花。"老英雄打开匣子，取出银盒，拿出一朵花来，探身给阮和戴好，把银盒也给了他。老侠嘱咐道："贤侄，你是你师父的大弟子，在师兄弟之中要起个表率作用，花儿虽小，千钧之重，望你谨守门规，洁身自爱，行端履正，不辜负师门之德和今日的盛会。"大家鼓掌。叫第二名阮璧，也献艺簪花。徐源、邵甫由于伤势未好，由阎保、鲍信俩人代领。往下除去张旺、孔秀、司马良、夏九龄之外，全部簪花完结。老侠秋田叫过孔秀练了一趟掌之后，给他簪花完了，老人家语重心长地对孔秀说："贤侄，你自幼入了绿林，拜在陶老英雄名下，像你老师昆仲的行为品性，在下五门中是凤毛麟角的，你现在到底身为上三门的门下弟子，门规戒律均有不同。为伯本应多说，总希望你能脱胎换骨，谨守戒律，不要做出对不起师门之事。"孔秀趴在前以头碰地道："师伯请放宽心。"再叫张旺练艺簪花，然后喊来司马良："你去练趟功夫，请大家看一看吧。"司马良没有动。"你怎么不去练呐？"司马良跪下磕头道："师大爷，方才师哥们当众献艺，不是打拳，就是练兵器，尽管都十分精湛，但千遍一律，也没有意思，侄儿打算改个方式，不知大爷答应吗？""你打算怎么个练法？""侄儿练过暗器，双手能打穿梭镖。""试暗器也未尝不可，可哪里去打靶呀？"司马良用手一指："大爷，您看，有靶子。"北侠和众人往月台南边看，"哗"地一下，全笑啦。

原来是猛英雄于恒于宝元，晃晃悠悠，两只手伸往左右，每个掌心托着一个海棠；又圆又红，头上顶着一个大海棠。闭着眼睛，嘴里嘟嘟囔囔："快点呀小子，总不让睁眼多难过呀，快点练呀。回头好吃炖肉哇！"秋老侠脸往下一沉："良儿你好大胆，练艺好坏，前辈们都有原谅，为什么算计你们的傻叔叔，真正可气！"秋老侠一申斥，把司马良吓坏啦，本来他就胆小，口齿又不行。这时夏九龄跪下了，把原委说出来。夏九龄看着大家伙儿练艺，觉得没意思，暗暗地跟司马良商量："哥哥，您看大家不是拳就是兵刃，真没意思。"司马良摇头："武术本来就是这样，你趁早别独出心裁。你瞧出来没有？秋老伯父，比侯老伯父还厉害，我瞧着他就发怵！到时候练练就得啦。"司马良知道九龄这个人歪心眼太多，当初学毒药暗器就是个例子。九龄不以为然道："良哥，咱们可以练暗器嘛！""师大爷答应吗？""答应，练什么不一样。""可没有靶子呀？""我有办法。"九龄到了牛儿小子跟前，说话的声音很低："傻叔叔，您这儿来。"于恒傻，可明白这两个孩子跟他近，他心里也知道要疼他们，于恒便跟着九龄下了月台转到大殿的门口去，于恒道："小子，干什么？"夏九龄说："叔叔，您给我们俩当个靶子吧。""那可不是闹着玩的，你怎么打？"九龄一看供桌上放着鲜果，有一盘儿大海棠，悄悄过去拿了六个，道："叔叔，给您。"傻小子这乐："好小子，真孝顺，给我吃的？""您别吃呀，您先掭起三个来，到了时候我们让师大爷一瞧您，您就顶上一个，两手各托一个，我把它打下来，再掭三个也照样放好，让我二哥打，打完了就没有事啦。""白受累呀？""完了事我和良哥请您吃肉。"一听有肉吃，傻小子就舔舌头，可他也知道危险，问："小子，要打我眼上怎办？""您不会闭着眼吗？""对，好主意。"九龄把他拉到天棚的角儿上叫他等着，现在傻小子于恒一听司马良说话，放好了海棠，闭着眼睛出来往这儿一站。九龄把事情一说，老侠哼一声："既然如此，快去献艺，你们两个一同簪花。""是!"两个人起来收拾好，下了月台，距离也就在二丈四五左右，司马良掏出三支镖来，嘴里含着一支，两手各一支，就看他往下矮身撤右步，左手一甩腕子，"唰——"同时右手在下边一抖腕子，"唰——"第二支也摔出去，再看他往右一甩脸，右手摸镖，"鹞子翻身"，卧看巧云式，这一下最难，从下往上，真擦着于恒的头皮就到了，快如闪电，人们只看三点寒星，"扑扑扑!当啷啷!"全部落地打个正着。

王爷一看，第一个鼓掌，大家跟着也鼓掌，庙里僧众就好几百人，声音震动。司马良也很高兴，猫腰捡镖，擦干净收起来。九龄立即从傻小子怀里掏出海棠放好，傻小子还闭着眼睛问呐："完了吗?""还没打呐。""倒是快着点儿啊!""别说话啦。"夏九龄刚刚走到打镖的地方，就看他一回身右手一指，"喀吧"，跟着一塌腰，右手打左边，左手打右边，十字交叉，"喀吧喀吧。"再看于恒头顶和手上的海棠应声而中，好像用气吹倒似的，大家又一阵鼓掌。于恒一睁眼睛，问："炖肉在哪儿?"大家全笑啦!

北侠冲海川一笑："贤弟，你来看，这三山五岳的英雄，四面八方的豪杰，尽皆汇聚于此，正是你一显身手的大好良机。常言说得好，万里之行，始于足下。这是你入江湖的第一站，让我们开阔眼界，也好给你贺号哇。"海川闻听兄长的话，精神一振："谢兄长的提拔，小弟当然献丑，此处地势狭窄，请兄长陪王爷以及众家宾朋好友，到山门外边指正吧。"老少群雄众星捧月，来到山门外。

离大影壁足有十丈远，几百位在王爷的左右雁排翅分成两溜站好。再看海川站立在门外，聚精会神，二目凝视前方，提顶吊裆，左脚在前，右脚在后，掌不离肋，肘不离胸，龙骧虎坐。海川脚下往前迈步，按乾坎艮震巽离坤兑，八门八步，双掌揉动，变化莫测。海川脚下转圈，招术展开，开始还能看出一招一式，等到身法加快，海川的双脚就如同离开地面似的，真像一个大圆球，"咕噜噜"滚了个大圆圈儿，眼慢的分不出来呀! 海川的势子越走越矮，身法越走越急，他穿的蓝布大褂又肥又大，他的前摆踢起来后摆就擦地，就带起土来，开始不显，土越来越大，到后来土气飞扬，直冲霄汉，人们都用袄袖儿来挡着眼。王爷心里这个气：海川呐海川，叫你练艺贺号，谁叫你跑到灵隐寺扫街来了! 等尘土慢慢地落下来，大家也能看清楚啦，可再找海川，踪影不见。王爷纳闷儿："海川呐，怎么不见啦?"这么多人，这么多的眼睛，谁也没有发现，还是秋老侠先看到，叫道："爷驾请看，海川不是在影壁上吗？"王爷仔细一看，道："怎么海川会爬上那么高哇？"海川趴伏在这大影壁的正中，两只手掌紧贴在影壁墙上，双腿微卷，脚心也扣在影壁面上，如同一个大蝎虎子似的，全凭一口内功真气，吸在墙上。大家情不自禁喊起好来，喊声震动山谷。王爷高声叫道："海川，快下来吧，太危险啦！"海川却慢慢地爬动，扑扑越爬越高，直奔东南角儿。这影壁有五六丈高，在最上角叠起一个好像牛犄角的探头八字。海川右手一抓小小的檐头，身体借劲离墙，头冲着下方，双脚冲上，左手正搭在檐头根部，来了一个顺风扯旗，十分惊险。地面的掌声如同爆豆。海川一想：见好就收吧。他双手一倒，来到影壁的泥鳅背上，跟着往下一溜，又溜到影壁的墙面上，从东上角斜着往西下角儿，"唰——"，就跟走线一样溜下来了。王爷的心都提到嗓子眼儿啦！离地不过五尺，海川飞身下来，脚踏实地，一点声响都没有。神枪张凯高声喝喊："好！"随着大家都喊开了。大家的喊声刚落下来，突然影壁上有人喊，嗓音儿透着尖："不好！"这一下大家全怔住了。

海川抬头往上看，这个人随着声音就下来了，"唰"地一下脚踏实地，正站在海川的旁边，相隔不过三尺。海川一看，像个小孩儿，又一瞧，不对呀，是个老头儿。看他身不满四尺，瘦小枯干，一身骨头架子支着，一层蔫皮儿包着，真是麻秸杆的细胳膊，小细脖子，小圆脸儿，面黄肌瘦，竖着黄头发的冲天小辫子，两道黄眉毛似有如无，一双小黄眼珠嘀溜儿乱转，上唇有小黄胡子儿，地地道道的痨病鬼儿。

别看这人骨瘦如柴，两膀一晃却有千钧之力！此人姓苗名叫吉庆，师父给起了个外号叫黄病童子，今年已经六十五岁了。他的老师，可是十二剑客里的大人物，姓周名叫周浔，他有个师弟叫鹿民瞻，老哥俩不但武术绝伦，也是当代著名的画家，周老英雄专画云龙，有三现五现九现的云龙，人家给他起个美号就叫云飞九现；鹿老英雄专画鹰熊，所以又叫英雄浔鹿。周老剑客最喜欢喝西湖龙井，所以经常叫苗吉庆来杭州，好在绍兴府周家集离杭州也不算远，苗吉庆脚程又快，很不算什么。这次苗吉庆来到杭州，一到天竺街，发现前边好多人马，耀武扬威。吉庆往旁边一闪，跟旁边一位老者打听，原来是镖局的英雄到灵隐寺献艺贺号去。吉庆一想，我要开开眼界。他便跟下来，在影壁后边往里看。当海川练艺的时候，从吉庆的眼里看，功夫确实不错。吉庆也点头自语："难得呀！"等海川站住，大家一鼓掌，苗吉庆生气了，那意思是他不错就成啦，怎么不要命的拍马屁？叫齐了号的喊好！他一生气才喊出来："不好。"

从影壁上下来，吉庆又觉得后悔。人家一个年轻人功夫练到这个份很不错了，我为什么要在这里瞎起哄呐？他心里犹豫不定。海川一抱拳，笑道："老英雄，刚才喊不好的是您吗？""没错，就是我。""请问，您看我哪一招不好哇？""全不好。"众群雄听着，都认为不像话。王爷恼啦！这位王爷胸有大志，总是礼贤下士，躬己待人，上至公侯卿相，下至贩夫士卒，他都能一般看待，今天对待苗吉庆就不同啦，又在这种场合，认为他是故意捣乱。王爷把一脸一沉："海川，给我打他。"王爷说打，海川双手一合，照定苗吉庆"胸前挂印"就打，"唰——"掌就到啦。海川并没有看出苗吉庆这个把式有多大本领。相反，苗吉庆也根本看不起海川，但心里想：动手你就得输招，这个人当着这么多人献艺贺号，我与他远日无冤近日无仇，我胜了他，他这号怎么贺呀？正在他二心不定时，海川的招数到了。当苗吉庆上右步一斜身，海川不是跟苗吉庆对脸儿，而是看他的右耳朵成了一条线。海川用的一招叫胯打，人的手脚除外，肩、肘、胯、膝都能发招。海川用左胯一撞苗吉庆的右胯，等他意识到的时候，已被撞出好几步去。苗吉庆一害臊，钻进树林跑了。

王爷心中大悦："打得好。"其实秋佩雨他们几位成名的人物，看出来这是童林走运。于是招呼大家回到天棚下坐好。王爷请大家吃茶道："众位都是武林前辈，快快给海川送个绰号吧。"秋佩雨老侠站起来道："王爷示下，大家给我师弟起个号。"大家心里也明白，起得不好，王爷这关就过不去呀。绍兴府镇南镖局镖主，神镖手黄仙舟站起来道："爷驾、众位老前辈，愚下想起一个来，看童师傅在山门外转圈，功夫实在好，就叫陆地神仙吧。"北侠镇东侠一听，这个气呀，你起这个外号，王爷能答应吗？秋老侠不好意思说什么，问："振远、司马大弟，你们哥几个看着行吗？王爷以为如何？"侯老侠也看王爷："还是请爷驾提提吧？"雍亲王爷把头摇了又摇："众位老侠客，我想一个人怎么能叫神仙呐？不大妥当吧。"秋老侠点头道："这样吧，振远，你先写上，等大家说完了，咱们来个择其善者而从之。现在大家说吧。"侯老侠提笔记上，神枪张凯站起来道："我说一个，刚才见童老师练功，一眨眼不见啦，可称神行无影。"侯振远记上。这位提一个小旋风；那位提一个个天下无敌，有提赛霸王的，还有的提今世典韦的，眨眼之间提出了四十多个。王爷脑袋摇得都发晕啦！"本爵想说两句门外话，也没别的意思，大家提的，本爵觉着不大痛快。这么办，秋老侠提一个，我们听听吧。"大家也随声附和："对，秋老侠说一个。"老英雄抱拳："众位提得很多，好吧，我说一个大家再商量，今天海川在灵隐寺献艺，确实令人钦佩，在座的亲眼目睹，都很服气，可今日参加盛会的来自南七北六十三省各地，这里还包含着四面八方，老夫虽然无能，可朋友抬爱称为北侠，振远为东侠，司马大弟为南侠，只是号为西侠的于老前辈不在这里。可他的弟子李源李贤弟在这里，也能代表于老前辈，将来李贤弟可去一趟山西，我想于老前辈也一定愿意提携后进，成人之美，既然海川的武艺，技惊四座，他可称威镇八方。海川的脸面发紫，那么就叫他镇八方紫面昆仑侠，不知爷驾和众位以为然否？"侯振远站起来道："好，海川的绰号是镇八方紫面昆仑侠。先谢谢哥哥。"侯振远一躬到地。王爷连连点头："太好啦，海川快过来给老哥哥行礼。"海川赶紧过来，趴地下磕头道："老哥哥，小弟先谢谢。"北侠伸手扶起："不必谢，等愚兄与你簪花。"海川摇头道："您先等一等，哥哥，您再给想一个别的什么号吧，这个号小弟实实担不起呀。您想，小弟才三十岁的人，功夫尚不成熟，如有绿林朋友找小弟的麻烦，怎么得了哇？"秋老侠一笑："贤弟，愚兄是过来人，人怕有名儿猪怕壮。当然这种事情也难免，不能怕。只要行端履正，交友以诚，肝胆照人，虽说这个号是大了点儿，绿林朋友也会捧你的。"普照过来也说："师兄给你起的号是过了些，望你好自为之，洁身自爱，勉励而行就可以了。怎能辜负老师兄的一片好心意呢？"镇东侠、南侠、苗泽、张鼎、李源也都过来啦："兄弟簪花吧，将来的道路还长呐。"北侠把花给带好，很多同道都过来给童林道喜。

　　大家归座。侯老侠带海川先给王爷斟酒，再给北侠、南侠等挨次斟酒。大家开怀畅饮，把饭吃完，便坐着喝茶。法元长老毕恭毕敬手捧缘簿，来到王爷面前："阿弥陀佛，爷驾功德无量，请结善缘吧。"有僧人捧墨执笔在旁边立着。王爷打开缘簿，拿过笔来，刷刷刷写上了，北京爱新觉罗胤禛，布施银一千两。黄灿、潘龙叫伙计记数，接着往下有五百的、二百的、几十两的、几两的，一一不等。最后黄灿、潘龙也写了布施，并且请法元派僧人到镖局取银子。大家陪王爷起身，僧众鸣法器恭送。

　　大家回到镖局，皆大欢喜一番后，很多人纷纷告辞离去。不到几天都走净了，最后北侠也要走。爷儿几个一再挽留。北侠说："你们要去云南八卦山找国宝，到时候给哥哥我去信，我一定前去。还有王爷是金枝玉叶，岂能总在外边？家累千金，坐不垂堂，还是劝王爷回京为妥。"北侠师徒告辞了。

　　当天晚上侯老侠和王爷商量说："爷先回京，随时派人给爷送信，再说过久在外面也不太好。您回京之后，草民同海川明天就去云南啦。"王爷听完一笑："老侠客，这次本爵为了访访民情，本意到外边走一走，再说海川的事情，尚无眉目，本爵也不放心。如果我自回北京，也有不妥。您不必多费心，本爵自有主见。"王爷立刻写了两封信叫潘龙派人去北京，一封信送到自己府上叫大总管何吉按时续假；一封信送往老肃王府，请老王爷在圣上面前求恩宽限。侯老侠无法，嘱咐黄灿遇事多跟潘龙哥哥商量，并让二爷侯敬山带于恒以及小弟兄暂在杭州住下。侯、童二侠陪着贝勒爷，只带司马良、夏九龄一行五人南下。次日登程，饥餐渴饮，晓行夜住，直奔云南要拿二小，请国宝。

第十四回

杨家庄姑舅喜重逢
火神庙父子痛相认

上回书说到下云南拿二小请国宝，老侠侯振远和海川带弟子司马良、夏九龄保王爷离开杭州，一路上游山玩景，也不寂寞。行州过府，走隘穿关，奔江西，渡鄱阳湖，到岳阳瞻仰岳阳楼，要逛八百里洞庭湖。只见烟波浩渺，一无边际，真是沙鸥翔集，锦鳞游泳，岸芷汀兰，郁郁青青，风景幽美，胸襟为之一阔。他们爷儿五个，指指点点，弃舟登岸，进了君山。首先看到的是当年杨幺起义修铸的大铁钟，用木锤一撞，声闻数十里。再看看龙女牧羊、柳毅传书的柳毅井，又参观了听经的两个大石龟。相传佛祖讲经，天雨奇花，地涌金莲，二龟听了入神，到天明回不去，变成石龟。最后又看了大片斑斑血泪的湘妃竹，据说大舜死于苍梧，他的两个妻子娥皇、女英抚竹而痛哭，眼泪流干，继之流血，血迹染在竹上。站在君山最高处，东望岳阳楼耸入云端，西观百丈峰，层峦叠翠，真使人乐而忘返。过了洞庭湖，顺沅江来到桃源县地界，这是陶渊明作《桃花源记》的地方，因此叫桃源县。天到已分时，王爷赶路有些饿了，问："海川，咱们是不是该吃饭啦？我觉着肚子发空了。"侯老侠客一指，道："前面就有个通街大镇甸，咱们到那儿打尖吧。"

爷儿五个来到切近，这个村镇有几千户人家，东西长街有三条。他们爷儿五个走的是正街，来到东村口，路旁有个大石碑，上有六个字：桃源杨家庄。进了街一看，来往的人跟流水似的。路南里是个大庙的红色后墙，虎皮石的下基，看这庙的样式，规模很大，墙里面可能是个大花园，参天古木。走到庙的西边，是个大高坡，庙墙从后面看很高，从西看就不高啦。这大坡和西庙墙连着，墙比土坡只高一尺多，坡上有大片果木树，绿叶成荫。过了十字街路北有个大饭馆子，黑匾金字：杨家酒楼。里面刀勺乱响，香味飘到了街上。两层楼楼窗门开着，爷儿五个进来，楼下已经是座无虚席啦。一个年轻伙计乐嘻嘻地走过来道："爷台上楼吧，楼上看座位。"五位顺着东面腾腾腾上了楼。

他们来到南楼窗下桌前就座，王爷脸冲北，侯老侠脸冲东，海川冲西。王爷知道那两个孩子不愿意跟他们三个人在一处坐，便道："伙计，你先给我们这两个学生找张桌儿坐下，叫他们单吃。"伙计答应着，把他俩让到东边一点，在对着楼梯口的那张桌子上坐下了。

伙计用布巾擦抹桌子道："爷，用什么酒菜？好给您准备去。"老爷三要酒要菜，一会儿就端上啦。伙计这才来到二小面前："二位少爷等久啦。"一边说话，一边在瞧他们俩。九龄有心，从一进饭馆就发现伙计们总偷偷地看他们。九龄问："伙计，你过来。"说着，九龄掏出二两银子："给你买双鞋穿吧。"伙计眉开眼笑道："谢谢二位少爷，让您破费。""唉，伙计，你给我配四个酒菜，半斤一壶的酒，来上两壶。""可以。""你不必拿酒杯，这两壶酒拿来，放在我这边一壶，放在我哥那边一壶。""少爷这是为什么？""你不知道，那边三位都是我们的长辈，不年不节不许我们喝酒，我们必须偷着喝。"伙计答应啦，时间不大，菜都端上来，放好盘碟筷子，把两壶酒放在桌子腿的旁边。司马良胆小，说："九龄，师大爷看见要责备的。"九龄摇头道："咱故意让王爷瞧见，他心善，瞧见就得说，拿上来喝吧，这就算奉明文，然后咱每人再要半斤，师大爷就不好意思说咱啦。"司马良一听，对呀！两个人一猫腰，拿酒壶喝一口，然后直起腰来吃菜，再一猫腰喝口酒，直起腰来吃口菜，旁边吃饭的看着都发笑。王爷一眼就看见啦："你们俩人真可气，想喝酒拿上来喝，偷偷摸摸的干什么！"九龄一挤眼，赶紧站起来，立刻把伙计叫过来："再给我们每人来半斤。"伙计答应着把酒给送来。侯老侠一乐："您太惯着他们，就让他们撅着屁股喝吧，您这一句话，他们奉明文啦。"其实侯老侠早看见啦，就是不说话。爷儿五个在两个桌子上，开怀畅饮。

正在这时候，楼梯"腾腾"一阵响，上来两个人，吃饭的人们一看，嘿！真有长得一样的人。前边那位一身蓝绸子衣服，梳着冲天杵小辫儿，前发齐眉，后发披肩，瓜子脸蛋，面色红润，跟九龄长得一模一样。后边那位一条大辫子漆黑刷亮，长方脸型，浓眉大眼，也是一身蓝，跟司马良长得差不多。伙计先生们都跑过来道："二位小少爷，快快坐下吧"

这二位挨着九龄他们这张桌坐下。伙计端酒上菜侍奉殷勤。九龄就明白啦，这二位不同一般人物。他低言悄语："哥哥，怨不得伙计瞧咱，原来咱俩跟这两人长像相同。干脆，叫这二位付咱们爷儿五个的饭账吧！"司马良知道他又要冒坏，道："你不要胡来。""您放心，我给他来个迷魂掌。"说到这里，九龄一招手儿："伙计。"伙计马上跑过来："二位少爷添酒上菜吗？"九龄一摇头："不，我看旁边这二位是英雄，你告诉账桌儿先生和那二位少爷，他们的饭账我们付了。"伙计过去一说，那个梳冲天杵的一瞪眼："胡说，怎么能让客人付我们的饭账？不行不行。"九龄马上站起来一抱拳："二位兄长，小弟见二位兄长仪表非俗，十分敬爱，想跟二位兄弟近乎近乎，一定付您二位的饭账，您不同意那是瞧不起我们。"那边二位也都站起来："两位贤兄太客气啦。我们虽说萍水相逢，可是一见如故哇，干脆，咱们搬在一起用酒吧。"九龄一笑："恭敬不如从命，请。"那两个小孩立即派伙计把酒菜都放到一处，四人坐好，又叫伙计添酒上菜。跟九龄长得一样的那位说："你告诉账桌，我们吃多少，钱都记到家里账上。"伙计答应着，九龄一拉："谢谢二位兄弟的美意，我们人多。"边说，边旁边桌上："那儿还有三个人呐！"没想到这两个小孩儿毫不在乎："没关系，有多少人也不要紧，把那张桌的饭钱咱们一块儿给了。"伙计答应着走啦。

九龄心里美滋滋的，让酒让菜："请问二位兄弟怎么称呼？"梳冲天杵的这个指着自己："在下姓杨名叫小翠，他是我哥哥叫小香。都是父传子授的艺业，我的外号叫铁腿鹿，我哥哥叫插翅鹤。没领教二位哥哥怎样称呼？"九龄一指自己："我叫多臂童子夏九龄。他是我哥哥玉麒麟司马良。"小翠、小香都作揖道："久仰久仰。"二人也连连作揖："不敢不敢，请问，您和这饭馆怎么这么熟悉？"杨小翠一笑："夏兄有所不知，这个买卖是我家的。我们住在后街，家父也是老武林出身，子不言父名，他是上万下春，江湖人称展翅大鹏。我们中午每天练完功，都到这儿来吃饭。"九龄点头，四个彼此劝酒，越喝越投脾气。一问年纪，司马良、夏九龄比杨小香、小翠他们大，就呼兄唤弟，喝得兴高采烈。

小翠问："夏哥哥你们能不能到舍下去一趟？一来使小弟尽地主之谊，二来多盘桓几日，三来尚有大事相求。"两人一听，九龄问："您二位有什么事情呢？"小翠的脸一红，唏嘘半天，最后才说出来："司马哥哥、夏哥哥不知道，我和兄长从幼小随爹爹练艺，由于我们两个贪玩，把大好时光白白过去，辜负了古圣先贤的教诲，大禹圣人惜寸阴，陶侃贤人惜分阴，所谓少年不努力，老大徒伤悲。直到现在本领也不高，前几天我们到东口大庙后边去玩儿，在土坡上往后院里边看，发现庙里有个小孩儿，年龄比咱们都小，长得挺好，最叫我和哥哥好奇的地方是他左手持刀，正在练艺。他看见我们就大怒起来，飞身上庙墙来到土坡上，破口便骂，激怒我弟兄，亮刀动手。我二人不敌，都叫那个小孩给打啦。我们又不敢向父亲说出来。今天遇见二位兄长，能否助我们一臂之力呢？"九龄一听很高兴："杨兄弟，你们两个的事，就是我们两人的事，也不是九龄说大话，只要到那儿，咱就把脸面找回来。他是包子，把馅儿给打出来！我要是鸡蛋，把黄儿给打出来！不过……"小翠一瞧怔了，问："夏哥哥有什么难处吗？""唉，你不知道，你看。"九龄一指那张桌的侯振远："你知道那个白胡子老头吗？""那是谁呀？"九龄一吐舌头："那可是了不起的大人物，是我们的师大爷，山东侯振远，人称圣手昆仑镇东侠。""啊，大名鼎鼎的老侠客，知道。"又一指海川，"你看这位挺快的。"司马良一听，心说你怎么信口开河说师父快呀？正想指斥，小翠忙问道："那位是谁呀？""是我们的师父，北京童海川。""啊，是不是新出世的英雄，北高峰献艺贺号的镇八方紫面昆仑侠？""对，你怎么知道？""最近有武林同道来我家提过。"九龄他们一高兴，心说：师父的名声比我们走得还快呐！小翠又问："当中坐的那位是谁呀？"九龄一琢磨道："更了不起，有这么句话：与虎同眠，焉有善兽，与凤同飞，必定俊鸟。""是谁呀？'，"威振武林，名声太大啦，他姓胤名叫胤祯，顺天府人氏。""有美称吗？""有，江湖人称天下第一侠。"司马良一听，心说：好么——你真能胡诌！

　　九龄跟小翠商量："你先叫伙计过去跟那个老头说，饭账您二位付了。他们只要答应了，就可以请到府上去啦。"小翠一听："好办，伙计过来。"伙计来到近前："什么事呀，少爷。小翠掏出十两银子来："给你的。"伙计可没想到，忙谢道："哎哟，我谢谢少爷，您高兴啦，为什么赏小的这么多钱？""你带起来。""是。"小翠一指镇东侠："你看见那个白胡子老头儿了吗？""看见了。""你过去把三位的饭账只要付下来，十两银子归你。你要付不下饭账来，今晚上你就卷铺盖回家！"伙计可吓坏了，没法子，他满脸笑容奔侯老侠来啦。"老爷子，嘻嘻嘻……"两只手直揉搓："老爷子，再给您添些酒吧？"侯老侠一摆手："张落别的客人去吧，要酒的时候叫你。"伙计可站着不走。老侠一看，问："怎么不走哇？"伙计低着头儿："老爷子，看您老偌大年纪，依然这么健壮，真是盛世耆英，一定儿孙满堂多福多寿！您是位修好的人呐！"王爷、海川都纳闷儿，这个伙计要干什么？老侠一笑："伙计贵姓？""免贵您呐，我小子叫刘二。""刘伙计，你有什么事吗？""唉，老爷子，不瞒您老说，我现在正着急哪！""有什么着急的事儿？""我刘二是本镇的人，家里有个光棍儿的父亲，三个没娶媳妇的哥哥，两个没成家的弟弟，加上我们两口子，就指着我一个在饭馆儿侍候爷台们，很不容易糊口哇！可不顺心的事儿都叫我赶上啦，又来了亲戚，我寡妇岳母，还有三个寡妇大姨子，两个没出门子的小姨子，这二十来口人我养活不起呀。"老侠一听，道："你先等等说，你们家里人跟来的亲戚，男女搭配太合适啦。""哟，老爷子您别给配对儿啊。"侯老侠他们老三位都笑啦："刘伙计，你跟我念叨这个干什么？""唉，老爷子，我今天要得笔外财，就看老爷子可怜我啦。您要赏脸一点头儿，我就承您的恩啦。您只要一摇头，小子我就卷铺盖回家，饭碗就算砸啦！"说着话，刘伙计挺难过。侯老侠喝着酒问他："作文章也要有个题目呀，你只问我答应不答应，不说什么事，我不能答应。"刘伙计才把事情提出来："您只要让我们公子爷付了饭账，十两银子就是我的啦。老爷子，小子谢谢您啦。"刚才九龄跟小翠他们一答话，侯老侠就生气啦！好小子，初入江湖，就学这坏毛病，指人家的迷魂掌要吃人家，小小年纪不学好。说："刘伙计，不是老夫脸硬，我这人一辈子没吃过别人。不过十两银子吗？你家少东家不给，我给你，这没关系么。"刘伙计说得舌敝唇焦，老侠执意不肯。

　　这时候杨小翠走过来，乐嘻嘻地给侯老侠深深地鞠了一躬："老人家，后辈知道您呐，您老人家姓侯名廷表字振远，圣手昆仑镇东侠侯老侠客爷，对吧？"跟着又给海川作了一个揖，道："后辈也认识您呐，您老姓童名林表字海川，镇八方紫面昆仑侠。"说完了又转身给王爷也深深地施了一礼："这位老人家，我也认识您呐。"王爷一听，吓了一跳，这孩子怎么也认识我呀？一定是九龄这个冤家信口开河说的。便问："嗷，你也认识我吗？""认得。您是顺天府京都大地方的人氏，姓胤单字名禛，江湖人称天下第一侠。"双侠一听，差点儿乐出来。王爷可大笑起来。心说：好小子，给我贺了这么一个号！"对对，我是天下第一侠，你找我们有什么事吗？"杨小翠心里高兴啊："三位侠客爷，在下叫小翠，家父展翅大鹏杨万春，也是当代武林中的人。他常常教育我们遇高贤不能交臂而失，必要请到家中聆教，以增见闻。今天三位侠客爷莅临敝处，如果不请到寒舍款待，家父定要申斥。因此叫伙计刘二说，我付您饭账，以便恭请三位侠客爷稍留片刻，光临我家。不知三位侠客爷肯其赏脸赐光吗？"王爷一听，自己此番出京，原为广交英雄，怎能不去呢？问："侯老侠、海川，要不咱们就去见见这位杨老英雄?"老哥俩也乐意:"好吧,等吃完饭再去。"小翠不答应:"三位老侠客,这里人多,也吃不好,还是请吧。"爷仨无法,只好跟着去了。

小香、小翠恭请他们五位,从酒楼出来到十字街往北拐,来到后街一条东西的大街,再往西,路北广亮大门,门前四棵龙爪槐。一个家人正出来,一见小哥俩,立即垂手侍立。小翠道:"你去告知老爷子,三位侠客爷来拜访,请他出来迎接。""是。"家人赶忙跑进去。一会儿,有人笑着出来:"哈哈哈,哪三位侠客大驾光临哪?"王爷他们一看,这老人身高七尺,背厚肩宽,一身米色绸长衫,白绵绸裤褂,高桶白袜子,大红缎子朱履,古铜色的脸膛儿,浓眉金眼大鼻头,四字海口,连鬓络腮一片花白胡须,光头没戴帽,顶还没谢,花白剪子股的小辫,精神百倍,正是展翅大鹏杨万春。

杨老英雄是武术世家,亲戚职友很多,都会武艺,威名远震。他十分好客,凡是过往同道,认识不认识都要款待。这样一来,山南海北的武林人物,如水之东海,全都来啦。这样一来,就有些应接不暇,真是坐上客常满,杯中酒不空。老英雄一想:干脆开个酒楼,专为朋友来吃饭。小香、小翠也和他父亲的性格相同,但是小哥俩没经验,有的人把他们俩吃得泰山不卸土,可一提武术,连个旋风脚都不会。老英雄就说过他们小哥俩。今天又听伙计们说来了三位侠客,老英雄一想:又是来骗大米饭的吧?这才出来,可他一看大吃一惊,贝勒爷气度安详,雍容华贵。侯振远形神潇洒,风采可爱。童海川,浑金璞玉,内力充沛。杨万春就知道不是常人,抢步拱手:"不知三位侠客爷驾到,恕在下未曾远迎,请多宽宥。"侯老侠伸手相拉:"老英雄请起,冒昧造访,阁下海涵。""哪里,此处非讲话之地,大厅待茶。请!"转过屏风墙,众人来到大厅。

杨万春细问了侯老侠,接着又问海川,海川也说了。跟着又问王爷:"请问胤老侠客的老师是哪一位?怎么对您的鼎鼎大名过去不曾知道?"老人家侯振远告诉杨万春:"老英雄不知道,这位是当今康熙万岁爷的四皇子,分府固山多罗贝勒爷爱新觉罗氏雍亲王爷。"吓得杨万春颜色更变,立即跪倒身形,以头碰地:"草民罪该万死,亵渎王爷,给王爷磕头,望王爷恕罪。"王爷站起来搀扶:"老英雄,这次本爵是私自离京,还要敛迹一些为好,不要声张出去。""草民知道。"又细问为什么来到江南?海川把上项之事说明。杨万春非常高兴道:"小翠、小香,你们快去柜上要一桌最好的菜来。"海川忙拉住小翠道:"一定以牛、羊二肉为好。"又叫九龄他们拜见万春。杨万春也叫儿子拜见王爷他们,王爷特别喜欢。小香他们四个人手拉手出去了。

半天工夫，酒菜到齐，下人调摆桌椅，酒菜放上。杨万春让座："爷请上坐。"王爷一摆手："不忙，叫下人把四个孩子找来。"杨万春知道王爷爱惜这四个孩子，马上派人去找。家里门外，屋左房右，再找这四个人踪迹不见。过了很长时间，院里有人喊："少爷们回来啦！"下人挑帘栊，王爷他们一瞧："这是怎么啦？"司马良、夏九龄滚了一身的土，十分狼狈，四个人低着头，脸蛋臊得通红，眼里含着泪，一声也不言语。海川对司马良、夏九龄这两个孩子，从心里爱，就是他这人爱孩子，总像跟谁呕气似的，心里是一团火，可以说血心热胆。现在一看九龄他们这样，能不着急吗："你们干什么去啦？"海川问得很严厉。王爷不愿意啦："海川轻声些，把孩子们吓着。龄儿，你们上哪去玩啦，怎么弄成这样？"九龄才备叙前情。

原来他们四个人从家里出来，先到酒楼叫底下人快把饭菜送到家里去。四位一商量，趁着有空儿，为什么不找那个孩子去呀。司马良不乐意："你们要去庙里打那个孩子，万一打不了人家，咱们挨了打怎么办？要是把人家打了，人家长辈出来，咱怎么办？这事叫伯父、师父知道准不行啊。"九龄一听很不高兴："就是你怕事，大丈夫为朋友则生，为朋友则死，讲义气，重情谊！现在咱朋友有事，怎能袖手旁观！再说，可不是吹，到那里就把他给揍了，出了事有王爷顶着呢！"小翠又问："是不是回去拿刀去？"九龄摆手："不用，我们的兵刃在身上带着呐。"他们计议停妥，顺正街可就往东了，轻车熟路，来到土坡上。小翠一指东庙墙，四个站在墙外往庙里看，院子很深，几十棵大树，枝叶茂盛。果然那个孩子左手拿刀，正练功哪。一张娃娃脸，面似粉团儿，重眉大眼睛，冲天杵的小辫儿，一身宝蓝衣褂，薄底靴子，长相真俊。小翠一指："就是他！"九龄一瞧，把嘴一撇，满心的瞧不起："别管啦。"九龄一声咳嗽。这孩子一抬头，他看来了四个，垫步拧腰，"嗖"地一下就蹿上来，站在小翠的面前："你们又来捣乱！上几次还没把你们打怕？"九龄一瞪眼："站住！小娃娃你真大胆！敢打我的弟弟，你不知道他们是我的朋友吗？"那孩子一听，浓眉往上一挑，一阵冷笑："呵呵，助威的人来啦，好哇，来吧。你们一齐上，小太爷不怕！"九龄一乐："打你何须人多。"说着，撩长衫，"哗楞楞"，套挽手一抖链子槊，蹦过墙去。"来吧，进招！"九龄左手链子槊"哗楞"一涮，右手链子槊，"丹凤朝阳"照定小孩儿太阳穴就打。夏九龄的链子槊快到啦，那孩子随着往下一矮身，左脚往左边一滑，左胳膊肘儿顶着刀背，刀刃冲外往九龄腿上一抹，九龄心说好快呀。

九龄摇双桨，脚尖点地，纵身起来从刀上过去，万万没想到，这个小孩可厉害，他左腿抽步又回来，跟着右脚往里合步，左手一按刀把，正腕子拿刀就劈。九龄还没回过身来，只好猫腰一撅屁股，那孩子抬右腿就是一脚，"嘭"！把九龄踹出一溜滚儿去。九龄滚出去，鲤鱼打挺儿起来还没站稳呐，这孩子蹦起来上去又一脚。九龄再起来，再踹一脚。九龄长这么大可没栽过这么大的跟头，他都要哭哇！司马良同仇敌忾，掏出链子锤，"哗楞"，双锤一悠，从这孩子的身后，"柏树盘根"，扫堂锤就到啦。这孩子"张飞骗马"，左手持刀反手一抡，左脚扬起，右脚跟过，从司马良的锤上来，就势一长身，躲左腿，左手刀撩阴一刀，司马良撤左步，双锤盖刀。可这孩子借势变式，坠肘沉肩，滑左步，左手刀摸过来往上撩。司马良若不撒手扔锤，两只手全都得掉下来。只听"当啷啷"双锤落地，"扑通通"，司马良被一脚踹倒。小孩子把嘴一撇："再来捣乱，一定杀死你们！"九龄哥俩一身土站到那里发怔。小香、小翠只好给掸掸土。九龄不叫往下掸土，他明白，师父童林表面严厉，可心里很疼我们哥俩。如果要知道我们两个受了欺负，师父就要管。即便师大爷不让管，只要在王爷面前一掉眼泪一撒娇儿，王爷就不干啦。小翠直道歉："真没想到，二位兄长受委屈了！"九龄摇摇头："没什么，回去吧。"四个孩子才回家。

王爷一听海川问得很严厉，不乐意啦："海川，你不要管，我来问。你们四个都过来，说说你们干什么去啦？"四人过来行礼。九龄一边擦眼泪，一边说。王爷一听就恼啦："这是为什么？小小年纪就欺负人！海川，你去带着他们到庙里问问，这还了得。"其实海川也不高兴，我的徒弟，我自己都舍不得打，叫你们打着解阿儿去。侯老侠过来问："九龄儿，这孩子为什么打你们？你们去饭馆为什么又到庙里去啦？你怎么知道庙里有这么个孩子？你们四个，人家一个，到底是谁寻谁的晦气？你们俩挨打，为什么小翠哥俩没挨打呀？"九龄没回答。小翠过来道："老伯父，我和哥哥早就挨过打啦。"老侠大笑："好诚实的孩子！不用问，你们挨了打，想约助拳的，没想到这助拳的见义勇为，可惜身不量力，也叫人打回来啦。既然打回来，就该把身上的土去掉，吃个哑巴亏才是，为什么带着幌子回事？知道王爷疼你们俩，带给王爷看的，好借王爷的力量，叫你师爷给你们找面子去。我没说错吧？可恶的东西，把土掸了去！"司马良一边往外走，一边嘴里嘟囔："你偏逞能，都叫师大爷猜着啦！"气得王爷也大笑起来："这九龄奴才，连我都算计！杨老英雄，您知道怎么回事？"展翅大鹏杨万春长叹一口气道："唉，爷驾，二位侠客爷，有所不知啊。这件事草民早就知道。我两个犬子被打，有人告诉我啦。可这孩子使用左臂刀，这我犹豫不定，不敢前去。"王爷听了不解："为什么呢？"杨万春说出一番话来，大家一听，点头赞叹！

原来杨万春有个胞妹，当年嫁到沅江下游柴禾口，小地名叫西湖城。这个地方地势低洼，北面的沅江，就如同在半空中悬着一样。妹丈姓洪名利字炳南，家传的武艺，使用左手刀，外号左臂神刀。这刀招一共是六手，夫妻成家之后，十分和美，杨氏既勤劳又贤惠，一晃六年过去。洪利每天用早功，他练刀总在自己后院，院墙是用荆苕编的，从外边可以往里看，这么多年来，功夫从不间断。没想到有个偷艺的，把他的六手左臂刀给偷去啦。这年洪利打算去广东访友，大奶奶一听，并不拦阻，但是夫妻商量："男儿志在四方，万里人需行万里路，太史公周游名山大川，才作出好文章来，为妻怎能相拦呢？不过我已怀孕，是否等到为妻分娩之后再走呢？"洪利摇头："不，我说走就走，至于生孩子，有邻居帮忙，也没什么。不过我何时回家尚难预料，你要生个男孩儿，在左边耳下扎两个字叫'玉耳'。要生女的，在右耳下扎两个字，叫'玉莲'。这就算给孩子起的乳名儿。"嘱咐完了，洪利就走啦，直奔广东省中来。

广东龙门县青龙街东口有个八卦堂药铺，这个药铺的掌柜的，是一位内外两科的好大夫，姓王名十古。他这名字，王字把当中一竖抽出来就是八卦之中的乾卦，乾三连。如果用这一竖把三卦当中一隔，就成了坤卦，即坤中断。乾为阳，坤为阴，阴阳相辅即为两仪。十字四个头儿为四象，古字五笔为五行，他这名字包涵两仪四象五行。这个人不但深通医理，而且是一位武术大家。幼年之间，三入嵩山少林寺，在大殿的匾后头巧得少林寺十三节人骨鞭；在后阁佛楼上，因为本庙方丈—圆大法师的玉成，巧得寺中礼籍的无价之宝：天罡鞭三十六式鞭图。他回到家中总不出户，四十年，精研鞭法，得其精髓，并且加以创造为活把鞭，成为江湖第一条鞭，并且还有自己的五行八卦掌，按周天三百六十五式，业已练成，人称头顶太极脚踩八卦、乾坤妙手王十古。今年已经七十岁，文武两科，内外两家，俱臻绝顶。洪利就为拜访他才来到青龙街。等到了东口，一看路南过街的大影壁，路北广亮大门，八棵龙爪槐，大门关闭。上首挂着木牌，有四个字："今日停诊。"洪炳南一阵沉吟，自己不远千里而来，不能空回，但是机缘不巧哇。洪利来到西口路南的王家老店。伙计接他到跨院儿，擦脸漱口喝茶，吃完饭独对孤灯，闷闷不乐。伙计看出洪利有心事，便问："客人不是本地人，府上哪里？""湘西桃源县。""喝，可真不近呐，您到这边有什么事干呐？""我来访个朋友。""是什么地方的？""就是你们青龙街的，八卦掌王老侠。""哟，这老爷子不在家吧？""对，你晓得这位王老侠去什么地方啦？""知道，他去北省啦。""暂时回不来吗？""回不来，我们店里有好几位病人，都等着他回来哪。"洪利一听，看来这次不能相见啦。

　　次日算账离店，出了街口，他蓦然间想起一位了不起的武林前辈，也是本地人，是上三门中掌门门长、三清教掌教教祖，广东龙门县清源山寒风岛祥慈观观主，复姓欧阳单字名修。这位老剑客爷，年逾百岁，掌教多年，武功已是炉火纯青，是一位上十二剑客中的有名人物。幼年慕北宋贤相欧阳修的品德，自己改名为欧阳修，隐居此处多年。于是，洪利催船来到寒风岛。下船后顺着石级往上，青山叠翠，风景清幽，洞天福地，使人心旷神怡。山上万绿丛中隐现红墙，到了祥慈观东角门儿，用手扣打门环，出来个一身青的小老道儿："无量佛，檀越找谁呀？"洪利抱拳："弟子湖南洪利，来拜见欧阳仙长。"小老道笑着单掌打稽首道："无量佛，洪檀越，你的造化不小，请吧。"洪利欢喜若狂，过三层殿，来到东配殿。小老道一挑帘，洪利抬头看，迎面几案八仙桌上垂首椅子前，站着一位鹤发童颜，仙风道骨的老剑客，古铜色的道袍，杨木道冠，玉簪别顶，一部大白胡子飘洒在前胸。洪利抢步跪倒磕头，道："老前辈在上，末学后进晚生洪利拜见老人家。弟子久崇您老，有意拜师，可是弟子愚钝，不知老人家能将弟子列入门墙听教吗？"欧阳老剑客当年在陕西凤翔府城南金凤山玉皇观，后来收了个徒弟，又把徒弟的亲弟弟也给收下了。而这个徒弟是和尚，僧道不能并居，所以玉皇观改为古刹玉皇顶，这座庙交给徒弟掌管。老人家回到广东祥慈观下院来住，算来已经十几年啦。洪利要拜师，老剑客给扶起来道："炳南公，不可如此，我们做个朋友吧。"尽管洪利苦苦地哀求，老人家也不收。洪利依然恭恭敬敬给老仙长磕了八个头。

　　小老道给洪利安排了住处，没事的时候，二位经常在一起下围棋。洪利的棋份可不低，有时谈起武术，欧阳爷问他："贤契的左臂刀，会多少手？练练看看。"炳南练完了六手。"你再往下练。""弟子就会这些。"欧阳爷点点头："这就不错啦，这左手招术都快失传啦。好吧，还有后六手给你续上。"从这天起，除了下棋品茶，就是切磋这六手刀法。本来是一层窗户纸，一捅就破，何况洪炳南聪明绝顶。光阴荏苒，日月穿梭，眨眼就是六年。这天他们二位下了一盘棋，欧阳爷开局不利，等到了中局，只有招架之功，并无还手之力。可炳南只顾征战，忘了自己的家啦，稍一计算失准，被欧阳老剑客反过手来，反败为胜了。他推开棋盘，道："无量佛'，哈哈哈，贤契，怎么这盘棋您倒输了呢？"洪利说："老师的棋份儿比弟子高明啊！"欧阳道爷一摆头："非也，如果真比你高明，那么开局就不致落后。看来你输在棋胜不顾家啦！"洪利一怔：“啊！”不由地一阵难过，便道："老人家对晚生有责备之意，弟子遵命就是。"“等一等，你我总算有缘。”说完了到鹤轩里屋，取出了一口刀来，绿沙鱼皮鞘，金什件很讲究。老仙长一按崩簧把儿，“呛啷啷”声音如同龙吟虎啸，刀一出鞘，“唰”地一下，好像一道电闪，夺人二目。这口刀四尺长的刀苗子，背够一指，刃中一丝，锋利无比。“炳南，这口刀叫八宝电光刀，五金锻造，千锤百炼。这口刀斩金断玉削钢剁铁，望你善用此宝，保你一世成名。”炳南连连摆手："老师，弟子绝不敢要，怎能夺老师所爱呢？"“无量佛，宝刀宝剑虽好，终是杀人利器，出家人杜绝贪嗔痴爱，要它无用。不过此物在山人手中数十年，未敢妄伤一人，希望你不要错用它也就是了。”洪利跪倒磕头，接过宝刀悬于肋下。仙长取纹银五十两，给洪利权当路费，洪炳南叩头告辞。

洪利走出广东想回家，无奈又一回想：此次到广东，得遇老前辈，学艺赠刀，要是这样无声无息地回家，真对不起老人家心血栽培，不如在江湖游历闯荡，人活一世，草活一秋，不能虚度年华。洪炳南就在南七北六十三省游历了十二年，名誉远震。前后十八年，贤臣怀故土，良鸟恋旧林。洪炳南归心似箭，昼夜兼程并进，直奔柴禾口西湖城。等来到西湖城一看，傻眼啦！柴禾口一带十几个村子全没有了，成了一片汪洋，周围芦草丛生，连个人影都看不见了。洪炳南二目发直，手足无措："哎呀，我的家呐？一定被大水冲走。我洪利家败人亡啦！"他放声大哭，抖肺搜肠，泪如泉涌，哭着哭着就昏死过去啦。

不知过了多大工夫，一口浊痰吐出，悠悠气转，觉得耳中作响，眼前金花儿乱蹦。自己坐在地上，旁边站着个人。炳南一看是个花白胡子的老人，十分面熟。便问："啊，您不是东湖城的孙奎大哥吗？"“不错，你是谁呀？”“小弟洪利。”“哟，你是炳南大兄弟？兄弟呀！”孙奎猫腰抱住，放声痛哭。“兄弟，两世为人呐！你只顾访友在外，可苦了弟妹侄儿，他们早已不在人世啦！”炳南一听，犹如万把钢刀扎于肺腑。孙奎才备叙前情："洪贤弟，你走后不久，弟妹生下一个男孩，长得天庭饱满，地阁方圆。弟妹在孩子左耳后扎了“玉耳”二字，给孩子起名叫玉耳。哪里想到，在第三个年头上，连连下雨，沉江决了口了，大水灌到柴禾口，这一带村子无一幸免，连根草都是后长的。"说到这儿，洪炳南泣不成声，问："孙兄，您怎能逃出虎口？"“唉，别提啦，你知道我是货郎，走街串巷，闹水那天我去沅陵城里贩货，货主叫我喝了几盅酒，晚上走不了，就住在城中，才幸免于难。”洪炳南哭得死去活来。孙奎劝解半天："兄弟，你最好还是到孩子舅父家中探询一下吧。”洪利拭泪点头："事到如今，也只好如此。"这才奔杨家庄而来。

到了妻兄家门口，他脸一红，真是没脸见人呐！磨蹭了半天，这时从里边走出一位家人问道："这位找谁呀？""我是柴禾口西湖城洪利洪炳南，来拜见你家员外。""哟！您是洪姑老爷，快请进。"

客厅之内，由于九龄他们被打，杨老英雄正在说这件事呐："十几年前闹大水，一家冲走，妹妹外甥生死难明。妹夫远离乡井，十八年未有音信。怎么出现用左臂刀的呢？这个孩子和妹丈有没有天缘？再说火神庙的方丈，与我也有一面之识，怎能为此伤了和气呐？"王爷听完，说："老英雄不必难过，洪老英雄吉人自有天相，将来一定团聚。至于这个孩子，倒是有些意思，不如叫海川他们爷儿几个看看去。"王爷一说，大家认为可以。正要去火神庙，家人跑进来道："老员外，西湖城洪姑爷来啦。""啊，现在哪里？"就听院中有人哭："大哥，我没有脸面来见您哪。"家人挑帘子，杨万春一看悲从中来："妹丈啊。"洪利跪下，万春也跪下，抱头痛哭。侯振远过来劝道："二位老英雄，既是至亲，久别重逢，应该高兴啊，免痛吧。"王爷、海川也劝。把哥俩拉起来，家人端来脸水。洪炳南热泪直流，把十八年的事情都说了。杨万春赶忙拉洪利过来，道："妹丈，这是当今万岁爷的四皇子雍亲王爷，快行礼。"炳南怪纳闷，怎么皇上儿子跑到我大舅家里来啦？便给王爷行了礼。杨万春又把侯、童介绍完了，小香、小翠过来给姑父叩头。炳南看这两个孩子，想自己的儿子，要活着也这么大啦，未免又伤感一番。炳南又到内宅见过小翠的母亲，又是伤悲又是喜，这才回到前厅，分宾主落座。

洪炳南很爱这四个孩子。夏九龄这小孩心眼多，他叫小翠把姑父请到厢房，问："老伯父，您在广东学的也是左臂刀吧？""对对，少侠客问这个干什么？""您不知道，前街庙里住着一位使左手刀的，他说天下独一家，我们四个都叫他给打啦！我师父正要找他去，不想您来了。"炳南公一想：怎么？又出了使左手刀的啦？问："这人有多大岁数？"小香刚要说，九龄接过来啦："老人家，这个老头大约八十多岁。""啊！"洪炳南一怔，这么大年纪使左臂刀，没有容人之量，打这大儿的孩子，真不像话！"孩子们，咱们吃完饭去一趟看看。""您老人家现在就去吧，把那老头给教训完了，回来正好吃饭。"九龄这么个一说，炳南活了心："好吧，咱去看看。"

这时候家人很忙碌，出来进去穿梭似的，也没注意。爷儿五个一直来到庙后边，炳南干什么来啦？倒不是为了打人，他想这左臂刀没人会呀，这老头是谁呢？他急于想知道究竟，所以才来。上了土坡，小翠商量着说："姑父，您们在这儿等着，我去诓他。"杨小翠到庙墙切近，探头儿往后院一看，这小孩儿正练刀，抬头就看见小翠了，喊道："小辈，你们真不知羞耻，又来捣乱，捉住你绝不轻饶！"小翠一瞪眼："你敢出来吗？咱们再试试。"这小孩儿拧腰就蹿出来："哪里走。"小翠一招手："这边来。"撒腿往西跑。后边这孩子也追下来。炳南一看："那不是个孩子吗？哪里是老头儿啊！"九龄一吐舌头："他刚刮的脸吧。"洪老英雄这个气呀！一见这个小孩儿，心里一阵难过，这个孩子的长像，好像跟自己小时候差不离，如果不是大水降临，我的儿子也有这么大啦！洪炳南刚要说话，那孩子拉出刀来，就瞪眼道："你这么大的年纪，也这样无知，助纣为虐！亮你的兵刃，咱们比试比试。"炳南公一看这孩子拿刀的架式与自己一样，心想我看看他的招数，是谁家子弟？他也一伸手，"呛啷啷"，拉出宝刀。这个小孩儿也怔啦，怎么这老头也会左臂刀？想着，往前一凑步，用刀照定炳南右肋便扎。炳南往下一矮身，躲右步，往右甩脸，这手叫"铁牛犁地"，鼻子尖儿真快擦地了。左手刀扭小孩儿的腿腕儿，小孩当然要蹦起身来。洪炳南的招儿鬼没神出，他收右腿，左手刀用了一招叫"巧摘天边月"，刀尖儿正扫在这小孩儿的耳垂儿上，老英雄绝无伤孩子的心，当刀尖儿沾上耳垂儿，一个绿豆粒大的血珠儿就出来啦。这时老英雄已看到这小孩的左耳下有两个小字"玉耳。"炳南公赶忙抽刀还鞘。

正在这时，顺庙墙从南往北，有人念佛："南无阿弥陀佛，洪施主，千万别伤此子，贫僧来也。"这孩子一看和尚，自己又吃了亏，"哇"地一下就哭啦。和尚把孩子搂在怀中，十分疼爱。炳南一看是自己的一个朋友，名唤普妙。这个人专门配一种放火的药，作为暗器使用，当场动手之际，把药弹在对方身上，立刻起火，十分厉害。他有个外号：神行赛罗宣。这个人的脚快，罗宣是火神爷的名字。普妙原来是个俗家，名叫宋远志，有个外号：神偷狸子，是个不齿于人类的坏贼，杀害少妇长女不计其数。到三十多岁啦，他坐定了一想：自己也是堂堂七尺的男儿，十月怀胎，父母生养，羊羔跪乳，马不欺母，难道说自己就不如禽兽吗？老吾老以及人之老，幼吾幼以及人之幼哇，我十年来胡作非为，害了多少姑娘媳妇！我应该悬崖勒马，放下屠刀。他把牙一咬，夜行衣一烧，投奔了这火神庙的方丈，只说家贫向佛，愿意皈依三宝。方丈给他剃发为僧，赐名普妙，教他参禅打坐，焚香念经。但普妙坐下闭上眼睛后，怎能息心静虑呢？被自己害死的那些姑娘媳妇，都呈现在眼前。普妙买了两口短刀，放在自己的左右，只要闭上眼睛刚一想过去的事，随手拿刀照头上"嘣"就是一刀，血刷的流下来："阿弥陀佛，阿弥陀佛。"刚一想过去的事，"嘣"又是一刀，血往下流，口诵佛号。砍得脑袋伤疤太多，又砍身上。三年光景，从头到腿都砍到啦，这一身的伤疤，没法救了。老方丈圆寂，普师父升了首座。

普妙早就认识炳南，愿学左臂刀，洪利婉言谢绝。所以普妙最后决定要偷他的招数，每天在篱笆外面，一点声息没有，费了几年的工夫，才把这左手刀全部偷会。洪炳南离家出走，当杨氏安人生这孩子的时候到了满月，特请普师父来，给孩子刺了玉耳二字，并且拜了师，普师父每到年节都要来看望玉耳母子。万万没想到玉耳到三岁上，正值伏汛季节，连连下雨。这天天已经快黑啦，杨氏安人用一个大木盆放好水，给孩子脱光正要洗澡，天崩地裂一声响，把杨氏安人给震昏过去。等安人醒过来，大水就到了。"哗"，这水就把木盆冲起来，哭声喊声，都被大水淹没了。

在沅江下游有个大村子叫洪家堡，有个老员外名叫洪方。他家大业大，骡马成群，米粮成囤，是个大财主。两口子跟前一个儿子，叫洪华，六岁上在门口玩耍，被歹人拐骗，十年之久，音信皆无，开始还贴告白，派人寻找，后来也就不了了之。这次沅江决口，老员外洪方起来点上灯笼，叫管家邢善随着自己带着十几名家人，来到村外堤埂上，本村连男带女，都点着灯，掘土搬石，加固堤坝。哎呀，往前一看一片汪洋。救人的救人，捞物的捞物，顺水漂来的东西太多啦。邢善远远地看见一个木盆："员外爷，您看那是什么？"灯笼挑起，洪老员外马上派人下水接上来。等把木盆拖到岸边一看，是个小小子，洪员外大喜过望，把孩子抱回家去，擦干净给穿上衣服。见这孩子左耳下有两个字：玉耳，所以就叫玉耳，夫妻甚是疼爱。老员外做六十大寿，孩子都八岁啦。有个婆子不留神碎了一个碗，老安人说了她几句，这婆子一生气，把事情都告诉了玉耳。这孩子很知礼，很有心，拜完寿没有起来。老员外心疼，用手相搀："儿啊，起来吧。"玉耳磕头："爹爹，孩儿问您一句话行吗？""儿啊，有话就说吧。""孩儿我是您的嫡亲之子吗？"老员外当时就没说上话来。玉耳流下了眼泪："爹娘啊，养育之恩，孩儿我一定答报，您也应该告诉我的来历，以便认祖归宗啊！"可这个事老员外说不上来呀！正在为难之际，家人进来："启禀员外爷，火神庙的普妙方丈来拜见。"洪老员外借着这个机会来到前厅。神行赛罗宣普妙自从柴禾口闹大水之后，各处寻找杨氏安人和玉耳，怎奈黄鹤无音，一晃五年。今年想起到洪方府上拜寿来啦，二位落座献茶，普妙一看洪方有些不高兴，问："洪施主，您今天是大喜的日子，寿诞之期，怎么有些不高兴啊？"洪方长叹一口气道："唉，普师父不是外人，我因为这个儿子，有点难心的事。"普妙一怔："洪员外，您儿子十年前不是被拐了吗？怎么又有儿子啦？"老员外摇摇头，从头至尾叙说一番。普妙念佛："阿弥陀佛，洪员外，您把小公子请出来，贫僧看看。"洪方立刻派人把玉耳叫出来。普师父一眼就看出来了，这玉耳当时虽说三岁，这时也好像看着普妙眼熟。老员外叫玉耳上前拜见。普妙把孩子拉过来一看，非常高兴："阿弥陀佛，洪施主，此子乃左臂神刀洪炳南之子，这玉耳两字，乃是贫僧在他周岁之时，他母亲请我所刺，并且拜在贫僧名下为徒。大水来临之时，我曾走遍柴禾口，杳无下落，算来已经五年啦。老员外本是慈善之家，理应叫他认祖归宗才是。"洪方二目发直，一语不发。玉耳跪在洪员外的面前："爹爹，您这救命之恩，养育之德，孩儿终身不忘，儿愿随师父去寻找天伦母亲，请爹爹原谅。"老员外落泪如雨："孩儿，你放心，为父一定叫你随师前往。来，你随父到后面拜见你母亲，说清此事。"爷俩到后院，玉耳给洪老安人磕头，自有一番惜别之情。老员外跟普妙师父说："玉耳随您前往，年供柴，月供米，此子一切花费，均由老夫承担。"回到火神庙，普顾父说："你现在是练功夫的时候，当年我偷学你父亲的左臂刀，现在我落叶归根再传你。"玉耳盘腰窝腿，普妙拳脚兵刃一齐教。

光阴似箭，日月如流，眨眼间达十年之久，普妙把放火的本领也尽情传授，起名叫做左臂花刀小火神。小香、小翠几次搅闹都被玉耳打跑，这回遇见洪利，才刺破玉耳的耳垂儿。这时普妙赶到："阿弥陀佛，洪施主。"洪老英雄一看："普师父，是您呐！""哈哈哈，嫡亲之子，就在眼前，还不相认，等待何时？""这是我儿玉耳？""然也。""哎呀，儿啊！"洪利见子思妻，眼前一发黑，"扑通"，当时昏死过去。玉耳一听，嚎啕痛哭："爹爹呀！"踉踉跄跄跑过来，跪在埃尘，伸手抱住烘炳南，把头扎在怀里："老爹爹呀，苦命的孩儿玉耳今天才能见到您老人家一面。"小香、小翠也知道是表弟啦，过来把玉耳抱住，也痛哭流涕。九龄、司马良直劝，普师父一个劲的念佛。洪炳南擦干眼泪，捧着孩子的头，仔细看这两个字。普妙说："洪施主，我看先到小僧庙中稍微休息一下，叙一叙离别之情吧。"洪利点头。

大家一齐来到山门，往里直奔禅堂，普师父把偷学左臂刀、刺字、巧遇、传艺，以及玉耳被洪方巧救都说了。洪利泣不成声。普师父叫玉耳给父亲磕头，小香、小翠、九龄、司马良也都来各叙前情。炳南公带玉耳跪在普妙的面前："若非普师父搭救，我洪利便成了千古罪人。隆恩厚谊，生当殒首，死当结草哇！"普妙扶起来道："阿弥陀佛，总算贫僧与施主有香火之缘，只是尊夫人这多年来，杳无音信。我想吉人自有天相，将来一定一家团聚。既是杨府上还有宾朋，玉耳收拾一下物件，随父去吧。"玉耳擦着眼泪："师父。"说完跪下，一阵悲伤。普师父一笑："孩子，离合聚散，人之常情，你又何必难过？为师我的门户不响，孩子你将来若想名扬武林，就必须另投师门。"玉耳答应。洪利抱拳："普师父，我孩子的舅父家里来了侯、童二侠，还有王爷，咱们一同前往吧，不然的话，王爷知道你的见义勇为，古道热肠，也要派人来请。"普妙也换了件僧袍，大家离庙来到杨府。

王爷一见这五个孩子，一个赛一个，非常喜欢。又细问了玉耳学艺的事情，这五个孩子形影不离，王爷一看这样，便说："哎，你们五个结成盟兄弟，今后在江湖上也有照应。"王爷的提醒儿，老人们都乐意，一叙年龄，司马良行大，往下夏九龄、杨小香、杨小翠、洪玉耳。王爷高兴："来，我给你们举香。"请来三义玛儿（三义玛儿是刘关张桃园三结义），摆好香蜡，王爷烧香，五个孩子磕头，然后挨着给长辈行了礼。

热闹了两天，海川几次要走，都被挽留住。洪炳南一看不行，便道："这样吧，王爷，二位侠客爷，此去顺沅江往西南约一百多里，有个三义庄，我当年离家去广东，正巧投宿在三义庄。当初叫二老庄，后来结交了我，才改为三义庄。这庄后街有两家，一个叫神刀红眉叟郑奎郑天雄，一个叫铁戟将高林高元甫，他们是我的两个拜弟。你们爷几个去他那里，我在家中安置安置，随后再去，他们小弟兄不是又能多在一起几天吗？"侯老侠一听很好，当时告辞。杨万春拿出黄金百两，给王爷他们做路费。王爷叫九龄放在小包袱里，众人便上路去了。

走了两天，到了已分时，眼前一个大村镇，进到正街东口，有一块路石，上边有字：三义庄。他们来到十字街路北，有五间门脸儿，三层楼的一个大饭馆儿，黑匾金字：望友楼。伙计挑帘子："爷台，里边请吧。"爷儿八位进来之后，顺楼梯来到二层楼。这个饭馆儿，好像四合院，当中有院落，周围都是楼，搭着硬架儿天棚。他们顺着走廊往后楼走，进来一瞧，后窗户全开着，明窗净儿。王爷到后窗户往外看，后边是一条大街，对着饭馆，并排三所大瓦房，门窗户壁全一样，都带花园儿，只是当中这所的大门关闭上锁，左右两所大门开着。王爷看得出神，心想：这是怎么回事呢？后边有人说话："爷台，您看这房子有些特殊吧？"吓了王爷一跳。王爷一看，就是刚才在门口让座儿的那位，便问："你叫什么名字？""我姓王行二，穷人家没学名，不过侍候人的，嘴头就要甜，说出话来您爱听，我外号叫巧嘴八哥儿。"王爷这个乐！王爷问王二："后街三座瓦房一草一木都同一样式，为什么当中锁门呐？我想可能是亲弟兄三个，大哥不在家，两兄弟为了友爱，不敢住在当中，富而好礼，古有铭言。一定是这么回事吧？"王二把头一摇："爷台，您真圣明，不过全像您说的也就不足为奇了。这三所房子不是一个姓，是异姓兄弟。我们这镇甸，后改为三义庄了，就因为这个。两位老东家一位姓郑，一位姓高，虽说是异姓兄弟，确比亲弟兄还亲呐！这话说起来有二十来年啦，有一位洪利老英雄到此拜望，虽然萍水相逢，真是一见如故。老哥三情投意合，一定要结为兄弟，这样才把村子改为三义庄。老哥俩拿出钱来，先破后立，盖了这么三所房。两位东家和洪员外商量，要亲自去柴禾口把盟嫂接到这里来住，因为洪员外的家境并不富余。可洪员外说：'这么点儿事，又何必亲自前往呐！等我回家后，就把妻儿接来，到那个时候你们还能见不着吗？'两位东家也不敢深说，这洪员外就从三义庄走啦。哪知道这一走就毫无音信了。两家人盼星星，盼月亮，盼了一天又一天，盼了多少个春夏秋冬！老哥俩不能等了，准备车辆人马去往柴禾口，等到了西湖城，哎呀，爷台，您猜怎么样？村民皆被大水冲走。老哥俩悲痛万分，回来之后，才把当中大门锁上，每天派下人收拾打扫，完毕之后就关门。老哥俩开的这饭馆——望友楼，这是盼望朋友的意思。老弟兄俩思念兄长的时候，必到望友楼来。要说交朋友，说什么羊左之交、管鲍之好、桃园三义、雷陈之风，小子我全没看见，只有我们东家，我亲眼看见啦！"王二不愧是巧嘴八哥儿，这片话连侯老侠、海川听得都津津有味，五小也都怔啦，玉耳的眼泪流下来。王二说着也是眼睛发红："爷台，东家原来是我侍候，老弟兄准在您站着的这个地方，望着大门落泪。见房屋如见友，爷台您看脚下都是湿的，那是多年的思兄泪呀。窗台上光亮光亮，那是东家用手抚摸的痕迹。"王爷问："王二，你说了半天，你认识左臂神刀洪炳南吗？""不认识，净听说啦。""那好，我来给你介绍一下，玉耳过来。"玉耳赶紧走过去。王爷介绍道："他就是你提到的洪炳南之子左臂花刀小火神洪玉耳。"王二又惊又喜："您是我家少爷？""不错，正是洪玉耳。我奉父亲之命，前来给叔父请安，家父不久即至，有劳你代为回禀。""哟！真是少爷呀？王二给少爷磕头，恕小子不知，实在怠慢。"玉耳伸手搀扶："王二，你快去禀告两家叔父，玉耳在此恭候啦。"王二一听，撒腿就跑，一直来到后街东道这所大房子，进大门直奔客厅。神刀红眉叟郑奎、铁戟将高林哥两个正在客厅喝茶呐。王二跑了进来，气喘吁吁道："两位老员外爷，大喜啦。""什么大喜？""洪少爷来了，在后楼，还有好些朋友呐！""啊！"真是意外之喜，老哥俩往外跑，与玉耳见面相逢。

第十五回

司马良招亲三义庄
洪炳南阖家庆团圆

上文书说到王爷来到三义庄，在酒楼用饭，听王二说出二老思兄之意，告诉他左臂神刀洪炳南之子左臂花刀小火神洪玉耳就在这里，王二撒腿就跑，来到家里禀报两家员外爷。两员外立时来到望友楼，进楼，郑天雄眼含泪问道："玉耳贤侄在哪里呀？"小英雄抢步上前："您大概是二叔父吧？小侄玉耳参见。"郑天雄泪洒胸前，抱住玉耳："想死叔父，你天伦何在？""很快就来，叔父莫急。这位是三叔父吧？侄男叩头。""孩子，我是你三叔高林，起来起来。哪阵香风把侄吹到，总算苍天见怜，偿我们弟兄的宿愿，但愿得你父母早日到来，咱们也好团聚呀。"玉耳落泪如雨下，说："二位叔父，侄儿的娘亲已不在人世了。"老哥俩也难受呀，就把当年去接，如何惊闻噩耗之事都说了。又问："贤侄，这几位是谁呀？""叔父，都是父亲的好友，此处不便介绍，愿借二位叔父的高轩暂住，不知意下如何？""孩子，什么是叔父的家，就是你自己的家，请老幼宾朋到寒舍一谈。"说着，就邀众位家去。

一直来到客厅，坐毕，玉耳拉郑、高二位到王爷的身边，说："叔父，我给您二位介绍一下，这位是当今万岁康熙老佛爷的四皇子雍亲王爷。"郑、高二老慌忙叩头："死罪死罪，在王爷驾前请死，慢待王爷大不敬，请王爷宽宥才是。"王爷扶起二位道："本爵私行至江南，不要声张出去。你们二位交友，血心热胆，义气千秋，正是本爵要结交的益友良朋，何罪之有？快起来，再给您二位介绍两位，这位是山东圣手昆仑镇东侠侯侯廷侯振远。""大名鼎鼎的前辈侯老侠客,我二人武林末学,该以晚辈之礼拜见。"说着就要行大礼。老侠拦住道:"听洪老英雄提到二位的为人,急于相见,老弟老兄,何分彼此呢?过誉过誉,不敢当。"王爷又把海川叫过来:"二位,这位是武林中的新人物,直隶童海川。""啊,莫非是杭州擂掌打法禅僧,灵隐寺献绝艺,北高峰贺号,镇八方紫面昆仑侠童侠客吗?"王爷点头:"正是。"哎呀,我弟兄几世修行的,怎么一时之间王爷、双侠莅临敝宅,做梦也想不到哇!"玉耳又把四小介绍给二老。

大家落座喝茶,才把所有每个人的事情,详细说清。这时候酒宴已齐,才谦让归座。郑奎给王爷满斟一杯:"山肴野味,不成敬意,爷请多包涵吧。"由于郑奎至诚相让,王爷也不客气:"郑老英雄,本爵也是自家人,最别客气。"大家开怀畅饮。海川跟王爷商量:"玉耳已然到家,将来炳南公一到,乐享天伦,咱们可是王命在身,限期不多,还是告辞走吧。"王爷点头答应:"郑老英雄,我们的事情也很急,不如趁此机会告辞吧。"郑奎、高林苦苦相留,真是盛情难却。商妥明天一早就走。

吃完晚饭,王爷有些累啦,再说明天还要赶路呐,便道:"二位庄主,本爵今天走累了,给我们找地方休息吧。""王爷放心,早收拾好了。"命令家人掌起灯光,郑高二位陪着,来到西跨院儿,院里盛栽松竹,十分幽静。来到北房,借灯光一看,靠墙的书格子置放二十三史,各种书籍俱全。王爷他们坐下。王爷很疼爱这几个孩子,问:"高老英雄,您给他们也安排住处,叫他们早早休息吧。"高林站起来:"贤侄们随我来。"高远甫带着他们五个来到东跨院北房,然后说道:"你们就在这屋里休息,我可不能奉陪你们啦,如果你们解手,还出刚才进来的角门,往北奔内宅有个夹道,走到东边有月亮门儿,一直往东南角儿,就见到厕所啦。玉耳好生陪着哥哥们休息。"玉耳答应着。他们五个性情相投,又兼聚少离多,真是难以分开,商量着怎样才永远不分离。此时已交二鼓。司马良站起来,道:"咱们可该睡觉啦,我先去方便方便,回来再睡。"九龄站起来道:"我也去。"玉耳、小香、小翠也都站起来:"我们也去。"

五个小英雄出角门,顺夹道往北进了月亮门儿,北边是东西下一段花墙,再往北是个大花园儿,眼前这个院落好像是堆料的地方,有好几垛新砖,还有一垛垛圆木方术。五个人仔细看着道儿,等来到东南角看见厕所,发现东面是南北的大墙,厕所北面是个冲东的大车门,不过已经上锁。这个院是司马良他们住的跨院后边的第三层院。到了厕所门口,猛然间听上面"嗖"地一下，从东门上边出现了一个夜行人。不但司马良发现了，九龄他们四个也发现啦，就势五个人全蹲下身来，屏住气息仔细观看。这个人煞白的一张脸，年纪在二十八九岁，一身云串通口夜行衣，绢帕缠头，背插单刀，绒绳勒住十字绊，兜裆滚裤，脚底下抓地虎靴子。他飘身下来，鹿伏鹤行可就往北啦。司马良准知道不是好人，不过他大一点，明白事故多一些儿，像郑天雄、高元甫也是武林人物，在此居住多年，都是成名的人物，猫狗小贼他不敢来。这是哪路贼呀？看他走向北边，那面是个花园，已经是郑家的内宅。贼人去可以，我行吗？身为少侠客去人家内宅？瓜田不纳履，李下不整冠，朋友门前如王府哇。想到这儿，自己不敢追啦。后来又一想：焉有见贼不管之理，岂能退缩不前！司马良从后边就跟上啦，这贼人越墙而过。绿林里边有规矩，逢门不乱入，看来他是个内行。司马良也飞身跨上墙头，单胳膊一挂往里看，啊，真是个大花园，既有四时不谢之花，又栽八节长春之草，君子竹、大夫松、牡丹等等，桃红李白芬芳，绿柳青萝摇曳，红紫芳菲，争奇斗艳。这贼人分花拂柳，一直往北。司马良那顾许多，飘身而下，也跟上了。

绕过几座假山，穿过凉亭，花团锦簇之中有一座两层小楼儿，画阁雕梁，斗拱重檐，十分讲究。当中栏杆，两边扶手明楼梯，楼上五间，灯火辉煌，有姑娘说笑声音。楼下的五间没灯亮，周围是绿树成荫。楼前是个草坪，碧草如茵，草坪的边上有五个大鱼缸，木架架着。当司马良看情况的时候，这个贼早就蹿着扶手上楼啦。司马良伸手轻轻地拿出链子锤，蹑足潜踪，来到楼下，看窗户上被灯光一照，人影摇摇，都是年轻妇女的样子。再看这贼人，用左手指甲把窗纸割了一个月牙口儿。贼人手扶窗台儿，猫腰往里观看。

这楼里住一位千金小姐，就是郑天雄老英雄的独生女儿，名叫玉兰，今年十八岁，老人爱如掌上明珠。在姑娘小时候，请了一位七十多岁的老秀才，可说是饱学鸿儒，教姑娘读书，念了十年，真是才储八斗，学富五车。长得更是沉鱼落雁，闭月羞花。高元甫无儿无女，这姑娘受到四位老人的爱护。姑娘每晚上要带着几个侍女，做些女工针黹，在灯下刺绣。

司马良看得真切，脚尖儿点地，一鹤冲天，轻身飞起，刚往拉杆上一落，双手一悠链子锤，"哗楞"，挂着风声，照着贼人的后脑就要砸。当司马良往下砸的时候，他又犹豫啦，打死他没活口哇，最好把他擒住。这一来锤下去就慢啦。贼人往旁一闪，双锤砸在窗台上。"叭嚓"，可把屋里的姑娘们给吓坏啦。司马良随着又从栏杆上下来，照贼人跨骨上

"嘭"一下，正踹上，贼人就势一溜滚，"鲤鱼打挺"，站起身形，"噌"地一下往楼下蹦。司马良飞身下来，高声喊："好贼人哪里走?"一抖双锤伏腰就追上去了。前边是假山石，贼人刚要绕，猛然从假山根下花丛之中，"嗖"地一下蹿出一人，正是夏九龄。冷不防"枯树盘根"，链子榘就到啦，正缠在贼人腿腕上，"哗楞"一抖，把贼人摔出一溜滚去。贼人起来，撒腿往东边花林中逃窜，没想到"噌噌"出来两个人，正是小香、小翠，各自拉刀，盖顶就劈。贼人已成惊弓之鸟，不敢恋战，刚一躲小翠的刀，小香的刀正扎在贼人的大腿上，裤子也破啦，血也下来啦，一跛一点撒腿往西跑。哪想到花丛中飞身形出来一个人，正是左臂花刀小火神洪玉耳。他一压左手刀，飞身过来，"仙人解带"，拦腰就砍。贼人都懵啦!玉耳刀到，他再也躲不开了。玉耳里合一腿，踢在他的肩头，"嘭"!应声而倒。司马良他们正赶到，用膝盖一顶贼人腰眼，抹肩头，拢二臂，四马攒蹄给捆上啦。

五小到了一起，九龄才说："良哥，您追下贼来，我们也跳过了墙，贼人有规矩，哪里进哪里出，我们四个人藏好，这叫预备窝弓擒猛虎，安排香饵钓大鳖。"司马良心里高兴，还是把兄弟呀，同仇敌忾，和衷共济。五个人正商量快去到前厅报信，就在这个时候，有人痰嗽一声："什么人，在此大胆喧哗?"前边走的郑天雄，后边跟的高元甫。两员外因为盟兄洪炳南很快就到，再说洪玉耳贤侄已经来了，正在内宅商议。好像听见东院花园有动静，老哥俩才来到花园。看见这几个人在这儿，忙问："你们怎么跑内宅来啦?"夏九龄答道："二位前辈，真不巧，今天到您的贵府，正赶上闹贼，被我哥哥司马良捆上啦，您看看吧。"高老员外一听，脸色一红，早不来贼，晚不来贼，单单在今天来贼，叫我弟兄不好看。

这五个孩子都没言语，往西出月亮门，顺夹道穿过中厅到西跨院，一看王爷在台阶上站着，二侠都在院中。原来郑天雄走后，老爷三并没休息安歇，王爷脱了鞋，盘腿坐在炕上，双侠坐在桌子两旁，说了一会儿话，突然好像听见有声音，老哥俩站起来，王爷也忙着下炕提鞋。海川把双钺取出，一提气，飞身上北房，登屋脊往四下观望。耿耿银河，明月在天，听见东院有动手的声音。海川下来，王爷问海川："有什么动静?""东院有人动手。"王爷心急："咱们的孩子都在东院呐!"海川点头。"要不叫海川去看看?"侯老侠听了摇头道："爷驾想一想，郑、高二位也是武林人物，人家不找咱们，咱不能去，五个孩子在一起，也无妨碍。"王爷知道侯老侠想得周到，真的来贼厉害，自然会派人来请;

不等请就去，好像看不起人，叫郑、高二老多想。

不大会儿，五个孩子来到。夏九龄忙上前禀报："回爷的话，他们家后边有女眷，来了采花……"这个贼字还没说出来，侯老侠狠狠地瞪了他一眼："胡说，满口乱道，你还算懂规矩么？"吓得九龄把贼字咽了回去。

王爷一听，这老头儿对孩子们太严厉，问："老侠客，孩子说错了吗？"侯老侠道："王爷，郑、高二老名门大户，又是武林高手，家有女眷，怎能传扬此事？若被外人知道，与本宅妇女名节有关呐。"王爷一听，心中很佩服侯老侠的见解。

咱们这部书说的是康熙年间、封建时代的事，女子没有地位，受旧礼教的束缚。他们说，女子无才便是德，又说生死是小，失节是大。像郑天雄这样的人家，要传说出去，就不得了啦。姑娘的名节也受影响，将来找婆家都不好办，还要防范姑娘自己心窄，寻了短见。

郑、高两位老弟兄来到前厅，一看管家带着十来个人把贼人捆得结结实实，这才来到西院。海川一见二老到啦，问："两位员外，后院有贼人扰闹家宅，甚感不安，我们好不放心呐。"郑天雄、高元甫都抱拳一笑："惊动爷驾，甚是惭愧，请王爷、侠客爷安心，已经没有事啦。"又禀明王爷道："贼人已经拿获，请王爷不必挂念。"说着又问九龄："夏少侠，你们谁拿住的贼人？"九龄现在一看郑、高二老有感激之情，便道："方才到您的花园儿，很失礼啦。像您这贵府高门，什么样的贼人吞了豹子胆敢来扰闹！刚才，我们在花园，说拿住了贼人，二位员外是不会相信的。不过小子也没有那么大的本领拿贼，也不敢居功，您问我哥哥得啦。"说完，搭拉着小脸蛋，一声不语。

老侠侯振远心里不乐，这孩子的话带讥讽，郑、高二老要心地狭窄，可就不合适啦。侯老侠暗暗看了郑、高二位一下，罢了，不愧是老英雄，九龄的言语，人家脸上毫无反应。司马良将前情叙说了一遍。郑天雄听完，后哈哈大笑道："我弟兄甚为感激少侠客，由于园内居住小女，老夫误认为少侠客无故前往，方才在花园出言不逊，是老夫之过也。几位少侠多担待。拿住贼人，保全名声，老夫当有重谢。"侯振远暗暗点头，郑天雄是个人物。王爷听完，问："郑老英雄，听良儿一说，贼人十分可恶，现在哪里？""回王爷，由家人看守。""好吧，把他押来。"高元甫亲自把贼人押来，家人都在外面侍立。王爷一看这贼人很凶恶，青色绢帕缠头，刀已经给摘下了，一身夜行衣。刚要问话，镇东侠侯振远一摆手，道："高老员外，您叫人把他带走，爷驾不用细问啦。"家人进来推搡着贼人踉踉跄跄地出去啦。大家都不明白，王爷忙问："侯老侠，怎么不问问？"老侠微然一笑："爷驾，高、郑二位员外，这个贼人老夫认识。"

侯振远这么大的侠客，怎么能认识这种臭贼呢？其中有个原因，这个贼人叫柳玉，是山东巢父林外东北五里李海坞的人，有个外号叫拨草寻花客柳玉。他还有个弟弟，叫窗前一枝花柳未成。前文说过，海川、王爷下山东请老侠，四寇火焚巢父林，侯老侠杀的那两个贼人，一个是吴得玉，一个就是柳未成。当年，柳玉也头顶门生帖要拜侯老侠为师。老侠问了问他的来历，后来暗地一调查，才知柳玉是个为人不齿的坏贼，便骂道："你是什么人，敢到老夫家中来拜师？本应将你置于死地，我给你一条自新之路，如果恶习不改，犯在老夫手中，定杀不赦！"这小子抱头鼠窜而去。因为柳未成、吴得玉在云南八卦山后山当小头目，每年探家一次，可今年没来。不是没来，到了东昌府与韩宝、吴志广见面，去巢父林被侯老侠给杀了。柳玉怎能知情？带好兵刃夜行衣包，准备到云南找他弟弟去。但从家中一动身，一路上做尽坏事，真是磬南山之竹，书罪无穷，决东海之波，流恶难尽。他来到桃源县三义庄，天已傍黑。腹中饥饿，心想到镇甸里找个饭馆吃点儿东西。这小子进的是北镇口，走着走着路西有一条宽胡同，远远地看见几个姑娘，花枝招展的从西往东来，柳玉这种臭贼，发现了姑娘，他能让过去吗？立即迎着往西来啦。

这位小姐就是郑玉兰，带着四个丫鬟去西院叔叔高元甫的家里。高家有一个洗衣婆子，扎得一手好花，她跟这婆子学扎花去啦。本来婶母要留她吃饭，可姑娘一定要回去，没想到碰上这个坏小子。柳玉心里这个美呀，心想：这是我的造化来啦，真是好花儿藏在深山里，美女出在小乡村！他先踩道。折回来在前街望友楼吃完饭，然后到村口外找个大树林，躺下睡啦。醒来时，已到二鼓左右。他换好夜行衣？插好钢刀，从树林出来，越想越美。施展夜行术来到三义庄郑宅东墙，拔腰上墙，直奔花园。听见楼上姑娘们说笑，他来到楼上捅窗纸，连看都没看一眼，司马良就下手啦。镇东侠为什么不让王爷问话呢？因为柳玉是坏贼，如果一问他，说出不好听的话来，于郑、高二老脸上无光，这才把他带出去。

老侠把柳玉的事情一说，然后把郑天雄请过来，低言相告："您找几个人，把贼人的嘴堵住捆好，到村外山坡树林里深深的刨个坑，给他埋了就完结啦。凡是去的人，每人给几两银子，此后不再提起。这事儿不能送官府，因为一经审问，与姑娘名节有碍。"郑天雄真佩服镇东侠心细如发，想得周到。

一夜无话，次日清晨，郑、高二员外来到跨院，痰嗽一声。其实王爷、双侠早就起来了，梳洗已毕。王爷在屋里道："二位员外请进来说话。"郑、高二老进屋，这时五小也来啦，分宾主落座。下人献茶，郑老英雄手擎茶杯，二目发直，上下打量司马良。司马良很腼腆，看得他发毛。王爷喝着茶，总觉得郑奎神不守舍，现在一瞧这意思，心里可就有了七八分明白啦：一定是昨夜司马良救了他的女儿，想以回报。司马良是两位侠客的高足，人品、性格、相貌、武艺样样都好，大概郑天雄有意招司马良为东床快婿，恐怕因为和我们是初交，不好往外说。看他两家是清白家门，门户又好，应该给他们执斧伐柯，做个冰上人，成全两家的好事。王爷喝了一口茶，把杯子放下："郑老员外。"郑天雄一听王爷叫他，道："啊，王爷！您有什么吩咐?"王爷把九龄叫过来："陪着你哥哥司马良先到院中去。"九龄跟司马良出去啦。

王爷冲郑天雄一笑："哈哈，郑老员外，你看司马良这小孩怎么样啊?""好极啦。""嗷，这孩子跟随伯父南侠客海内寻针昆仑道长司马空练艺，后又拜在海川名下。本爵看你似有所思，不知何故?"郑奎知道王爷看出来了，便说："草民有女，品德不错。不瞒王爷您哪，媒人络绎不绝，草民都婉言相谢，皆因品貌不相当。""老员外的眼光高，一般看不上，门不当户不对。您看司马良这孩子，少年英俊，鹏搏万里，无可挑剔。本爵情愿做媒，成全你两家为秦晋?"郑奎一看高林，老哥俩全都站起来抱拳拱手："恳求王爷作成此事，我弟兄求之不得。""二位员外请坐，此事包在本爵身上。"王爷提高嗓门儿："司马良进来吧。"司马良赶紧过来："爷有什么吩咐?""你今年十九吧?""对，孩儿十九岁。""我听你伯父司南侠提过，你还没有定亲吧?"司马良脸一红，说："回爷的话，从小随伯父练艺，到杭州拜师，武艺还没学成，正在求上进的时候，哪能想到这方面去?"王爷点头道："对，大丈夫患名不立，何患无妻，不过也该通权达变么！郑老员外有一女，这位小姐，月貌花容，女工针黹无所不精。可以说，上炕一把剪子，下炕一把铲子，煎炒烹炸，酸甜辛辣，操持家务全行。而且识文读书，广念圣贤经传。窈窕淑女，君子好逑。良儿，这可是打着灯笼找不到的好内助。本爵为媒，你就当面应允，可不能说别的。"司马良吓得不敢答言，只看师父。海川心里暗笑：人家姑娘的父亲都没介绍这么清楚，你怎么知道这么详细？真是媒婆媒婆，到处说合，不图挣钱，就为吃喝！

雍亲王爷一看司马良吞吞吐吐，心里很着急，问："良儿，你到底乐意不乐意？快说。"司马良这才跟王爷说道："爷驾，这门亲事，司马良不敢答应啊，一来没禀明伯父，二来没征得我师父的同意，小子怎能擅自定亲答应？请王爷多原谅。"王爷把脸往下一沉，道："胡说，我做媒人，我说行，难道你伯父、师父的主我就不能做了么？你的师父在此，他敢驳我的面子吗？"老侠侯振远在旁边看着，不由地暗笑，心中也想着是好事，便冲司马良点头道："贤侄，郑、高二老的青睐，王爷的大媒，脸面不小，快谢亲吧。"海川也点头道："这是好事啊。"司马良知道师父同意啦，赶紧行礼："既是给爷作主，当然按爷的吩咐去做。"王爷大笑："哈哈哈，这样才是。"

王爷眼望郑奎："老员外，本爵办事干脆，先让你们爷俩见个面。九龄把椅子搬到正中放好。"九龄把太师椅放在当中，请郑奎坐下，吩咐司马良过来行礼。司马良脸色红红的，跪在郑奎面前："泰山石敢当在上，小婿有礼。"当时大家听了都一怔，等到明白过来，"哗"地一下，哄堂大笑。

书中暗表：司马良这句话是刚学的。九龄他们俩到了外面西房下，九龄问司马良："良哥，您说，王爷叫咱们俩出来干什么？"司马良想了一下，说："还是昨夜到花园的事吧？""对！可我问您，为什么叫咱俩出来？"司马良摇摇头："不知道。""哥哥，您真是榆木头，这还不明白，王爷要说话，可背着您，我想是要给您提亲。"司马良一听吓坏了："你怎敢胡猜，这还了得！""别发火，要不是就算了，可要是呢，您怎么办？"司马良脸儿一红："这当着人多不好意思啊？""我替您想想，勿临渴而掘井，兄弟我是向着您的，如果真是的话，您要沉住气，必须要推辞，等到咱师父师大爷点头啦，您再答应。可记住啦？"司马良点头答应。他又问："唉，我应该叫什么？"夏九龄坏劲儿又冒上来啦，说："磕头的时候，叫泰山石敢当，要叫别的，老丈人笑话，将来嫂子过了门看不起您。千万记住。""兄弟，什么叫泰山石？""就是健康的意思。"果然，司马良这么叫了。

王爷一听他说错了，问："叫岳父泰山，什么石敢当啊？"小英雄才知上了九龄的当，赶紧改口："岳父泰山在上，小婿参拜。"这可把老郑奎乐得前仰后合，嘴闭不上，伸手相搀："贤婿免礼。"

王爷又跟海川商量："问问你徒弟有什么订礼没有？"海川把司马良拉过来一问："你有什么礼物？"司马良摇头："孩儿什么也没有。""那你拿出一只亮银镖来吧。"司马良无奈，也只好打开包袱，取出一只银镖来，交给师父。海川捧着镖来到雍亲王爷面前禀道："爷请看，良儿身无贵重之物，就用他的镖做定礼吧。"王爷又派家人买来一块红绸子，包好了银镖，把一个铜茶盘儿擦亮，放在里面，他亲自交给郑奎道："老员外，这是姑爷和姑娘的订亲之物，银镖为定，终身不渝。"郑奎接过来："谢谢王爷的吉言。"王爷大笑："哈哈哈，你府小姐，红鸾高照，今日订亲，大喜大喜，这杯喜酒，我可得喝呀。"连侯老侠心里都暗笑，这回可真吃上人家啦！真是机会巧了，王爷喜爱英雄，愿意结交绿林人物。郑奎也明白这个道理，他把订礼放在一进客厅大门口靠左边的一个红木的茶几上，然后叫高元甫派人通知内宅，再命厨房准备上等酒席，依然用牛、羊二肉。内宅也是一样，传遍两件喜事：头一件阔别多年的兄长很快就要来了，二件是小姐订了亲，真是阖家欢喜。只有海川着急，这一耽搁，今天又走不了啦。可又不能提出来告辞，因为徒弟订亲。

正在这时，家人往里跑，高挑帘栊："禀二位员外爷，洪大爷到啦。"就听外面悲泣之声："二位贤弟，愚兄惭愧呀！"果然炳南公来了。郑、高二老一看，真是悲喜交加，两个人出来就跪在兄长的面前，洪利也就跪下，三个人抱头痛哭，老泪纵横。洪炳南涕泪涟涟："愚兄在与二位贤弟握别之后，托人给家中带信，由于求进心切，才去广东拜师学艺，哪知倒成了洪家的罪人，与二位贤弟失约，也成了负义之徒。回到家中才知妻儿皆亡。不想上苍有眼，无意中得见玉耳，只是你嫂嫂恐已不在人世；使愚兄终天抱恨呐！"郑天雄擦着眼泪："哥哥，但愿吉人天相，终有见面之期，今日大喜之事，兄长还是免痛吧。"郑奎把订亲之事，细说一遍，洪利自是破涕为笑，然后大家见礼。家人来往似穿梭，斟酒上菜，内宅两位安人把小姐叫到后堂。有人到内宅报告："高员外叫安人派人去把订亲之物取来。"可巧上房都是年轻的丫鬟，只有高老安人带来的是婆子，这人很稳重端庄，不多说多道。高氏安人跟嫂嫂商量："年轻的不便当，就让那杨姐去取吧。"杨姐奉命来到前厅。按理说一个下人，低头儿进来拿走，也就得啦，偏巧杨姐挑帘子进来，冲着高林说话："安人叫小妇人来取订亲之物。"这一来，在座的都要看一眼这婆子，尤其是洪炳南听话音耳熟，便猛一抬头，不由地两眼发直，浑身颤抖："贤妻呀！"往后一仰，跌倒地上。

当年杨氏夫人在大水来到之时，顺水漂出家门。她虽知活不了，也要挣扎，她在水里一冒，伸手一抓，可巧抓到一根很粗的木檀。两手死死抱住，爬在上边就昏过去了。漂到了一个地方叫板闸，这地方有大堤埝，本村百姓，鸣锣集众。河堤上有很多小红灯，人声嘈杂，护埝防水，单有几十位年轻小伙子捞人救护。男的救上来送到青苗会，妇女救上来暂时送到板闸村尼姑庵。捞上死的停在村公所大院，把每个人年龄相貌特征、穿装打扮，详细填好，任人辨认，无人认领者就地掩埋。水下去啦，男女灾民都打发了，有亲投亲，有友靠友，无亲故者，任其自谋出路。有年老者一并造册报请济养，这是板闸村一份善举。最后问到杨氏安人，她想啊：丈夫出外不归，儿子九死无一生，娘家父母皆亡，虽有兄嫂，一个穷姑奶奶要上娘家住一辈子，这可不成，指亲不富，看嘴不饱，绝不能去！先者丈夫捎信来叫我带孩子去三义庄，投奔盟弟郑奎、高林去，亲弟兄我都不去，怎能投奔不相识的把兄弟呢？这也绝不可能！寄人篱下，仰人鼻息，不如自食其力！丈夫有命回来，虽然我没保住儿子，对不起丈夫随行嘱托，可我还能跟他说清此事啊。所以当老尼姑问她的时候，她可撒谎了："师父，我丈夫和我三岁的孩子同时遇难，只有我一人活命，想我一懦弱女人，纵然会炕上地下的活计，也无能养活自己。师父是出家之人，方便为本，慈悲为怀，救人一命胜造七级浮屠。弟子愿拜在佛门，削发为尼。"杨安人说着话，痛夫思子，肝肠皆断，热泪直流。老师父口诵佛号："阿弥陀佛，佛门广大，众生皆渡，但不渡无缘之人，我见你满怀忧虑，必有难言之隐。看你将来有红尘之福，岂与佛门有缘？不过你现在难中，真要削发，将来丈夫不死回归，悔之晚矣。不如你做我的一个带发修行的女弟子，耐心等待来时吧。"杨氏安人磕了头，在庙中帮助老尼姑扫天刮地，烧香念佛。

这座庙叫水月庵，老尼姑名叫慈善，德高望重。其实庙里十分清苦，没有多大香火，只靠慈善募化四方。一次，慈善来到高林的家中写布施，说起家常来，老尼姑说庙中有个中年妇人，因天灾只剩一人，十分贫苦。高元甫一听，便问："师父，她能做活吗？""浆浆洗洗，大裁小铰，手底下利索着呐。""让她到我这儿来吧，我也不会亏待她。"这样洪氏安人改姓来到高家。她干活任劳任怨，上上下下都很合得来。高老安人根本不拿她当下人看待。后来玉兰大啦，最喜欢她的刺绣，总来西院跟她学，妈妈长妈妈短的叫她。慢慢地，洪氏安人才知道，原来是在金兰之好的弟弟家中干活，有心提出来："我丈夫到现在下落不明，真的日久天长，高家夫妇有待慢之处，到那时自己前不能进，后不能退，倒没有安身之处啦。如果不提，他们拿我当成仆人，反倒心安理得，我干活吃饭。"可洪氏慢慢地知道这老弟兄修建房屋，为的就是我夫妻，心里万分感激。有时候高元甫夫妇提到兄嫂，思念之情，流于言表，洪氏安人也是忧心如焚，想痛哭一场。

　　经过十几个春秋，洪氏安人五十岁的年纪，鬓发皆白啦。这次玉耳来到，尽管高元甫总在东院，可消息传来，说大爷的公子来啦，她有心去看看又不敢。今天小姐订亲，高安人知道洪氏安人与玉兰姑娘好，才叫她到东院来。刚到东院，又听说大爷来啦，所以到前厅取订礼时，她壮着胆子故意和高员外说话，以便观察丈夫是否在此。现在一见丈夫洪利，这十八年的生离死别，使洪氏安人一阵哽咽，落泪如雨，觉得天旋地转，身形乱晃。玉耳一下蹿过来，嘭地一把扶住。母子天性啊！玉耳哗啦一下热泪直流："妈妈！"洪氏悠悠气转，一来思念丈夫想儿子，二来在盟弟府上当了十几年的女仆，又有些羞愧难忍。洪氏安人手捧玉耳的脸："你、你、你是我洪家后代，十五年被水把母子冲散的娇儿吗？""正是不孝的孩儿玉耳。""儿呀，只道母子今生今世不能相逢，要想见面除非是鼓打三更，梦中相会，难道是做梦不成？""妈，儿子确在母亲怀中，不是做梦。""你父亲呐？"洪利不顾一切，扑了过来。那个年头太封建，不能拥抱，不管心里如何，外表总要矜持。洪利扶住洪氏："唉，千错万错都是洪利一人之错。总算老天有眼，你我一家难后重逢。"郑奎、高林一见如此，忙到洪氏的面前跪下道："小弟等不知是嫂嫂，十几年来以奴婢下人对待，上天不容，在嫂嫂面前请死。"说着，以头碰地。洪利忙伸手拉起道："不知者不怪罪。若没有二位贤弟，你嫂嫂早就死于沟壑，怎能有今日团聚？"郑奎起来，跟洪炳南商量："这里有王爷大驾，不如请兄嫂侄男先到内宅吧。"炳南公点头答应。来到内宅，请兄嫂坐好，四老夫妻磕头，玉兰、玉耳也互相见过。各叙前情，哭一阵，分散十八年，实非容易；喜一阵，夫妻父子，劫后重逢，乐享天伦。酒宴备好，爷几个来至前厅，洗盏更酌，宾主尽欢。

　　饭吃完了，大家落座。王爷很高兴："炳南公父子相逢，夫妻团聚，真是本朝盛事，人间罕见，祖上的阴功，父母的德高，真是喜报三元，可喜可贺。"炳南也抱拳："此乃借康熙老佛爷的洪福齐天，草民同沾雨露之恩。"这时，海川提出要告辞，可老弟兄一再挽留，五小弟兄也确实难舍难离。王爷又都爱他们，想了半天说道："这样吧，既然五个孩子不愿离开，就叫他们在一起多住两天，我和海川今天就走，侯老侠带他们先别走，过几天让他们爷几个再追我们，你们看怎样？"郑、高、洪三老答应，这才准备好一切。郑奎拿出黄金五十两，王爷也不客气，叫海川放在包袱里。大家送到村口，洒泪分别。

　　童海川跟王爷由于心急，头一天就贪晚啦，第二天又走得很急。暑热天气，生长在北方的人们，乍到南省是不习惯的，何况王爷养尊处优呢。第三天一起来，王爷就觉得浑身困倦，四肢无力，便说："海川呐，这两天咱爷俩走得太急啦，天气闷热，白天受暑，夜晚受寒，我可能要病。""咱们找个好些的大店住下，请个郎中先生看看吧。"王爷点头。但事情不尽人意，爷俩一直走到天黑，也没找到一处像样的店，只好在一座荒村小店住下。这里连单间都没有，要用什么没什么，可有一样，这个店便宜，两个人两吊钱打尖，两吊钱起火。王爷无法，随着海川进了店。一进店屋的门，两边是大炕，一边都能睡二十来人。大炕铺着莲花竹席，炕上放的都是半头砖，就是枕头，这些砖被人们汗水沤得很光亮。住这儿的都是做苦工的，贩夫走卒、推车挑担的劳苦人。天气这么热，除了汗气味儿，就是臭脚丫儿泥味儿，实在难闻，王爷一进来就要吐。海川告诉伙计："我们这个伙伴受夜寒啦，你给买二两红糖，一块鲜姜来。"给了伙计一吊钱。海川请王爷靠着墙，这是最好的地方。又赁了两床大被，铺好了请王爷躺下。小包袱放好，海川找来个铁脸盆，放些热水，用自己的汤布手巾给王爷擦把脸。海川是想请个郎中先生，无奈离大镇起码有五十里，就算开了药方，也无法抓药，干脆就用姜糖水。海川说："您趁热儿把它喝下去，病就好啦。您是感冒，一发汗就好。"王爷一看这个碗稠糊糊的发黑，就烦了。王爷心说：不喝吧，辜负海川的心；喝吧，实在喝不下去！万般无奈，王爷一连喝了十几口。也搭着天热，汗哗地一下就流出来："海川，太难喝了，我实在咽不下去呀。"说完躺下。半夜，王爷的汗可出透了，顿感轻松了许多。海川坐了一夜，天都亮了，叫伙计打来漱口水、洗脸水。王爷、海川擦了脸，海川问王爷："您身体怎样？"王爷明白自己并没好，又怕海川为难，便说："得啦，走吧，这点小病不算什么。"海川放心啦，这才上路。

海川的意思，要有通衢大镇，请王爷再缓一下。爷俩说说笑笑的也不显寂寞。走了一天也没遇见大点儿的村镇。爷俩走的是东北西南的大路，太阳也快落山了，地上余热未尽。往西北方向看，大块儿的黑云，遮暗了大地。这时候"唰拉拉"一道电闪，"嘎啦啦"一个沉雷，狂风一卷，大雨点儿叭哒叭哒地下起来。王爷不由地机伶伶打了冷颤："海川，这可要坏，我还没好利索，要一挨淋，病一反复，我可要病倒，你扶着我快点走吧。"海川左手拿包袱给王爷遮挡一下，右手扶王爷顺着大道走下来。

没走多远，大路的北边看见一座小庙，这庙只有一层殿，正殿的东西山墙有两个窗户似的气眼，正殿里只有个独坐的神仙，缺胳膊少腿没眼睛，破烂不堪。东西两边都钉着木板隔扇，一边一个门，挂着青布的门帘儿，供桌上放着茶壶茶碗。周围是鹰不落的红庙墙，当中有山门洞，没有门啦。

门外有根旗竿，上边挂着带字的旗子，上写义勇团练所。王爷一看天气，风大雨点儿小，便跟海川商量："你看，天一会儿可要黑，如果今晚借住团练所，那可就太惨了。再说也太不方便，不如往前赶一站，找个客店住一夜倒好。"海川也觉得这地方王爷要住下是不行，便又继续赶路。天公不做美，现在风停了，雨又刷刷刷下起来。二人小跑着出来有四五里路，海川担心王爷的身体："您觉得怎么样？"王爷气喘吁吁："雨虽然不大，淋到身上觉着很凉啊。""爷还能走吗？""刚才倒显得不太累，这一气小跑儿，感到腿直发软，我想找个村镇住店休息一下。"海川摇头道："这个地方上不靠村，下不靠店儿，怎么办呢？"王爷观看半天："海川，你看前边有片大树林子，也能避一避雨呀。"海川一看，这是很大的一片树林子，各种桑榆槐松应有尽有，烟笼雾绕，尤其是越黑天，越怕人。海川直摇头："您的病还没好呢，怎么能进树林儿休息？""怎么着也比雨地淋着好哇！树林里有不沾雨的地方，歇会儿不错，走吧。"爷俩进了大树林儿。

这儿是坟地，北边有个月牙形的土坟山子，上边也长了不少的树。这座祖坟真大，足有一房多高，坟前头有个石供桌，摆着一个石香炉。两边还有几个坟头，明堂很宽阔，地上绿草如茵，往南出树林，是一条西南东北方向的大道。坟茔地上也都淋湿啦，无法坐下。王爷一想，坟后边可能好一些，到坟后一看，由于西北风被这大坟山子这么一挡，又有好多的大树，果然好得多。王爷刚要坐下，海川一拉："您先等一等。"把身上的包袱先解下来，又把钺包儿打开，双钺取出，把包袱皮铺好，又把衣包放上，请王爷坐在衣包上。海川蹲在旁边，拿起子母鸡爪鸳鸯钺一看，原来这些日子始终也没用它，又兼暑热，这纯钢打制的兵刃有点反锈。双钺乃恩师所赐，见双钺如对良友，好像恩师站在身旁，岂能让它长锈发暗？海川把腰里的汤布嚓的一下撕下一条来，先把双钺在湿土上往返一磨，然后用汤布条蘸湿沙土用力擦抹。不大工夫，嗬，这对子母鸡爪鸳鸯钺擦得锃明瓦亮，寒光耀眼。

这工夫也不小啦，风吹乌云散，雨过天晴，一轮皎月高挂天空，透过疏落的林间，照得眼前一亮。海川见双钺上连个土星都没有啦，站起身来，怀抱双钺。王爷一看海川，真是一条顶天立地的好汉，心里很高兴。"海川，练趟钺，本爵看看。"海川一想，王爷叫练，那就练一趟，叫王爷看看好长精神。他双手分钺，大鹏展翅，往下矮身，龙骧虎视。刚要变式，就听见坟前脚步响，"噔噔噔"跑进两个人来。

第十六回

老剑客松林管闲事
李士钧落难常德府

上回书说到下云南拿二小、请国宝，王爷和海川在云南大道松林里避雨，忽然间树林外有脚步声噔噔噔往里走。有人说话："哥哥您快走吧，这场官司我替您打啦。""胡来！这种官司我都不打，能让你打吗？""哥哥，官人追来啦，咱哥俩不能同归于尽呐，您走吧。"那个人说："不行。"海川一怔，把双钺交与左手，探身子往外看。王爷也站起来，悄悄地挨着海川往外看。只见从东边走进两个人来，一个二十左右，中等个头儿，细腰窄背，身上穿白绵绸的裤子汗衫儿，脚下白袜子青缎靴，脖子上挂着脖锁儿，身上衣服有些不干净，可能是打官司坐牢跑出来的。这人长得十分俊美，圆脸膛儿，面如冠玉，两边浓眉，一双大眼睛，漆黑的一条大辫子。后边扶着他的这个人，大约三十岁，猿背蜂腰，身穿蓝绸子长衫，河南绸的裤褂儿，腰里扎着绒绳，刀鞘别在背后。右手提着把翘尖厚背雁翎刀。青鞋白袜，长得天庭饱满，地阁方圆，面白似玉，剑眉虎目，辫子盘着，蓝色绢帕缠头。穿白的口口声声要打官司，穿蓝的口气坚决不让打官司。到底为什么啊？正在这时候，从他们的身后，噔噔噔跑进来一位老人，年纪六十往外，面如姜黄，两边浓眉，深眼窝，黄眼珠子放光，大鹰钩鼻子拴根绳能挂十斤的锤儿！手提一杆蜡杆儿红缨枪，枪头有八寸，十分锋利，八楞的枪档，犀牛尾的大红缨儿。这枪杆由于用得时间长了，都被汗水沤紫啦，光滑万分。老人光头没戴帽子，花白剪子股的小辫垂于背后，倒是一派英雄气概。老人来到且近："你往哪里跑？竟敢趁我一时疏忽劫走差事，看枪吧！"噜噜噜一颤蜡杆儿枪，枪走一条线，冷嗖嗖地枪尖儿对准穿蓝的胸前便扎。穿白袍的可喊："哥哥您走吧！"穿蓝的一瞪眼："贤弟，这老儿青红不分，皂白不辨，良莠不知，我宰了他。"说着话，一看枪到啦，上左滑步，往下一剁老者的手。老者往后一撤，反背斜劈，也从对面滑左步，枪尖点脑门，跟着夹枪带棒就砸。穿蓝衣的并不躲闪，而是往前上步，右手反腕，刀走扫堂。老者"虎坐坡"，往后纵身退出有五尺，四平的架子一端枪，穿蓝的"夜战八方藏刀式"，蹦左腿，躬右腿，左掌在前，两个人贴身进招打在一处。

王爷不明白是怎么回事，问："海川，你说这是怎么个意思？"海川看得很入神，使枪的招数不错，也是个久经大敌的人物，可他的枪招，在这使刀的面前发不上来，好像使刀的也精于枪法，甚或比使枪的还高明。这使刀的可受过真传实教，功夫扎实，年岁不大很老练。老者根本不是使刀的敌手，时间长了，老者真会败。海川现在听王爷一问，便说："爷请看，这使枪的一定是个官人呐。""对，我也这么想。""穿白的还有脖链儿呐，一定是犯人，使刀的半途劫下，官人追来才打起来。""对对！本爵我看不出来，你是行家，这两个谁强啊？""使枪的远远不如使刀的。""要是那样，就别袖手旁观啦，理应相助哇。""可看着那二位也不是坏人。""我也这么想，怎能使他们不打啦，问问谁是谁非。""我想咱爷俩也是官人，也在办案，咱们跟这使枪的同病相怜，今天要帮了他，将来也会有人帮咱们，您说对吗？""对对。""那好吧，您还是在这儿藏着。""我知道。"海川手捧双钺刚要往外纵身出来，就在这么个工夫，从西南大道上，月亮地儿一照，看得清楚，传来一阵哗哗楞楞串铃响，来了一位骑小黑驴儿的。这小驴翻蹄亮掌，四蹄蹬开，眨眼之间顺着大路从西南往东北一溜烟儿似地来到树林外边，"吁……"，小驴听话，站住了。喝，这头小驴儿，黑如墨染，浑身上下一根杂色毛儿都没有，跟黑缎子一样。七层毡子的软屉儿，黄缎子包边儿，铁过梁上挂着一口宝剑，一巴掌宽，白鲨鱼皮鞘，金什件，上面镶珠嵌宝，光华璀灿，黄带子缠把，吞口剑首都是真金的，黄色挽手垂着黄色灯笼穗儿。这小驴左右两只铜镫，牛皮蹬绳，合股笼头，蓝色缰绳，前胸挂着一串紫金的串铃，皮绊胸，皮坐垫，紫檀木的驴宙辊儿，十分神骏。上面坐着一位出家的道长，高身个儿，头戴九梁道巾，双飘绣带，正中一块美玉，流光泛彩。身穿黄色道袍白护领，内衬淡青色的衬袍，腰中系水火丝绦，左边搭丝绦扣儿，双垂灯笼穗儿，白色高筒袜护着膝盖，黄缎子的云履。面似三秋古月，两道修眉，一双朗目，不亚如两盏金灯，鼻如玉柱，唇若丹霞，一部银髯洒满前胸，不散不乱，根根见肉透风，跟缎子一样，发挽银丝，髯垂玉线，鹤发童颜，仙风道骨，右肩插着一个马尾拂尘，雪白的马尾儿，湘妃竹的杆儿。就见仙长腰里一提气，"唰"地一下从驴上下来，微晃两肩，一道白线似的来到二人作战之处，身法之快，无与伦比。老仙长探右手拔下拂尘，口诵佛号："无量佛，二位檀越，一夜之间，因何在此争杀？难道非要流血而后止吗？贫道不明，暂且罢战，贫道给你们辨别是非曲直可以吗？"无奈这二位势在拚死，仙长的话如同耳旁风。老仙长说了几遍都不听。仙长把脸一沉："无量佛，既然不听，贫道就要强求了。"说着话，往两个人当中插去。海川一看，偌大年纪太危险。使刀的这位机灵，往后一撤，使枪的还是不依不饶，"叭"，颤枪就扎。这仙长有些生气，就看他用马尾刷儿这么一甩腕子，正缠在枪杆上，仙长微用内力，一扬手腕儿，这条枪脱手而飞，出去好几丈，落在地上。海川一惊，好充沛的内功啊，看来这仙长不一般，定是武林高手，风尘的侠隐。老头儿没枪啦，说道："仙长爷，他们是十恶不赦的采花淫贼，身背十几条命案。我是云南府八班役总头孙亮，奉命办案，您老人家主持公正，就该协助在下才是。"老仙长一听："无量佛，他们是贼，凭你一说，空口无凭，山人不信。这样吧，山人要问个明白。"老仙长来到两弟兄近前道："看你们堂堂仪表非俗，小小年纪，竟敢杀伤人命？"那个犯人一瞪眼："他胡说八道，信口雌黄。""无量佛，他说得既然不对，你可以说说，叫山人明白。"这年轻人无法，便说出一番话来。明里暗里的人都听得伤心落泪，无不赞叹。真是惊天地剑客出世，密松林巧逢奇案。

湖南常德府北门里路东，有一条胡同，叫凤尾巷，路北第二家，住着一个年轻人，姓白名洁字玉如。他幼年丧父，父亲名叫白阔章，为人忠厚，精明强干，挣下了不少家私，在常德城里，开个绸缎店，还有米粮行。除了自己住的一所房，还有五所住房，另外还有二十多万两银子的储蓄，在常德府城里虽说熬不上前三户，可也有了名……只因操劳过度，才到中年，便身染痨病而死，那时儿子白洁才七八岁……坚贞，持家有法，教子有方。他们家住的前后两个大院子……劝老安人雇个仆人，老安人不愿意。可对街坊邻……不然啦，只要你困难，来到白家借多少给多少，……绝对不去讨，下次再来照样还借。白洁白幼秉……人情，循规蹈矩。家里闲房虽多，不敢招街坊……

正业的。白少爷从小喜欢练武，如果出去见人家卖艺的打一趟拳，回家之后，总在院里蹦蹦跳跳，老安人也不管。后来十多岁啦。街坊有位刘三哥，夫妻两个，由于刘三哥爱练武，却遇不上明师，自己胡练，把功夫练坏啦，他右胳膊练得像麻秸杆，一碰就折，可左胳膊练得像小房梁似的，碰谁一下，谁都受不了，因此叫左胳膊刘三。他们夫妻经常到白家借个钱儿，白家有活儿，夫妻都抢着给做，两家走得很近乎。有时白洁要跟刘三哥学两手，刘三不敢答应："兄弟，我要把功夫都教左了，对不起老太太。你要练习武艺，首先起早遛弯，换换空气，别的我也不会。"白玉认真听话，次日清早起来，梳洗已毕，带好街门，到北门过吊桥，顺河沿一直往东，来到东北城角，晨星尚且未退，自己就活动开了，弯腰踢腿，瞎蹦一气。天亮把长衫穿好，溜溜达达地进城，每天如此。

凤尾巷西口路西有个包子铺，掌柜的姓仇，名良，字国栋，三十多岁，身体健壮。玉如来到包子铺，找张桌儿坐下。仇掌柜的立即过来："哈哈，白少爷早哇，吃几个包子吗？""仇掌柜的，您给我来十个，再要一碗粥。"仇良答应着给端上来问："您上哪去啦？"玉如边吃边说："我每天到城外去遛弯儿。""喝，您遛早弯儿，太好啦，听说您还练武呐？""是啊，我就喜欢练艺。""哈哈哈，不过练武艺，可不同您读书，读书遇到个昏庸的老师，只不过念几个白字儿，可练武要遇到糊涂师父，要把身体练坏了。老安人愿意您练武吗？"白洁点点头："家母倒是不拦阻。""好，那么您是跟哪位师父练的？""嗨！干么还找师父，我就是自己瞎练，铁打房梁磨绣针，功到自然成。这些日子我觉着浑身长劲，掌柜的不信，您看看。"说着白洁一攥拳："您看多大劲儿，这要打在人的身上，可受不了哇！"仇良一听大笑："哈哈哈，少爷您算了吧，就您这无师自练呐，能把身子骨练坏了，您胡同里的左胳膊刘三爷就是个榜样。即使练不坏，就您这练法，几年都白练。就拿攥拳来说，拳经上说，伸手如瓦拢，攥拳如卷饼，你这是什么拳呐？这么办，现在包子也没熟，饭座儿也没上呐，咱二位开个玩笑，您打我试试。"仇良骑马兜裆式站好："您打吧，打动了我，算您有功夫，打不动，证明我说得有理。来吧，照我胸口上使足了劲打。"玉如一摇头："仇掌柜，您别犯傻气，别看我拳头小，打上人可厉害，您经不住。打坏了〔不〕好意思，不是闹着玩儿的。"仇良摇头："没关系，真的打坏我也不〔怪你，一〕街旧邻的，您还不知道我的为人吗？"白洁站起来道："这可是您说的，那咱就试试。""来吧，您只管用力打，绝无妨害。"玉如也搭着是个孩子，年轻气盛，把袖面儿一挽："您注意，我可要打啦。"他紧握右拳，用了八成劲，冲着仇良胸前真打上啦。玉如想：给仇掌柜一拳会受不了，没想到他连身形都没晃一晃。面带笑意："怎么？白少爷，你没多大劲儿呀！嗷，大概是没吃包子，要不吃饱了再打。哈哈哈，没劲没劲。"玉如的脸一红："掌柜的，我怕把你打坏，不敢用力呀。""唉，您随便发力。""那好。"玉如第二次真的用十成劲儿，啪地一下，仇良仍然纹丝不动。"哈哈，怎么样？"玉如真怔啦："仇掌柜的，让我再打您一下试试。"仇良不在意："行啊，少爷您使足了劲。"白洁这回用了十二成的劲抡圆了拳头，嘡地一声，人家仇良照样不动。白玉如都有点儿喘啦："仇师父，您是了不起呀！大概您的武功可称第一啦，您要不嫌弃，白洁愿拜您为师，跟您学习武艺，不知您肯不肯把金玉都授于我。"说着，白洁把袖面放下，跪下就磕头。仇良一下子把他抱起来道："白少爷，我可不敢当，您看出什么来啦，要拜我为师？""我刚才打您，就像打在硬牛皮鼓上，我越用力打，我的手越疼，看来您的功夫深啦，您收下我吧。"仇良摇头道："您让我收您做弟子，天胆我也不敢！我没有多大本领，只练了四五年。再说，您令堂郑老安人救了我一家，给我盖房子，又拿本钱让我做这个小买卖，使一家五口不受冻饿之苦。您愿学，我是倾囊相助，不过不准别人去讲。"

次日，白洁来到包子铺。仇良把白洁邀到后院北房，推门进去一看，喝！屋里摆着兵刃架子，各种兵器擦抹得很亮，三合土砸的地，十分平坦。仇良先给白洁盘腰腿腿，有了腰腿，再学拳脚花单刀儿。日积月累，白洁功夫渐长，一晃都四五年啦。一天，仇良说："白少爷，您可以回家练啦，从明天起，您就别来啦。"玉如一听吓坏啦，问："仇师父，您怎么不教我啦？""不瞒您说，凡是我会的，全都教给您啦，在哪儿练都一样。"白洁只得答应。

白洁跟母亲要了点钱，把东院的两间小房子收拾出来，请木匠也做了个兵器架儿，刀枪剑戟的买了几件，自己埋头练功。

这天，白洁贪练功夫，睡得晚啦，一觉醒来，窗纸发白，他恨自己为什么不早起，赶忙穿好衣服下床梳洗，等出来一看呐，嗨，原来起早啦！下弦月亮还没落，刚好喊开城。来到北门，带红缨帽把门的官兵，都认识白洁："白少爷起早啦？""诸位辛苦，我还认为天亮了呐。"出了城，依然奔东北城角树林子练功。把扎腰的绒绳解下，大衫儿脱下来，都挂在树枝子上。不大会儿，东方破晓，村子里鸡叫了。就在这么个工夫，白洁听见树林子里边有人哼哼，可把他吓了一跳。等来到树林的东边儿一看，这个人在草地上靠着一棵大树半躺半卧，一身三串通扣夜行衣，寸排骨头钮儿，前后用蓝色绒绳勒成十字绊，斜背着一个蓝绸子包袱，脊背后有个空刀鞘，打着裹腿。看上去脸色蜡白，黄豆粒大的汗珠子往下掉。一丈开外扔着一口厚背雁翎刀。这人三十多岁，细条身材，长眉朗目，通关的鼻子，四方阔口，五官端正。只是在左腿肚子上钉着一只三楞凹面透风毒药镖。白洁看到这夜行人无神的目光，渴望求助的神态时，激起了他的义胆侠心。他慢慢地走过来："朋友，你这是怎么啦？"这人摇摇头："大兄弟，我的遭遇非三言两语能说清，即使能说清，我与你素昧平生，也是无用。请问你这位兄弟为何来到此地？""我是常德府本城人，每天早晨在此练功，刚才听你哼哼，才到这儿来的。"这人艰难地动一动说："唉，这位恩公，你是练武的，咱俩有缘，天下练武是一家，所谓人不亲刀把还亲。我虽然身穿夜行衣，但不是坏人。咱二位总算有幸相会，我有一事相求，你肯答应吗？"

白洁心里很纳闷，这旷野荒郊，四下无人，只有我一个，他渴望活命，却不对我苦苦地哀求，也不摇尾乞怜，更不低头相求，看来这人是条硬汉子。恻隐之心人皆有之，便说："朋友，你说吧，只要是我办得到的，我一定答应。"这位面带惨笑道："兄弟，我只求您一件事，您能办到，在下没齿不忘大恩。""朋友，你说吧。""您把那口刀拿来，把我致于死地，就对我有莫大之恩了。"白洁一听："朋友，这怎么可能呢？""恩公，您把我杀了，咱二位结个鬼缘儿，您杀我是对我施恩呐。"白洁一摆手："这万万不成啊，即使我跟您有血海之仇，当你在危难之际，我也不能乘人之危，做此投井下石之事！何况我与你邂逅相遇，素不相识，何能下此毒手？"

这人听完，长叹一口气："唉！朋友，你请看，这镖乃是毒药镖，只要中镖见血，无论何处，子不见午，午不见子，六个时辰准死，而且在死时痛苦。您就修好吧，把刀给我拿来，转身就走，我自刎而亡，您也算修好积德。""这个……"白洁是个有血性不怕死的好男儿。"朋友，除去自杀之外，中了毒镖就不再有救了吗？""当然有办法治好，也不必去请郎中，我祖传秘方就能治。可您没看见我的样子吗？谁肯冒这么大的风险，把我这快将命绝的人背到他府上，为我奔走，救我于垂死之时呢？蝼蚁尚且贪生，为人岂不惜命？但我身逢绝路，只是无可奈何呀！"白洁听了这受伤人的一席话，激起自己的侠义心肠："朋友，巧得很，你真能自己医治，在下不才，倒可以把你背到舍下，有人盘问，就说你是我的朋友，因练武摔伤。""若此，则感恩非浅，只是我这衣服，怕被人看出来呀！""没关系，您身上把长衫穿好，您的刀我来佩带。"说着，白洁先到树林边上把自己的长衫穿好，绒绳扎住，把这人的小包袱解下来，刀鞘取下，然后把刀拿过来入鞘，挎在自己身上。"朋友，你身上的镖是毒药的，我想把它取下来，免得碍事。""恩人，千万不能取呀，只要取下来，就准得受风，风追药力，发作得更快。您把我的裹腿带子解下一根来，把镖系住，绑在腿上。"白洁解裹腿，稳住毒镖，把这人背起来，大步流星，直奔北门里凤尾巷。

到了北门，有官兵盘问："白少爷，您背的谁呀？""众位辛苦，我的一个朋友，练武不慎摔坏啦。""您快回吧，赶紧请郎中瞧瞧。"到家后，白洁推开门，来到自己的房中，忙把这位放到床上。这两间是白洁的书房。这位说："恩人，您快把包袱给我，那里有最要紧的东西，我还有好些话对您讲啊。"白洁赶忙拿过来，放在他的眼前。这人打开包袱，白洁一看，里边有几身绸子衣服，他不住地翻找。最后找到一个油纸包，裹着三层儿，打开之后取出一张纸来，上面有密密麻麻的字。这人把纸交给白洁："恩人，这是我家祖传专治毒药伤的绝方，请您拿着它到药铺去，照方子抓一副来，越快越好。"白洁接过来，转身要走。这人一摆手："您先别走，我先把该办的事告诉您。我受镖伤已经两个时辰啦，您买药千万不要耽误。我要真死在您家中，这场糊涂官司可不好打。您买药回来，我被药力拿得昏错死过去，您千万别慌，您把药熬好，澄出一碗来晾温，再把我抱到院中，找一条宽凳子放在上面。如果牙关紧了，您只管撬开，把这药给我灌下去。再准备一大壶凉水，药力行开，我吐一段时间止住，您就给我水喝。我再吐，吐完您再给我水喝，什么时候我说不要啦，您把我抱到屋中，千万记住。"

白洁赶忙拿着钱，奔鼓楼南大街路东济仁药铺。抓药回来，见这位直挺挺地躺在床上，脸上显得万分痛苦，气如游丝，真是身如五鼓衔山月，命似三更油灯尽。他喊了好几声："药来啦，朋友醒一醒！"毫无反应。先到院中放好一条宽竹凳，然后把药罐洗净，药放在里边，倒好清水，把二门推开，直奔东厢房，放好竹头木梢，打着火点上，放好药锅。把药煎好，用个茶盅倒出来。把这人抱到院中放好，用大壶盛好凉水，这人的牙关已经紧啦。白洁用筷子撬开，一匙一匙的灌下去。顿时药力行开，果然家传秘方，确有奇验。这人一歪身，"哇"，张口大吐。白洁一瞧，吐的多是说绿不绿，说黑不黑的粘沫子。白洁把水壶提过来，这人"咕嘟"一阵喝了不少，接着又吐，反复多次，最后，这位少气无力地道："恩公，您把我搀到屋中去吧。"白洁点头，扶到屋中坐下。"恩人，您府上有吃的吗？""我请家母给您熬粥。"时间不大，白洁拿来一小碟细咸菜丝，一双筷子，一碗粥。这人吃着。白洁出去把院中的浊污之物全部清除，竹凳搬走，收拾干净。等白洁回来一看，喝！这人左脚蹬在凳上，毒镖拔出，用匕首把所有的黑肉尽皆剜去。白洁没有扰他，一会儿，这人便睡了。这一觉就过午了，等到醒来，白洁再一看，这位脸色渐红，便问："朋友，您醒啦。"这人站起身来道："救命之恩，无以为报，恩公请上，受在下大礼一拜。"说着跪下磕头。白洁怎能叫人家行大礼呢，立刻抱住："略效微劳，何足挂齿，请朋友不要放在心上吧。"这位鼻子翅儿发颤，眼睛一红，眼泪要流下来。"恩人救我之命，实是再造。先时顾不过来命，没及时间，现在成啦，请您别怪我失礼，请教高名上姓。""此地是常德府北门里凤尾巷，在下姓白名洁字玉如。""原来是白恩公，您那么早到城外干什么？""嗨，因为在下好练武，所以起得早，才与阁下见面，这叫千里有缘来相会，咱们前生有缘。您贵姓啊？""在下祖居云南府东门里，我姓李名英字士钧。先父给起的外号叫腾身步月。""嗷，您来到湖南做什么，仇家是谁，为什么被人家打伤？""唉，在下来常德访查仇人，被他们暗算，身中暗器，若非恩人搭救，焉有命在？大恩不言谢，在下想与恩公结为金兰昆仲，不知您意下如何？"白洁自从见李英言行循礼，而且一派英雄气概，现在听李英一说，立刻撩衣跪倒："固所愿也，不敢请耳。兄今提出，敢不如命？哥哥请上，受小弟大礼。"李英也单膝点地，双手相搀："兄弟，愚兄遇难得结良友，平生之幸。既然结为昆仲，就在五伦之内，从此终身不渝！请起。""哥哥知道，小弟府上现有老母，门户虽然单寒，尚可得以温饱。弟自幼秉承母训，咱既结义，就当禀明老母。""对，应该禀命而行，再说也该登堂拜母。"

　　次日清晨，弟兄梳洗已毕，白洁一抱拳："哥哥，娘打发我出来请您呐。"李英心里很欢喜："贤弟头前带路。""您随我来。"弟兄二人一前一后出书房，进二门，在桌子北边儿木椅上坐着一位老妈妈，白发苍苍，慈眉善目，上身穿蓝布褂，下穿青裙儿，看不见脚。白洁一指。李英："娘啊，这就是我的哥哥，云南李英李士钧。"跟着一回头儿："哥哥，这就是咱们的老娘。"李英抢步近前，推金山，倒玉柱，磕头就拜："老娘在上，孩儿李英与娘亲叩头。"老太太本意就是要看李英的相貌，所谓鉴貌辨色，观其外知其内。李英从外面一进来，老太太一看他，步履从容，气度安详，一团正气，虽是武夫，可文质彬彬，一看就是有家教的规矩人。老太太立刻叫白玉如："洁儿，快快扶起你哥哥。"老安人面带微笑："我儿请起来，坐下谈话。"李英赶紧答言："孩儿遵命。"李英起来，在老太太旁边的兀凳上偏身坐好。老妈妈细问："我儿家在何方？"李英欠身回答："孩儿祖居云南府东门里。""家中尚有何人，父母可曾在堂？做何营生，老身敢问？""先父母已弃世多年。在世之时，在云南府东门里开了个双盛镖局，业已关闭多年。现在家中尚有您儿媳，一双孙儿孙女，孩儿的事情一时难以对母亲说明。只是孩儿为访仇人来到此地，夜遇仇人，遭了暗算，误中镖伤。若非兄弟搭救，早已不在人世。今又蒙娘亲相留养伤，再造之恩，孩儿粉身碎骨也难答报。"老安人长叹一口气："唉！孩子，见你举止谈吐，知道你很有家教。这次逢凶化吉，是你父母好善所致，我母子有何功劳可言？不瞒你说，你义父去世尚早，没有三亲六故，我对于你兄弟未免放纵骄惯。今既与你为友，望你替为娘好好教育。今日我把你兄弟托付给你，希望你记住为娘的话才是。"说完，让白洁拿出两卷布头，二十两纹银，送给李英做见面礼。

这一天晚上，白洁睡不着觉，三更啦，又到书房找兄长论武，一看屋里黑着灯儿，房门虚掩，心想哥哥累啦，不要惊动啦。刚要走，又一想不对呀，兄长是个细人，怎么睡觉不关房门儿？我还是唤醒他为是。便低声喊道："哥哥，您睡了嘛？"连叫数声，无人答应。白洁推门进来，摸着火种点着了灯，一看屋里收拾得很清洁，衣服鞋袜都叠放得十分整齐，就是兄长不知哪里去了。白洁走到临街的大门，一看也关得很严紧。又到厕所去看，全没有。可早晨到书房一看，李英沉沉大睡，等李英醒来，白洁搭茬着问他。李英一笑道："兄弟知道愚兄是绿林人，你千万不要对我疑心，认为我背着母亲兄弟夜至别家，非偷即盗，那你可就想错啦。绿林人最讲义气二字，即使万不得已的时候，我与贤弟是手足桑梓之情，乡里之义，就冲你，也永远不会动常德府一草一木，哪有在贤弟家乡做歹的道理呀！"白洁点点头。李英又提："先头劣兄身中毒镖，是仇人暗算。可我哪儿来的仇人，因何结仇？又为什么背井离乡，抛了你嫂嫂侄男女来到湖南？现在为什么晚上出去？这些个你都急于要知道。无奈不能现在说给你听，现在说了也没好处。请贤弟相信愚兄是个懂礼的血性汉子，永远也不会违礼而行。你想想，我要把事情告诉你，一旦外漏，到那时候不是你泄漏的也成了你泄漏的。所以你别再开口，我也不再提，总有一天你会知道的。"白洁听完点头答应。

　　从这天起，白洁不再提啦。这天吃完早饭，李英出去买了一些使用之物，等回到书房，白洁不在，心想到后院内宅给老娘请个安，就势问问玉如干什么去啦。这样，李英来到内院上房门前："娘在屋里吗？"挑帘子进上房，先给郑老安人请安，然后问安人："兄弟到什么地方去啦。""嗨，你还不知道啊，跨院有两间功房，他去练武啦。""啊，兄弟还练武呐？""别提啦，刚才他跟我说，自从你来家中之后，高兴得把武艺忘了练啦。我跟他说，古人乐以忘忧，乐以忘食，你这是乐以忘练。这不刚洗完脸就去啦。"李英知道白洁好武，可不知道他会武艺，更不知道他是哪一门儿的，想到跨院看看。告辞出来奔夹道儿，有个月亮门儿，进了门，院子里静悄悄。有两间东房，房门掩着。李英听见屋里噗噜、噗噜，像捉鸡似的。他慢慢地来到屋门外，从门缝儿往里看。白洁脱了个光膀，辫子盘起来，手里拿着一杆蜡杆儿枪，叭叭叭地正拧呐！李英看出他是六合枪的套路，可一点儿功夫没有。看他练得吁吁作喘，大汗直流，还是直眉瞪眼地练。李英又可疼又可气，气的是不会假充会，疼的是把身体练坏可是一辈子大事。李英心说：这哪是练武艺？简直是受大罪呀！李英等白洁把气喘匀静了，在门外痰嗽一声。白洁一听是兄长，赶忙把枪放在地上："哟，哥哥来啦。"伸手把门开开。李英进来冲着白洁一笑："兄弟，练得好枪法呀！"白洁听兄长夸奖，心里好痛快。"哥哥，小弟这趟枪叫六合枪，实受高人的传授，小弟也确实下了相当的功夫，才练得不错。说真的，五冬六夏也真不容易。您在门外看了半天啦，您是大行家，您看还可以吗？"李英一听还自夸其得呐！便冲着白洁微笑不语。白洁怔啦："哥哥，您笑得我直发毛，难道不好吗？""贤弟，愚兄不是讥笑你，也不是戏言，我真不当说，你这功夫只占两个'三'字。"李英左手伸出来三个手指，反复摆动说："你这功夫练好了费饭，练不好把身体就搭上啦。""啊，那您怎么说两个'三'字？""嗨！贤弟这两个'三'字，就是从生下来练三天，练到死后接三天，都白费劲呐。"玉如一听，脸上有点不高兴，就问：

"哥哥，您说小弟功夫不成，怎么练才成啊？"李英忙回答道："你也别多心，也别灰心丧志，有道是破釜沉舟，苦心人不负有心人，但是，你既不得其门，也不得其法。这样吧，我把练枪的规矩说一说，再给你练趟枪看看。枪乃轩辕皇帝所留，枪为左兵之祖，大刀乃右兵之帅。凡是练枪的武师，都要讲规矩，穿上长大的衣衫，没有像你这光着脊梁练的。还有练枪专讲枪点枪眼，所谓枪走一条线。可我在外边听你练枪就跟捉鸡似的，连个枪点都没有，这不是瞎闹吗？我说贤弟你不信，我练趟枪法你看看。"说着，李英食指拇指一捏枪，平着就把枪拿起来。就这一下，白洁的眼睛都直啦。李英左手一搭枪杆："贤弟，快穿好衣服，我给你练趟枪。"白洁高兴，辫子放下来，长衫穿好，往旁边儿一站，就看李英左腿蹦右腿弓，二目凝神，阴阳把一合，噗噜噜一颤枪，真像玉蟒翻身，金龙探抓，一扎眉心二锁喉，三扎肩肘四勾头，五胸六肋七双腿；八九十狸猫扑鼠，霸王卸甲金鸡乱点头。里撩外滑，崩砸窝挑，吞吐撒放，枪招完全展开。开始一招一式白洁还看得出来，后来只见一片枪尖儿，遍体纷纷如飘瑞雪。白洁感到眼花缭乱，惊讶万分，李英练的是李家家传的秘谱，三十六手绝命连环枪！

李英练完收住招数，气不涌出，面不改色，连个汗珠儿都没有。"贤弟，看哥哥我练的这趟枪怎么样？"白洁乍撒两手："哎呀，兄长的枪法与小弟所练有天渊之别，真是曾经沧海难为水！哥哥，这可没说的。古人说乐有贤父兄，谁叫我有您这哥哥呢？投师不如访友。没别的，您教我吧。"李英连连摇头："贤弟，你练不了哇！""怎么，哥哥不教我？"李英摇头："不是愚兄不教，而是你不能练。你出身富家，茶来伸手，饭来张口，你是个膏梁子弟，真正的练武，就要脱胎换骨，真要练个三冬两夏，如果想练就练，不想练就不练，少爷脾气，那就无法成材呀！你白费力，我白费心。兄弟真想学，必须咬紧牙关！我这枪是李氏家传的三十六式绝命连环枪，化成三百六十招。还有我李氏家传十八手闪手花刀，三手绝命刀，我都可以教你。你虽然有腰有腿啦，尚需三年苦功。兄弟你有长性吗？娘能舍得吗？兄弟要想三天打鱼，两天晒网，那可不行。"说完，面带笑容，看着白洁。白洁的眉毛梢儿一挑："哥哥放心，如有不愿学怕吃苦的时候，请哥哥随便打骂。"李英也看白洁的决心很大，便写好了祖师牌位。李英率白洁磕完头，就开始用功。原来白洁聪颖非凡，闻一知十，而且吃得了苦。由于练功心切，把寒冬暑热抛于九霄云外，春花秋月，一晃三年。

李英一看兄弟练成了，他很高兴。这天练完了功，两个说说笑笑回到前院书房，李英等白洁坐下，问："兄弟，你的功夫不错啦，看来这三年的苦练可难为你呀。要知道学如逆水行舟，不进则退，今后永远记住，还要练功，不准偷闲躲懒，不过倒不需哥哥看着练了。我想跟你商量一下，愚兄离开乡井几年啦，想回趟家看看，不久还要回来，恳求贤弟在娘的面前替我告假一个月。再请娘给我纹银二十两做路费，娘亲手头有富余就请贤弟费心，如果娘的手中不宽绰就算啦，千万别让娘为难。"白洁听了李英的话，难离难舍："哥哥要回府看望嫂嫂和侄男侄女，兄弟不敢阻拦。路费不成问题，只不知哥哥真的很快回来吗？不可叫小弟悬念。"李英一笑："愚兄一生不轻诺，绝无谎言。你舍不得愚兄走，难道愚兄就舍得离开你和老娘吗？"白洁只好来到上房，老太太没有休息，白洁赶忙进来问安。三年光景，老妈妈知道李英是条铁汉，尽管还不知他的来历，可人怕久挨金怕炼，交这么一位知心的朋友，即便自己真的百年之后，有李英照顾儿子，我也能安心于地下了。这时老人见白洁进来，便问："儿呀，不在外边陪伴兄长，来到内宅何事？"老太太看出儿子脸色不愉快。"孩子，到底有什么事情？""娘，儿子为了李英兄长的事啊。""你哥哥有什么要紧的事呢？"白洁把兄长要回家探望、借路费的事全都禀明了安人。老太太也是从心里不愿李英走，不过这几年抛妻别子，远离乡井，怎能不让人家回家探望？老安人对儿子说："依为娘的主意，早就要让他回家看望妻子孩儿去啦。娘虽有这心，可娘不能说出来。说出来怕你兄长多心，仿佛咱们养不起他似的，往外撵人家。现在你哥哥提出来，不是正应当嘛。路费之外我还要送你嫂嫂和侄男侄女一些物件，表表心意。娘立刻准备饭，给你兄长饯行。去吧。"

一夜无事。次日清晨，李英带好东西、军刃，白洁直送到关厢。李英说："贤弟回去吧，听娘的话，我很快就回来。连你嫂嫂、侄子全带来。"白洁点头，默默地跟着一直到十里之外。李英伸手相搭："兄弟，送君千里终有一别，不必再送啦。"白洁眼泪围着眼圈转，点头答应。李英上大路，走上好远，见白洁还在伫立相送。

玉如流下了别离之泪，回到家中禀明母亲。吃完饭以后，白洁躺在母亲床上睡了，老太太本认为孩子几年来刻苦学艺，可能有些累。到晚上吃完晚饭，回到书房，清晨起来熟练了功夫，吃完早饭，他又睡了。一连三天，老太太心里着急，这可不成啊，忧闷成病，那还了得！"儿啊，娘也知道，你兄长一走，心里闷倦，可总睡觉不行呀！吃完早饭，你去外面活动活动，不能吃饱了就睡！"白洁怕母亲着急：

"娘啊，孩儿一定出去遛遛。"娘俩吃完了饭，白洁答应着出来，到街门前回手带上门，便听见有人嗡声嗡气地问："兄弟你吃饭啦?"白洁回头儿一看，道："三哥哥，您倒好哇?"这个人三十多岁，五官端正，面带忠厚，只是他的左胳膊又粗又壮，跟小房椽似的，可右膊好像麻秸杆，山核桃那么细。他姓刘单字名德，排行在三，人称左胳膊刘三。刘德为人忠厚仗义，只要街坊邻居有事，总是跑前跑后地张罗。比方说有人挨饿啦找他，他只要有就给你解难排忧，哪怕下午他再挨饿，都不在乎!刘三最好练武，每天清早起五更到大树林里来练，就是往大树上捶这两只胳膊，一只三千下，每天如是，风雨不阻。这左胳膊越撞越粗越有劲，不用说急眼打架，就算是闹着玩儿，用左胳膊一碰，你就得出去一溜滚儿。可这右胳膊越撞越乏力，肌肉萎缩，像麻秸杆儿，只要碰一下，痛彻肺腑。白洁遛早弯，出城经常碰上左胳膊刘三。刘三刚出家门看见白洁穿着白绸子裤褂，宝蓝绸子大褂，漆黑刷亮的松三把儿一条大辫子，真够俊的。"三哥干什么去?""嗨，这不西关龙王庙开光，说书的、唱戏的、打把式的、卖艺的，热闹极啦，赶庙会挂拥脚的人山人海。说真的，三哥并不贪这个，听说有一个卖艺的，是个老人儿，功夫好极啦!我去开开眼。咱哥俩搭着伴去西关吧。"两个人说说笑笑奔西关了。刘三问："兄弟，你现在不是跟朋友练了吗?""哥，小弟比从前是强多了。""有人说咱们这地方没练武的，还说武圣人没从咱这地方走过。我叫他尝尝哥哥我左胳膊的厉害，我听说他练的枪法不错，你跟他比比。"白洁摇头："不行，没跟人家动过手。""嗨!别粘糊，有三哥哪。"

二人走到庙的东北角儿，这里围着水泄不通的一圈子人。"三哥，咱们进不去呀?""你去跟人家说说，真是个雏儿，连话都不敢说呀!"白洁无法，过来一抱拳："乡亲们借光借光，我们要到里边儿看看，您让一让。"这位一回头，冲白洁一瞪眼："想看早点儿来呀，我让你，谁让我呀?"这句话把白洁噎得够呛。"三哥，人家不让。"刘三一努嘴："你起来，跟着走。"说着用左胳膊一拨拉："闪开!闪开!"好嘛，他的左胳膊真有劲，前边的人东倒西歪，哥俩挤进来啦。二人这么一看，场地周围用长竹凳圈了一个圈儿，北面有个小竹桌，放着茶壶茶碗，一个小圆笸箩，那是用来放钱的。这个场子是艺人包的，庙会开几天，他就包几天。到时人家把茶端来，凳子桌子放好，桌上还放着一个哨码子。卖艺的大高个儿，黄脸儿，鹰鼻子，花白胡子。白洁一见此人，才惹出一场杀身大祸。

第十七回

遇捕快白洁遭奇冤
逞英雄陆滚丧功房

　　上回书说到白洁奉母命结识李英，跟兄长学三十六手绝命枪，今天随刘三来逛龙王庙，到卖艺的场子里观看。卖艺的是个老头，手里拿着一杆蜡杆枪，左手一抱右手，作了罗圈揖："众位朋友，坐着的金刚站着的佛，一站一立的子弟师傅们，打过一拳踢过一腿的同道们，还有僧道两门，回汉两教，六扇门里，六扇门外，只要是喜欢武艺的师傅们，今天都来巧啦。在下姓孙，云南人氏，不远千里来到贵宝地，投亲未遇，访友不着，流落异乡，举目无亲。常言说得好，人贫当街卖艺，虎饿拦路伤人。还有人说：学会文武艺，卖与帝王家；帝王不用，交与识家；识家不用，扔在地下。学徒偌大年纪，穷途末路，就算给师傅丢了脸，我练趟六合枪，我练不好。那位先生说：既然练不好就别练啦！您可别那么说，褒贬是买主，吆喝是闲人。练不好您别叫倒好，练好了您给喊一嗓子'好'，在下非常感激。那位说练完了，看着不错怎么样呢？在下求几个钱。我看看有走的没有？"说着他看了看四面儿："罢了，我学徒的人缘真不错，一位走的没有，您不用走，身上带着富余，就给我掏一把半把的，多富余多掏，少富余少掏，您可想着掏自己的，别掏旁人的！真没带着富余，您别着急，只要您给我站脚助威，我照样感激！闲话少说，咱们练啦。"说着一拉架式，眼望四外又道："我还要托付托付，诸位，您可千万别像那种人，练的时候他看，喊好的时候他也喊，刚一说要钱，他扭头就跑。他不给钱，把想给钱的财神爷也给带跑啦！风雨不透的人群，他给撞个大窟窿，人缘不帮，财缘不帮，这种人咱就别提他啦！无君子不养艺人，四面为上，我再给大家作个揖，众位上眼吧。"一抖枪，"乌龙搅尾"、"怪蟒翻身"，叭叭叭地练上啦。蹦砸窝挑，大枪的功夫真不软。练完了，把枪往地下一扔，抱拳一站："众位师傅乡亲们，在下求钱啦！"真有大把扔钱的，哗啦啦，你也扔我也扔，地下见了不少的钱。老头儿站在旁边，点头哈腰："谢谢，谢谢。"他慢慢地把钱都捡起来，放在桌子上。

刘三问白洁："兄弟，你说这个老头练的功夫怎样？"白洁看得出老头儿的枪法不错，不过白洁学的是三十六手绝命连环枪法，看李士钧的手法，再看这老头的功夫，可就看不上啦。便说："三哥，老头的枪法很不错，不过要比好的还差得远哪！"刘三一听："兄弟，你帮帮场儿，练趟枪让老头看看！你瞧他洋洋得意的劲儿，光压行当，你气气他。"白洁刚要拒绝，这刘三喊上啦："老朋友，现有我们本地的师傅，凤尾巷白洁白玉如来帮帮你的场子。"他一边喊着，就用左胳膊一推，噔地一下把玉如给搡进去了。

这位卖艺的老者，把钱拿起来，伸手抄枪还要练，听见刘三一喊，推进一个青年人来，老者赶紧把红缨枪放下，把场正面的拦门凳子搬开，一抱拳："子弟老师傅，在下短去拜望，求您多捧场。"老头儿满面春风笑嘻嘻地往里请。白洁一看，这可没法了啦，只能迈步进来抱拳道："老师傅，见您的枪法出众，一时技痒，班门弄斧，请不要见笑。我叫白洁，朋友替我说啦，您替我垫垫场子，我帮您练一趟献献丑。"老者点头："遵命遵命。"又作了个罗圈揖道："乡亲们，俗语说得好：人奔福地，虎奔高山。在下借贵方一块宝地求几个钱吃饭，本事不值识者一笑，可抛砖引玉了。现有贵处武术名家白洁白师傅前来帮场，白师傅倒不是故意显示武艺，实在是惜老怜贫。请乡亲们站脚助威，谢谢啦。"说完又四面作揖。然后冲白洁一笑："白师傅请吧。"白洁来到当中也冲大家作揖："叔伯父老兄弟，我家住本城北门里凤尾巷，"他一指刘三爷："他是我的街坊哥左胳膊刘三。"刘三在常德府是大有名气的，四面鼓掌，声如爆豆，大家都看他。刘三爷一撇嘴，左胳膊一晃悠，乡亲们哗地一下子全乐啦。白洁接着往下说："我和三哥是逛庙来啦，人家卖艺的老师傅有真功夫。白洁不过是一知半解，落落秋萤之火，逐逐野马之尘。今天既然进场，那就请乡亲们人缘财缘一齐帮吧。"说完话，伸手把母亲给的几吊钱全拿出来，解开绳串的扣儿，哗——往地下撒，这叫垫场子，好财买脸。白洁眉梢一锁，伸手把大辫子往脖子一绕，挽好袖面儿，卖艺的把枪横着往白洁的面前一递。白洁双手接过，冲着卖艺的一笑："献丑。"说完一转身，左腿一蹦，右腿一弓，阴阳一合枪，刷刷刷就练上啦。真是行家看门道，力巴看热闹。头一招"金蛇串地"，跟着摔杆一变是"玉蟒穿林"，左插花、右插花、十字插花，还有双插花，都是绝命枪里最绝的招数。卖艺的老师傅在旁边一站，嘴里喊着："好功夫！这招叫'毒龙出洞'。好！这招叫'拨云现日'，这招叫'秀女穿梭'。"开始几招这老者还给报，十几招一过去，这卖艺老头儿的眼睛睁圆，注目观瞧。白洁练到高兴的地方，自己也洋洋得意，这趟枪练了一半，到了"怀中抱月"，接着蹿起来一丈四五尺，头冲下脚冲上，这手功夫叫"玉杵捣药"，最难练最吃功夫，可是这一招，最引人注目。白洁一想：不必练完，赶忙见好收场回家。想到这里一收式，刷地一下挺身而立，真是气不涌出，面不更色，把枪横过来笑嘻嘻地一递："老师傅，献丑献丑。"四外一片叫好声，掌声如同爆豆。

按理说这老汉得给公子道谢，照顾人家给钱的，可这老头儿却没这么办。他右手接枪，很不礼貌，右手手心冲上攥住扎枪头后边不过半尺，他一立右手，就成了枪尖对着白洁，枪杆在后边，好像要枪扎白洁似的。白洁纳闷：怎么这人如此无礼？哪料到这老头儿伸左手，嘭地一声把白洁劈胸抓住："你别动，你只要一动，我就扎死你！"

哗啦啦四周百姓一阵大乱。左胳膊刘三爷勃然大怒："呔，你这卖艺的好不通情理，念完了经打和尚！"左胳膊一举就要打。白洁沉得住气，道："三哥，不必动武，咱们跟他讲理。"说着就问卖艺的："朋友，你这是干什么？"

这卖艺老头如临大敌："哼！我问问你！你这套枪法跟谁学的？"白洁一阵冷笑："嘿嘿嘿，我帮你的场子，尽的是江湖义气，又不求您给我赠匾红，传名全国，你管我跟谁学的？你管得着吗！"卖艺老头一瞪眼："你练的这是云南府李家秘传三十六手绝命连环枪。"白洁见他还真懂，便说："不错，跟盟兄所练。""你的盟兄是哪位？""姓李名英字士钧，人称腾身步月。""好！你跟李士钧是兄弟，情屈命不屈，这场官司你打了吧。"

一听打官司，白洁明白，兄长李英循规蹈矩，安分守己，怎么能有越轨之行呢？"老朋友，你是何人，打什么官司？""哼，我也不是什么卖艺的，我乃云南府八班总役金眼鹰孙亮，我地面一连出了十八条无头命案，最后我家府台梁玉书的小姐被杀，留下腾身步月李英的名字，俺孙亮访案至此。朋友，这场官司你打了吧。"

原来三年前，云南府连着出了十八条人命案，杀害的都是少妇长女，最后一位是梁知府的十七岁女儿。每次做案之后，都留下一首诗：一口钢刀掌中擎，五湖四海任纵横。好汉一怒伤人命，腾身步月是李英。梁知府正在派孙亮明查密访李英的时候，自己的女儿又被杀了。他痛苦万分，又不敢声张，生怕于自己的名誉有碍。他立刻传话："叫八班总役孙亮二堂回话。"差役答应，飞也似地来到班房。

孙亮现在是坐立不安，每天带着眼明手快的官人明察密访，云南府城里城外的大小旅店，庵观寺院，热闹场都查到，怎奈这凶犯黄鹤无音！孙亮束手无策，来到内堂门外，一见知府双眉紧锁，面沉似水，就知道府台大人十分震怒。"孙亮请大人安。"知府伸手接安："孙班头，坐下吧。"知府沉一沉气道："孙班头，小女已然悄悄埋掉，夫人思女哭得死去活来，本府到任之后，拿你不当差役，只做朋友，因你老干吏事，办案有方，精明强干。此次连出命案，也是本府官运欠佳，倘被朝廷知道连出命案，就要被参革职，这倒无关紧要。只是死者含冤受害，做案者逍遥法外，身为地方官长，实在问心有愧。按字笺来说，即使非李英所为，李英也必知其人。您是否访过此人呐？""下役多次造访，他家只有一老苍头，只知三年前带妻子孩儿远奔他乡，未曾回转。他先人也确是云南府有名人物。此人幼受父训，知书达礼，循规蹈矩，根本没有前科，岂能扰桑梓，污辱先人？不是下役为李英开脱，下役敢以人头担保，绝非李英所为。"梁知府摇头："前者你跟本府几次谈过，本府也相信李英并非歹徒，哪有留下自己名字的道理？可要想拿贼，必须先拿李英到案。本府赏限十天，一定拿李英到案。"孙亮行礼告退，设法捕捉李英，这是办不到的事情。从此三日一逼，五日一拷，把这三班人役打得遍体鳞伤。知府又传命把孙亮全家满门二十七口，一并打入监牢，叫孙亮捕盗拿李英，李英不到案，孙亮一家不放出监。这手可损啦！孙亮落泪如雨，他跪在母亲的面前："孩儿不孝，连累老娘。"老太太掉着眼泪："儿呀，食君禄当报王恩，居其地应保其土。你在云南府四十年，孩子，你能忍心看着这些无辜死去的姐妹，沉冤难雪吗？你去吧，勿以为娘为念。"孙亮狠心咬牙一跺脚，带好海捕公文，领了盘费，带着衣包军刃，离开云南，各处明查密访。

光阴荏苒，日月如梭，眨眼就是三年。披星戴月，越岭翻山，费尽心机，可这李英连个影儿都没有。这次来到洞庭湖畔常德府，他先到府衙的回事房。到里边一看，坐着六七位又说又笑。孙亮抱拳："众位老爷辛苦。"大家一看就知道是外府官员，也都很谦虚："辛苦辛苦，老哥有事吗？"孙亮先把公文拿出来，问："众位老爷哪位值班呐？"值班儿的王班头过来，孙亮把自己的事情一说："请您验看公文。往上边回一下，在下要在常德挂个号，王班头多受累。""好说好说。"王班头接过公文看了看，孙亮等着，王班头来到签押房见着该管的师爷，呈上公文，验看无讹，这才给孙亮挂号注册。一切手续办妥，拿着公文出来交给孙亮。

孙亮掖好公文，告辞出来。他在茶馆喝茶，听说龙王庙开光，他心想：借打把式卖艺，以武会友，也可能发现线索。这样儿，他才来到龙王庙，找到会头，办了手续，划了地方儿，凭几条板凳，租一张桌子。他已经卖了三天艺啦，今天遇到白洁。等白洁一练枪，他认出来这是李家祖传。看了看白洁的年岁，心想可能李英就在白洁的身旁，这才把白洁抓住，用枪尖儿对准白洁的胸口盘问。

白公子怎能含糊，现在一听是这种不名誉的案情，杀害少妇小姐十八人，不由得心里一阵难过。有心要走，心里一想：不能跑哇，谁不知道我住在此地，岂不连累老娘？再说也被乡亲们耻笑，不走，替哥打这场官司，死倒不怕，可惜这案子太难听，死后也受人唾骂！白洁前不能进，后不能退。又一想：哥哥李英是这种无耻之徒吗？要是这种东西，怎能中毒镖，而又逢凶化吉呐？最后一跺脚，把心一横，常言说得好，交朋友，受朋友之益，受朋友之害，大丈夫为朋友则生，为朋友则死，谁叫我跟他一个头磕在地下了呢！再说，哥哥夜晚离家多次，我问他又不说，不见得没有隐情！不如跟这姓孙的到案，他说我杀人，难道就是我杀人吗？真的动刑不过，滚不出来，我替哥哥死了，他必然代我尽孝。再说当年教艺之时，哥哥也曾谆谆嘱咐，这趟绝命连环枪，不要到外边随便显露，我根本没听兄长的话，这叫祸福无门，咎由自招！岂能怨天尤人？更不能对兄长胡乱猜疑。想到这里，一阵大笑："哈哈哈，孙班头，你先把枪放下，姓白的真要走，你这只枪也拦不住。官司我打啦，可有一节，你捆我不成，我一定跟你去衙内。"这时候刘三也吓坏了："兄弟，可没想到哇。"白洁一笑："三哥，您回去设法婉言告诉我娘，请她不要着急，只不过是误挂官司，您记住啦。""记住啦。"白洁一回身："孙班头，我们走吧。"孙亮提着枪道："朋友，好汉的脖子是拴马的桩子，好朋友不叫好朋友为难，我给您亮面子，绝不给您加绳儿，您也别让我为难。"自洁点头，二人直奔城里府台衙门。

来到府衙班房，孙亮一眼看见王班头，班头王顺可就出来啦。他认得白洁："哟，白少爷，有事吗？"白洁一笑："打场官司，您问孙亮吧。"王顺当时就怔住了："怎么，白少爷，你打官司来啦？"回头又问孙班头是怎么回事，孙亮一一说明："请王班头借副刑具，再回府告诉一声，多受累。"王顺听完没敢言语，先派人拿副刑具，其实王班头暗中有话，拿来一副最轻的手铐脚镣、脖链儿，亲自给白洁戴上，都不能钉死的。然后请印，用了大印，传命交与孙亮。又派了四名押护兵，一辆大车带把式，沿路护送，解往云南府。

次日清早起来，到府衙见师爷行礼道谢，由于路途远，准备两头辕骡子，一个驾辕，一个拴在车尾，一天一换，四名押护兵带着兵刃，领下盘缠银子，然后请师爷下条子。孙亮亲自把白洁提出来，架着他上了车，往车厢上捆住双臂。一切安置停妥。

自从白玉如昨天一遭官司，这个消息不胫而走，听说今早解往云南，都来到衙门口看看。小英雄羞惭万分，只好低下头来。孙亮刚要告诉赶车的起身，就在这么个工夫，猛然间东面人群里有人高声喊："众位闪开闪开！"左胳膊一摆，老百姓拨拉得东倒西歪，前合后仰，哗——人们闪出一条路来，一辆花轮轿单套车，外首车辕上坐着一位三十多岁的少妇，长得很俊，满脸着急之色，荆钗布裙，不时地用手绢擦泪；里边坐着一位慈眉善目，形容憔悴、眼含痛泪的老妈妈。左胳膊刘三爷赶着车，咕噜噜从外面撞进来。小英雄白洁如同万把钢刀扎于肺腑，欲哭无泪，车辆停住，正是自己的老母郑氏安人。跨车辕的是刘三嫂子。白洁望着孙亮道："孙班头，我娘来啦，你先停一下，让我与母亲见最后一面成吗？"孙亮也不敢得罪白洁，怕他在半道生事，只可点头。白母一到，也有很多乡亲街坊跟进来，都知道白少爷循规蹈矩，不做非礼之事，怎么会成了大盗呢？老太太一眼看见儿子囚首垢面，手铐脚镣，想儿子正在少年，长这么大，没遇过坎坷，他小小年纪，如何承受得起呀？郑安人泪如雨下，哽咽难言。刘三嫂子搀扶老安人下了车，哆哩哆嗦，颤颤微微，来到车旁："儿呀，指望你出门散心，何遭此飞灾横祸！我母子在常德居住多年，不欺不骗，不损阴功，不丧德性，老天无眼，为娘九泉之下，也对不起你死去的天伦，对不住白家的祖宗啊！"老妈妈越说越难过呀。白洁落泪劝道："自从父亲死后，儿就应该谨守家门，孝敬母亲，为娘分忧解愁，顶起门户，娶妻生子，接续白氏门中后代香烟。侍奉母亲百年之后，抓把土埋了母亲，逢年过节，插柳祭扫，以尽孝子之道。可这些孩儿都不能办到，只愿要枪弄棒，到现在只落得身陷囹圄。儿子走后，想起来您就恨儿子，这样您才能活下去。娘，您一定记住孩儿的话。"老安人听到这儿，叫了一声："苦命的儿啊。"眼前发黑，往后一仰，当时昏死过去。白洁看了刘三一眼："三哥三嫂，多多照看我的娘亲，下世再报答吧。孙班头，赶快走。"孙亮立刻传话："快走。"把式摇鞭赶车，得哒喔喝，咕噜噜，大车飞也似地出了西门。

孙亮在半路上小心翼翼，各处留神，这一天走到下午，西北上来了天气，越阴天越黑，这小雨刷刷地下起来，只得冒雨前行。白洁在车上跟孙亮提出抗议："孙班头，我白洁犯了王法，可该什么罪领什么罪，你让雨淋着我可不行！"孙亮怕白洁在路上打直调歪，多找麻烦，说："白爷，您看上不着村，下不着店；您多包涵，有避雨的地方，咱们一定休息。"就这样对付着往前走了一程，发现了一座小破庙，有杆旗子写着义勇团练所，门前站着两个人。孙亮一抱拳："两位大兄弟辛苦。""唉，好说好说。"其实这个地方，就是海川、王爷离开的那个地方。这二位是团勇，由于下小雨，他们站在山门洞说笑。孙亮一道辛苦，二位也说："班头辛苦，赶上雨啦，歇会儿吧。""谢谢，想冒雨而行，二差事不干，您这儿有地方吗？""有有，大殿西间也严实。"虽说走出才一天多的道儿，白洁尽管是个练武的，可也不好受哇。孙亮扶着他下了车，趄着镣往里走，进北殿到西间，孙亮一看西山墙有个圆窗户，这是庙殿的气眼，有两张竹床，孙亮叫白洁坐在一个矮凳上。然后出来叫把式卸了车，把拴在车尾的草笸箩草料拌好，喂上牲口，又跟团勇借了两领席把车苫好。他们都在山门洞避雨，可孙亮的耳朵总放在北殿。这时雨已经不下啦，一阵风吹散乌云，露出月亮，他想还是连夜赶路好，就提着蜡杆枪来到北殿，挑帘枇往西间一看，顿时吓得魂飞胆裂！手铐脚镣都在地上扔着，白洁踪影不见。孙亮一顺枪，垫步拧腰飞身蹿出西墙的气眼圆窗，然后长腰上北殿庙脊，手打凉棚仔细看。月光闪烁下发现往西有两个人，忙飞身下来撒腿就追。脚下攒劲，快如电掣风驰。

原来白洁上着三大件，绝没有逃跑之心。他正坐在矮凳上思绪万千，母亲现在怎样啦？去云南府结果如何？正在想呐，感到一阵微风来到，一点声音都没有，白洁猛抬头一看，正是情同手足的哥哥腾身步月李英李士钧。

原来李英寻找仇人，来到常德府东南四十里陆家堡，找店住下，夜晚换衣服，来到陆丰的家中。陆丰是本地的一个财主，家里房子也多，他连来四天，始终没见到仇人。李英一想：莫若我回常德义母家中，一来他母子对我的经历不明了，顺便这次说清，二来邀玉如协力帮助，岂不是一举两得，三全其美呐？这才往回走。来到南关，李英觉得很渴，他倒是想着进城，到家里去吧，不过又一想：干脆找个茶馆，喝完了再回家吧，不然兄弟还得给烧水。往前走不太远，路西有个茶馆，五间铺面房，临街搭的大天棚。从上面丢下来的绳子，吊着小竹板，竹板下面坠着红布穗儿，竹板上面有字，什么毛尖、雨前、龙井、大方等等。周围有二尺来高的花栅栏儿，天棚底下都是方桌方凳，桌上摆着干鲜瓜子、茶壶茶碗，真是胜友如云，高朋满座，阔论妙谈！先说山，后说天，说完大塔说旗杆，海子城门骆驼象，什么大说什么。李英找了个靠椅角的小桌儿，伙计给泡上茶叶放好。李英喝着茶，听着周围的侃大山。在自己的旁边，有二位慢条斯理儿地说话，年轻些的管年老些的叫大哥："您说天底下的事很难说！《名贤集》上头两句就是：但行好事，莫问前程。今天这事就不让人们办好事。"年长的说："兄弟，你又犯什么肝火，哪来的怨气？""不是怨气，城里发生的事您没听说呀？"年长的一怔："出什么事啦，我不知道哇？""喝，满城风雨，您会不知道？北门里凤尾巷白少爷，素常素往多规矩，原来他无心救了一个人，没想这人是杀人凶犯，官府派眼明手快的官人就访到了白少爷，让他替罪，今天已经起解去云南啦。贼咬一口，入骨三分，看来到了云南就得出红差呀！"李英完全听到了，没想到自己给兄弟白洁招来了飞灾横祸！老娘现在又是什么光景？我太对不起兄弟啦！李英如坐针毡，草草喝了两口水，马上给了茶钱，从茶馆出来，穿大街进南门，直奔凤尾巷。来到街门外，见大门紧紧关闭，他不便叫门，转到东墙一个夹道儿，看了看四下无人，微一纵身上了墙头，轻车熟路，飘身进来。顺东小院来到正院，看见屋里灯光达于户外，蹑足潜踪来到窗下，用小指甲轻轻捅破小口儿，李英往里观看，不由得万分难过。

原来自从白洁在衙门前跟母亲诀别之后，刘三嫂把白母扶到车上，两人刚回到家中，街坊邻居、婶子大娘闻风而至。刘三把车安置好也回到白家。"大娘别哭啦，事情既然出来，哭也无益，您比我明白，我看玉如没事，总有一天那个人得知道，一个人应该以德报德，绝不能以怨报德吧。他只要有一点良心，就该投首到案，换出兄弟。大娘，您听我的，会有好消息的。"老安人到底是个明白人，一听刘三的话，收住泪痕。晚上，老太太一个人独对孤灯潸然泪下，儿子半路途中能不受罪吗？

义子李英真是江洋大盗吗？我自家是积善之家，为什么使我母子受罪。正在这个时候，突然窗外有人低声叫道："娘。"老妈妈眼含痛泪："谁呀？""不孝儿李士钧。""儿啊，快进屋来。""孩儿遵命。"李英来到屋中。老妈妈一见李英进来："儿啊，你不是已经回转云南了吗，因何去而复返呢？"从老母亲的话里，体会到老妈妈对李英十分相信，从感情上暗示李英，孩子你是个好人，李英的眼泪刷地一下夺眶而出，一下子扑到安人的面前："娘啊，儿在府上一住三年，娘当知儿的肺腑，疾风知劲草，烈火见真金，此次告别，也是因为蒙受不白之冤，去到城南寻找仇人未遇，才想回来详细禀明老娘。儿在南关知悉此事，本当先去把兄弟救回，以慰母怀，又怕娘亲一时心窄，出了意外，儿子岂不成了罪人？为此提前赶来禀明母亲，请母亲放心，儿子很快就把兄弟找回，一定在膝前侍奉，请母亲一定想开点儿。儿子就要走啦。"老安人一听，忙摆手相拦："儿啊，你又何必，就让你兄弟替你去打官司吧，在娘的心里，当然希望你救回玉如，但恐你轻身涉险，同归于尽，这就不是为娘的本意了。""娘就放心吧，只求您善保玉体，便是孩儿的造化了。事情紧迫，孩儿走啦。"说完磕头，转身出来，飞身上房，他就顺着大路下来，很快就追上了大车。无奈孙亮防范得很严，难以下手。到现在下起了小雨，把白洁放在北殿西间，李英来到圆窗外偷看，飞身形进来，白洁一看："哥哥，您快走，这官司我打吧。""胡说，什么案子你就想打官司？不要惊动孙亮！"李英动作敏捷，伸手掏出十三太保的万能如意钥匙，先把白洁的手铐脚镣打开，脖链没顾得打开，李英一架玉如，嗖地一下，上了圆窗，两个人前后蹿出来，飞也似地往西跑去了。

孙亮抖丹田一声断喝："白洁，你往哪里跑！"这时候白洁他们进了松林。白洁真着急："哥哥，您快走吧，官司我打了。""别胡说，这种官司，我都不打，能让你打吗？"孙亮过来动手，一死相拚。正巧那位不知名的老仙长骑驴赶到，夺去红缨枪，细问白洁。白洁把这话说完，坟后边的王爷、海川都点头赞叹。孙亮听完也是很感动，他冲道爷行礼："老仙长，您说该怎么办？"仙长一笑："无量佛，班头，您的事情我们还不清楚呢？常言说，身在公门好修行，你把孝子义士要当江洋大盗结拿了，倒是为了什么？"孙亮长叹一口气，把云南府十八条命案留下李英的名字，自己全家二十七口押在大牢，从头至尾细说一遍。最后感叹地道："仙长，我孙亮在六扇门里四十年，可叹我母老妻娇子未成丁，使全家受苦，于心何忍？""无量佛，贼人做案能留下自己名字吗？"孙亮眼睛红红的："仙长爷，我也知道李士钧冤呐，是想捉住他再捉真正的凶犯。"仙长点了点头："这还可以。"他一转身冲着李英："壮士，你叫李英啊？""是，小子名叫李英。""看你一派英雄气概，倒成了案中主犯，孙亮绝不放你逃走哇。"孙亮在旁边答话："仙长爷，李英一走案子就断了线索啦。"仙长一笑："无量佛，孙亮，你亲眼所见李英做案啦？""没有没有，可有他的名字。""办案的不分青红皂白，谁是谁非，胡乱办案，使含冤者受刑，行凶者逍遥法外，你真是尸位素餐，混饭吃的官人呐！你和李英、白洁纠缠不休，可真正贼人就离你不远，而你都不知！""仙长，贼在哪里？"这道爷真沉得住气："不要忙，李英啊，你应该把真象说明，别让大家都糊涂着了，你说出来，使在场的人都清楚这件事。是非自有公论，说说吧。"李英低头不语。白洁也说："哥哥说出来吧。"老仙长念佛："你说完了，山人指给你们一条明路，到那里伸手拿贼，易如反掌。"李士钧冲着孙亮一指："皆因你是非不明，黑白不辨，良莠不分！本不应该说出我的过去，既是老仙长盼咐，李英遵命就是。"李英这才备叙前情。

云南府东门里有一位武师，为人很仗义，交朋友血心热胆，这人姓李名跃字光辉，家传腾身步月的轻功，堪称独步，还有三十六手绝命连环枪法，三十六手闪手刀，三手绝命刀以及家传秘方专治毒药暗器。这么好的功夫，可总是时运不好，道路坎坷。一生结交一位拜弟，是湖南常德府东南陆家堡的人，姓陆名滚，有个美称叫挠头狮子。李跃由于内外功夫纯熟，家传绝艺，朋友给他贺了一个号，叫神枪向西来。老哥儿俩同在镖行骑人家的马，架人家的鹰，一年到头奔波劳碌，依然是两手空空。李大爷很灰心，跟陆二爷商量："贤弟，我弟兄已近不惑之年，立业成家很难实现，愧对这七尺之躯，辜负了锦锈年华。'越鸟南飞'，狐死首丘，所谓贤臣怀故土，良鸟恋旧林、、二弟，你我弟兄连挟江湖二十年，现在应该分手，各立家业，愚兄想回云南老家，另谋生计，你也回湖南常德吧。"挠头狮子陆滚一听，连连摇头："哥哥，您愿意干，咱就接着干，不愿干我也跟着您，挨饿不是还有个做伴的吗？我在常德府家中什么都没有，跟几个当家儿的也合不来，我只是拿您当亲手足，您回云南府，我也跟您去，弟兄死活在一起。"李跃一听也很感动。哥俩儿辞事不干啦，算了账，每人手里有个千数八百的银子，路费也很宽裕。收拾好了行李，雇了一辆篷船，水旱并进，直奔云南府旧居。

诸亲好友，听说李大爷带来一位陆二爷回家，都来看望。尤其是鼓楼南乾德银号大东家吴指南，更是李跃的至交，热忱待友。这家请，那家叫，每天都有请他们哥俩吃饭的。吴指南跟李跃商量："大哥，您跟陆二爷是好朋友，就算手中有几个钱，坐吃山空也不行。买几亩地种，您们都是武行出身，耕种耪都不会，快四十的人啦，再现学也犯不上啊？"李跃长叹一口气："唉，苦奔半生，功不成名不就，落叶归根吃饭都发愁！"吴二爷摇摇头："现在上元甲子，人人好武好练，您有一身的好功夫，不如教几个徒弟，一来您不把功夫搁下，二来往下传，三来也有个收入，这是几全其美的事儿。"李跃一想，也倒不错，跟陆二爷一商量，当然同意。由吴指南拿出一百两银子租了几间房，一个大院，置办了一份兵器架子，买来各种兵刃。吴指南派人一宣传，本来李跃的武艺在本地就很有名，来了不少的弟子。李跃对弟子不藏私，又很疼爱他们，师徒们的感情都很好。这弟子当中，藏龙卧虎，有财有势的很多，他们知道师傅不宽裕，可就暗中商量，大家凑了五万两银子做本钱，开了个镖局，地址设在府城东门里。这里原来是一个徒弟的五间门脸儿铺面房，后院大空场有四十多间空房。把前后修葺一番，然后请一位老先生写了一块匾，字号是：双盛镖局。择了个吉日，挂红亮镖，撒了许多的请笺。本城的缙绅铺户、富商大贾，全来祝贺，车水马龙好不热闹，连本府八班总头金眼鹰孙亮也来贺喜。神枪向西来李跃，当众练的是家传三十六手绝命连环枪。孙亮是使枪的，他聚精会神地看人家李跃的招数。哎呀，真是比自己胜强万万倍。不过孙亮是个有心的人，他暗暗地记了不少的招数，要不他在常德府看白洁练枪的时候，马上就认出来是连环枪哪。

老哥儿俩开始做买卖教徒弟，一来李跃喜交朋友，二来心细，不管是大份几万几十万，老弟兄要亲自押送，就连小份的几千银子，也是亲自押着。这一来门庭若市，求保镖的客人络绎不绝，老弟兄可就赚了大钱啦。李跃在教弟子练武上，更是尽心竭力，几年光景老兄弟俩分了不少的钱。李跃就在路北买了一大所住宅，重新修盖，一宅两院，当中砌起一通大墙，开了两个大门，很是威风。老哥儿俩每人一所，同时搬进新宅。李家找了一个可靠的老家人，名叫李能。陆家也找了一个可靠的老家人，名叫陆忠。吴指南给李跃介绍了一门亲事——云南府最有财有势的好门第，陈武举陈东初的老生女儿。闺女今年都三十啦，女工针织，才貌俱佳，尚且待字闺中。陈武举本是乾德银号的财东，陈吴两家是至交，这门亲事很快就成了。择吉日迎亲大娶，诸亲贵友都来贺喜。李跃又给陆滚说亲，说的是西门里老秀才左文魁的女儿，今年二十九岁，才貌都好，也因为挑来挑去挑花了眼，直到现在没合适的。这门亲事，两造都同意，很快放定礼，过龙凤大帖，跟着择吉迎亲。陆滚对左氏安人说，没有兄嫂就没有咱们的今天，两口子对哥嫂是万分尊敬。李跃夫妻结婚三年，李大奶奶身怀六甲，李跃很高兴："人留后世草留根，倘能天赐麟儿，能延我李氏门中一线之嗣，那真是苍天有眼呐！"果然十月怀胎，生下一个天庭饱满，地阁方圆，啼声洪亮的胖小子，两家都高兴。老英雄给儿子起了个名字，姓李名英字士钧。无奈天公不作美，大奶奶年纪过大，生儿之后，产后失调，得了月子病。李跃请高明的医生精心医治，一年多的光景，医生换了不知多少，药吃了一大车，怎奈天年已尽，李大奶奶抛下了丈夫儿子一闭眼不管啦！李跃叫李能把二爷请过来，陆滚行礼坐下问："哥哥找我有事吗？"李跃长叹一口气："唉，贤弟，咱哥俩孩童厮守，总角之交，多年来时运转变，直到现在总算业就家成。人生五十，方知四十九之非呀！咱们都快到知非之年，日月如梭，老将至矣，如果不知足还要往下干，身败名裂，就在眼前，应该激流勇退。这镖局子买卖，我不想干啦。落个净胳膊净腿的一忍，才是达人知命啊！兄弟你要愿意咱就关张。你要不愿意，把哥哥我这份算结了，你一人干吧。"陆滚说："这买卖指着哥哥，您说不干，我听您的。"二人商定，第二天来到镖局，柜房张先生请二位坐下，叫小徒弟泡茶。李跃喝了一碗茶："张先生，我跟你说个事。""东家有什么吩咐？""这双盛镖局我们不想干啦。"张先生一听就怔啦："日进斗金的买卖怎么不干啦？""详情也不用细说，从今天起，把字号匾落下来，所有业务一律拒绝，本店的镖师伙计另谋高就，欠外的一律还清。欠咱的能要就要上来，不能要的，全写到我的名下。在一月以内，把账结齐，咱就办理善后。"李跃说一样，张先生答应一样，说完哥俩都回家啦。

两位走后，大家面面相觑，默默无语，老半天的工夫，大家才议论起来："张先生，您说这是怎么回子事？说不干就不干啦？这么好的买卖，虽说是他老哥俩说了算，也应该半由天子半由臣呐！"张先生摇摇头："大家应该知道，李大爷办事很有决断，我侍候他这几年，深有体会，看来是不可挽回，老人家怎么吩咐，咱就怎么办，大家分头行事，只是匾先别落。"大家答应着全走了，张先生可奔鼓楼南乾德银号来啦。小徒弟从栏柜里出来问："张先生有事吧？""吴二爷在柜上吗？""在，客厅呐。"领着张先生往里走，来到客厅，挑帘栊进来，吴指南执手让坐："张先生忙啊？"张先生拱手抱拳："知道吴二爷很忙，没有急事真不敢打扰您哪。""怎么，有什么急事？"张先生就把今天的事说了，最后又道："不知道我们老东家为什么？想托您劝劝，要不就是他老哥俩意见不合啦！我们作为底下人，实在不好说话。"吴指南一听也很纳闷儿，这么好的买卖怎么不干了呢？"好吧，张先生，你先回去，安慰大家，不要心慌，依然按部就班，我马上去一趟见见李大爷。"说罢，吴指南先到陆二爷家里，老哥俩坐下一谈，吴指南明白啦。陆二爷一笑："不瞒您说，我们哥俩辞了镖行，我都不回家。在我陆滚来说，哥哥是我的当家人，他说怎办，我无不应从，哥哥不想干，我也绝不干。"吴指南很赞美老弟兄的义气，辞别出来，又到东院。老哥俩坐下，李跃一笑："我琢磨着贤弟要来，是张先生把您请出来的吧？"吴指南点点头："我刚才去陆二哥府上问了一下，你们哥俩不像是闹了口角的，可又为了什么呢？"李大爷沉得住气："吴爷，你要认为我和陆二弟发生了纠纷，那可是错了。贤弟呀，衣食足而后知荣辱。我这几年省下几个钱，这刀尖上的买卖愚兄早就过腻啦，趁此急流勇退，全始全终，于人于己，都有好处。我这么想，陆贤弟也这么想，知足不辱哇！贤弟，愚兄心意已决，绝不更改，兄弟你也应该成全哥哥。"吴指南鼓掌同意。当晚吴指南来到镖局，把大家都找到了，把意思说明，好在都是徒弟，每个人都多给了几个钱，最后除去净剩，李、陆哥俩每人分得白银五万余两，都存在乾德银号。李跃无官一身轻，毫无牵挂。吴指南想给李跃续娶一位，被李跃婉言谢绝。李英到了四岁，老英雄给孩子盘腰窝腿站架子，大架子三十六个，小架子七十二个，教孩子打拳练功。

　　光阴好快，李英已经八岁啦。有一天，爷儿俩在书房休息，鸡叫两遍，爷俩刚起来要练功，老家人李能来到门外道："刚才陆忠来啦，二爷打发他来给您道喜，二奶奶刚生了一个胖小子，母子都很平安，顺便让伯父给起个名字。"李跃很是高兴，问："现在什么时候？""鸡叫二遍。""嗷，正是寅初，就叫陆寅吧。金鸡报晓，号叫晓村。"李能答应着出来告诉了陆忠。陆忠回去一说，陆滚夫妇十分高兴。洗三朝，过满月，光阴似白驹之过隙，一晃李英十六岁，陆寅八岁，老弟兄都须发皆白了。但李跃每天都带着儿子练艺，二、五更的苦功夫从不间歇。儿子练完，自己还要练。这天陆滚起早一点，他来到东院客厅问李能："喂，大哥呢？""在后院练功呐。"陆二爷点了点头道："我去看一看。"挠头狮子陆滚一高兴，站起身形出客厅，一直往后院小花园儿走去。绿荫深处有三间房，门儿虚掩，陆滚推门进来："哈哈哈，哥哥，这么大年纪还苦练什么？""啊，兄弟快进来。"陆滚一看三间房好干净，一通连儿，都是三合土砸的地，两头放着兵刃架儿，摆放各种兵器，擦得耀眼生寒。房顶棚有南北下里两架明枪，正中有个一尺的铁环，环上各有三十六个固定小铁环儿。东面这三十六个小铁圈儿，每个上面拴着一根绳儿，绿豆粒粗细，垂下来人要站在地上，正好到人的肚子后腰，下面的绳子拴着比拳头大些的棉花团，整整围了这么大的一个圈儿。可西面的木枪正中，吊的三十六个固定小铁圈，接着三十六根小拇指粗细的铁链儿。当然，铁链儿的分量比绳儿就可重多啦。铁链的下头是一斤重的一把尖刀，刀背冲上跟铁链子衔接，刀尖儿冲里，刀刃冲下，锋利无比，三十六把刀子也围一个圈儿。陆滚这么多年，没有亲眼看见李跃练功，便问："哥哥，这就是您的家传秘艺吧？""贤弟说得不错，这就是腾身步月的功夫，愚兄练了几十年啦。""您这么大的年纪为什么还不收心呐？"李大爷摇摇头："贤弟呀，一来是幼功儿，搁不下它，二来熬练筋骨，三来如果有绿林朋友来访咱，也不能说咱不练啦。""您说得对，这种功夫高在什么地方？"李跃一笑："也没什么高超的地方，我们练武，首先套路要熟，而实际的功夫，要下在手眼身步上，所谓眼快在心，手快在身，身快在腿，一个练武的腿下不行，只能挨打，这腾身步月的功夫，练的就是手眼腰腿。"陆滚一听，虽说兄长的话他听得进去，但在功夫上心里也有个不服人的劲头儿："哥哥，您要不累，让兄弟我开阔一下眼界，练练我瞧瞧。"李跃往下一猫腰，再一长身，就钻到这棉团儿的里边去了。老英雄二目凝神，意念贯足，就看他双手一弹左右两个棉团儿，刷——这两个棉团应声而起，都是一边大的劲头，正和房枪上的大铁环一般平，不等这两个棉团落下来，就看李跃微然一转身，双手不停，啪啪啪，又打起三对儿来，这可就是八个啦！由于棉团起来有前有后，这样落下来也有先有后，第一对回来，再打出去，啪啪啪，又是几对。这十八对儿，不大工夫全打起来，此起彼落，使人眼花缭乱。李跃银须一摆，身法展动，手弹脚踢，跟旋风似的，然后一对一对再稳住。直到最后，才从里边钻出来，鼻孔之中省力，气不涌出，面不改色。"贤弟，你再看这个。"李跃说着话，在功房遛了一个弯儿，然后来到西边，微一低头，钻到刀子圈内。他沉了沉气，左右手的中指食指一夹这刀子尖儿，一错手腕儿，哗楞楞，两把刀也跟上面的铁环一平，然后往下落，这链子跟刀都是铁的，分量可比棉团重得多，它回来的速度当然也快得多，必须用两手指迎着刀尖一夹再送出去。还有，棉团要碰在身上手上都没关系，这刀子扎在身上能出人命啊！李跃练了几十年啦，驾轻就熟，十分老练，也无需用眼睛看准，再用手去送。李跃把三十六把刀全起来，身形转动，体似飘风，一片白光罩体，冷嗖嗖如飞瑞雪，眨眼间把三十六把刀全稳住之后，猫腰出来。陆滚鼓掌叫好："哥哥，好功夫。""贤弟夸奖，也不算什么。""哥哥，我来来。"说着陆滚把小辫挽了个发髻儿，解绒绳脱大褂，蹬了蹬靴子，搂胳膊挽袖口。"兄弟要加小心。"陆滚答应着钻到棉花团里面，照着李跃的打法，施展身手，把三十六团儿全打起来，然后再稳住，他出来之后大笑："哥哥，看来小弟还不老。""兄弟技艺超群，愚兄钦佩。""我再来来这刀子。"说着就奔刀子去了。李跃伸手一拦："这刀子有危险，不用练了，咱们到前边喝茶去吧。"陆滚听了有点不乐意，认为哥哥瞧不起自己。其实李跃不肯明言，怕兄弟脸上不好看，早瞧出陆滚不成了。因为他是把三十六个棉花团打起来，可没功夫，这棉花团往上起，由于劲力不匀，有高有低，落下来不一致，再说他碰棉花团的部位也没准，碰刀子不行啊。陆滚穿好衣服，扎好绒绳，李跃把功房门锁好，拿着钥匙来到前厅。

　　一个月过去了。陆滚心里有些不痛快，原因就是李大爷没叫他练刀子。心想：有工夫我非练一下不可！这天吃完中午饭，李跃带着李英，爷俩来到东门外关厢永来澡堂洗澡，叫李能好好看家。李跃父子刚走，陆滚就来了。李能陪着到了客厅，陆滚一看隔扇铜钉上挂着后院功房的钥匙，心里想：哥哥不在家，我为什么不去功房练练去？想到这里，伸手把钥匙摘下来，自己走出客厅，就奔后院小花园去了。到功房门口开开锁，放在门墩儿上，推门进来。在屋里活动活动腰腿，然后钻进刀圈之内。精神集中，也照着李跃的样子，双手二指一夹刀尖，刷——往外用力，两把刀子就起来了，又一转身，刷刷，把第一对送出，跟着又起两对。本来陆滚的本领也很不错，三十六把刀，他悠起来二十把，这可就前后左右、你来我往，应接不暇啦。陆滚全凭自己的武功，并不掌握要领。现在他意识到，这跟棉团大不一样，双手的力量也不能平均，起来的高度不同，回来的速度有快有慢，左手的到啦，右手的还没到，顾此失彼。可这二十把刀全是荡体，不能由人的意志支配。稍一失神，一把刀的尖子扎在陆滚的手指上。就在打闪认针的工夫，这前后的刀子全回来了，扑哧扑哧，从陆滚的前胸后心扎了进去，再想躲闪，绝不可能。可惜陆滚驰骋江湖一生，由于逞能遭此大难！三魂渺渺，七魄茫茫，倒在血泊之中，绝气身死。

第十八回

丧良心行刺神枪李
捉淫贼奋勇上湖南

　　上回书说到挠头狮子陆滚逞能，在李跃功房里私下练功，自己又不会，结果身死，谁都不知道。李能把茶泡好，端到大厅来，一看陆滚不在，心里纳闷：二爷干什么去啦？只好在厅中等候。李跃爷子洗完澡后，李英搀扶着高高兴兴回家。等来到家中，李跃抬头看搁扇上的钥匙没有了，问：“功房的钥匙呢？”李能一怔：“老奴不知道哇。”“跟我来。”爷三个往外直奔后院功房。到了门前，李跃一眼就看到门锁啦。一抬锁“哐啷”端开门，吓得李大爷浑身颤抖，颜色更变，汗如雨下，一歪身差点没倒下，幸亏李能、李英给扶住：“老爷子您要保重啊。”陆滚在血泊之中早就身死啦。李跃热泪滚滚，脚步踉跄，强挣扎来到近前，长叹一声：“贤弟，悔不该叫你来到功房，更不该叫你练这功夫，也忘了教你躲避之法。谁料你如此大胆，私来功房，到现在大祸铸成，愚兄追悔不及，教我如何对得起弟妇侄男！”说着，哽咽难言。擦干眼泪，回到前厅，将身坐定，说：“李能啊，你到西院见二奶奶去，请她带着侄男过来。”李能来到西院门口，啪啪啪一叫门，陆忠把门开开。李能进门禀道：“拜见二奶奶。”二奶奶问：“找我有事吗？”“大爷请二奶奶带着少爷去东院一趟，说有事商量。”二奶奶答应，换了一件干净的衣裙，拢了拢头发，领着孩子随着李能奔东院，心里忐忑不安，感觉着要出什么事似的。到了客厅，李能挑帘栊，二奶奶进来，万福行礼，拜见了兄长。李能搬坐位请二奶奶左氏坐好。李跃这才开口：“今日请弟妹过来，有两句话说。”二奶奶低着头，已然感到有不祥之事了："大哥，有什么事您就说吧。""弟妹，您可别着急，刚才愚兄带着孩儿前去沐浴，不想兄弟趁我不在，到后面功房练功，出了一点错，请弟妹带着孩儿去看一看吧。"李能头前带路，左氏安人心突突乱跳，李跃站起身形，大家一同往外走，直奔功房。来到门前，李大爷拿出钥匙，打开锁头，然后一推门："弟妹请看吧。"左氏带领陆寅往里走，低头一看，见刀子上有血，陆二爷一身是血，地下一片血迹，早已身死。陆二奶奶两眼发直，一下子扑过去，抚尸痛哭。八岁的孩子陆寅也泣不成声，捶胸顿足大哭起来。陆二奶奶哭得死去活来，一声高一声低，撕心裂胆。等二奶奶哭得力竭声嘶，李大爷过去一抱拳："弟妹，人死已矣，不能复生，悲伤无益，请您多保重。弟妹，先到大厅说话吧。"陆二奶奶拭去泪痕，带孩子一齐来到前厅，李能依然把门锁好。

大家落座，二奶奶抽抽答答："哥哥，这是怎么回事？您兄弟又如何遭此惨死呢？"说完又放声大哭，小孩儿陆寅在旁边见母亲哭得凄惨，也大哭起来。李大爷擦了一下眼泪："弟妹，事到如今，愚兄不能不说话了。"左氏安人收住泪痕："大哥有话，讲在当面吧。""我和陆贤弟交好几十年，推心置腹，当初我弟兄应该各回乡里，他回湖南，我返云南，只因为他不愿与为兄分手，才一同来到云南，十几年的光景，得有今日，也非容易呀。我们分居另过，各自有后，愚兄的功夫不能搁下呀。"李跃把陆二爷在功房要练腾身步月功，自己如何拦阻，今日带李英父子洗澡去，他私入功房，结果自戕而亡。李跃含着眼泪："弟妹，我是做兄长的，不能责备已故的弟弟。兄弟想练功夫，您府上也不乏闲房，钉个铁环，锻造几把尖刀也花费不了几个钱。在自己家里喜欢怎么练都可以，为什么非要到寒舍来练呐？到现在使李跃有口难言！弟妹，如果你相信李跃说的是真话，就请弟妹回家准备，愚兄一定丰丰盛盛埋葬二弟。事毕之后，我把李氏家传武艺，倾囊传授陆寅，使其自立。如果弟妹认为李跃这话有假，这死尸尚且未离寸地，请弟妹到府衙告状，愚兄与弟妹堂口相见，盯着打官司。"陆二奶奶赶忙站起来："大哥说哪去啦，李、陆本是一家，您兄弟在世之时，不止一次提到，没有兄长，没有陆氏一家人。兄长与陆家只有恩没有仇，总是陆寅他爹任性，才成此大错，怎能提到诉诸官府呐？小妹是妇道人家，没经过这么大事，只凭兄长办理。""弟妹如此知理，李跃五衷铭盛啦。就请您回家准备孝服吧。"陆二奶奶带着陆寅，一路悲泣回家啦。陆二奶奶也是聪明人，这绝不是李大哥害死的丈夫，只能私了，不能惊官动府，孤儿寡母，更需要兄长的照顾。

李跃等陆二奶奶走后对李能说道："你马上把地方刘三找来。"李能急匆匆去找地方。李跃又叫底下人到北门里水利杠房把掌柜张水利找来，跟着又叫人去买寿衣寿帽寿鞋寿袜，要合适的尺寸，再买衾单经被装老之物。又叫人请来一位瓦匠师父，把后院的通墙拆了一个大豁口，跟西院打通了。家人们一一照办。这时候李能挑起帘栊带着地方刘三进来，他见了李跃磕头行礼："刘三请大爷安。""起来，起来。""您找小子有什么吩咐?"李跃伸手让座："你坐下，我有件事告诉你。"刘三只好坐下来："大爷有什么事?"说真的，地方刘三有点儿受宠若惊。李跃沉得住气："刘三，我这儿有点官事，可必须私下和解，你能帮我的忙吗?"刘三很仗义："大爷素常待我刘老三恩重如山，逢年过节，短与不足，您经常周济我，可我没什么报答您的。不管什么事，你提出来，办得到我给您办，办不到的我也竭力给您办。不怕这个地方闹没了，您还能让小子我饿着吗?"刘三知道李跃没什么大事，所以顺水推舟这么说。李跃点头，然后站起来到里屋，手里拿着一个十两锭儿："老三，这有十两银子，你先拿着，事成之后，老夫还要重谢。"刘三一瞧，真是见钱眼开，雪白的细丝纹银，他眼眯成一条缝："哎呀，老爷子，无功受禄，寝食不安，谢谢您呐。"他倒实心眼儿，伸手接过银子来往腰里就揣，嘴里可问："您有什么事啊?"李跃就把陆二爷练艺惨死，请陆二奶奶过来，商量不经官府，私了此事，麻烦你开张殃榜出来。封建年代，死了人开殃榜，就是抬埋许可证。刘三通融道："老爷子，地面儿的事情，由小子负责啦!""好，你就办去吧。"刘三走后，家人进来道："水利杠房张掌柜来啦。"好在都认识，张掌柜的行完礼坐下才问："老英雄叫我来有事儿?"李跃说："张掌柜的你多受累，一会儿装老的寿衣买来，你带着伙计洗尸穿装裹成殓，多预备一些香面子石灰，然后用吉祥板把尸体抬往西院，等门前挂出吊钱纸，棺材来了随即入殓。"正说着寿衣就到了。老人家叫家人打开包袱，袍套靴帽;铺金盖银，衾单经被，头顶的莲花枕，脚下的白练，一应俱全。张掌柜回柜上叫人洗尸穿寿衣，从后院用吉祥板把陆二爷尸体抬过去。陆二奶奶母子也穿好孝服，叫他母子亲视合殓，遵礼成服，灵旁陪伴。门前挂起吊钱纸，大门心都挂了白，门垛上贴好陆宅丧事，街坊邻居才知陆二爷病故。择吉日开吊款客，出堂发引。李大爷又请来风水先生，来到自家茔地旁边，辟了一垛坟地。定好纸人纸马、车船随行、亭子雪柳、金库银山，散请帖发丧出殡。

白事办完之后，李跃叫李英过去，跟陆二奶奶商量好，叫陆寅到东院学艺。老英雄把满腔心血倾注在陆寅身上，二、五更的功夫，风雨无阻。可这陆二奶奶左氏安人，本来身体不好，再加上遭此大故，身体日渐消瘦，慢慢地病倒床上。李跃派李英每日三次问安，叫陆忠请本城上好的名医调治，治病治不了命，二奶奶天年已尽，百日痨病，竟然去世。陆忠过去报信，李跃吓得魂飞千里！自己思绪万千，坐卧不宁。有弟妹在世，我把陆寅抚养长大成人，给他娶妻生子，接续陆氏门中后代香烟，到那时叫他掌管家产，世代相传，即使我死在九泉之下，也对得起死去的二弟陆滚。弟妹活着，怎么都好办，现在弟妹已故，只留下八岁的孩儿，叫我如何处理？如果把他放在我的家中，人道我不安好心笼络此子，说我看中陆家财产，蜚短流长，有口难辩。如果不把陆寅拢在身旁，再过几年孩子血气方刚，家财荡尽，怎对得起已故兄弟弟妇？老英雄把心一横，事到如今，怎能避嫌？李跃之心，唯天可表！马上派人把陆忠叫来，陆忠眼含痛泪，道："启禀老员外爷，家宅不幸，主母身亡，少主人年纪幼小，小子事事无能做主，六神无依，唯有听老员外爷的示下。"老英雄闻此言胸前泪洒："陆忠起来，老夫本意趁你家主母健在，把你家少爷教养成人，也算完成老夫的心事。现在先给你家主母发引，死人奔土如奔金。事毕之后，你把陆家财产彻底澄清，登载账目上，你一定亲自管好，把不得力的闲杂人等，尽皆辞退，你只带着三个人，给陆家看房。花钱的地方，皆由你与李能说后再支付，将来那院丢失东西物件，由你负责。"陆忠连连答应："员外爷如此办理，陆氏全家存殁均感，连我们做奴才的都感激呀。"

　　从此，派专人侍候陆寅，光阴荏苒，日月如流，一晃八年。陆寅十六岁，李英二十四岁，陆寅的功夫，别看比李英差八年，可真是不软！李家的祖传本领，除三十手闪手刀，尽命三刀的绝艺尚待开始教他，其余的全会啦。

　　这一年夏天，天气正热。吃过中午饭，李跃告诉李能，把一张竹床搬到小花园葡萄架底下去，这个地方很凉爽，李跃想睡个午觉。老英雄躺在竹床上，头东脚西，脸冲着外边，用右手拿着芭蕉扇挡着脸，慢慢地沉沉睡去。就在这个时候，李跃听到脚步声，嚓嚓嚓，大凡绿林人都十分警觉。他微微睁眼，从这破扇子缝隙处看见陆寅脸带杀机，咬牙切齿，右手拿一把雪亮的匕首，背在后面，蹑足潜行。李跃一看他脸色不对，哎呀，莫非这个奴才，听信旁人蛊惑，将恩做仇，误认我是他杀父逼母的对头？这叫老夫如何处理？若当面质问于他，他可能畏罪而逃，那时他这份家产，何人承继？如果不惊动这奴才，难道眼睁睁被他手中的利刃，置我于死地不成？老英雄前思后想，左右为难，心口窝一发热，差点吐出一口血来！觉得胸口突突乱颤。陆寅越走越近啦！老英雄急中生智，猛然间想起个主意来，老人家把芭蕉扇从脸上一撤，好像要翻身，微微一睁眼。陆寅来行刺，贼人胆虚，一看老人家睁眼，右手把刀背起，吓了一大跳！老英雄故作没事："陆寅呐，你到这来有什么事？"陆寅前不能进，后不能退，只好硬着头皮一笑："伯父，孩儿见您午睡，怕有苍蝇，给您轰赶蝇子来啦。"老人家心说：拿刀子赶苍蝇，世间少有！"噢，你去吧，这儿没苍蝇，大伯还要睡呐。"陆寅万般无奈，只好告返走啦。李大爷辗转反侧，再也无法入睡。他想啊：我待陆寅的一片心，他决无变动，这是受了别人的蛊惑，这个人一定跟我不睦，他才挑拨李、陆两家不和，坐山观虎斗。是谁呢？老英雄想不起来呀。

原来本地有两个土混混，一个五十多岁的叫胎里坏，一个四十多岁的叫一包脓，都赖李家账想不还。这天，陆寅过来，胎里坏故意说："兄弟，陆家这个后代可真不给他死去的爹娘争气呀。"陆寅赶忙一撒腿，藏在篱笆犄角上，心想：这个人说谁呢？又听这一包脓说："您提的是那位已故的挠头狮子陆滚的儿子吗？""没错，就是他。""哥哥，隔墙有耳，这是他们家的菜园子，别叫人听见。""嘿，怕什么的？就是他站在咱们的眼前，说这话都没错！""您说什么呐。""唉！您看这年头，一年比一年坏，人心在变哇！有这么句话，修桥补路双瞎眼，杀人放火儿女多。越办好事越倒霉，损阴丧德却福寿绵长。就拿这姓李的来说，真叫人生气，说句转文的话，是外饰温良之貌，内藏虎狼之心。这么坏的人他活得长远，可那位真正的好人陆二爷，不但家败人亡，很快就要断子绝孙呐！"陆寅听到这二人背地里议论自己年高德重的大伯李氏，勃然大怒，他想过去痛打这两个坏小子，可听到最后提到自己去世的父亲，陆寅强忍怒火又停住了。又听那个四十多岁的一包脓说："哥哥，咱们可都是土生土长，您说说我听听。"他一伸大拇指："就拿他来说吧，根本没什么能为，在外边混了那么多年，他要真有本事，怎么连个媳妇都娶不上呢？他回云南府，可给人家陆二爷磕头，求人家别回湖南老家，跟着到咱们云南府。没有姓陆的，他开镖局能发财么？现在茶来伸手，饭来张口，都是人家陆二爷给挣来的。姓陆的满腔热血都倒给姓李的，可结果被姓李的给扎死啦，反过来倒说自己练功夫不慎死的。就凭陆二爷这身好能为，怎么能被扎死呢，？姓李的早就下狠手啦，又暗下毒药害死了贤德的陆二奶奶，借着教武艺又把这陆少爷笼络在他身旁，很快就要把他也害死。可惜陆二爷心血一生，到头来两手空空！咱不说别的：这位陆少爷也不小啦，杀父之仇，不共天地，不同日月。可他依然认仇做父，对这位人面兽心的伯父，还是百般恭敬，真对不起他死去的父母！他若是个小鸡子呢？也该乍乍脖子毛呀！若是个蚂蚱，也该蹦达蹦达。其实咱们说的都是废话，哈哈哈，咱还是找个地方喝二两去吧。"两个人说着往南走啦。陆寅影绰绰听着什么笑里藏刀、口蜜腹剑，真个是良言一句三冬暖，恶语伤人六月寒呐！陆寅这血气方刚的年轻人听了这话，也没有好好想想，当初到底是怎么回事？人家李跃待你究竟如何？就认为背后说的话是真话。他咬牙切齿，暗备匕首一把，明杀绝不可能，便行暗刺，欲杀了李跃，再将李英置于死地，然后去湖南常德府陆家堡认祖归宗，这样他可就留上神啦。今天老人家在葡萄架下纳凉午睡，他一看机会到啦，却被老英雄看破。

　　李跃等陆寅走后，慢慢地坐起来，左思右想，不好办理。回到前厅，李能打来洗脸水，老人家梳洗完毕，叫李能把竹床收起来。从这天起，每日早晚带着两个孩子依然练功，毫不松懈，暗中留神，见陆寅貌合神离，不由心中难过，感到嗓子眼儿痒痒，哇地一下便吐出一口血来。他觉得心里突突乱跳，脸色发白，胡须上都沾上血啦，李能赶忙扶住李跃："员外爷，您这是怎么啦！快告诉二位少爷，请郎中看看脉，吃剂药吧。"李能拧了一条湿毛巾，把老人家的嘴角胡须上的血擦干净，扶着他坐好。李跃喘息一下说："李能，我已年近古稀，幼年操劳过度，吐口血也是常事，不必声张，也无需请医调治，更不要告诉两家少爷，以免他们担心。"这可把李英吓坏了！陆寅心里却想：老东西你可别死，等我亲自杀你，好给我陆家报仇！陆寅也假惺惺地问候。老人家微笑："可能受了点儿暑热，静养几日也就痊愈了，你二人好好用功，不必挂念。"打发两个人出去啦。李跃心里明白：老年吐血，因为幼年饥饿劳碌，可自己身为武师，敢说内力充沛，只有弩伤吐血，自己并无过力之举。这吐血的原因，是因为陆寅行刺于我，我无法周全此事，怒他不知好歹，以亲做仇，愤怒攻心，我才吐血，如果不能善养，恐怕就一蹶不振了！无奈这事不能放下，越吐越厉害，日见消瘦。李英也真着急，衣不解带地侍奉。

　　几个月来，老人家有些精神恍惚。已经是秋末了，天气十分闷热，老英雄在床上反侧不宁，实难入睡。天交三鼓，屋里一片漆黑，感到自己耳鸣心跳，十分烦躁，四肢乏力，六神无主。老人慢慢地扶着床边站起来，披上小褂儿，穿上鞋往起一站，觉得头重脚轻，心中乱跳，扶着床沿儿往外蹭，嚓嚓嚓，感到气喘吁吁，停了一会儿，再往外来，从里间屋到外间，费了很大力气。把屋门拉开，挑起竹帘，迈步到门外，抬头看天，繁星闪烁，墙角下草虫鸣叫。一阵大风吹得老人家透体生寒，自己仰天长叹："唉，想我李跃，家传武艺，在江湖上颇有威名，到如今病体缠身，二竖为灾，再不能驰骋于江湖之上。悠悠苍天，曷其有极！"老英雄猛一回想，机伶伶打了一个寒颤，小奴才陆寅，听信好人之言，有意与老夫寻仇，幸亏发现尚早，未将绝艺尽传，如果把艺业尽行传授，我父子岂不束手待毙，焉有老夫三寸气在？现在陆寅尚且不敢造次，倘若老夫撒手西归，我儿李英必被陆寅所害！老人家想到这里，脚下如踩稀泥，四肢无力，脚步踉跄往前迈了两步，双手一扶前廊抱柱，张开口哇哇哇，三口鲜血吐在台阶之上，就要摔倒在地。正在这个时候，从二门外跑进一个人来，伸手扶住老人家："爹爹。"正是少爷李英。李英二十四岁啦，他见父亲身体日渐消瘦，几次请爹爹答应，找位医生诊脉看病，可老人家执意不肯。李英五内如焚，饮食难下，又见老人家总有心事在怀，就是不愿明言。他想试探询问，老人家守口如瓶，他心里干着急，只有暗中落泪。他也感觉到陆寅貌合神离，话语之中，有些幸灾乐祸。奇怪的是，今晚他怎么也睡不着觉，自己来到内宅院，一进二门看见老爹爹正在吐血，这才飞身过来扶住。老人家血染胸襟，鼻子翅发颤，喘个不停。李英热泪直流："爹呀，为了儿子，您也应该请医生看看，到底为了什么呢？爹爹，孩儿还不能自立，倘若爹爹有个山高水低，叫孩儿怎么办呐？"李英一句一泪，泣不成声。老人家舐犊情深，道："儿啊，先扶为父到屋中休息。"李英搀着老英雄来到里屋床沿坐好。"英儿，去到外面把血迹冲掉，回来有话对你说。"李英答应着出去，把血迹收拾干净，然后回到床前。"爹爹，您有什么吩咐，快给孩儿说吧。"老人家二目失神，喘息稍定："儿啊，你可知道为父这场大病从何而起？""爹爹，孩儿不知啊。""儿啊，你到外面，房前房后查看一番，马上回来。"李英知道老父亲有心腹大事，赶忙出来，飞身上房四下查看，确无一人，立即下来回到上房："孩子遵老爹爹之命，查无一人，请爹爹放心。"老人家长叹一口气："唉，儿啊，你要知为父这场大病就从陆寅身上所起呀。"老英雄就把陆寅行刺前后始末根由细说一遍："儿啊，为父有心说穿此事，唯恐陆寅恼羞成怒，如何是好？"李跃要看看儿子是什么态度。果然这二十四岁的年轻的小英雄，剑眉双挑，虎目圆睁，切齿咬牙，面似铁青，直气得浑身发抖，双手抱在胸前："父亲，小冤家陆寅忘恩负义，不念养育之恩，教训之德，以忠报恩犹可，以怨报德大谬，孩儿誓死杀之！"老人家点头："壮哉我儿！你要把他置于死地？""孩儿一定杀此负义之人。""近前来！"李英赶忙凑到父亲的旁边："爹爹。""呸！"老人家啐了李英一口唾沫，用手点指："好一个不孝的冤家，你真个大胆！"直吓得李英魂飞天外，扑通，跪在床前："爹爹，孩儿年幼无知，不会说话，惹恼父亲，您责罚孩儿吧。"老人家看看这幼小无母，即将失父的儿子，不忍心再责备啦，一声长叹，伸右手抚摸着李英的头顶：

"起来吧,父子天性,怎能怪你无知呢?"李英站起来:"爹爹明白指示孩儿的谜团才是。""你知道,八年前,你二叔在咱家偷练功夫,自戕身死,你婶母又相继去世,陆寅他听信旁人挑唆,将恩做仇,才要加害为父。如果为父发作起来,陆寅就要远走高飞,正合奸人之意,图谋陆家财产,赶走陆寅。如果隐忍不言,我父子防不胜防,总有一天,遭他毒手,为父在世尚且无关,倘若为父一死,你又岂能逃脱?如果我儿丧命,为父又怎能对得起你死去的娘亲。"说着话,老人家一边喘息,一边落泪如雨。"你要杀死陆寅,就对不住你的叔父婶母哇。"李英听着跪下啦:"爹爹,孩儿已知你的苦心,从今以后,只许他不仁,儿子不能不义,一定成全李、陆之交!"老英雄点头:"儿啊,这才是。我儿的武功,根底虽好,只这八年来,为父把心血都用在陆寅身上,幸亏苍天有眼,发现尚早,若将李门绝艺尽行传授,我父子干受其苦。若儿真能言行如一,从今晚起,你到为父房中来,我把三十六手闪手刀,以及腾身步月的功夫全都传授于你,以做防身之用。""孩儿谨遵父命就是。"

到晚上天交初鼓,老英雄病榻传艺,一招一式,叮咛李英,勤习勤练。直到三个月头儿上,尚有三招绝命刀未传,老人家已经不能起床啦。在床上爷俩一人一根竹筷,以箸代刀,传给李英,最后学全,又把治毒药伤的秘方给了李英。最后,老人家哑着说了几个字:"你就叫腾身步月吧。"说完一欠身,哇哇哇一连吐了几口血,银髯皆赤,双眸上翻,当时昏过去。吓得李英心胆俱裂,赶忙扶住老爹爹躺好:"爹爹醒来!"叫了好半天,可叹这位成名天下,交朋友古道热肠、肝胆义气、仗义疏财、大义纲常的老英雄身归那世了。

李英哭得死去活来,昏厥数次。李能老泪纵横,慢慢劝解,把准备好的寿衣拿来,给老人家洗身换好。陆寅闻讯就到啦,他心里咬牙,老儿已死,我不能手刃亲仇!不,还有李英呐!宰了李英也算给爹娘报仇雪恨。可他表面也如丧考妣,挥下几点鳄鱼泪。事情完毕,给诸亲贵友道谢,李英来到乾德银号,面见吴指南磕头。吴二爷叹了口气:"士钧,真没想到你父亲身为武师,应该寿享高龄,他倒先我而去,实令至友痛心。你已经二十四岁,内无主妇,怎么过日子?通权达便,不要等孝服满了再成亲,我作主该给你结婚啦。""是,孩儿也是这么想的。不过我愿意先给弟弟陆寅结婚,我回家跟他商量一下。"吴二爷点头。李英他想着冤家宜解不宜结,设法笼络住陆寅。回去跟李能一提此事,老管家很赞成。因为从李大爷当初吐血,一直到死后,李能都感到蹊跷,再看到李英、陆寅的面合心不合,李能也明白了八九成。李能当然愿意两位少爷都成家立业，娶妻生子，所以马上把陆寅找来。李英脸带微笑："二弟，我们先人相继去世，咱们哥俩都已经长大成人，按礼说咱们都在守孝，不能成婚，谁叫咱家内里无人呢？我想先给你结婚，不知你意下如何？"陆寅一听，心想：怎么着？要给我娶媳妇，这是拿媳妇拖累我，不叫我宰你，那哪儿行啊！"哥哥，我才十六岁，要说结婚，您倒是该娶嫂子，我不愿意过早成婚。"李英点头："二弟真要不愿意，那么愚兄先办，过一个年半载的你再办好吗？"陆寅连连答应，可他心里咬牙，你娶吧，多一个人我就多宰一个！陆寅显得很高兴："哥哥，我给您张罗，您娶过嫂嫂，我再娶才算正理，兄长不娶小弟娶也被亲朋耻笑。"李英也就点头啦。吴指南给李英提了一位秀才王群文的女儿，品貌端庄，读书明理，颇识大体，今年二十一岁。李英乐意。商议已毕，这才请亲友，过龙凤帖，放大订，择吉成礼，搬娶过门。由于在孝服之内，也不大办，花堂交拜，不必细表。次日清晨，小夫妻致谢亲友，喜事就算过去。小夫妻甚是和美，王氏操持家务，井井有条，而且雍容华贵，沉稳大方。不论在他弟兄中间，还是在亲朋以内，可以说洒水不漏，街房邻居都夸好。一晃四年，先生一女，又生一男。可陆寅更咬牙啦！好，要宰就是四口啦！

　　一天，吃完早饭，李英有些困倦，他知道陆寅出去啦，自己想休息一下。他从内宅出来，过天井院，来到东跨院南房尽东头儿，一个小独间，这是李英练功的地方。靠南墙有个小竹床，李英进来连鞋都没脱，头东脚西脸朝里就躺下啦。刚要入睡，就听门前，嚓嚓嚓，有轻微的脚步声，从外边进来人啦，正是陆寅。四年来他无时无刻不在想方设法要杀害李英的全家满门，无奈防范甚严，无从下手。今天他虽离开家门，可刚出去他又回来啦，暗地里看李英奔东院休息。陆寅一想：天赐良机，该你李英命丧啦！他回到自己的屋子，把衣包包好，多带一些银两，背在身上，厚背雁翎刀藏将出来，刀鞘别在背后。他想：自己的能为比李英强，当场动手我也能宰他，不过孩童厮守，不大好看，暗暗杀他，然后杀他妻子儿子，踩脚回转湖南归宗认祖，也使九泉下的父母瞑目啦。他从屋里上来直奔东跨院，到门口往里看，李英呼吸挺匀，沉沉睡去。陆寅高兴，他右手持刀，脚尖儿点地。噌地一下，飞身到床前，右手刀高举起，刷——拦腰就是一刀。说时迟，那时快，陆寅早被李英发觉啦。李英心里一阵难过，看来今天陆寅就要抓破脸儿挑明啦，我要是假装不知道，一定要杀我，我一死就是四条人命，他岂能饶过我的妻室孩儿？我要一发作，陆寅定要远走高飞，正中了图谋他财产的流言。李英左右为难，陆寅的刀就到啦；李英用了一招"乌龙搅柱",好俊的功夫,全凭自己的两肩之力,双腿和身子往外一旋,右脚一扫,呛嘟嘟,踢掉了刀,跟着右脚一卷,飞起左脚,正踢在陆寅的小腹上。咕嘟嘟,陆寅仰面摔倒在地。李英随着双足落地,身子起来,猫腰捡刀,左手一拧乱背,坐在床沿上:"做什么?"陆寅并没起来,躺在那儿没动。李英一看,假装吃惊:"兄弟,你怎么跟哥哥我开玩笑哇,难道你要试试我的功夫,看看我的警觉如何?哈哈哈,快起来,摔着哪儿没有哇?"陆寅脸色十分难看:"李英,你少来这一套,没宰了你算你命大,不能给我死去的爹娘报仇,算小太爷无能!你把刀举起来,照小太爷脖子上砍,皱一皱眉头不是英雄好汉!我成全你们父子,,把陆小太爷杀了吧。"李英不愧是神枪向西来李跃的后代,人家连一点儿气都不生,微然一笑:"二弟,不提起报仇二字,愚兄绝不多言,今天你既热提出来报仇二字,愚兄有满腹的话要说给你听啊。"李英的眼泪刷刷地往下流,泣不成声:"二弟呀,你我的先人,'一在湖南,一在云南,相隔几千里,关山相阻,自从弟兄结拜之后,始终如一。当年我父回归乡里,劝二叔回转湖南,可就因为手足之交,才来到云南。他们当年同生死共患难,是生死至交。我的老父有什么权利要害二叔一死?如有害二叔之心,当年分手就各奔东西,岂有今日之事?二叔惨死,你已然八岁,也应有所察觉,即便你不知道,难道婶娘也不知道吗?是叔父自戕而死,还是被别人害死,你心里能不明白吗?要说你家财产,陆忠尚在,财务房产由他一人掌管,我父子何能霸占?图财害命天理不容!你血气方刚,十六岁以前为什么没有敌对之心?十六岁以后你才要刺杀我父?看来是别人调唆挑拨,离间李、陆两代深交,是杀人不见血呀!我父因你变心,左右为难,忧愤成疾,临危之际,叫我对天发誓,一定要保持李、陆两家之交。四年来你我貌合神离,愚兄不是不知,只是无法谈及此事。如果兄弟听得进哥哥的话,化干戈为玉帛,化嫌为好,那就以前种种比如昨日死,今后,我弟兄要胜似同胞一母生,交情高过先人,让那些小人们干生气!这就是李、陆两家有德,交情传辈。如果贤弟你一定要认为你父被害,一定要杀李英而后快,那就今天之事算做乌有,把刀给你,愚兄自己留神防范,倘有疏漏之处,任凭贤弟来杀,那就是李、陆两家无德,才生下你我这不能恪守父道的不孝子孙!你看着办吧。只有一样,你千万千万不能离开这个家,愚兄就感激不尽啦。"说着,把刀递给陆寅。陆寅挺身站起,伸手接过刀,把眼睛一瞪:"哼,你想让小太爷在家中被你困死?岂能办到!小太爷走啦,将来有能为报仇,没能为仇不报啦!"说着转身出去。等李英追出来,陆寅踪影不见。

陆寅这一走，李英犯难了，传出去不是我把陆寅挤走，也是我给挤走的呀！二来满城风雨，我李英也无法在云南府立足啦。李英无精打采奔正院内宅，一边走一边在想：看来陆寅并不是走了算完呐！还要来云南府找我一家的麻烦，势难并存，非他杀我，即我杀他，致使两家名姓不香！唉，惹不起我躲得起呀！干脆，早离开这是非之地吧。想到这儿，来到上房屋中。贤德的大奶奶王氏，在炕上哄着一双儿女玩呐，一看李英面色难看，赶忙下地："你不是去休息一会儿吗？怎么神色这样不好哇？我去泡茶去。"李英拦住："快哄孩子玩吧，不要泡茶。"很安详地坐下。王氏心中忐忑不安，细问李英。李英自从妻子进李家门，事无巨细，都要过问禀告，只有这件事无法对妻子言讲。可王氏贤人心细如发，早就看出来啦，只是怕丈夫烦恼，不敢动问。李英是怕妻子分心，也不能提。看来今天是箭在弦上，不得不发啦："贤妻，为夫有一件事很对不起你。"王氏一笑："夫君之言差矣，我夫妻结婚四载，互相敬重，如宾如友，怎么谈到对我不起呀？有什么事不用为难，就说出来吧。""贤妻原谅，解我愁肠，很是感激。你可知道我们家的事啊？"李英就把以往之事，一字不漏地详细说出来。"贤妻，本不当跟你说出此事，自你过门之后，操持家务，生儿育女，并没有一刻舒心的日子，做丈夫的觉得对不起你呀。"说着话李英用袖子拭泪。大奶奶又惊心又担扰，惊心的是天下真有这样忘恩负义之人，担扰的是丈夫功夫虽好，也防不胜防，万一遭了暗算，如何是好？想到这里，眼望李英："丈夫啊，我一妇道人家，见识很短，二弟虽不好，也是两代深交，不能违背先人遗言。但是他既然与夫君决裂，转日成仇，岂能善罢？不能不防。我有一个办法，倒不如远奔他乡，隐姓埋名，躲灾避祸，就这件事不了了之，不知夫君以为何如？"李英一听妻子跟自己想到一块儿去啦，忙问道："贤妻，举目无亲，到哪里去？""这个不必忧虑，我的姨家远在元谋山区铜牛镇，老夫妻并无子女，这不是很好么。"李英站起身来："贤妻晓大义，识大体，能随夫离乡背井，成全李、陆两家之交，上对得起死去的先人，下对得起未成丁的子女，真是女中之魁，请接受李英一拜。"李英跪倒磕头，大奶奶赶忙扶起。

次日，雇了几辆大车，把所有行李衣物全拴好，然后一家上车，连吴指南那里都不辞而别。李能等李英走后，把家人都给另谋了事，每人给五十两银子，这样陆忠给陆家看坟，李能也就算给李家看坟。可叹李英为了不忘遗训，维护先人的名声，只落得身无立椎之地。来到元谋铜牛镇投奔姨父母家中，老夫妻十分好客，又是这样的亲戚，当然很欢迎。李英拿出钱来，托姨父在一个小山环的密林深处，买了十几亩地，买了几间房，一家人定居于此。并且嘱咐姨夫不要往外声张，闭门课子，把父亲传授的枪刀以及腾身步月的功夫，苦苦习练，武功大长。

一晃三年，正是桃红吐丝，杨柳垂绿，冰河破冻的清明时节了，大奶奶跟李士钧商量："先人坟墓已经三年未填土啦，祖宗虽宛，祭祀不可不诚啊，趁此清明时节，也应该暗暗地到父母坟前去祭扫，才是做孝子的道理。"李英点头："贤妻所言，正合我意。"大奶奶立即收拾上供之物。李英告别妻子孩儿，直奔云南府而来。到了东关外，先找个小饭铺吃些东西，然后又请了几炷香，这才赶奔坟茔地。当年立坟之时，也就是葬埋母亲的时候，所栽种的杉木杆子，三十多年来都已成一片茂密的大树林，欣欣向荣，烟笼雾绕。等来到坟前一看，父母亲的大坟头儿，又堆了很多新土。又见坟前有大堆的纸灰，尚没刮走，坟头上压着长钱，随风摆动，坟前未烧尽的香根儿尚在。英雄见坟茔，念双亲，不由得大哭起来，跪在坟前越哭越痛，眼泪汪汪，抽抽答答，又来到叔父婶母的坟前，一看坟头儿也填得很大，烧了纸钱。李英想起当年李、陆两家一宅两院，亲如手足，何等的快乐？曾几何时，相继凋谢，反目成仇！陆寅下落不明，我也背离乡井，对不起先人，不由得又悲从哀来，跪下哭了很长时间。亲自用手捧土给两家的坟都填了填，然后取出香蜡等物，焚烧纸磕了头。他在坟前徘徊不忍离去。猛然间树林外脚步声响，正是义士李能，三年不见，他鬓发皆白，已是龙钟老态。肩头上扛着一把铁锨，进了树林看见李英就是一怔，然后回头往树林外观看，脸上显得很害怕，这才跑过来放下铁锨，跪倒磕头："少爷，老奴给您磕头啦。"李英抢步上前赶忙跪下："老哥哥，您替李英尽孝，我给您磕头。"两个人互相搀扶着起来："老哥哥，这两家的坟地，都是您填的？""不错，都是我和陆忠填的。每年十月，还有清明，都来填坟上祭。少爷，你还敢来填坟？趁着无人知晓，你你你赶快逃命去吧。"李英一听可就怔啦！"您这是什么话？小弟不杀人不越货，不偷资不劫取，奉公守法，逃什么命啊？"李能脸色一变："少爷这三年您都上哪儿去啦？""我三年足未出户，只是练功，什么地方也没去呀，怎么啦？""不对，大少爷你可别瞒着我呀？""我的为人你还不知道么？"李能一伸手，掏出一个纸条来："您看看！"李英接过一看，上写："一口钢刀掌中擎，五湖四海任纵横，豪杰一怒伤人命，腾身步月叫李英。"看完之后，李英脸色都变啦！浑身发抖："这事从何而起，老哥哥你快说。""少爷，你先别急，三年前你走后不久，老汉在家中，有人叫门，我出去一看，是云南府班头金眼鹰孙亮。因为当年咱开镖局子，孙亮他随礼挂红，为此我认得他。我问他找谁？他说找你，我说他全家已经搬走。他问为什么搬家？我说内情我也不深知，可能为躲灾避祸。他掏出个纸条来叫我看，我说这是怎么回事？他才说出少爷你不顾桑梓之情，乡里之义，竟不顾先人脸面，在云南府做了十八条案！杀害的都是大姑娘小媳妇，最后一案把知府的掌上明珠，十七岁的小姐给杀啦！留下都是你的名字。知府梁玉书立马追风要破这案。他说可别隐瞒。我说绝不隐瞒，确实不知。孙班头带眼明手快的官人，在咱家前后蹲坑有半年。少爷真要是您办的，您可对不起死去的老主人！"李英呆若木鸡，半天没说出话来："老哥哥，李英的为人你应该相信，你看我长大的，岂能做此折丧道德，促己之寿的坏事？一定有人要害我才留下我的名字，我一定要设法拿贼辩冤！""等一等，老奴相信大少爷。还有一件事，二少爷陆寅在你走后回家一趟，把家里剩下的人都辞去，剩下多少银子全弄走啦，陆忠跟我在一起过活。别的什么事也没有啦。你就放心去吧。"李英这才与李能分手。他心急如焚，想自己遭此不白之冤，何日可雪？迈大步连夜回到铜牛镇自己家中，把这事详细地跟大奶奶一提，大奶奶也吓了一跳。她定了定神："夫君，我是知道你的，三年足不出户，为妻有句话，可不知对不对？""你说出来听听。""当年陆二弟行刺未成才离开云南府，走后不久他又回去办理家务，看来他是不是要杀夫君你而未成，才在云南府做案，留名陷害？妾身未嫁之时，不知夫君得罪过人吗？你我夫妻在一处，我感到夫君不会得罪人的。想想过去能知现在，看看现在能知将来。一定是二弟与坏人勾结，不然他才二十余岁，岂能做这种伤天害理，受人唾骂对不起祖宗的坏事呢？夫君可再思再想。"李英连连点头："贤妻所言非谬，李英顿开茅塞，陆二弟本系湖南常德陆家堡的人氏，我想是他所为，为夫三十岁不曾与武林同道接触，更谈不到得罪人，与别人有什么深仇大恨，我想去湖南查寻一下。""夫君前去是对的，如果不把此案弄个水落石出，死难者难以报仇，沉冤者难以雪耻。不是为妻离间你弟兄不合，实因关系到先人的名姓，夫君的清白！""贤妻深明大义，拜托你照看孩儿啦。"李士钧也知道三天五日回不来，打点一个包袱，单夹衣还有夜行衣备齐，把治毒药暗器的方子也带上，然后往身上一背，厚背雁翎刀佩好，离开家中，直奔湖南常德府而来。

　　心急似箭，昼夜兼程并进。非止一日，来到了常德府。东关有座破庙，李英一想住在这儿不错，并且还省店钱。他找个饭馆吃饭，一边吃一边问伙计："你是本地人吗？"伙计笑啦："哈哈，爷台，咱是土生土长的，祖宗三代都住在这儿。""嗷，跟你打听一下，有个陆家堡咱这儿多远儿？"伙计一听这个乐呀："您打听陆家堡算打听对啦，那儿是我姥姥家，离这儿往东南大约四十里路。那个镇子里姓陆的居多，旁的姓很少。我外婆家也姓陆，可有一样，跟人家有钱的姓陆的就同姓不同宗啦。"李英点头："有钱的不也姓陆吗？"伙计摇头："不行啊，说不到一堆儿去，陆家堡的大财主是姓陆的亲哥俩，大爷名叫陆占魁，已死多年啦，二爷名叫陆占鳌，也不在家中。只有大爷的独生子，名叫陆丰号叫松坡，有个外号叫戏水江猪。人家全都精通武艺，高来高去，来无踪去无影，您要得罪他，那可了不得！爷台，我这话说多啦，我还得张罗别的饭座呐。"李英一想，陆晓村一定投奔陆松坡来了。他吃完饭付了账，又找个地等到天光闪亮，李英出了破庙直奔陆家堡而来。来到之后，一看也是个大镇子，足有上千户人家，东西长街，南北短街，李英暗地一打听，才知道陆松坡去了常德府。他不在家中，风言风语说来了个远房的弟弟。李英一想：莫不是晓村已经跟陆松坡合在一处？陆松坡在家中为富不仁，欺压邻里，并不是个好人！如果陆寅跟这个人接头啦，近朱者赤，近墨者黑，恐怕兄弟身染下流，看来云南府的案子，他做得出来呀！李英主意拿定，回到常德府。白天他明察密访，到晚上破庙里换好夜行衣，长衫一围，小包袱一背，插好了刀，从庙中出来，各处寻找。这天巧啦，李英在东关外正在查看，突然间从西北方向往东南方向来了一条黑影，他立即爬在地上，借着月色看清了，正是自己要找的陆寅陆晓村，一身夜行衣，背插钢刀，青色绢帕缠头，脸色灰白，连一点血色都没有，鼻子发尖，两肋无肉，二目无神，十分难看。李英到现在全明白了，这陆寅已是身染下流的绿林败类！可惜二叔陆滚英雄一世，生下这不肖之子，自己有心过去把他拦住，又一想不成，他可以矢口不认，倒不如给他插根尾巴，看他干什么去，抓住把柄，不容他不认。思索已定，等陆寅过去，李英在后面就跟上啦。现在李英的本领比陆寅强万倍。顺关东往东，出去不到三里地有个小村庄，陆寅就从北面进了村。穿过树林，越过护村壕，靠北面有一大墙，李英一看就知道是个大户人家。陆寅飞身上大墙，轻车熟路，飘身而入。李英也跟着上了大墙，往里一看是个精致的花园儿，虽不是十步一楼，五步一阁，也是水阁凉亭，回廊曲绕，百花盛开，红紫芳菲，十分幽雅。花林深处有一座四方小院，后窗映出灯光。越走越近，内有姑娘媳妇说笑之声。嗷，李英完全明白了，陆寅并非偷盗窃贼，确实是偷香窃玉，污辱妇女姐妹来的。李英暗暗咬牙，心里叫着陆寅的名字，你出身名门，父亲也是绿林好汉，家门无德，生下你这样的败类！九泉有知，能不痛恨于地下？看来你被陆松坡勾引坏啦，才到云南杀死十八名妇女，又借刀伤人，做下这为人不齿的蠢事。李英下决心捉拿陆晓村，不巧在常德府遭了凶险。

第十九回

以怨报德镖打李英
恶贯满盈难逃法网

上回书说到李士钧巧遇恶贼陆寅陆晓村，不由得气从心头起，恶向胆边生。他想啊：我李士钧乃堂堂男子，岂能对你善罢甘休？我必须一追到底，拿你等归案，洗刷李、陆两家的清白！即使陆二叔和你母亲泉台有灵，也不能怨我李士钧不念旧义了。

原来陆寅跺脚离开云南府，他无处投奔，落叶归根，就回湖南常德府了。好在手里有钱，长这么大没出过远门儿。到了陆家堡，打听老人们他才明白，陆滚这支派没有近人啦，只是跟出了五服的大财主陆占魁的儿子、戏水江猪陆丰陆松坡还近一些。陆寅一听很高兴，既有绰号，定然精通武艺。我设法接近他，叫他鼎力帮助，致李英于死地，给父亲报仇。这样他来到陆松坡的家门口，啪啪啪拍打门环。一会儿，从里边出来个下人，把大门开放，一看陆寅眉清目秀，齿白唇红，问："您这位少爷找谁呀？""请问本家主人陆松坡庄主，认识不认识当年迁往云南府居住的挠头狮子陆滚陆老英雄？您给回一声，我是陆滚之子名叫陆寅，前来认祖归宗。""嗷，您等着。"家人往里去，时间不大就跑出来道："您是少爷，陆老爷子是家主的伯父，家主和您是弟兄，请您快进去，这是自己的家呀。"陆寅听了感到很温暖。家人带着奔里院客厅，挑帘栊，陆寅进来一看，屋里明窗净几，在八仙桌上高椅子前边站着一个大高个，也就在四十来岁，背厚肩宽，黑红色的粗辫子，白煞煞一张大脸，满脸的横丝肉，大贲儿头翻鼻孔，连鬓络腮的短胡须，扇风的耳朵厚嘴唇，十分凶恶。陆寅"哇"地一声哭道："小弟陆寅拜见兄长，请兄长看在先人的份上照看小弟。"他跪在陆丰的面前，泪如涌泉。陆丰也半跪半蹲："兄弟不要哭，有什么事都不要紧，咱们一笔写不出两个陆来，快起来起来。"陆丰扶起陆寅，让了座位："兄弟，先父去世的时候，还有我的叔叔，都提过云南府的伯父，当年落了户，由于多年不走动，也就没时间去云南府伯父家中问安，不想兄弟倒来认祖归宗。伯父伯母的身体如何？你到此定有要事，你我是弟兄，尽管说。"陆寅流着泪，就把如何帮助李跃成家立业，父亲被害，母亲也相继被害身死说了，总之血口喷人，信口雌黄。陆寅最后说道："只求哥哥能为我父母报仇，死而无憾了。"陆丰一听，气得哇呀呀怪叫如雷："老儿李跃如此丧尽天良，渺视我陆家无人，此仇不是兄弟你一个人的，是咱陆家的仇！此仇必报。"陆寅趴在地下磕头，把这个哥哥看成是得力靠山。哪知道陆松坡是个淫贼，专门杀害少妇长女，他叔父陆占鳌也不回家，可惜陆寅这个清清白白的武林后代，从此江河日下了。在家里住了三天，两个人收拾东西物件，又给陆寅夜行衣百宝囊，就直奔云南府而来了。

二人来到云南府，在北关住店，吃完晚饭，耗到二鼓，两个人换好夜行衣，背好单刀。陆丰打手式，陆寅把后窗户支好，两个人垫步拧腰，蹿出屋外，然后飞身上房，手搭凉棚，四下观看，银河耿耿，夜风阵阵。陆寅在前，陆丰在后，窜纵跳跃，滚背爬坡，直到护城河边，燕子三抄水，二人跃过护城河。掏出飞抓锁链，搭到城垛之上，两个人倒绳而上。收好飞抓，从城上往下看，万家灯火已寂，长街上有三三两两的巡更走夜的人。下城墙，上民房，直奔东门里，来到李英家的东墙外，二人进院，一片死气沉沉，李英家里空无一人。陆寅咬牙："哥哥，难道他藏起来不成？"陆丰一摆手："先回店再说。"二人照原路回到店中，从后窗跳进去，把窗户关好。低声商量："哥哥，是不是李英闻风逃跑啦？"陆丰点头："很有可能，即使不是闻风，他也想到你必回常德府，我陆家藏龙卧虎，有的是武林高手，能不报这血海深仇？我们必须打听出李英的下落，也好跟踪寻迹，追杀李英满门。"陆寅也着急，忽然间想起来："哥哥，我的家人陆忠和李英的家人李能，多年相处很不错，李英到什么地方，陆忠一定知道。"陆丰点头："这倒是条线索。贤弟，你家中到底还有多少钱财？"陆寅摇头："详情我不知道，大约数万两。""好吧！明天晚上咱去一趟。"陆寅答应。到第二天晚上二鼓，两人换好夜行衣进城，直奔陆寅的家，越墙而过。陆忠还没有休息，屋里点着灯，陆寅一敲窗户："陆忠开门吧。"陆忠出来一看，是陆寅，忙说："哟，小少爷，奴才给您磕头，这些日子您上哪儿啦？""你起来，到屋里说去。"三个人进了屋，陆寅一指陆丰道："这是我哥哥，我已经到湖南认祖归宗啦。"陆忠立刻给陆丰行礼。陆寅好像是漫不经心的样儿："陆忠，东院里怎么样啊？""嗨！您别提啦，大爷大奶奶带着儿女，离开云南府啦。""到什么地方去啦？""老奴不知道，李能也不知道，说是躲灾避祸才走的。"陆寅看了陆丰一眼："嗷，陆忠，我也回湖南啦，这个家就交给你掌管啦。把所有的佣人多给几个钱，全部辞掉，家里还有多少钱哪？"陆忠把账目拿出来："您自己看吧。"陆寅一看，都在乾德银号存着呐，四万多两银子。"陆忠，你明天到银号去结账，留下两千银子，做为你养老和每年填坟烧纸的用度。余下我镖行交佣钱，给我送到湖南常德府城东南陆家堡，陆松坡收即可。你还有什么事吗？""没有啦，老奴照办就是。"陆寅、陆丰出来回店，等了十天。陆寅说："哥哥，看来李英是绝啦，这云南府也没什么留恋的。算他李英命大，咱们明天回家吧。"陆松坡一摇头："岂能便宜了李英？此仇必报。""可找不到他呀？"陆丰一阵冷笑："找不到他，咱还可以借刀杀人，叫官府拿他治罪！"陆丰说出在云南府采花做案，杀害少妇长女，留下李英名字。

从此，他们在云南看到有姿色的女子，晚上就去污辱妇女，之后，用刀杀死，留下李英的名字。最后把四品知府梁玉书的掌上明珠也给杀了，做了十八案。神不知鬼不觉逍遥法外，回到常德府。陆寅的银子也到啦，叫哥哥给存起来。陆丰跟他商量："我想给你盖房，可家里的房子很多，何必再盖呢？你就跟我住在一处吧。"陆寅摇头："哥哥，我暂时不想跟您住在一处，恐怕李英猜到小弟，他会来到常德府寻找于我，那时给您添很多麻烦。"陆丰一想也对："依贤弟之见呢？""小弟到常德府找店住下，随时可以来家，您也可以去店中找我呀"陆丰答应。

陆寅在北关的三合店，包了三间房。每天出去寻找俊美的女子，夜晚之间前去胡为。陆丰给他圆了一个号，叫展翅弥猴。三年来的光景，他做尽了坏事。这天他来到东关，从东往西来，信步闲游。正往前走，突然间发现一位千娇百媚的大姑娘，坐在敞篷车里。陆寅呆若木鸡，两眼发直，真是五百年风流蘖冤，这般可喜娘儿罕见！他眼花缭乱口难言，魂灵儿飞去半天。他立刻在车后远远地跟着人家，进西街口往东，路北大门，车子停住。跟着的婆子下来，大门开放，从里边出来几个女人，有婆子拿过接脚凳，放在车辕儿里首，扶着姑娘进了大门。陆寅远远地盯了半天，顺着西墙往北，直转到北墙，做好了粉迹儿，才回到三合店。直耗到晚上，他换好衣服，背插钢刀从店里出来，走东北城角，飞身上墙。这晚还有月色，正好行事。陆寅分花拂柳，来到这后窗户，轻身提气，单肘一跨窗台儿，用右手的指盖儿，捅了个小口儿，瞟一眼刚要往里看，觉得一阵寒风，啪地一下，有人拍了他肩头一掌。陆寅顾不得往里看，膝盖一碰出墙，飘身下来，见是李英李士钧，正是仇人见面，分外眼红。李英怕他喊出来，如果一嚷，对人家妇女的闺名有玷，但冲陆寅一招手，转身形顺后院往北跑下来。陆寅一咬牙：好李英，前仇尚且未报，你又破坏小太爷的好事，新仇旧恨，岂能容你！想到这儿，一伏腰就追了下来。

两个人一前一后来到常德府东北城角外，一片大树林的边儿上。李英把身形站稳，陆寅一伸手探背膀，呛啷啷把刀亮将出来，用手点指："姓李的！狭路相逢，今日要报父仇，你的死期已至！"李英一笑："哈哈哈，兄弟，三年来你采花作案，身犯王法，只图一时之乐，而遗万世之丑。你活腻啦？"陆寅一阵狂笑："嘿嘿嘿，小太爷喜欢这个乐儿，与你何干？你管不着！"李英把脸一沉："乱臣贼子，人人得而诛之！要知道人之姐妹，己之姐妹。见色而起淫心，报在妻女！你小小年纪，身染下流，归入贼匪败类，我都替你害羞！云南府乃是你先人坟墓之地，衣袍都埋在当地！桑梓乡里之情全然不顾，你已经是衣冠禽兽啦！"李英心里还想着：陆寅不敢承担云南府的命案，得用现在的事情引到云南去，看他说什么？没想到陆晓村把羞耻仁义全然不顾："哼！云南府十八条命案，正是小太爷所为，就为让云南府的人知道知道俺陆寅的厉害！""陆寅，你既然让云南府的人知道你的厉害，为什么留下我李英的名字？"这一句话问得陆寅张口结舌："啊，啊，为的要你李英一命！"李英仰天狂笑："哈哈哈，哈哈哈。""笑什么，你？""陆寅哪陆寅，你枉为须眉！你既然认为应该杀我李英，就该拍门找我呀，为什么要杀害手无寸铁的无辜姐妹？再说，你杀我李英用什么办法都行，为什么用这种低级下流的办法？你做别的案，我可以替你去死。你做这种案要我李英替死也成，咱俩人手拉手到云南府大堂，只要你当堂承认，我可以引颈受戮，你看如何？"陆寅一瞪眼："呸！你胡说，没有那么混蛋的官儿，我招供，你受刑，天底下有这个理吗？""陆寅，你出身清白，焉能做出这种歹事？杀人为报仇，难道采花也为报仇吗？""胡说，小太爷今日就要宰你。"说着往前一赶步，左手晃面门，刀走缠头裹脑，斜肩带背就砍。李士钩往左迈步，跟右腿，微一低头，刀就砍空啦。陆寅右手一挡，反背倒劈，刀又回来啦！李英弓右步，蹦左腿，缩身藏头躲，第二刀又空啦。陆寅跟着上左步踏中空，"进步撩阴刀"，奔李英的裆内。李英一个"虎坐坡"，退出去有五尺，陆寅拢刀往这儿一站："李英，你因何三招不还手！"李英长叹一口气："陆寅，我连让三招，你可知取其何意吗？""嘿，你是惧怕小太爷，不敢还手？""天下武林我都怕，可就是不怕你。因为我从小到大，没有做一件对不起你的事。我让你头一招，因为你我先人八拜结交，闯荡江湖几十年，同生死共患难，先人尸骨未寒，你我变目成仇，为此追念先人之义，让你头一招。""第二招呢？""第二招，你我孩童厮守，一块儿光着屁股长起来的。你从小叫我哥哥，不想你流于贼寇，是我做哥哥的对不起你，让你第二招。""第三招呢？""第三招，我李英在先人面前有约在先，宁许你不仁，不准李英不义。没想到出自我李英身上，不能恪守此言，对不起先人。而你杀人越货，损阴丧德，我也覆水难收，当与你变目成仇，从心里对不起你呀，我让你第三招。"李英侃侃而谈，十分动人。可这忘恩负义的陆寅，已然毫无人性。他往前一上步："满口胡言，我要你的命！""迎风劈柳"，奔李英的头顶就劈。李英叹了一口气，万般无奈，把心一横，探背膀按崩簧，呛啷啷钢刀出鞘，左手搭右腕，刀走外剪腕，刀刃冲上。陆寅一撤刀，李英刀随身转，闪左手，右手刀刷的一下，拦腰就砍。陆寅就是一怔：李英的刀法跟自己的不一样，其快如风。陆寅脚跟蹬地，"金鱼穿波"，往后一纵。李英随着一刀"拿云赶月"，奔陆寅的肚腹扎来。两个人双刀并举，打在一处。动手不过十个回合，陆寅刀走扫堂，李英双足点地，飞身起来躲刀，右手刀顺风扯开，一扫陆寅的脖子，陆寅缩颈藏头一躲。李英的招数太快啦，退左步，闪左手，招走"拨草寻蛇"，陆寅想躲来不及啦，只有闭目等死。李英右手往回一撤刀，左脚扎根，右腿用力嘭地一声，把陆寅踹出一溜滚去，陆寅撒手扔刀倒在地下。李英一个箭步上去，想把他拿住。李英刚一落地，从旁边黑暗处，"唰——"一点寒星里飞出一支毒药镖来。"嘭！"正打在李英的腿上。李英知道不好，撒手扔刀，一翻身正好树林边有棵树，李英跟跟跄跄，双手扶树，浑身颤抖。他明白自己是大难临头，身中毒镖。抬头一看，从草丛中蹿出一个人来，正是淫贼陆丰陆松坡。他今天晚上想到三合店看陆寅，没想到来到三合店扑空啦。就顺北关往东来，穿过树林，他立刻趴伏在草丛中，借月光拢目神仔细观瞧，正是自己的兄弟追赶一位夜行人，离自己不远都站住了。两个人一谈话，才知是李英。二人动手，他暗暗吃惊，李英好俊的功夫，不用说陆寅，就是自己协力相助都不成。他暗暗从镖囊之中拿出一支毒镖来，扣在掌心。果然陆寅被踹倒在地下，等李英起来，快落地的时候，抖手一镖，这叫：金风未动蝉先觉，暗算无常死不知！正打在李英的腿上。李英知道自己大难来临，万无生理。陆丰赶快过来："兄弟，你受惊了。"搀起陆寅，他伸手捡起刀来，蹦过去照定李英胸前就扎："姓李的，你也有今天！"李英明白，他要致我于死地，那可就太好啦，免得自己受罪啦！李英知道要等毒发身死，可比挨一刀而死，难受万万倍！李英这时候已然坐在树旁，身靠着大树，一阵惨笑："兄弟来吧，给哥哥我一个痛快吧。"陆寅的刀都快扎上啦，陆丰高声喊："别杀他。"陆寅把刀停住："哥哥，宰了他！""你好糊涂！""怎么？""不杀他，让他自己慢慢地死！"陆寅一摇头："不，我跟他仇深似海，怎能不手刃亲仇呢？""嘿，他愿意你给他一刀呐！告诉你，叫他自己死等于万剐凌迟！""不行啊，万一他治好了呢？他可自己会治。"陆丰大笑："会治，他哪找药方去？来到常德他举目无亲，萍水相逢，谁敢留他？"陆寅一听也对："好吧，你呀多活会儿吧！"陆寅把刀收拾起，两个人走啦。

李英当时昏死过去，没想到吉人天助，巧遇白洁才救了李英。这件事情，连坟后头的王爷、海川听了，都很赞叹。正要出面说合，又听老仙长口诵佛号道："无量佛，孙亮你听明白没有？"孙亮点头道："仙长爷，在下听明白啦。""看来白洁是挂误官司，李英也是被屈含冤呐。"孙亮答应："老仙长说得对，可不这样办，我哪里去找陆寅、陆丰去呀？""山人也知道你很着急，我给你们了结这件事行吧？""你老人家怎么了结呢？""孙亮，你必须带李英、白洁回到常德府，当堂说明，洗刷白洁是好人，使其居家团圆，以慰母之心。李英虽然冤屈，但他本为当事人，不能推卸责任，要帮你拿贼，以完此案。如果你们愿意，山人指给你们一个地方，到了那里，二寇准在，垂手可得。如果你们不乐意，山人立即走去，不管你们的是是非非！"孙亮立刻跪下道："仙长之命，在下遵从就是。但不知李士钧肯帮助我吗？"李英接过去说："帮你也是帮我自己，你先把我兄弟的脖链儿给摘下来！"孙亮马上拿钥匙开开锁，摘下脖链，然后掖在身上，猫腰问："仙长您告诉我吧。"白洁如释重负，也过来给兄长磕头。又问："哥哥，您怎么回来了？见到娘了么？"李英把经过一说，白洁落下了泪。哥俩问仙长道："你说陆寅弟兄现在何处？""你们顺着大路往西南走，不足三里地，有座庙叫菩提寺。这两个贼人就在头层殿内，快快去吧。"这三个人也想着急于拿贼，一句话没说，撒腿就跑，出松林往西南飞奔而去。仙长一阵大笑，也转身出树林去了。刚要上驴，猛然间身后有人说话："仙长，请留贵步，在下有话讲。"

坟后有人，其实仙长知道。老仙长口诵佛号："无量佛。"回过身后，细看这位镇八方紫面昆仑侠童林的穿戴打扮。坟后边的贝勒爷跟海川看着这位仙长把李英他们三个人的事给化解了，并且指给他们贼人现在的去处。王爷跟海川说："你看，白洁可以原谅，他年幼无知，有道是：世事洞明皆学问，练达人情即文章。可孙亮、李英都是懂礼的人，怎么连个谢谢都不说就走了？这位仙长也不挑他们的礼！海川，我看这位仙长一定是位风尘侠隐，武林的前辈，刚才他用拂尘就把孙亮的枪给夺走，真了不起。你快出去，问问仙长贵山贵观贵法号，咱们爷俩有幸多交一位高人。"海川答应着，飞身出来，高声喊道："请仙长留步！"

原来这位道爷是海川的亲师伯，姓庄双名道勤，人称太虚上人。庄老剑客爷是四大名剑张鸿钧三爷的大弟子，童林的师父尚道爷、何道爷是二弟子三弟子，北侠秋田的师父行四，这是卧虎山嫡派。庄老剑客的人性就是袒护徒弟。他现在有三个弟子，八卦山九宫连环堡的混元侠逍遥叟李昆李太极，就是他的二弟子。李昆在八卦山朝天峰，给师父修了一座大庙朝阳观，庄剑客爷多年来隐居于此。尚道爷收了童林，当然要到朝阳观给师哥送信。韩宝、吴志广盗国宝的事情，李太极不敢隐瞒，当然也要禀报恩师。庄道爷本应该责备李昆，可他这人护短，并不说李昆不好。童林下云南奔八卦山来啦，老剑客爷有些害怕：哎呀，如果童林来到庙中，抓住我要国宝，这一来可麻烦了！干脆，我躲开你们，你们谁有能为谁施展！我去江西信州，找恩师去盘桓些日子，眼不见心不烦。这样儿把小驴备好，带些银两，落叶秋风扫宝刀往驴背上一搭，饥餐渴饮，顺大道下来了。今天正往前走，下起了小雨。老仙长一催座下小驴，往东北方向翻蹄亮掌而来，庄剑客爷抬头看，见路北有座小破庙，仙长爷下了小驴，一看这庙山门全没啦，上写着敕建菩提寺。他拉驴进了小门，东西庙墙，坍塌倒坏，破烂不堪。院里杂草丛生，满院子碎砖断瓦，迎面的破大殿，隔扇门也都坏啦。剑客爷绕到二层殿，北殿的破殿顶儿还有，成了敞棚啦！老仙长把嚼环摘下，让驴在破棚下面歇一会儿，宝剑摘下来自己佩上，顺头层殿后边的门儿进来了。迎面是护法韦驮神，手上捧的金刚杵都没有啦！转到前面，破供桌还有，神像缺胳膊少腿，配飨更看不出来了。老道爷把供桌的布桌围子解下来，把桌子上的尘土擦净，然后往上边一坐。外面的小雨，刷刷刷下个不停。正在这个时候，从外边进来两个人："哥哥，咱上庙里去避避雨吧。"说着可就奔北殿来啦。老剑客爷一提气轻轻地落在这破神像的后面，蹬着韦驮神的肩膀，扶着神像的后背往前观看。仙长爷不认识他俩，这正是陆丰、陆寅。

这两个贼人，自从镖打李英之后，陆寅并没回店，准备第二天，往东北城角外看验尸首。万没想到，李英不见啦！陆寅着急道："哥哥，我说昨晚一刀扎死他就完啦，你偏说让他受尽了罪死，你看他跑了！"陆丰摇头道："可能有人救了他，慢慢地打听，连救他的一块儿杀！"二人到店里结算了账，一齐回家。这一天，听说西关龙王庙开光，有个打把式卖艺的，他们心想找卖艺的开开心，没想到刚到西门里，西门外就进来很多的人，百姓交头接耳，议论纷纷，才知道白洁被捕，金眼鹰孙亮来办案。跟老百姓一询问，两个贼人才明白，是白洁救了李英，传他枪法，才被孙亮捉住。二贼回家，次日清晨，又来到城内打听，才知道把白洁解往云南府。他们俩在城内吃了饭回到家中，陆寅跟陆丰商量："哥哥，看来三年前李英是被白洁所救，这白洁也是咱的仇人，我想约兄长在半路劫囚车，连孙亮带白洁一同杀死，然后再找李英报仇，您看怎样？"陆丰点头："很好，你不要着急，明天随愚兄前往一个去处，定能如愿。"次日，两人收拾好兵刃，来到菩提寺。天公不做美，西北角刮来乌云，下起了小雨儿，二人的衣服全淋湿了。进了破山门，来到北殿。陆寅问："哥哥，这是座庙。""对，这儿是去云南的大道，咽喉之路。囚车一定从此路过，咱来个老虎吃鹿——死等！这里上不着村，下不靠店，杀了人一走了之，无人知道。"真是路上说话，草里有人，万没想到偏偏这位太虚上人庄道勤老剑客爷就藏在佛像的后面！老人家一听就知道他们不是好人。只听陆寅道："哥哥您看这供桌上很干净，可能有人避雨来的，咱们坐会儿吧。"两人脸冲外坐在供桌上，陆寅着急呀，又问："哥哥，外边雨不下啦，囚车一定走这儿吗？""没错，这是官道，非走这儿不可。"陆丰知道他心急，问："兄弟，你别急，一晃六年，咱们手底下光人命都有二十来条啦！你始终还没把你们两家真实情况告诉我，当年到底是怎么回事啊？"陆寅才把李英所说的这篇话，详细地说了一遍。老剑客爷才知道这两个是淫贼，并且要恩将仇报，劫杀好人。心想：这两个贼人嫁祸于人，身上有二十多条人命案，莠草不除，难保禾苗！恶人不杀，难伸正气！除恶人即是善念，就应该亮剑除奸。剑客爷又一想：自己是个出家人，该是举足不伤蝼蚁命，讲究无为清静，既然他们等囚车，我为什么不迎着囚车去？使善良的人沉冤得雪，何需山人亮剑杀人呢？仙长想到这里，主意拿定，慢慢地从后殿门出来。把小驴拉出破庙，骗腿上驴，走到大树林，可巧发现李英动手救白洁。所以到现在才指出迷津。

童林出来问道爷贵山贵观贵法号，道爷多了个心眼儿，我先问问他吧。"无量佛，小檀越，你叫什么名字？""老仙长，您问在下，祖居直隶京南霸州童家村，姓童名林表字海川。"海爷一听吓了一大跳！无量佛，人家没犯案，我要犯案！童林要知道这是谁，跟我要国宝，这可就坏啦，赶紧快跑！"无量佛，山人居住在云南大山，三间草观，人称我是无知野道。"说完了，飞身上驴，照定驴的后胯"啪"地给了一巴掌，得得得，眨眼之间不见了。王爷提着海川的包袱也来到树林外："海川，你问了吗？""问了，仙长居住在云南大山，庙名叫三间草观，仙长名叫无知野道。"王爷一听："嗨！人家仙长什么也没说呀！"海川一怔："仙长都说啦，爷怎么没听见？""海川你为人诚实，好哄。我问你云南大山在哪？云南的山多啦，大山更多！三间草观你去哪找哇？庵观寺院要有名啊！再说无知野道，出家人有叫这样名字的吗？哈哈，你就信以为真啦？"海川一听，恍然大悟："嗷，爷说得对，偌大的仙长，信口雌黄，我追他去。"说着，就要往东追。王爷伸手拦住道："海川，追也无益，老仙长飘然若仙，神龙见首不见尾，定是绿林高手，不通名姓，也是常理。刚才仙长先问了你的名姓之后，才说出这些话，看来他不愿把真名告诉你呀，将来必有重逢之时。"海川点头道："爷说得很对，我提出名字来，那仙长面上吃惊。以后再说吧。""海川，你说这三个人能捉住二贼吗？""我看不容易。"王爷点头道："这两个贼人实乃人间败类，理应除掉，为死者昭雪。你快去协助他们，把二贼促住。"海川摇头道："您的病刚好，怎能跟着我奔驰而行呢？""不要紧，你看大月亮地，也没什么危险，你跑我也跑，差不了多远，还是快些去吧。"二三里路，眨眼之间就到了。远远的瞧见，好一场凶杀恶战。

原来孙亮、李英、白洁三个人脚底下攒劲，沙沙沙，施展绝学武功，齐奔菩提寺而去。别看三里来地，孙亮可不成了，李英在前头故意放慢脚步，不致于使孙亮难堪。孙亮说道："士钧老弟，白老弟，二位收步，孙亮有两句话说。"李英、白洁站住。李英问："孙班头你有什么事情？"孙亮长叹一口气："二位老弟，通过今晚的事情，孙亮内疚于心，感到自己办事不明！含冤者被屈，行凶者逍遥法外！现在真象大白，咱们以前的事情不提啦，还望二位老弟鼎力协助，使贼人就范，同舟风雨，不要记恨在下吧。"白洁本来恨他，也不爱理他。经过孙亮一说，也觉得人家孙亮不容易。李英一抱拳："孙班头也是上命差遣，身不由己，怎能记恨你孙老班头呢？请不要心存芥蒂，我们是祸福相共啊。"说着话，一抬头来到了寺前。李英把刀拉出来，白洁伸手捡起两块砖来，顺山门进了头层殿。孙亮就凉了半截儿，问："怎么没人啊？"李英来到供桌前，仔细看了看，便道："孙班头，你别急吗，贼人可能去后殿啦，他既是来杀人，杀不了人怎能走哇？"孙亮点头，三个人转到韦驮神的前边，借月光一看，北殿的破台阶条石上，坐着陆寅和陆丰。他们在前殿等的时间太久了，心里很烦，才来到后殿。一看这块条石上没有雨水，便坐下来，耐心等待。万没想到，李士钧第一个，嗖地一下蹿到院中，孙亮、白洁也出来了。陆寅一看，仇人见面分外眼红："啊！哥哥，仇人到啦！"陆寅回手拉刀，陆丰打包袱亮出铁蒺藜槌。李英现在倒不着急啦，一看陆寅过来，把刀插入鞘内道："兄弟，三年前，你与陆松坡在常德府城外，打了愚兄一毒镖，认为必死，不想逢凶化吉，遇难呈祥，巧遇兄弟白洁，救我活命。可三年前你在常德府上不见村，下不遇店，出你之口，入我之耳，你说过云南府十八条命案是你做的。孙班头请过来，陆寅贤弟，这就是云南府八班总役孙亮孙班头，这就是陆寅。"李英给介绍完了，问："陆贤弟，你要是真正的汉子，当着孙班头承认下来，李英佩服之至。"陆寅被李英用话一激，把眼瞪圆："云南府十八条命案正是小太爷所为，天王老子在这儿，好汉做事好汉当！"李英冲着孙亮一笑："孙老班头，真的主犯在这儿呐，您别净拿讲理的，不讲理的您敢不敢拿呀？"孙亮也确是羞愧难当，一颤枪扑噜噜，厉声高喊："案犯陆寅休走，看枪！"一抖枪，"毒蛇出洞"，直奔陆晓村胸前便扎。陆寅上左步，抢刀一压，顺枪杆往前顺水推舟，右手腕又一提刀把，刀在自己的右肩头抢起，"唰！"奔孙亮的右面就劈。孙亮回手一托枪相架，二人当场动手，打在一处。李英一招雁翎刀，飞身来到陆丰的面前，用刀点指："恶淫贼陆丰，三年前你用毒镖打我，李英决不记恨。可有一样，陆寅年幼无知，你和他是骨肉弟兄，你帮他报仇我不恼，你为什么引诱他采花作案，陷害妇女姐妹们一生名节？他小小年纪被你所误，你这衣冠禽兽!"陆丰被李英骂得狗血喷头,恼羞成怒,"唰——"一分双锤:"姓李的,就为的是要你一命!"左手锤晃面门,右手锤搂头盖顶就砸。李英闪身一躲,举刀就砍,陆丰急相还,两个人便是一场恶战。白洁手里攥着半头砖,见陆丰一露空,照他脑门子"啪"就是一下。陆丰没躲开,脑袋上的血就下来啦!原来他的本领就不敌李英,再加上白洁的半头砖,他可就更不成啦。李英心里却想:你把我一个好兄弟给闹得身败名裂,我一定把你捉住!可是要杀陆丰不费力,要生擒他就不那么容易了。陆寅知道陆丰敌不住李英,他恨不得一刀把孙亮宰了,好去帮助陆丰。他把浑身解数施展出来,这口刀上下翻飞。孙亮一个班头,怎能抵挡?陆寅跟孙亮动手,只有十五个照面儿,,陆寅连用三招,头一招"白猿献果",捧刀扎孙亮的面门,孙亮当然横枪一架。没等到孙亮还招呐,陆寅用了第二招"猛虎守食",他把刀往左摆,撤右步,往下一矮身,刀走底盘,从左到右,照孙亮的双腿就砍。招式如打闪一般,其快无比。孙亮只好往后一坐腰,勉强蹿出去有四尺。陆寅跟着上左步,跟右步,刀走"进步撩阴",顺着孙亮的裆中从下往上"唰"——就到啦!按理说孙亮准死无疑,没想到当他躲第二招的时候,往后坐腰时却蹬上了一块圆石头,咕噜,孙亮撒手扔枪,仰面冲天摔了个大跟头!这一摔倒,把"撩阴刀"给躲过去啦。他想站起来又焉得能够呢?陆寅双手一举刀,孙亮眼睁睁看着刀下来要把自己砍死。说时迟,当时快,就在这千钧一发之时,突然间有人高喊:"贼子大胆!"听着声音在庙外,声音一停,人已到了陆寅的背后了。陆寅当然没工夫往下剁了,趁这工夫孙亮连滚带爬,站起来就摸大枪,双手一合枪,仔细观看,心里暗暗地叫了声"惭愧。"

原来正是镇八方紫面昆仑侠童林童海川。陆寅压刀一看海川,十分生气,用刀一指:"你是什么人,放着道路不走,要管闲事!难产你就不怕趟混水吗?"童林一阵冷笑;"哼哼,贼子真乃大胆!某家既然要管闲事,就不怕趟混水!像你这恶贯满盈的恶贼,岂能容你逍遥法外?"陆寅看不起海川:"你既然不怕死,我就叫你死在刀下!"他往前抢步,左手晃面门,右手刀斜肩带背就劈。海川微然一弓左步,伸右手立着一穿,跟着一搂陆寅的手腕,彭地一把抓住,往前一带,顺手牵羊,左脚偏踩卧牛腿,就是陆寅的肋上,"叭喳"一下,把陆寅摔出去足有一丈远!随着海川追上去,右脚踩后腰一脚。孙亮心花怒放,大枪一扔,赶紧顶腰眼儿。抹肩头,拢二臂,四马攒蹄把陆寅给捆上了。童林飞身形来到李英的身边道:"士钧闪开,待我来!"陆丰一看,不敢恋战啦,可他看海川过来了,只好双锤走插花盖顶打来,童林蹦左步,弓右步,往下一矮身,左手在陆丰的右腿里边一拍,陆丰咕呼摔倒了。"鲤鱼打挺"刚起来,白洁的砖头又到了,正砸在陆丰的脑门子上。李英一伏腰就追上去了。白洁捡起陆丰的锤,有了兵刃,胆子也壮啦,跟着李英也追上去了。孙亮明白李英的心,不把这罪魁祸首陆丰拿住,怎能甘心呢?见海川过来,孙亮要给他道谢。陆寅反倒说话了,他冲着童林喊:"朋友,你过来一下。"童林低头看着他问:"干什么?""我问你,你认识人家官人吗?""不认识。""嗷,那你帮忙拿住我,人家也不能赏你个官儿啊!"海川一阵大笑:"某家帮忙,不为做官,只是尽臣民之道。再说,像你这恩将仇报,视友为敌,不顾廉耻的淫贼,人人得而诛之。"陆寅被骂得面红过耳,又说道:"问问您的名姓可以吗?""我家住直隶霸州童家村,姓童名林字海川,江湖人称镇八方紫面昆仑侠。"英雄名振四海,吓得贼人低头不语。他心里说,被侠客拿住,死了也不冤啦!孙亮一听,把枪一扔跑过来,跪在海川的面前,说:"原来是久负盛名的童侠客爷,在下给您磕头,谢谢您刚才救命的大恩,再谢谢您替我拿住了贼人,我一家老小都感念侠客爷的大德呀!"孙亮说的话,叫人心酸,海川伸手相搀:"老班头,不敢当,不敢当,时逢恰巧,被我赶上啦,这不算什么。"

刚把孙亮搀起来,王爷跑得满头是汗,又兼提着子母鸡爪鸳鸯钺的包袱,顺着破墙入口跟跟跄跄地进来。一眼看见海川跟孙亮说话,地下躺着一个人,已经捆好。问:"海川,拿着贼人了吗?"说着递过包袱去,掏手绢擦汗。海川接过包袱:"贝勒爷,真应了您的话啦。我要是不提前进到,这位孙班头的命都没啦!这是仰仗您的洪福,拿住一个贼人,还是正凶主犯。"王爷没说话,孙亮一抱拳问海川道:"您说的是哪位贝勒爷,快告诉我,好给他老人家磕头哇。""嗨!"海川很后悔失言。没法子,只好道:"孙班头,这是我的主人,当今万岁康熙老佛爷的四皇子,雍亲王府固山多罗贝勒府胤禛贝勒爷,现在晋封雍亲王爷,上前见过吧。"孙亮一甩两袖口,抢步磕头道:"下役云南府班头孙亮,罪该万死,不知王爷金身大驾来到这里,有失慕敬,下役给王爷叩头。"王爷用手一接:"快起来,本爵私行到江南,不可声张出去。""王爷放心,下役不敢,怨不得贼人被擒,原来仰仗王爷的洪福齐天,还有侠客爷的鼎力协助。不知王爷和侠客爷怎么会来到这江南地面?下役敢问吗?"这时候，李英、白洁也回来啦。李英长叹了一口气："贼人进了竹塘，眼看着就追上啦，结果叫他跑掉啦。嗨……"孙亮叫李英、白洁过来，给王爷、海川都介绍完了，二人磕头道谢。王爷站在前殿的殿门廊沿下面，说："孙亮、李英、白洁，你们三个人的事，不用再提啦。因为在大坟头的后边，仙长问你们，以及你们所说的，我们爷俩都听见啦，不必重复。我们二人的事，你们也不必问，因为不是一句半句的话能说清楚，我要说的，就是孙亮在公门中为官数十年，不分青红皂白，乱捕乱抓，非皇上爱民之道，今后办案一定要心细。白洁小小年纪，见义勇为，搭救李英，血心热胆，是我大清的好臣民好子弟。白母深明大义，教子有方，比古之贤母不为过也。李士钧可称丈夫，保全两代深交，宽宏大量，是武林中的好后代，很是难得呀！"王爷又吩咐："你们三人应该同舟共济，不计前嫌，马上押着这个贼人，重返常德府衙挂号投文，要让知府给白洁恢复名誉，使其母子团聚，以慰慈母之心。"然后孙亮又恳求李士钧帮助，押解案犯回转云南伏法，为死难者伸冤报仇。三个人给王爷、海川致谢。李英过来看了看陆寅，道："兄弟，不听愚兄苦口婆心再三规劝，你一定认为愚兄是你的仇人，到现在你有何感想？当年先贤欧阳文忠公说过，先王治法本乎人情，你见识不明，视友为敌，认敌做友，到现在身败名裂，领受国法，愚兄无法救你，只能这一路之上照顾，不叫你受罪，这就算哥哥我尽了心，对得起你，也对得起死去的叔父婶母了。"说着落泪如雨。陆寅眼含着泪光："哥哥，千错万错是小弟一人之过，到现在追悔不及，这才是未曾害人先害己。哥哥，人之将死，其言也善，鸟之将亡，其鸣也哀。小弟回到云南府，难免一刀之苦，是我咎由自取，我并不怨天尤人。只求您两件事：第一，二老坟前就托付您，逢年到节，您替我尽孝，坟前一祭。第二，我的死并不是兄长所害，实是陆丰所为，您能抓住他，也让他领国法，小弟就含笑于地下啦。"陆寅的话，人们听了也是难过的。李英点头道："兄弟，你放心吧。"说着，李英把陆寅的刀捡起插入鞘内，然后把他背起，三个人又给王爷海川道了谢，走了。

童海川二目发直，看着几个人，趁着晓星残月越走越远，不由地一阵难过。想着人家的案子怎么就会机缘凑巧，遇到了我们，很快抓住主犯，销票无事，到我这儿怎么这样难呢？什么时候才能拿住韩宝、吴志文，国宝还朝，自己能奉养双亲呐？他深深地叹了一口气。王爷跑了一身汗，在廊檐下站了这么半天，又感到浑身发紧，头晕脚软。心说坏了，我又感冒啦！一看海川发怔，王爷就知道他在想自己的事，心里难过，就说："海川呐，我可又要病，这么一会儿，我觉得又感冒啦，咱们爷俩找个地方先休息休息吧。"海川也明白王爷的心。他们二位顺着道走了时间不大，远寺钟敲，沿村鸡唱，天已大亮啦。往前走，黑压压，雾沉沉，烟笼雾绕，是个大镇甸。镇口有块大石头，上面刻着三个大字"长乐镇。"东口路北有座大店，匾金字："高升老店。"来到店门口，伙计觉得新鲜，怎么大清早就有住店的？把爷俩请到西跨院三间北房，十分清静。擦脸漱口喝茶吃早点，海川告诉伙计："我们掌柜的初到南省，有些不服水土，你把本镇最好的郎中给请一位来。"伙计侍奉殷勤，又派人请来先生诊脉。爷俩住了四五天，吃了几剂药，王爷病体痊愈，算还了店饭账，离开长乐镇。王爷觉得神清气爽，爷俩说说笑笑，颇不寂寞。走到中午，天气显得很热，沅江就在北边不远，护江堤上的大树林葱葱郁郁，前面有一大片竹林，当中有一条狭窄的道路，路上没有行人。王爷说："海川，咱们找个地方歇一下吧。"海川答应。

正在这个时候，就听见前面有人喊："救命啊，救命啊！"声音透急。"海川，有了劫道的啦，我看这地方就很凶险，快去救人。"西面的声音越喊越近，奔跑的脚步都听见了。海川心里有谱，不管发生什么事，自己都不离开王爷。就说："您先藏进竹林。"王爷迈步进了竹塘。海川一猫腰，隐蔽身形往外看，有一位老人，穿得十分褴褛，须发皆白，满脸急怒，身上背着一个包袱，跑得直喘。按理说，偌大年纪，走路费力，可他现在跑得不慢！后边追的一个人，三十多岁，短矬蹲儿，柿饼子脸，又扁又白，两道肉贡子眉毛，一双小圆眼儿，趴趴鼻子，大嘴岔儿，两条小短腿儿，掖把洒鞋，一身蓝裤褂儿。海川一看这个人认得，这气就不打一处来呀！原来是蝎虎子白亮，他是潘龙的伙计，两次杭州擂都是他挑起来的，最后把他开除了。侯老侠给他几十两银子，让他做个小本经营，以资糊口。他这样的人不能安分守己，就爱赌博，结果一头扎进赌钱场儿，没有几天，输得像黄鼠狼烤火——爪干毛净！小子傻眼啦，结果就断道劫财，非偷即抢，可他又不敢在附近做案，这样他奔湖南大道就下来啦。他本想去云南八卦山投奔法禅，今天他在沅江南岸等候做案，很长时间不过一个人，他心里着急呀！正在这个时候，他发现这个孤行的老头。老人姓张，家境贫寒，活活把老妻穷死，指着拉船纤为生。家里只有个女儿，今年二十岁，虽说出身贫家，长得倒很标致，许配本村刘家的孩子为妻，不管怎么也要给女儿做两件衣服。他这是到女儿的舅爷家去取衣服。老头儿给女儿取嫁妆，被白亮发现，他攮着短刀，气势汹汹地蹦出来："站住。"张老头一听吓得魂不附体，往东就跑，高喊救命。白亮在后边追："老小子，把东西给我放下，万事皆休，不然我要你的老命！"老头跑得一溜烟似的。白亮一边追一边说："老东西你随便喊，喊干了嗓子到沅江里喝水去，一个人没有！"他追得这快呀，白亮眼看追上啦，就觉得脚脖子被人用手一抄："哟——"白亮这个乐儿可就大啦，咕咚来了个大马趴狗吃屎，差一点把前脸栽平了！从竹林里噌地一下钻出一位来，一拍腿右脚踩住白亮的腰骨："白亮，你这奴才，真乃大胆，光天化日之下，朗朗乾坤之中，公然断道劫财，杀生害命，真是屡教不改，怙恶不悛！"说着，海川一抬右手，照白亮后脑勺，就是一巴掌。白亮摔懵啦，现在听着好耳熟，他歪脑袋一看是海川，而且怒容满面，自知必死。可他也寻找生的希望，就喊道："侠客爷，念白亮也是镖局子旧人，您饶我一条狗命吧。侠客爷，小子求您啦！"白亮都哭出来啦。一提镖局，海川的铁掌实难落下，可自己又生着气呐，可巧白亮脑袋旁边就有一块大石头，得啦，把气出在巨石上吧，掌到石碎，"叭！"——好厉害！碎石块溅在白亮的腮帮子上，崩破了十几处，鲜血哗地一下就流出来了。海川一用力，右脚一使劲，差一点把白亮给踩放了炮。

　　张老头本来往前跑，看海川把贼人给弄倒了，就停了下来。王爷也从竹塘出来，问："海川，别把白亮踩死，快抬腿叫他起来。"海川把腿抬起来。白亮一看王爷，知道自己死不了啦，过来磕头："小子白亮给爷磕响头啦。"王爷把脸一沉："可恶的奴才，你真给镖局丢人！不是给你几十两银子吗"？"奴才都输啦。""可恶！为什么又劫道哇？""奴才不是饿吗？""你不务正业，怎能糊口！""奴才在镖局子吃得惯惯的，花得惯惯的，奴才就是个不务正业的人啊。""你这奴才，差点儿丧命，你今后能改吗？""奴才一定改。""海川再给他几个钱，叫他走吧。"童林又拿出二十两银子来对白亮说道："白亮你可真得改，把钱拿去吧。"白亮接过钱，给童林、王爷都磕了头，走了。爷俩来到张老头的面前，海川扶起来道："老人家您受惊了。怎么会遇见歹人呢？"张老头掉着泪，把家中事全说了。最后说道："要不是遇见二位恩公，怕我命都没啦。"王爷也让海川拿二十两银子给了张老头："得啦，你也算因祸得福，拿这钱给女儿添箱吧。"老头千恩万谢含着眼泪走了。白亮跑进一个大树林，他暗自叫着自己的名字："白亮啊，白亮，你可真白亮啦，今天不提出镖局，童侠客爷不念旧义，这巴掌下来，我这小脑袋就成了那块大石头了。看来我是死狗扶不上墙去，我得学好哇，苦海无边，回头是岸。童侠客现在正捉拿韩宝、吴志广，我好好访一访他们，只要知道下落，我一报告，请王爷说两句好话，镖局子还得要我。"白亮横下一条心，回心向善，暂且不提。

再说贝勒爷、海川他们一边走一边聊。王爷可说："像白亮这样的人，恶习难改，白天劫道，给百姓带来灾难，就应该杀死，以绝后患。"海川点头道："您把他放了也对，谁叫他是镖局子的老人儿，又是潘龙的伙计，提出镖局子就下不去手啦，希望他回心向善，莫要胡为，下次碰上您别心软啦。您心疼他一个，可给多少人带来不安呐！"王爷一听，笑啦："对对对，依你依你。"爷俩说说笑笑，不知不觉走出十几里地来。

靠近沅江的江堤有一片茂密森林，听着江水声，如同牛吼。眼前都是丘陵地带，王爷有些累啦，说："海川，咱们进这树林儿歇歇脚儿，我的两脚板都走疼啦。"其实海川知道，王爷身为皇子，不忘武事，骑马射箭，搬石举刀，每年都要随銮射猎两次，弟兄诸皇子之间，一起论武射箭更是常事，何况王爷现在照样儿每天早晨跟海川练八卦掌呐！王爷可能是前几天得了病，身体尚未复原之故。便道："好，我还是扶着您点儿。"二人进了树林，海川用个树枝子抽打青草，这叫打草惊蛇，把它们惊走啦，然后搬来一块大石头，往草地上一放，王爷坐在上边，倒也凉爽宜人。海川跟王爷商量："歇会儿咱就走，您身上有汗，这树林太荫。"王爷答应。海川提着双钺的包袱站在一边。就在这个工夫，嗵嗵嗵从西边跑进一个人来，说话的声音透着惨："完啦，完啦，老天不睁眼，得了，我上吊吧！"说着，他扔了手中的红缨枪，解系腰的绒绳，抬头找歪脖树。王爷脸冲西正看见，这人满头大汗，二目发直，正是云南府八班总役孙亮！他眼睛光看歪脖树啦，没看见这边有人。海川早瞧见是他啦，心想着他可能差事丢了，可李士钧呢？王爷招手："海川，那是孙亮要上吊寻死，快去拦阻。"海川高声一喊："孙班头不要行拙见，童林在此。"金眼鹰孙亮真把扣都拴好了，就要钻套儿。一听声音好耳熟，急忙回头，一看，他可高兴啦！解下绒绳系好了，猫腰捡枪，跑过来跪倒磕头："给王爷叩头，给侠客爷叩头，我，我不死啦，有救啦！哈哈哈，我不死啦！"王爷一看孙班头这副神经质的样子便问："孙班头，你们的差事输啦？"按江湖上说输啦就是丢啦。孙亮点头："恩人，一点儿也不错。"

　　原来他们从菩提寺押着陆寅，三个人直奔团练所，来到之后，三大件就给陆寅带上啦。把事情都说明，给团练所的人道了谢，陆寅捆在车上，一路押解陆寅回到常德府。来到衙门前，往里一回，还是王头值班。孙亮一说，王头乐啦："孙爷，我跟您说过，白少爷是好人。得啦，我给您回一声。"金知府得信后，看了公文，吩咐升堂。金知府升公堂，先问原差，孙亮首先认错，白洁确系善良。然后又把拿陆寅归案的事，如何拒捕，李英如何协助，陆丰如何逃走详细说明。然后带陆寅，审讯明白，陆寅全招啦，当堂画供，给陆寅三大件砸死，提牌子押人大牢。退堂后，金知府来到书房，把李英、白洁叫到房中，行礼之后，细问一番，白洁、李英把当年的事又叙说一遍，金知府也很赞叹。知府拿自己名片，请来本城的绅商、知名的老人，恭送李英、白洁回家。使全城的人都知道白洁、李英是好人。白洁、李英见了白母，悲喜交加，绅商告辞。母子三人重聚，哥俩把事情说完，才跟老太太商量："娘啊，弟弟已然回家，事情总算过去，孩儿尚有未了之事，必须帮助孙班头把陆寅解回云南府，洗刷两家先人的清白。然后孩儿接您儿媳孙男女，来常德府居住，我和弟弟好好孝顺您老人家。"安人自是高兴。左胳膊刘三爷夫妻听讯赶来，李英也给道谢，从此跟刘三交了朋友。李英吃完饭，嘱咐兄弟看家，然后来到衙门跟孙亮相见，才知道金知府出了火票，调动守营二百官兵，以及三班人役，到陆家堡捉拿大盗陆丰。陆丰没拿到，案后访查，缉查归案。全部家财充公入库，以助善举，倒也不错。

　　孙、李二人商定，提出陆寅上了囚车，金知府给拨了十六名兵丁，押送陆寅直奔云南府，嘱咐一路上严加防范。今天就走在沅江的江堤下边，往西是一段山沟，南边是大片的竹林，湛青碧绿。这个地方叫青竹塘冷风嘴。李英告诉孙亮："老班头，这个地方十分凶恶，加点小心。"这些日子孙亮感到李英为人忠厚，能为又好，而且心细如发，有了李英，孙亮省了心。他想啊：这个年轻人老成练达，将门虎子，不愧是李光辉的跨灶佳儿！自己六十多岁，已是风烛残年，此番能平安回家，还乡告老，一定保举李士钧为八班总役。孙亮打定主意，所以李英说什么，他准听从。正往前走，只见江堤之上呛啷啷锣声震耳，顺着沅江江堤以内，嗵啦啦撞出足有一百多名喽罗，各持腰刀，喊杀连天。竟有大胆贼人，在冷风嘴劫囚车。

第二十回

清竹塘四寇劫囚车
龙潭镇于老访双侠

上回书说到李士钧、孙亮押囚车直奔云南而来，没想到走至冷风嘴儿，听江堤内呛啷啷一阵锣响，一窝蜂上来不少贼人抢劫囚车。李士钧回手拉刀，金眼鹰孙亮也把镶牛皮枪帽儿摘下来了。车把式是个行家，把车停住，抡着鞭子在里面一蹲。十六名兵丁，刀出鞘，枪去帽儿，唿拉把囚车一围，脸冲外一站。再看从江堤后边噜噜噜蹿出四个人来，为首者手持明亮的钢刀，恶狠狠地扑向囚车，正是戏水江猪陆丰陆松坡。后面的三个，一个大高个儿，面似生羊肝，一身蓝，使一对二郎镋。一个中等身材，一身蓝，黄脸膛，掌中擎五股烈焰托天叉。另外一个肩宽背厚、大高个儿，一脸的大麻子，十分凶恶，手中一对短把牛头铠。四个人一阵风一样，直奔囚车。孙亮眼珠子都红啦，一颤枪，厉声骂道："陆丰贼子，你竟敢以身试法，抢劫囚车！"说完，孙亮举枪直奔陆丰哽嗓就扎。陆丰一咬牙，双手捧刀，往上一挂，噌地一声，孙亮就来了个翘趄。陆丰趁势一刀，孙亮退头一躲。陆丰一抬腿，正是孙亮的胸口，嘭地一下，把孙亮踹出一溜滚儿！陆丰飞身过来，举刀就剁，孙亮自知活不了，他一闭眼。正在这时，李士钧一个箭步就到啦，从后面顺水推舟，退头一躲，用进手绝招，左手的掌奔面门，右手刀刃冲外，对准陆丰双腿戳来。陆丰脚尖点地，往起一蹦，李士钧刀走进步中挑，奔陆丰的小肚子就扎。陆丰一斜身，刀在跨骨轴上就划上了，疼得陆丰龇牙咧嘴，鲜血直流。其余三个贼人一见此情，唿拉拉分为三面，把李士钧围在当中，真是一场恶战！陆丰不顾疼痛，带兵丁还往上冲。喽兵掏出铁锉，嚓嚓嚓把锁锉开，砸毁囚车，又锉折了三大件，搭救陆寅。孙亮一看完了，时间一长，李士钧也活不了。双拳不敌四手，猛虎不如群狼啊！他提枪往东，进树林就要上吊。现在一看王爷和海川，心花怒放，忙道："爷驾，侠客爷快救救李士钧吧。我本想差事丢啦，难以寻拿，又白白断送了李士钧，我居心不忍！全家二十七口监牢待质，可我已很难生还故里，因此才在林中自尽。不想遇到王爷、侠客爷，您快救救李士钧吧，晚一点儿就完啦！他是武林中的好后代，爷就发发慈悲吧。"说着，磕头如捣蒜。王爷也怕李士钧有闪失，道："海川，你就快去吧，事不宜迟啊。"海川很为难，想着救李士钧倒不算什么，不过既有贼人抢劫囚车，必有贼人盘踞。倘若一去，王爷若有个好歹，那还了得！便对孙亮说："孙班头，你起来，若救李士钧，王爷谁管呐？""侠客爷，李士钧眼看丧命，侠客爷有好生之德，孙亮愿在此陪伴王爷。"海川说："孙班头，你连个差事都保不住，还要保护王爷？"孙亮一听，就没了主意。

　　正在进退两难之际，就听树林子外边有人说话："海川，你跟王爷在这儿么？"又有人喊："师父。"孙亮也不磕头啦，他一看进树林来了一老二小。老人家佩宝剑，发挽银丝，髯垂玉线，精神饱满，二小粉装玉琢。正是老侠圣手昆仑镇东侠侯振远和司马良、夏九龄爷儿三个来到。

　　原来王爷、海川走后，侯老侠为的是让他们小哥儿五个多亲近几天。过了三天，侯老侠跟三老提出来："该走啦，我们爷三个也不放心。"三老还挽留："老侠再住两天，我弟兄多聆教益呀！"侯老侠摆头："三位老英雄，再耽误就追不上他们爷俩啦！再说西南大道也很凶险，海川一个人不成啊，咱们后会有期吧。"郑奎无奈，拿出白银二百两。九龄把银子带好，吃了饯行酒席，五小弟兄难离难舍，直送出村口老远，洒泪分别。夏九龄走在路上总想淘气，可在师大爷眼前他还不敢。如果不是王爷病了两次，他们爷儿三个真追不上！今天走到沅江岸清竹塘，听见林中说话是海川的声音，爷三个才进来相见。老侠一看，有个老头跪在地下，一个劲儿的磕头央告，海川在旁边为难，王爷坐在石头上着急。老侠给王爷请安，王爷高兴啦："侯老侠，这个人是云南府八班总役孙亮。"说着，一指侯老侠："孙亮，你磕响头吧，这是圣手昆仑镇东侠，艺压武林的侯振远侯老侠！"孙亮连连拱手叩头："求老侠宏施恻隐！"侯老侠无暇细问，王爷说道："老侠客，海川正在为难，李士钧是侠义之后，必须搭救，事不宜迟啊。"侯振远一听，当机立断："良儿、九龄，会同孙亮保护王爷尾随于后，海川随我来。"老侠左手托剑鞘，右手荷剑把按崩簧，呛啷啷，龙渊宝剑离鞘，犹如一道电闪。海川也把包袱打开，包袱皮一围，怀抱子母鸡爪鸳鸯钺，虎视眈眈。二人走出树林，脚下用力，往西上了土山岗。但见囚车被砸，地下扔着铁镣，押护兵远远地躲着，喽兵已没有啦，只有四个贼人，各持兵刃，团团围住李士钧，确实是危险万分！侯老侠一看李士钧的身法步眼，心说：这个年轻人受过真传，而且功底扎实。

李士钧救了孙亮，差事被劫，三个贼人各持兵刃向他扑来，英雄把心就横上啦！紫脸大个儿使一对二郎锛，这二郎锛三尺六寸长，两头好像冰锛，攥住当中还有扩手鹅眉枝子，十分厉害。他左手锛一晃，右手一推，叫"佛前拜香"，照李士钧胸前便扎。士钧刀往上翻，一挂锛，闪左手，"迎风劈柳"，盖顶就剁。可后边使叉的黄脸哗楞楞一抖大叉，对准李士钧后心便扎。李士钧眼观六路，耳听八方，撤刀换式右脚扎根，一旋身，鼻子尖找地，跟拧旋子一样，左脚踹使锛的小肚子，右手刀"拨草寻蛇"，砍使叉的双腿。使叉的脚尖点地，往起一蹦，黑脸大麻子又用牛头铛照李士钧的肩头砸来。李士钧好俊的功夫！右脚一蹬地，弓左步，矮身形，躲过双铛，"进步撩阴"就是一刀。使铛的往后一撤步，使叉使锛的双管齐下。三个贼人三个角儿围住李士钧。等到陆丰救了陆寅之后，他摆刀也加入战团。李士钧力敌四寇，由于受父亲的传授，而且自己也刻苦用功，四个贼人从四面八方攻来，但李士钧更有腾身步月的奇能，听风辨物，四人竟没有沾上他的身子！李士钧一开始，就按着规律喘气还招。可是时间一长，刀法快要乱啦，步法快要散啦，呼吸之间可能丧命啊！正在千钧一发的时刻，双侠赶到了。侯振远抖丹田一声喝喊："吠，贼人吞了熊心，咽了豹胆，竟敢抢劫囚车！现有镇八方紫面昆仑侠童林在此。"侯老侠这一嗓子，贼人嗯拉拉各自跳身出去。海川一听兄长为自己扬名立威，心说：我也给兄长来一嗓子！海川手捧双钺，高声断喝："咴，光天化日，朗朗乾坤，竟敢蔑视国法王章，路劫囚车，现有圣手昆仑镇东侠侯振远在此。"真是人的名儿，树的影儿，贼人哗地一下，顺江堤逃跑。双侠各自撩长衫飞身就追，眨眼之间上了江提，居高临下，一看沅江，水面宽阔，浊浪排空，西北隐现山峰，江边江苇丛生。再看这几个贼无踪无影。哥俩明白，这些贼人都精通水性，加上沅江水深浪急。江苇茂盛，万难寻觅贼人。

双侠从江堤上下来，一看李士钧真是行家，他叉开双腿，刀尖点地，双手捺住刀把，低着头闭着嘴喘气呐。半天的工夫，李士钧这才缓过来，跪在双侠的面前："几次蒙侠客爷相助，总算逢凶化吉，今日若非侠客爷虎驾降临，焉有李士钧命在？小子给二位侠客爷磕头啦！"海川伸手相拦："李士钧快起来，我给你介绍一下，这位是我哥哥，圣手昆仑镇东侠侯振远。"海川又一指李士钧："老哥哥，他就是腾身步月李士钧。"李士钧抢步跪倒："老侠客爷，末学后进李士钧再次拜见。"侯老侠伸手扶起："海川，这到底是怎么回事？"童林才把李士钧、孙亮以及白洁的事情，跟老侠说明。侯振远点头道："李壮士，令尊李跃在江湖路上，与老夫也曾相识，不想他晚年遭此大故，令人惋惜。"李士钧又行礼道："原来老侠客爷与先父有旧，晚生失敬了。"这时候，王爷带二小和孙亮全到啦。李士钧过来给王爷磕头行礼，又见过司马良、夏九龄。侯老侠把刚才的事情一说，孙亮差点哭出来。茫茫千里的大江，找贼人何易？大海寻针，我怎回得云南府哇！孙亮想到这儿，寻死的心又有哇。他眼含热泪，心想：只有厚颜求救："这几个贼不用说捉拿呀，单凭能为我连一个都胜不了哇！侠客爷念孙亮在六扇门里当差做吏，身无大过，您就帮帮我吧。"说着以头碰地，泪流如雨，李士钧也跪下哀求。海川伸手把二位搀起来安慰道："此事关系数家的清白，十几条含冤的人命案，我绝对管到底，当然我要跟老哥哥商量一下。"二人又过去给侯振远磕头。童林毫不思索慨然应允，侯老侠又气又爱。气的是你自己身奉圣旨，请国宝拿二小毫无头绪，自己的事情都管不过来，还要管人家？爱的是海川见义勇为，别人的困难，视为自己的困难，颇合侠义的骨气，自己怎能拦阻？

谁想到童林这一急，惊动了清竹塘内隐藏着的一位武林豪侠、成名多年的老前辈，他暗竖大拇指："好童林，够个侠客，我捧捧你。"因为此处不是这位老侠出世之时，暂且不提。

顺江堤往西不足五里，紧靠沅江南岸有个大镇甸叫龙潭镇。兵丁们过来帮助把式整理好车，把三大件都扔到车上，孙亮带路，众人奔了龙潭镇。一进东口儿，果然买卖兴隆，人烟稠密。路南有座大店，字号是"兴隆店。"一个伙计二十多岁，腰系蓝色围裙，肩搭白汤布手巾，挂好灯正在让座："南来北往的客人们，天快黑啦，您打尖住店吧！咱们兴隆老店童叟无欺，新粉刷的墙，四白落地，租赁被褥都是里面儿三新，现拆洗的，没有蚊子、虫子、苍蝇、跳蚤、臭虫。红白两案的大师傅都是从京城里请来的，味道很好。伙计们侍奉殷勤，价钱更是公道。客人们请吧，再往下可就错过宿头啦！"这个伙计薄嘴唇很能说。王爷可说：

"就住这儿吧。"伙计点头哈腰往里让，大车从车门赶进去，牲口刷饮喂遍，连把式十七个人，都在跨院住下了。

王爷一行七人，由伙计带到南上房五大间，当中三间一通联儿，东西两个大暗间儿，摆设也不俗气。里外屋灯光全点上，大家分头放包袱，然后洗脸漱口喝茶。稍事休息，王爷把伙计叫进来："你们这儿饭食怎么个吃法？是零叫菜，还是整桌的？""爷台儿可以叫整桌的，八两一桌有翅子没海味，十两一桌海味全带，小费在外。""好吧，你就给我们上一桌十两的。"伙计下去了。王爷重新把李士钧的事情，又跟侯老侠详细说明，镇东侠也很赞叹。时间不大，酒宴摆好。王爷坐在正中，左边是镇东侠，右边是海川。海川的左肩下是李士钧，侯老侠的左肩下是孙亮，良儿、九龄坐在最下边。九龄把酒都给斟好，王爷端起酒杯，让镇东侠道："侯老侠喝一杯吧！"侯振远也端起酒杯，可一端酒杯，侯老侠心潮汹涌，暗思着，海川随贝勒爷屈尊来，邀我出山相助，捉二小请还国宝。想我今年八十开外，人老不讲筋骨能为，我还有多大本领？前途茫茫，吉凶未卜，我还能生还故里吗？捉贼无迹，请宝无期，……这杯酒实难下咽。因此长叹一口气："唉！"酒杯往桌上一放。侯老侠的心烦勾起海川心烦，想自己在王府，既能酬恩保护王爷，又能尽孝敬奉父母，岂能料到二小盗走国宝，隐害我童林？虽蒙老哥哥仗义相救，但国宝无影，二小何在？什么年月才能捉住二小，请回国宝？想到这儿，亦是杯酒难下，长叹一口气："唉！"往桌上一放酒杯。孙亮端起酒杯，心涌上胸前，前后三载访盗拿贼，全家二十七口，饱受铁窗之苦，好容易拿住陆寅，又复失去，何年何月才能销票无事呢？同是长叹一声："唉！"把酒杯放到桌上了。李士钧端起酒杯，也想起先人死得惨，自己又蒙不白之冤，陆寅归案，眼看要沉冤昭雪，现在又丢啦，归案无期呀，他又长叹一口气："唉！"把酒杯放在桌上。王爷一赌气，也把酒杯往桌上一放。"叭！"吓了大家一跳。海川一看屋里的空气太憋闷，他站起身来，刚要往外走，就听店门口有人喊："伙计，我要住店呐。"嗓音很尖，传得很远。他心里一动，离开南上房，直奔店门口，海川一看，这位住店的年岁太大啦，足有百岁开外，是个大个儿，可腰已弯下来，成了中等身材了。厚嘴唇，五官塌陷，两只眼睛闭着，两道蚕眉，寿毫长到眼下，钱儿大的小辫儿垂在身后，红辫绳上拴着两个康熙铜钱，一走道叮当乱响，一部白胡须苫满小腹，上边净是泥土。身穿一件蓝色绸衫，上边补着各色的补丁，红黄蓝白，好像舞台上穿的富贵衣，穿着一双开绽的破靴子，手里拿着一根青竹子当拐杖，一步三摇，嘴里直哼哼。海川纳闷：老者偌大的年纪，家里人为什么还敢让出来呀？就听老人跟伙计说："哼哼哼，哎呀，走到你们店门可不容易呀，还有上房吗？"伙计赶紧过来，笑脸相迎："老爷子，咱店里客满啦，您往前还有好几家儿大店呐。""什么？还叫我往前走，我走得动吗？再说，我看你们这儿就很有风水呀？"伙计一听，得啦，老爷子是到我们这找穴眼好安坟立祖呐！"老爷子，您这么大的年岁，身旁又没跟着人，万一您住到店里，我们照顾不周到，出点什么事，店里担不起呀！"老头听了不大乐意："听你这话，是怕我死在你们的店里？""老爷子，这是您自己说的，我是怕您挑眼呐！""要真死在你们店里，你们掌柜的就发财啦！""啊！怎么发财呀？""用上等棺木，把老夫盛殓起来，就在你们店里高搭灵棚，请高僧高道超度亡魂，你们掌柜的头带麻冠，腰系麻辫，身穿重孝，手拿哭丧棒，肩扛引魂幡。陪灵奠酒，大大的领受一份重礼，不就发财了吗？"海川在旁边也不敢笑。伙计听了把眼一瞪："那我们掌柜的可就成了您的儿子啦？""哼！他有那么大的造化吗？伙计，有这么句话：休笑他人老，转瞬白头翁。老夫在幼年之间，也曾打过一拳。"说到这儿，老头把双臂一分拉了个四平架儿。伙计赶紧拦住："老爷子，行啦行啦，您别闪了胳膊！""嘿嘿，我也踢过一腿。"说到这儿，老头儿两手一抱竹竿儿，把左腿往起抬。伙计又拦："得啦得啦，老爷子您别扭了腰！"老头儿接着又说："不管怎么说，我也算在武圣人面前磕过头哇，难道说老啦，就要露宿街头吗？没有上房我可以住跨院嘛！""老爷子，跨院也满啦。""你们柜房行吗？""柜房都挤严啦。实在满啦，您多原谅吧。"老头一指童海川："这位客人说说，这店可够厉害的，住店还要分老少哇？"海川一听老人练过武，很是同情，加之伙计说话生硬，有些听不过，他便迈步下了台阶："这位老爷子，伙计也有他的难处，望您宽容他，店里住满了客人也是实情，您住店吃饭都给钱，怎能嫌你老呐。"这老头接着就说："是啊，又不是立祖坟。"伙计一听这个气！海川沉吟一下："这样吧，我也是住店的，我们要了五间上房，虽说人多，却有富余，您就住我们那屋里吧。"老头一听："好哇，哪儿都有好人呐！可房钱怎么算呢？"海川一听，这老头儿可真细心！就说："您只管放心，不会叫您吃亏。""谢谢，我走不了哇，伙计，劳您二位的驾，搀着我走吧。"伙计心说：这位老客多管闲事，真要死在你们屋里也是麻烦事！海川在左面，伙计在右面，搀扶老头儿往里走。

走进院中，老头冲着大家点点头："早来啦，众位。"然后来到里间屋，坐在炕沿儿上，老侠侯振远进来冲着老头一抱拳："请问您老是哪一位武林道的老前辈？"侯振远看得出来，老人的眼角处，透露光芒，这是一位风尘的侠义，武林道的老前辈。那老头一托胡子大笑起来："哈哈哈，侯振远侯老大呀，你的眼力不错呀。"声音洪亮，可以绕梁，吓得伙计噌地一下蹦一边去啦！再看这老头，跟气吹得皮球似的，忽悠悠站起来了，个儿也高了，身体也挺起来了，腰也直了，大家都怔了。侯振远一躬到地："老前辈可肯把大名赐下吗？""哈哈哈，老夫家住山西太原府太谷县于家庄，姓于名成字洞海，有个小小的外号，西方侠长臂昆仑飘髯叟。"

原来西方侠于成于洞海听说直隶省京南霸州童家村，有位新出世的人物，三十来岁，在江西学艺，独成一家，武艺精湛，奉师命要在武林中自立门户。老侠一听，不由得冷笑，还要自立门户？于某不才，十八趟通臂掌、二十四式行拳敢说打遍天下，都不敢自立门户。你小小年纪，何德何才要自立门户？在我这儿你就过不去！于是，便叫侄子于秀收拾东西物件，把自己特制的破衣破鞋还有其他的化妆物品也带在身上，家务事叫于小三儿照管，爷俩可就往直隶霸州来了。到童家村一打听，才知道童林已是四贝勒府的教师了。老侠一想：这个人借重王爷的势力，看来没什么本事？于秀可就劝啦："姓童的，没什么了不起，访他干什么？"于老侠的脾气很倔。"不，我非访他不可，你要不愿去就回家。"于秀不敢吭声了。

爷俩来到北京，打听雍亲王府，才知道童林和王爷追盗宝二贼，下山东聘请镇东侠侯振远去了。于老侠更生气了，难道我还去山东吗？这可是吃多了食儿呐！再说侯振远跟我徒弟是结义弟兄，我虽然没见过他，可他是成名的老侠客。嗷，姓童的怕是动用官府势力，迫使侯振远就范，替童林卖命！我呀去趟山东，看你姓侯的是否趋炎附势！于是于老侠从北京入山东，到清河油坊镇，来到李源的家里，没想到李源还没回家呐。李大奶奶好好招待师父、师弟，一切由刘三爷办理。又叫他给准备了二百两银子路费。他们爷俩来到山东东昌府巢父林，到侯家庄一打听，好么，侯振远、童海川杭州镇擂去了。老侠客爷可更气坏啦！爷俩又从山东顺着大运河往南来了，也搭着多年不来，一到江南水乡，倒也另有一番情趣。等到了杭州一打听，才知道童海川杭州擂掌震法禅，北高峰献艺贺号，贺了个镇八方紫面昆仑侠。于老侠一听，眉毛都立起来了，怎么着？镇八方？连我这一方也镇啦！我没同意呀！难怪我徒儿李源也跟他们瞎跑。又一想：童林必有过人之处，不然，侯振远、李源为什么还要捧他呢？再说南北昆仑会，秋田、司马空都是了不起的人物，为什么也都捧童林呢？如果完全仰仗贝勒府的势力不成啊！看来童林这小孩儿还有点意思，我一定要会会他。于老侠主意拿定，再一打听才知道童海川又下云南拿二小去了。老侠可就怔啦，去云南？我都一百零一啦！不去，我回家？不，上天入地我都干，云南我去定了！于是带于秀从杭州就往云南下来了。于老侠也明白自己桑榆晚景，这次到江南，将来不可能再到江南来了，一路上也是游山玩水，浏览锦绣河山。今天走到沅江清竹塘，紧靠大江，老爷子要休息，叫于秀进了竹林，撅了十几根竹子，然后把包袱往上一放，老人家坐了一会儿，闭目合睛，于秀在旁边站着。就这么个工夫，车铃响，咕噜噜来了一辆囚车。囚车上押着戴铁铐的犯人，看样儿这案子轻不了。老侠知道于秀好惹事，又好管闲事。就嘱咐道："秀儿，我可告诉你，出门儿在外少管闲事，这个犯人领的是国法，与咱爷儿们无丝毫关系，总是他罪有应得。""您老说得对，孩儿什么也不管。"正在这时候，就听江堤里面，呛啷啷一阵锣响，噜噜噜，出来几十名喽兵，跟着有四个人，面貌都很凶恶。老侠看着有些面熟，但事隔多年记不清啦。只见四个人各持兵刃把囚车挡住。这个老班头提枪过去，三两下就给打跑了，另外还有一位使刀的年轻人被围在中间，前后力敌四人，面无惧色，实受过高人传教。四面受敌，刀法不乱，差事被劫，还是不走，看来是仇杀。这可把于秀急死啦："干啦！这个使刀的一个人可受罪啦，您老人家怎么还是坐山观虎斗？孩儿可要管啦！"回手就要拉刀。老侠拦住："于秀哇，不是为伯父的不管，有这么句话，是非只为多开口，烦恼皆因强出头。你只要伸手一管，可就有麻烦呐！你们年轻，有一腔热血，管是容易，管上就不能罢手啦，咱爷俩就不能回家啦！"于秀赌气说："不回就不回！"于老侠想了一下，便问于秀："那好，我问你，他们谁是好人，谁是坏人呐？""这使刀的三十来岁，功夫很好，既是受过高明传授，那就是好人，您看那几个贼头贼脑，一定不是好人。"老侠一想：我这侄子于秀也长能耐啦。"好，你说管咱就管。"其实于老侠的注意力全在战场上，他知道李士钧刀法身法都不乱，胸有成竹。真要李士钧不敌啦，于老侠早就到啦！老爷子刚要站起来，就听东面土岗上有人喊："现有镇八方紫面昆仑侠童林在此。"老侠一看，哟！童林的胡须都白啦？跟着旁边的年轻人高喊："现有圣手昆仑镇东侠侯振远在此。"果然贼人嗯啦啦逃跑了。于老侠点头，罢了，童林小小年纪，威震江南，贼人闻名丧胆，看来盛名之下无虚士。等到孙亮跪下一求情，海川慨然应允，于老侠竖大拇指："好样的！"并得意地认为：我于成于洞海不虚此行，再走五个省，我也乐意，见义勇为，侠义天职！我访访他。这样，便对于秀说："秀儿，跟着他们，瞧他们到什么地方。"于秀随后跟去，天色都黑了才回来。"他们住在龙潭镇兴隆店了。"老侠点头："把我那身衣服拿出来。"老侠把破衣破鞋袜拿出来穿好，撅了一根竹竿，用手指把枝叶打去，叫于秀包好衣物，远远地跟着。老侠来到村口，看见伙计让座儿，老侠把一口混元真气提上来，使一手天华宝盖闭吸之法，嘴里哼哼着来到店门前要笑伙计。海川出来，老侠点头，童林惜老怜贫，够个侠客。直到侯老侠问及尊称，老人家托银髯大笑，才说出姓名。

海川一听，这是我拜兄李源的授业老师，是老前辈。海川就势跪倒磕头："老前辈，弟子童林大礼参拜。"于老侠伸手把海川扶起来："等一等，江湖无辈，绿林无岁，有道是肩膀齐为弟兄，不能以年轮而论，咱们是弟兄相称。"海川面带笑容："老人家您还不知道吧，李源是我拜兄，怎能乱了辈份，叫人家耻笑？"于老侠一摇头："不对，会交的交三辈，不会交的交一辈。再者，你奉师命兴一家武术，如果混出来都是父师之辈，不是叔叔就是大伯，武术怎能自成一家呢？江湖路上不管是谁，本门本户当然谈论，其余只要师父没给介绍的全是弟兄。是这样你交我，不是这样别交我。要不你看不起我。至于李源，咱是先论后不论，你们交你们的，我管不着。也不能因为你交了我，就跟李源拔香头儿，改口管他叫大侄子呀！"于老侠跟童林要结忘年交，使侯振远很感动，这是于老侠一片苦心，成全童林。比方说，见着不认识的武林同道，提起话来，海川说西方老侠于成是我哥哥，一下子把海川提高一大块呀！这叫一登龙门，身价十倍！于是侯老侠在旁边说道："海川，老人家的苦心，你当明白，恭敬不如从命吧。"于老侠点头："这才是。"海川只可答应："既然如此，老哥哥请上，受小弟大礼。"于爷伸手相接："兄弟请起吧。"侯振远等海川起来，这才跪倒："老师在上，弟子侯廷给老师叩头。"原说于成比海川大七十岁，但比侯廷只大十几岁，可以说是同辈人呐。无奈侯廷与李源相交多年，如果因为海川叫兄长，他也糊里糊涂的叫兄长，人家于老侠就要小看侯振远，妄自尊大。于成很赞美镇东侠，马上扶住："侯老大，咱们商量商量，你跟李源交友多年，他每次去太原看我，都要提到你，你们俩是挚交。要是在李源的家里，那就是这样论啦。可今天在这儿见着，既然我跟海川是弟兄，干脆，咱们也是弟兄吧。""弟子不敢。""得啦，你别跟着添乱，将来见李源，我跟他说，他不乐意我顶着。"侯老侠也无法啦："侯廷僭越了，哥哥请上，受小弟一拜。"于成也下了半跪："兄弟起来，起来。"这就是于老侠知礼处，人家侯振远也八十多岁啦。"振远，你怎么会看出我的闭吸功来啦？""虽说您老态龙钟，可您的眼角儿透露光芒，所以断定您是位风尘侠隐，这才叩问您的来历。您游戏三昧，戏耍海川，你可瞒不了我呀。""哈哈哈，看来我倒是输了眼啦。这样吧，你派人到外面村口，去叫侄男于秀，他还拿着包袱呢，我换衣服，咱们好说话。"镇东侠让伙计招唤于秀，然后去打洗脸水。于老侠擦了脸，换了衣服。侯振远一抱拳："哥哥，请到外面。"

雍亲王早看得两眼发直，于老侠一出来，跟刚才判若两人，容光焕发。老侠是位高身材，身上穿米色绸长衫，腰里系着拇指粗的宝蓝色绒绳，双垂着灯笼穗儿，里面是白绵绸的裤子汗衫儿，白绫的高腰儿袜子。往脸上看，宽头四方脸，顶都谢啦，线儿大的小辫垂在背后。两道蚕眉，二目烁烁放光，不亚于两盏金灯，一部银髯苫满前胸，真可谓形神潇洒，和蔼可亲。王爷万分尊敬，知道他是李源李老侠的恩师，大名鼎鼎的西方侠。在杭州，众位侠客不止一次提到，所以恨不得早日相见。镇东侠一指王爷："老哥哥，这位是当今康熙老佛爷的四皇子，固山多罗贝勒府的雍亲王爷。"于老侠知道王爷是金枝玉叶，自己应该大礼相见，不能倚老卖老，被人耻笑。老侠客爷抢步行礼："草民于成叩见王爷。方才老迈颠狂，请王爷莫怪才是。"说着真的跪下去，王爷怎么能教人家给自己磕头呢？赶紧用手相搀："老侠客，请起，请起，本爵不敢当。久仰您的大名可不是一天啦，总想着这一次江南的事情办完，叫海川带着本爵上趟山西，亲自到府上聆教益。没想到老侠客亲临江南，我们见着面，堪慰平生之幸啊！"老侠于成连连摆手："王爷夸奖啦，我年老才疏，实在不敢当！""老侠客，今年高寿啦？""哈哈哈哈，两代贤君的雨露之恩，草民今年一百零一岁。"又把于秀叫过来给王爷磕头，跟大家见面。然后入席。王爷一定让于老侠上座，于老侠可不敢当，一定让王爷上座，自己侧坐相陪。侯振远、童海川、李士钧、孙亮、司马良、夏九龄、于秀，大家全都坐下。王爷把酒杯端起来了："幸会，幸会，老侠请吧！"大家伙儿开怀畅饮。

酒过三巡，菜过五味，王爷问："于老侠，您怎么一旦之间带着侄子来到江南呢？"于老侠并不隐瞒，把为访童林，先到北京，后到山东，再到杭州，堵气奔云南，在这儿才见着的事情都说了。王爷听完点了点头，然后把海川的事情也说了。酒逢知己千杯少哇！又叫伙计端酒上来，一边喝酒一边说着话。老侠侯振远琢磨：这个于老头儿，穿着一件破大衫，一双破鞋烂袜子，跑这儿蒙我们来了！如果我侯振远看不出来，我跟海川可就栽给他了！他可是个老前辈呀，办这事对吗？我呀，我也给这老头子出个难题。侯老侠想到这儿，把酒杯一放，自己叹了一口气："唉！"本来大家美酒佳肴，一吃一喝，高谈阔论，听见侯老侠叹气于老侠问："振远啊，怎么好好地喝着酒，你唉声叹气呀？""唉，老哥哥您甭提了。"侯老侠先把海川出世以来的事情又描述了一番，然后说道："这一次下云南请国宝、拿二小，半路途中碰上他们二位。"侯振远一指金眼鹰孙亮和腾身步月李士钧。接着说："云南府出了十八条命案，孙亮是捕快，李士钧这一次被屈含冤，事情总算过去了。没想到在清竹塘冷风嘴囚车被劫了！这件事老哥哥亲眼目睹，孙亮苦苦的哀求，我二人没有办法，这才担负起这件事情。可是我和海川都初到江南，不知道哪有占山的寨主，落草的强人，我有意跟老哥哥请教，又不好启齿，我一时为难，才长叹了一口气。"于老侠一听，侯振远这个人很厉害，你管我叫声老哥哥，我于成闯荡江湖一世，走遍了南七北六十三省，现在你问我，我要说不上劫囚贼藏在何处，可就栽了跟头了。"振远呐，你看这个事儿巧了，这个地方好像是在沅江附近？""不错，哥哥，北面就是沅江，归沅陵县管，还没出湖南地界，老哥哥您说得对。""现在不用说了，因为哥哥我足不出户已经够年头儿了。记得二十多年前，愚兄倒是往这边来过，在沅江水路上劫道的，有窦氏三杰，又叫沅江三鼠，大寨主窦志，外号金毛鼠；二寨主窦勇，外号银毛鼠；三寨主窦明，外号跃江波浪鼠，他们都是云南狐儿山铁善寺的门人弟子。离着北岸不远，还有一片山势，叫金银乱石岛，这个地方我当初走过，拜访过金银乱石岛的寨主，他们也都是云南铁善寺的门人弟子，听说铁面伽兰佛济源长老是他们的师父。大寨主姓马名彪字云龙，外号人称三孔独角蛟，掌中一条虎尾三节棍，实有万夫不当之勇，水旱精通。二寨主姓谷名瑞表字仙知，外号叫玉顶白鹤，掌中一口雁翎刀，足智多谋，精明强干。三寨主姓殷名魁字天豹，外号戏水驼龙，这个人一身的横练儿，掌中一杆狼牙棒，也是棒沉力猛。后来又从铁善寺来了三个师弟，头一个姓鲁叫鲁明通，掌中一对二郎镲，人称紫面二郎。第二个姓程名叫程志远，使一条五股烈焰托天叉，人称探海燕。还有一个姓陆的，名字叫陆占鳌，听说是湖南常德府的人，这个人有很好的本事，掌中一对短把牛头铛，只因他长了一脸大麻子，所以叫金钱水豹。我后来听说他们合并了，那就应该有九位寨主。这山里盛产五种矿物，就是金银铜铁锡。素常他们也不下山做买卖，官军当然也不敢惹他们。我跟金银乱石岛的众家寨主，二十年前有这么一面之交。至于其余的小贼，那我可就不知道了。我在清竹塘冷风嘴看见劫囚车的，当时，就瞧着有点面熟。您这一问我想起来了，这四个里头我想起三个来，另一个我不认得。这三个就是紫面二郎鲁明通，探海燕程志远，金钱水豹陆占鳌。他们的长相事隔多年记不清，手使的家伙我还得出来。"孙亮、李士钧这么一听，真是心花怒放！劫差使的贼有了，窝子有了，还有老侠于成，再有侯老侠、童侠客，他们三侠帮助，看来拿贼归案销票也就不算太费难了。于老侠又说："不过，谁让我跟金银乱石岛有这么一面之识呢，我倒有个主意。""老哥哥，您有什么主意呀？""我想雇上三只船，叫他们明日清晨在这江边等着，还要多给他们几个钱。咱们哥儿三个亲自坐船去趟金银乱石岛。如果真的盗贼窝藏在山内，请寨主把要犯交出来，与他们本山无干。如果说非要拿贼，而且要抄山，这个我可就不管了。因为金砖不厚，玉瓦不薄，我总跟金银乱石岛有点交情。王爷，您看我说这话对吗？"不等王爷答话，孙亮、李士钧赶紧跪下磕头："老侠客，只要让我们把陆寅、陆丰两个人拿住，咱们不动人家一草一木，有老侠客在内，事情更好办了。您看行吗？""唉，二侠快请起！振远，海川，你们看怎么样？""老哥哥，要是那样就太好了。"刚说到这儿，伙计一挑帘儿进来问道："哪位是侯老侠客？""嗷，我就是。""外头有个人来找您。""嗷，好吧，叫他进来。"老侠侯振远纳闷，在这儿谁认得我呀？连王爷和海川也纳闷。

　　正在这时，帘子板叭嗒一声响儿，从外头进来个人，镇东侠一看，是蝎虎子白亮。他挨着排儿地行礼，请完安往旁边一站。王爷心里想：你干什么来啦？你劫道，叫我们海川给碰上！给你二十两银子走了就完了，怎么还上这儿来呀？王爷就问："白亮，你又上这儿干嘛来啦？""王爷，侠客爷，我赎罪来了，多亏大竹林里童爷一场教训，说真的，我小子也是个人呐，我为什么不往人里走哇？我立志学好了！我在清竹塘冷风嘴一带打听到童侠客爷的对头韩宝、吴志广了。那天，我发现了五只船，船上的人可不少，都藏在沅江边上芦苇里头，后来才知道他们就是为了抢劫囚车。不但陆寅、陆丰这两个贼人在金银乱石岛，连韩宝、吴志广也在金银乱石岛。这样，小子我来了，总算立点儿功劳。我不能在外边再漂着啦，请侯老侠客爷把我收下。"侯振远听完以后，心里想：说真的，白亮也是镖局子里的老人了，现在已经学好了，要让他在外头，他还会做坏事。到了镖局子里头，他有了吃饭的地方了，也就不会再做坏事啦。想到此，看着王爷，那意思让王爷作个人情，王爷明白。"白亮啊！你这个人，我听说嘴很不好，为什么秋老侠单让潘龙和黄灿不要你呀？就因为你挑拨是非，尤其他们哥俩现在刚刚合起手来，所以才不要你。上一次在大竹林里你劫道，说真的你那是被穷所迫，为了吃饭，这也可以原谅，我说句话，侯老侠客可以收下你，你可要学好哇，洗心革面，痛改前非！老侠客，您就看着本爵，收下他吧。"侯老侠点头："白亮！不是王爷说话，绝对不要你，因为你小子不是好人。如果从今以后学了好，上天还与人自新之路呢，我为什么不愿意给你一碗饭吃呢？好吧，收下你啦。""唉哟，谢谢老侠客爷。"白亮磕响头。侯老侠客让九龄拿出二两银子来，交给白亮，伙计把他带出去，单让他在一个屋里，等有了事儿再叫他。

　　第二天一清早起来，大家伙儿齐聚在上房，梳洗已毕，吃点东西，打发孙亮去看船只。孙亮雇好的三只船，弯在镇北口的江边上，回来汇报："王爷，我把船已经准备好啦。""好吧！"这样，于老侠、侯振远、童林带着李士钧、孙亮、小莲花于秀，大家伙儿离了兴隆店，余剩下的人在店里等着。他们几位出了北镇口，赶奔沅江的江堤。这儿是个摆渡口，到了这个摆渡口，一看沅江大江，足有好几里地的水面，声如牛吼，波浪涛天。"哗……"江水翻翻滚滚，随波逐流。三只小船在江边上停着，都像是小瓢似的。老侠于成上了船，站在船头，小莲花于秀在船尾。上垂首这船是侯振远，后头是金眼鹰孙亮。下垂首这条船是海川站在船头，腾身步月李士钧站在船尾。老侠于成一摆手，解缆绳、撤跳板，三只船冲风破浪，就往西北下来了。说真的，海川见水可有点眼晕啊！他知道老哥哥侯振远不会水，可不知道这位于老哥哥会水不会水，如果他也不会，那就麻烦啦！海川问于老侠："老哥哥，您的水性怎么样啊？""哈哈哈……"这老头儿专好诙谐闹着玩："兄弟，你武术精奇，还缺这么一着儿，你大概不会水吧？""对了，哥哥，不但我不会，我哥哥侯振远也不会。哥哥您会吗？""哈哈哈哈，巧啦，我会。""唉哟，太好啦！""别忙，我会水可是坛子浮，掉到水里是咚咚咚。""那不满了吗？""唉，对了，真正的狗刨儿我都弄不好。"海川一听，得！哥仨一个会水的没有，那也没法子啦。

　　三只小船荡桨摇橹往前走，眼看着就到大江的江心了，雾气绰绰，隐隐地望西北是一片大山。就在这个时候，借着水音，"呛啷啷啷"，锣声响亮，"哗……"顺着水流就来了四十只舟船。船上，弓上弦，刀出鞘，喽兵打裹腿，绢帕缠头，每个拿着水战的兵刃，什么钩连枪啊、劈水刀哇，这种刀没有刀盘，在水里有刀盘挡水，刀砍下去不准。只见正居中一只大船，这条大船长足有十丈，宽也有四丈左右。船头上两块夹

杆三道铁箍，有一杆竹杆一丈六，上头挂着一面旗子，蓝缎子旗面，白
蜈蚣走穗，白火粉，白飘带，银枪罩顶，红缨子。旗面上有字：金银乱
石岛，正居中斗大的一个"马"字。由于江风甚大，吹得这面旗子扑噜
噜噜地乱摇乱摆。一边有八名水手驾船，在众家寨主的两边，站着五十
名兵丁，一个个立目横眉，挺胸叠肚，怀抱鬼头刀，如狼似虎。大船的
正中有十二扇围屏，南绣平金，上绣五子夺魁，掐金边，走金线，十分
精致。屏风前面站着不少小寨主，在这些人的前边有三张桌子，当中张，
上首斜着一张，下首斜着一张。每一张桌后坐着三家寨主，右边下首这
张桌边坐着三个人，有三条钩连枪，三家寨主都是瘦小枯干，一身青，
黄眼珠，短眉毛，就跟耗子一样。于爷看清了，不错，这就是沅江三
鼠——窦志、窦勇、窦明。在上垂首斜着的这张桌子旁边，海川和老侠
侯振远他们全瞧见了，正是抢劫囚车的三家寨主——探海燕程志远，紫
面二郎鲁明通，金钱水豹陆占鳌。各人的兵刃全在桌旁边放着。正居中
这三家寨主，海川一瞧，喝！当中的那位，身高足有八尺左右，前胸宽
背膀厚，虎体熊腰，穿着一身蓝，扎着绒绳，脚底下白袜子高腰，大掀
把洒鞋。头如麦斗，面似镔铁，黑中透亮，两道扫帚眉，一双铜铃眼，
大秤碗鼻子，火盆口大嘴叉，獠牙支于唇外，连鬓络腮的花白胡子。后
边有四个喽罗兵，桌上放着他使的镔铁虎尾三节棍，三尺三一节，连上
环就够一丈，足有核桃粗细，抡起来多大的份量啊！这是大寨主三孔独
角蛟马彪马云彪。上垂首这个人，黄头发，当中有一撮白的，瘦小枯干，
刀条儿的脸，一身青，肋下配着刀，他叫玉顶白鹤谷瑞谷仙知。下垂首
这个寨主，个儿大，比大寨主马彪还要高上一拳，膀大腰圆，面似生蟹
盖，青中透煞，花绞的眉毛，怪目圆睁，塌山根翻鼻孔，大嘴叉。军器
也在旁边放着，这是三寨主戏水驼龙殷魁殷天豹。九家寨主完全都在船
上。海川，振远他们老哥俩全都看清了，在大寨主马彪的身后，当中第
一个是个漂亮的小伙儿，这是扬州清水潭烈焰寨的少寨主——玉面小龙
神罗威罗声远。挨着罗声远的是细脖挺儿、小脑袋的老道——紫面分水
鳖乔玄龄。在他们俩的旁边是一边两个，上垂首这两个海川一瞧，正是
盗国宝的闹海金鳌吴志广、小粉蝶韩宝。下垂首这两个孙亮、李士钧看
真了，正是戏水江猪陆丰陆松坡，展翅弥猴陆寅陆晓村。

大江的水面上锣声响亮，喊杀连天，剑钺刀枪，寒光铄铄。海川高
声喝喊："老哥哥，您看，大寨主的身背后站着盗国宝的二寇，您别让
他们跑了！"老侠于成一捋领下的银髯："哈哈哈哈，兄弟，他跑不了！"

这时候孙亮也喊上了：“老爷子，您看见了没有？在大寨主的身后还站着两个，陆寅、陆丰是云南府十八条命案的正凶，您可别让他们跑了！”老头这气，怎么全跟我说？你们是干什么的！“孙班头，放心吧！他跑不了。”

这事就这么巧。当初清水潭烈焰寨义释三寨主、火焚清水潭，罗威罗声远的父亲、紫面龙君罗烈罗焰光他们哥仨让老侠侯振远给放了，罗威罗声远的母亲马氏夫人，是金银乱石岛大寨主三孔独角蛟马彪的妹妹，被火烧死了。罗威罗声远前厅不救父，后堂不救母，为了顾全这个把兄弟，带着乔玄龄、韩宝、吴志广上船逃跑，一直到东岸下船以后，跑出去足有十几里地，回头一看清水潭这把大火，烈焰腾空，火光冲天。“啊！”罗威一跺脚骂道：“姓侯的，姓童的，逼死我母，杀死我父，此仇不共戴天，焉能不报哇！”掩面而哭：“爹娘啊！”乔玄龄在旁边劝：“无量佛！贤弟呀，你先别哭了，看这样老伯父绝对活不了啦，老伯母已然被火焚死，此仇不报，怎么能成为孝子呢？你为我弟兄遭此大祸，我乔玄龄要不为兄弟你死，我就不叫紫面分水鳖！兄弟，你先别哭了，韩宝、吴志广二位贤弟，无量佛，当初你们哥俩到我那儿，结果我把飞龙观搭上了，现在咱们哥仨又到了清水潭烈焰寨，咱又把清水潭烈焰寨给搭上了，飞龙观不能回去，清水潭烈焰寨不能呆了，你们两人出个主意，咱们上哪儿？我盟弟为你们可不容易，家败人亡了，你们说应该怎么办？”“乔道兄，到现在罗贤弟家败人亡了，您的庙也完了，天地虽宽，没有我弟兄立锥之处。”罗威想了一下：“道兄，韩、吴二位兄长，仇咱们一定要报，我看这样吧，咱们不到八卦山去，暂住一时。”乔玄龄瞧着韩宝、吴志广，韩宝、吴志广摇头：“兄弟、道兄啊，不是跟你们哥俩都提了吗，我们是私自下山到北京城盗的国宝，我们敢回去吗？我伯父李昆李太极那个人，要知道我们回去了，马上就得把我们捆上交给童林！仇不但报不了，我们哥俩还得云阳市口，项上餐刀，我们不能回去呀！”“唉！你们俩人又不能回去，难道说咱们四个人就连个遮风避雨的地方都没有吗？怎么办呢？”“哥哥，那没法子，咱们走到哪儿说到哪儿，干脆行无定所。”老道紫面分水鳖乔玄龄也为难。罗威一看，乔玄龄他们三个人真为了难了，就说：“道兄，韩、吴二位兄长，你们哥仨别发愁，我有个地方去，也是非去不可。”“哟，哪儿呀？”“就是离这儿远点，属湖南沅陵县管，在沅江以内有个金银乱石岛，为首的大寨主三孔独角蛟马彪马云龙是我的亲娘舅，我母亲的哥哥，他也是铁善寺的门人弟子，跟我父亲是师兄弟，后来才成了郎舅之亲，这样的事情出来了，我不能不跟我娘舅提提，我得让他们哥儿几个想办法给我父母报仇雪恨呐！"“无量佛，贤弟你既有这么个地方，我们就去吧。”四个人把主意拿好啦，连夜奔往沅陵县。

一路上，饥餐渴饮，非只一日来到沅江，雇了船，来到金银乱石岛的岛口船坞。他们都下来了，把事情跟喽啰兵一提，有的老兵还认识，这是大寨主的外甥啊。正赶上早晨起来大寨主升厅办事，喽啰兵马上进大厅：“报，启禀大寨主得知，外头有清水潭烈焰寨的少寨主，您的外甥罗威罗声远到了。”马彪一听很高兴啊：“唉呀，我外甥小威来了，传我的命令，赶紧让他进来。”这个孩子干什么来了？马彪也有想法。时间不大喽啰兵来到寨门外说：“我家大寨主请您进去。”“你头前带路。”喽啰兵在前头走，罗威可跟乔玄龄商量了：“哥哥，这九家寨主，连我舅父在内，铁善寺是有门规山戒的呀，山林的豪杰，海岛的英雄，占过山落过草，杀人越过货，铁善寺欢迎。要是办过坏事的，或者是卖过蒙香蒙汗药的，不够份量的贼到这几来，可不能提。”乔玄龄一晃小脑袋：“无量佛，嗳，兄弟我不够份量啊？”罗威摇头：“不能这么说，因为我舅父他们最恨的就是发卖蒙香蒙汗药的。”这样他们四个人穿过三道寨门，赶奔大厅，九家寨主全在。乔玄龄、韩宝、吴志广往这儿一站，罗声远一瞧马彪：“舅舅！”一跺脚，“哇”一下就哭了：“舅舅啊，我活不了啦，您得给我一家子报仇哇！”就把这件事从头至尾说了。“姓童的他兴一家武术，侯振远助纣为虐，灭咱们铁善寺的山门，不但是我们一家子，就连太湖孟师伯父他们一家子也完了呀。”罗威接着说道：“他们说了，一定要把铁善寺的门人弟子刀刀斩尽，刃刃诛绝，见一个杀一个，见两个杀一双，要一网打尽！我爹被擒，恐怕不能活了。我母亲活活的被他们放火烧死，没办法，我找舅舅来啦，您得给我报仇哇！”众家寨主都是一怔。马彪马云龙一捋自己的胡子，气得哇呀呀怪叫如雷：“小儿童林，老匹夫侯振远，只要姓马的把你们拿住，就万剐千刀。我一定要给死难的师兄弟和亲戚报仇雪恨，方趁马某心头之愿。”马云龙又对罗威说：“小威，你暂且先住在山里，君子报仇十年不晚，你别着急，仇！舅舅一定给你报。”“舅舅，不是我一个人，我还约请了几位帮忙的。您看这位道爷也是好样的，叫紫面分水鳖。这二位是云南八卦山大寨主混元侠逍遥叟李昆李太极的侄子、小粉蝶韩宝和闹海金鳖吴志广。”马彪一听，心想：怎么八卦山的弟子也会跟罗声远、乔玄龄在一块儿？韩宝、吴志广也并不隐瞒，行完礼以后把自己的事情说了，我们跟童林有仇有恨。“好，我们大家是同仇敌忾！来人呐，把他们四个人带到跨院，给他们找一所房，安排好了住处，到时候吃，到时候喝，派人招待，你们先在我这儿住下来。小威，你看好不好哇？""谢谢舅舅。"这样，把这四个人就安排在金银乱石岛了。

可巧菩提寺逃走的戏水江猪陆松坡也到这儿来了。陆丰陆松坡只挨揍了一砖头，结果陆寅被海川给拿住了。陆松坡想：展翅弥猴陆晓村是我的兄弟，无论如何我得设法救他！可我一个人救不了，好在这囚车是解奔云南，金银乱石岛这是个要路，我得找叔叔去。他父亲叫陆占奎，已经死了，有个亲叔叔就是金银乱石岛的六寨主金钱水豹陆占鳌，这样他就奔沅陵县来了。一路之上，心急似箭，等来到沅江金银乱石岛的江边上，他雇了船，到乱石岛的岛口船坞，下船开发了船钱，然后来到头道寨门。人家兵丁过来拦住了："你找谁呀！""啊，众位多辛苦，在下家住在湖南常德府陆家堡，我的名字叫陆松坡，您这儿六寨主金钱水豹陆占鳌是我的亲叔叔，我给他请安来了，顺便有点家务跟他亲面谈谈。""你候着。"这个时候正是大厅没事，弟兄们没在一起，陆占鳌在他自己的房间里，这是西跨院一所四合房，精致极了，十几个人伺候着，茶来伸手饭来张口。兵丁进来一报告，陆占鳌一怔，这个孩子干什么来了？"嗯，叫他进来！"兵丁出去把陆松坡引进来了。爷俩一见面，陆松坡趴地下磕完头，落座后，陆占鳌就问："松坡，你不在家，上这儿干什么来了？"其实陆占鳌有耳闻，因为自己多年不回家，陆松坡一个人在家里头胡作非为，办了很多坏事，但是这也没法子，儿大不由爷。"唉！叔叔您别提了，这件事情还是您跟我提过的，您不是有个哥哥在云南府吗，叫挠头狮子陆滚？""是啊，怎么啦？""唉呀，他的儿子陆寅陆晓村回到湖南常德认祖归宗，因为他父亲被李跃李光辉所害，……"陆松坡就把这个事情由头至尾都说了。陆松坡最后说道："晓村约我给父母报仇，我不能不管呐，一笔写不出两个陆字来，孩儿我就跟着兄弟陆晓村去了云南。到那儿一找这李士钧，躲灾避难被他跑了。不瞒您说，我们俩人在云南府做了十八条命案。"陆占鳌听了一拦："等等儿，到这儿来你可别提这个，这还了得吗？本山的山规就是最避讳这种事！幸亏是你跟我说了，你要是当着大寨主这么一说，马上把你绑起来，乱刃分尸。"

第二十一回

战沅江西侠杀四鱼
乱石岛东侠败三鼠

　　上回书说到，淫贼陆丰陆松坡来到金银乱石岛，找他叔叔本山六寨主金钱水豹陆占鳌，把云南的事情一说，可把陆占鳌吓坏了！"铁善寺的门人弟子，怎能任凭胡行？门规甚严，大寨主要知晓此事，定把你们置于死地，你怎么净干这个事呀？""我，我以后不干了。不过，我得把这个事情跟您说说哇，因为囚车一定从这儿路过。叔叔无论如何您得通过大寨主设法把我兄弟陆晓村救下来。"陆占鳌点头："到了大厅面见众家寨主，您就说陆寅陆晓村是为给他父亲报仇。""这个没的说，我一定记住您的话。"马上预备饭，爷俩把饭吃完了，陆占鳌细细地又问了陆丰陆松坡一遍，这才把这事情弄清楚。爷俩休息，一夜无话。

　　次日清晨，来到大厅面见马彪和众家寨主，行完了礼。马彪问道："贤侄啊，你干什么来了？""老人家您要问……"陆松坡便委委屈屈把陆寅的事情说了。"我的一位伯父陆滚被云南李英李士钧的父亲给害死了，为这个我们找李英报仇雪恨杀人惹了祸啦，我兄弟被捕，囚车要从咱们沅江山口外头经过，请您老人家宏施侧隐，搭救我兄弟才是。"陆松坡这么一说，大寨主马彪不是傻子，他心里明白，根本不愿意管这样的事。可是陆占鳌一个劲儿的央告，最后大寨主应了，道："让四寨主、五寨主和你，愿意怎么办就怎么办吧！"这样，陆占鳌下来以后跟鲁明通、程志远、陆松坡爷儿四个一商量，先派人打听。时间不久回来了，说：囚车很快就到。他们准备了五只船，连吃的都准备好了，带着兵丁，来到沅江南岸。在江苇当中把小船弯住了，在这儿吃，在这儿喝，净等着囚车来。囚车真的来了，一声呼哨响，陆占鳌等人带着兵丁上去，就把陆寅陆晓村救到了金银乱石岛。老侠侯振远跟镇八方紫面昆仑侠童林童海川高声喝喊一报号，陆占鳌他们跑了。他们可并不是怕双侠，因为童林、侯振远露面了，这是铁善寺的仇人，必须得回山报信！

陆占鳌、鲁明通、程志远带陆丰、陆寅到了大厅，面见大寨主行礼，陆占鳌提出来道："大哥，我们回来的为什么这么早哇？就因为有侯振远、童林要给李英、孙亮这些人撑腰！我们听见他们的名字，有心动手，但没有兄长的命令，我们才回来报告。"大寨主听了说道："很好，很好。"这个时候，第一拨兵丁回来了，来到大厅给大寨主和众家寨主行完礼，就把到龙潭镇打听的事情都说了。第二拨兵丁又回来，报告了西方老侠于洞海准备明天雇船进山要说合这件事。大寨主一听："列位贤弟，不问可知，这是于成知道你我弟兄，他必然泄底了，雇船明天进岛。他们不来便罢，倘若来时，我叫他飞蛾投火，自寻其死！"众家寨主都说："哥哥，您这样办当然可以，为了咱们铁善寺。可有一节，西方侠于洞海二十年前访过咱们，他可了不起呀！""嗯，人老不讲筋骨为能，英雄出于年少，他上咱们这儿来都八十多岁了，现在又有二十多年了，一百挂零的人，他还有什么出手的？一个老棺材瓢子，你们还怕他？"大家伙儿一听，齐道："对，哥哥，我们听您的。"大寨主马彪马云龙马上传命令，准备好了麻洋战船四十只，虎头大战船一只，兵丁都调齐了，一切准备就绪。

第二天一清早派人打探，站在山头上高高地就能望见整个江面。一会见回来报告："禀报大寨主，三只小船一共有六个人，奔咱们金银乱石岛来了。""嗯，好，来呀，准备登船。"马彪马云龙传下了命令，所有的人全都上了船，这才从金银乱石岛的岛口冲出来。呛啷啷……锣声一阵响，等来到半江之中往对面观瞧，马彪拢二目可看得清楚哇，三只小船飘飘遥遥，正居中白发苍苍一位老人家，正是二十年前见过一面的西方老侠于成洞海，真是发欺三冬之雪，须压九秋之霜，年迈苍苍，精神百倍，令人望而生畏！马彪心说：我还说他是老棺材瓢呢，看这样可还够厉害的！上垂首小船的船头上站着一位白发苍苍的老人，左肋下佩着宝剑，按着剑把，捋着银髯。下垂首船头上站着一个年轻人，紫微微脸膛，剑眉虎目，鼻直口方，大耳垂轮，小辫儿歪扎着，人字儿的脖子梗梗着，眼睛鼓着，浑身气眼十足，看此人金在沙中，玉在匣内。一身儿蓝，怀抱子母鸡爪鸳鸯钺，也是令人望而生畏。大寨主马彪看完了一回头："你们谁认识左右这两只小船船头站着的人？"小粉蝶韩宝赶紧过来，一躬到地："大寨主，晚生认识。""嗯，说说看。""上垂首这白胡子老头儿是山东东昌府巢父林侯家庄圣手昆仑镇东侠侯振远，就是这个老匹夫与童林为虎作伥，助纣为虐！""啊，那么下垂首这个？""那就是咱们的正对头镇八方紫面昆仑侠童林童海川。"喝！大寨主马彪一听，顿时无名火起，两边的船越离越近了。老侠于成可害怕了，人家这船多大呀，甭说两旁边的，就当中这条船如果不停下硬往前冲，冲到咱们哪只船上，哪只船也要翻哪！再说侯振远、童林两兄弟可不会水呀！人家大船慢慢地停稳了，距离这三只小船都不过二丈四五，大船抛了锚，两方面的船都不走了，大寨主站起身来到船头。这个时候，老侠于成用眼睛看这大寨主身后的四个贼人，心说：这个事不大好办！但是事已至此，箭在弦上也不得不发。一看大寨主马彪满脸笑容来到船头，老侠一抱拳："哈哈哈哈，我当是谁呀，这不是金银乱石岛的大寨主马彪马云龙吗？二十年前于成拜山，蒙你不弃多加款待，至今犹记心头，没想到二十年后咱们二位又见着了！总想来到金银乱石岛再与众家寨主相逢，无奈，贱躯多病不能如愿，今天可就算巧了。哈哈哈哈，大寨主，一向可好？"老侠于成这么一说，大寨主马彪一阵冷笑："嗯！于老侠，你年过百岁，不在府上纳享清福，今日来到鄙山一定有事吧？""大寨主，虽然说老朽年迈，可我这人的脾气还是好动不好静。这次来到江南访友，我走到您贵宝处的龙潭镇，在招商店内遇见几位朋友。"说着话用手一指："这位姓侯名廷字振远，人称圣手昆仑镇东侠，这位是我好兄弟姓童名林号儿叫海川，江湖人称镇八方紫面昆仑侠。还有云南的两位班头，金眼鹰孙亮、腾身步月李士钧。我问他们怎么会在这儿留恋呢？原来是李英、孙亮丢了囚车，案情太重，这案子牵扯到云南府的十八条命案，杀害少妇长女的淫贼陆晓村跟陆松坡就在贵宝寨。盗国宝的二寇小粉蝶韩宝、闹海金鳌吴志广，据说也在贵宝山。为此他们打算登山拜访，又恐怕寨主不明真相，伤了咱们江湖绿林道的义气。他们正在万般无奈，百无所出的时候，可巧跟我碰上了。我与寨主是故旧之交，打算把他们带到贵寨与众位寨主相见。寨主本来做事素称正大光明，看在你我昔日的交情，冲着老夫的脸面，万望寨主将这四个人交出来，不但众人感激寨主成全之德，就是小老儿于成也感念寨主的盛情啊！寨主绝不吝啬吧？于成斗胆上言。"按理说三孔独角蛟马彪马云龙是个通人情的人，没想到他一阵狂笑："哈哈哈哈，老侠客你住口，我们弟兄是铁善寺的门人，占山已是非法，怎么还能容留盗国宝的要犯？更不能向着这些淫贼！那么既然如此，我为什么还要把他们四位留在山中？老侠，你刚才讲，你有个朋友镇八方紫面昆仑侠童林，他奉师命下山兴一家武术，这个我姓马的管不着，可是大不该与我铁善寺的门人为仇，他扬言要拆掉我铁善寺的山门，所以我才把他们四位留在山里，这叫预备窝弓擒猛虎，安排香饵钓金鳌！老侠客，我们的事你最好少管，急速回您的山西静养，免生多少是是非非？如果老侠客你一定要管，我们跟童林有灭门户之仇，岂能与他善罢甘休？"老侠于成听完以后，微然一笑："马大寨主，你不可自误哇！童林兴一家武术实有其事，，灭铁善寺的山门之说万无此理，不过是寨主误听过耳之言，搬弄是非使你们两家不和。道听途说绝不可信，还望寨主三思而行。""哼，于老侠你不必袒护童林，只因太湖要镖，童林助纣为虐，杀我两家师弟，还有两个侄子。二次又把我妹夫罗烈罗焰光在烈焰寨给血洗了，我亲胞妹被他们活活地烧死，我妹夫到现在活不见人，死不见尸，难道这也是道听途说吗？老侠客，分明你袒护童林，前来难我！依我相劝，你呀，别管这件事，这样还可以保全老侠客你的名誉，还可以保全我们二十年的交情！倘若你一定要管，哈哈！于老侠，你就当场亮兵刃，与我弟兄较量三合，将我弟兄战败，四寇不唤自至！打不了我弟兄九个，老侠，就凭你两行伶俐之齿，三寸不烂之舌，打算说出四小，绝不可能！老侠客，这叫酒逢知己千杯少，话不投机半句多！"老头儿于成的眉毛就立起来了，左右手一伸过了头顶，把自己的小辫挽了个揪："好小子，你们这帮猴崽子，欺负我老哇！怎么着？要把我这个说和人给打了，把送殡的埋坟里！我长一百零一了，还没见过！告诉你马彪，你不讲理，老太爷于成也不是好惹的！"老头一伸手把胡子搪在二钮的下边，把长衫底襟撩起来，往绒绳上一掖："二位贤弟，振远，海川，哥哥我可叫他们给气坏了，你们给我看着点儿。"

于老侠说着话，脚尖一点小船的船头，距离大船可两丈好几呢！就看老头儿这么一躬腰，"噌"地一下，捷似飞鸟，就上了大船。"来，你们哪个过来？一对一的也可以，窝子狗一拥齐上，老太爷我也不在乎！"猛然间旁边有人高声喝喊："老儿于成倚老卖老，可认识你家大头目？"老侠于成往后一撤步抬头观看，噌、噌、噌过来四名头目，都是短衣襟，小打扮，绢帕缠头一身青，岁数差不多都在四十左右。于老侠看着这四位都有点面熟，实际上老人家知道他们，这是沅江三鼠窦氏三杰手下的四个头目，四条鱼。叫三尾鳝鱼曹正，大头鱼曹峰，活甲鱼曹德，大嘴鲇鱼曹宝。

二十年前，于老侠客来到江南一带闲游，一走到沅江忽然看见连男带女几个人痛哭流涕。一问才知道，这几个人都被沅江三鼠劫过，他们当中还有被四鱼杀害过性命的。本地乡亲没有不恨这四个人的。老侠要找这沅江三鼠，就是惦记着要把这四鱼弄死。等到了沅江三鼠的窝子里头，见了面，他们净说好的，故意说是铁善寺的门人弟子，这样于老侠投鼠忌器没杀他们，才来到金银乱石岛拜见马彪这些人。马彪这些人还真是高举手矮作揖，说好听的，丰盛款待，老侠客才有些不便下手，离开了金银乱石岛。没想到今天在船上说翻了，这四鱼过来了。老侠于成看了看他们："小子，你们也要在老太爷的面前嘣哒嘣哒？真是太岁头上动土，老虎口边拔毛！叫什么名字，赶快报来。""哼，你家大太爷三尾鳝鱼我叫曹正。"老头儿的眉毛一立，虎目圆睁。心想：二十年前我就要宰你们，可惜我手软了，直到今天你们还是作恶多端，又在我姓于的眼前撇唇咧嘴，看来绝不能饶你们。"嗷！你是三尾鳝鱼曹正啊，老夫耳朵里有你这个人物，沅江三鼠手下的四鱼头目，就有你吧？""我排行在大，老儿敢在我金银乱石岛的大船上如此无理，哪里走？"往前一赶步，他还没拿家伙，左手一晃面门蹦起来，"泰山压顶"，照老侠的顶梁就是一拳，老头儿滑左步跟右步，右手一叼他腕子的"二棒子"，伸左手一插他的胳膊，右脚一抬，对着曹正的裆里头，"啪嚓"一下，曹正一声惨叫："哎呀！"只见他七窍流血，扑通，死尸出去一条儿！"哗……"这些人就乱了。老侠于成往后一撤步，二钮底下一推胡子，伸左手一拢："你也敢在老夫面前飞扬跋扈？经不住我一脚，你还算人物！"这时候身背后有人高声喝喊："老儿于成伤我兄长，大头鱼你家二太爷曹峰在此！"往前一赶步，举双拳，"泰山压顶"，对准老侠的后脑海，脑后摘筋就打来了。老头儿"鹞子翻身"，您看这么大的年纪，腰腿那个灵活劲儿！老侠游戏三昧，根本不显露真功夫，一转脸，用手一抓他的二棒子，往前一拉，右手就势一抬，"乌龙探爪"，正是曹峰的面门，"曹老二去吧！"叭，一巴掌就把曹峰的脑袋给打碎了。"哎呀！"一声惨叫，大头鱼曹峰躺下了。

活甲鱼拐拐着两条小短腿，圆圆的身子小脑袋，细脖挺，晃晃悠悠过来了。"哒，老儿于成，伤我家两位兄长，兄长死后，阴灵走之不远，小弟我随后就到。啊！我不去！"老侠于成一阵大笑："哈哈哈哈，你是谁？""活甲鱼，你家三太爷曹德！""曹老三，你不去？由得了你吗？快着点儿跟你俩哥哥作伴儿走吧！"活甲鱼曹德往前一赶步，左手一晃面门，窝里发炮就是一拳。老侠往右一滑步，立左手，一个"金丝缠腕"，抓住曹德的右手，伸右手一捉他的小细脖子，"噎"！一下子把他提起来了，老侠再伸左手一揪他的屁股蛋儿，"你叫活甲鱼，我把你种在这儿，不耕不耪看明年出小儿去？"说完，把曹德脑瓜儿冲下往船板上用力一栽，"啪！"一下脑袋没了，给栽到腔子里去了！两条小短腿伸了伸，看不见咧嘴儿，一声没叫唤，"咕唧"躺到那儿就死了。大嘴鲇鱼曹宝一瞧，这个黑大个儿"哇呀呀"怪叫如雷，大嘴岔黑胡子茬，五十来岁，往前一抢身，"老儿呀！如此的手黑心狠，伤我三家兄长，大嘴鲇鱼我叫曹宝。"报完名姓，往前一赶步，左手一晃面门，右手的拳对准老头儿的面门就砸下来。老侠于成不动地方："好小子，你是曹老四？"一伸左手就把曹宝的手腕子给攥住了，往后这么一揉，一伸右腿，"啪！"一脚就把曹宝踹出一溜滚儿去。这手功夫叫"鸡登步"，按理说他可以腾身儿起来，不行啊，他起来得太慢了。于老侠客爷抢步过去，一抬右脚，照他肋岔窝子上"啪"一踩，两边的肋骨全都折了，胸腔也碎了，七窍流血。眨眼之间把这金银乱石岛窦氏三杰手下的四个小头目全部置于死地。

老侠于成可不是手黑心狠、无缘无故以杀人为乐的人，身为侠客，本着除恶即是善念，只为他们是坏人。老侠往后一撤步，往那儿一站，调过脸来朝着小船上的侯振远、童海川直点头，伸右手攥上拳捶自己的后腰，嘣、嘣："哎哟！我这么大年纪，哪能打得了仗啊！好嘛，差一点蹩了腿，扭了腰。哎哟，可把我累坏了。二位贤弟，看看哥哥我老不老，我今天是大开杀戒。"看哥哥这么大的年纪，连杀四贼，老人家侯振远可有点害怕，高声喝喊："梅川，你在船头别动，我上去。"心说：这还没拿一个贼呢，就弄死人家四条人命，您这个说和人怎么说和的呀？老侠侯振远长腰上大船。"兄弟，你干什么来了？""老哥哥，你老人家偌大的年纪，人老不讲筋骨为能，英雄出于年少。"侯振远明白：像曹家弟兄这个本领，于老侠再过十年只要身体不坏，他们也差得多哩！但如果人家真过来好样的，哥哥这么大的年纪，可叫人担心哪！要是老哥哥于成被人家打上一拳踢上一脚，岂不把一世的英名付于流水？再说，不管怎么说，老人家为我们管闲事，怎么也不能让老侠客总动手哇。老人家侯振远往这儿一站："哥哥，你先靠后，小弟把这些忘恩负义、不讲故交的恶贼人，尽皆置于死地！""侯老大呀，你这是疼我，你知道哥哥我年岁太大了，腰酸腿疼啊，不行啦。你替哥哥，哥哥我感激你，我这儿看着，你给我宰他们！"老侠于成说完以后，小辫松下来，大褂放下来，捋了捋胡子，捶了两下腰，就站在这儿瞧着。

老人家侯振远面沉似水，一按剑把，顶崩簧嚓愣愣，龙渊古剑离鞘，利锐锋霜快，锋利无比呀！这口宝剑是五金的铁精，六合的金英打造锻炼而成。斩金断玉，削钢剁铁，一世成名，仰仗此物。老侠侯振远右手一按宝剑，左手一捋银髯："哪一个不怕死？过来！今天我们就凭本事要捉拿这四个贼徒。"

大寨主马彪这时候已经回到座位，说真的，曹氏四杰被杀，马彪不往心里去，但是也看到老侠于成这么大的年纪不减当年。于成是一只落牙的猛虎，坠角的苍龙，再有侯振远、童海川做这老虎的翅膀，今天这场事，可就不容易收拾。马彪看了看谷瑞、殷魁，把头往船头一瞧，老人家侯振远亮出宝剑。这时候大寨主身背后有人念佛："无量佛。"飞身形过来一个人，马彪一看，这是杭州飞龙观的观主，韩宝、吴志广的拜兄，发卖薰香蒙汗药的老道，紫面分水鳖乔玄龄。他紫微微地一张脸，脑门子上还有一块紫疤，小脑袋，短眉毛，小圆眼，小鼻子头，三角菱角口，一对锥把子耳朵，三绺胡子，一身蓝道袍，卡青口，系丝绦，配宝剑，绾着牛心发髻，竹簪别顶，他一伸手嚓愣愣亮出宝剑："大寨主，我们弟兄来到贵宝山，寸功未立，贫道不才愿斩侯廷之首，献到大寨主的面前。"马彪心说：你也不怕风一闪了你的舌头！就凭你这两下子，还想杀侯廷呢？你连侯廷的胡子都刮不下来！"嗷，贤侄，多加小心。""多劳众家寨主嘱咐。"飞身形就过来了："老儿侯廷。"乔玄龄也有他的想法：我们受了大寨主款待，应立功报答，并且欺负老侠侯振远年纪过大。如果真是童林上来，他可就不过了，因为他吃过亏，他想趁着童林没上来先露个脸。乔玄龄这回想错了，童林不见得杀他，可侯振远是非宰他不可！侯老侠跟于老爷子是一个心，除恶人即是善念！乔玄龄哪知道哇，他用剑点指："老儿，你还不引颈待戮，等待何时？还敢在众家寨主面前无礼。常言说杀鸡不用宰牛刀，只贫道紫面分水鳖乔玄龄你就不行！"老侠一阵大笑："哈哈哈哈，好，既然如此，你就过来进招。""无量佛。"他往前一赶步，左手晃面门，右手宝剑"唰"地一下奔老侠侯振远的头顶便击。老侠侯振远上左一滑步，"海底捞月"，往上这么一攥，"呛啷！"乔玄龄的宝剑就折了。"啊！"乔玄龄一愣神儿，往后一倒步，老侠侯振远右手的腕子一转，剑走"大鹏展翅"，就从乔玄龄的小细脖子上，"唰"地一下过去了，可脑袋还在脖子上坐着，纹丝不动，连血都没出来呢。老人家甩银髯，抬左脚，把乔玄龄给踢出一丈多去。"啪！"死尸往后一躺，脑袋"咕噜噜……"出去一溜滚儿，死尸腔子"噗"地一声，臭血才喷出来。老侠一按宝剑，真是杀人不带血的宝刀，有几个血点唰地一下就流在了船板上。

老侠残眉微皱，虎目烁烁放光。"你们哪一个不怕死？过来！"旁边有人高声喝喊："侯振远，你跟童林火焚烈焰寨，烧死我母，杀害我父，父兄之仇不共戴天。姓侯的。你哪几走？"燕子三抄水，"唰"！就在屏风前头蹦过一个年轻的小伙子来。老侠侯振远抬头一看，"啊！"这个小孩子儿长得挺好看，中等身材，细腰套背，扇子面的身子骨。身上穿着宝蓝绸子大卦，腰里扎着绒绳，白棉绸裤子汗衫儿挽着袖面儿，薄底窄腰镶缎的靴子。往脸上看，松三把儿的一条大辫子，新剃的头，青青的头皮儿，瓜子儿一张脸，面如敷粉，白中透润，两道剑眉如同漆刷，一双虎目好似朗星，鼻如玉柱，唇似涂朱，一对元宝耳，颔下无髯，正在年轻。老侠想：金银乱石岛里头真有这么俊的小孩儿？老侠上下打量："你叫什么名字吗？""我乃紫面龙罗烈之子玉面小龙神罗志远，父母之仇不共戴天。姓侯的，今天我罗威要给天伦母亲报仇！""哈哈哈哈，罗威，好一个不明事理的孩子，你父亲，连同你两位叔叔被老夫释放，至于你母亲被火焚死，你难道不在场吗？我们的人没有放火的，这把火到底谁放的，我们可不知道。"老侠责备罗威，其实，当时罗威真不在场。这个小孩前厅不救父，后堂不救母，空长了个好人坯子。老侠说："罗威，你还要动手吗？""姓侯的，你胡说八道，花言巧语，小太爷不信，我要你的命。"回手拉出刀来往前一赶步，左手一晃面门，刀走缠头裹脑，斜肩带背就是一刀。老人家侯振远"海底捞月"，往下一矮身儿，缩颈藏头躲，弓左步，蹦右腿，微然一长身儿，从刀底下钻过来了，宝剑一压刀。说真的，要是立着一压，他的刀就折了！但侯老侠扁着一压，往前一推，"唰"地一下，剑走顺水推舟，就到罗威的脑袋上了。罗威往下一矮身儿，老侠宝剑一回，左手剑一搭右腕子，左脚扎根，抬右脚，"嘭"地一脚，罗威撒手扔刀，应声而倒，"咕噜噜噜，通！"罗威被踹到江里去了。

老人家赢了罗威之后，抬头看马彪，心说：马彪，姓侯的真要想宰人，你外甥罗声远他跑得了吗？马彪马云龙心里也明白，他用眼睛往两旁边一看："还有哪位仁兄贤弟奔船头与侯振远一战？"旁边有人答言："大寨主，在下前往。"马彪一看，是沅江三鼠、本山寨第七座的寨主窦家弟兄的大爷，金毛鼠窦志。他一颤钩连枪，垫步拧腰就过来了："姓侯的，认识你家大太爷金毛鼠窦志吗？"老侠一看，这人瘦小枯干，五短的身材，穿着一身青，打着花绑腿，脚底下大掀把洒鞋，绢帕缠头窄脑门，瘪腮帮，下兜齿儿，短眉毛，小圆眼睛，鼓鼻子鼓嘴儿，一对锥把子耳朵，燕尾胡须，白多黑少，活托一个耗子。老侠一笑："哈哈哈哈，哎呀，老夫侯廷闯荡江湖身为侠客，我认识的都是高一头的英雄，强一辈的豪杰，侠义之士。蟊贼草寇，偷鸡摸狗，拔烟袋端鸡笼的臭贼，我是一个都不认识！"窦大爷一听，这火儿就上来了："老儿侯振远出口伤人，你哪儿走？"往前一赶步，"扑噜"一颤钩连枪对准侯老侠的哽嗓咽喉就扎。老人家上右一滑步，宝剑背在身后，右脚扎根，抬左腿，一伸右手把枪给抓住了。"你不是钩连枪吗？我抓你的枪，你夺回试试，你这钩能把我手指头给削去吗？"窦志倒是这个心。他两膀一用力，往回夺枪，枪体纹丝不动。老侠就势左脚扎根上右步，宝剑对准窦志的脖子就来了。老人家于成在旁边站着，心说：侯老大呀，这贼都在山里呢，国宝也在呢，你可别给拿四寇多加麻烦，这是人家本山的七座寨主铁善寺的门人弟子，可别多树强敌。于老侠明白，打死的四个，没人给报仇，侯老侠杀的乔玄龄也没人给报仇，可要致死这个就不成了。但于老侠不能说话。只见宝剑"唰！"地一道寒光，金毛鼠窦志就知道完了，这是宝刃，冷气都袭上他的脖子了。等他一睁眼，"哟！"宝剑还在这儿比着呢，老人家窝腰一脚，撒手一推枪，把窦志就踹出一溜滚去。他扔了枪，鲤鱼打挺儿，"噌"一下站起来，两只手一扎撒，站在那儿发愣。老侠往后一撒步："窦志，非是老夫不斩你，念起你是铁善寺的门人弟子，尊敬你的门户，才不杀你。类似你这样的人，在江湖上为非作歹，多伤无辜，也应该杀呀。逃命去吧！"窦志一抱拳："遵命。"猫腰拣枪，脸儿一红，回到座位上。

老二银毛鼠窦勇、老三跃江波浪鼠窦明，两个贼人噌、噌，全窜过来了："姓侯的，伤我兄长，可认识我弟兄？""不认识，通名吧。""银毛鼠窦勇。""跃江波浪鼠窦明。"两位跟窦志的长像差不多。"嗷，哪位先动手，哪位后过来？还是二位一块儿来？全可以。"老二窦勇飞身形过来："就是你家窦二爷，你就不是敌手。"叭！摔杆一枪，"霸王卸甲"就砸。老人家把宝剑一拎，上右一滑步，立左手一穿他的枪杆，宝剑跟右步进前，进步中挑，照着窦勇的小肚子宝剑就来了，真是守如处女，动如脱兔哇！窦老二一哆嗦："我完了！"可人家老侠并不杀他，宝剑一抬，左脚到了，"嘭"一脚端上，这窦勇一溜滚出去了。这时候窦明在后头一声没言事，"叭"一探枪，"乌龙穿塔"，对准老侠的后腰眼儿就扎。老侠侯振远眼观六路，耳听八方，听风辨物，调脸儿一转，"鹞子翻身儿"宝剑一搭，往前这么一推，"嘭"，把跃江波浪鼠的绡帕一剑给挑了。"哟"他一拉枪，伸手一摸脑袋，一跳龇牙咧嘴。侯老侠用手点指："窦明！你敢暗算老夫，本应当要你一命，念你是金银乱石岛的寨主，暂寄尔项上人头，逃命去吧！"窦明脸儿臊得跟大红布一样，一声儿没言语，蔫溜蔫溜拉枪回去了。侯振远的眼睛放出威严的光芒："大寨主，你们还有几位弟兄？一块儿上吧，咱们速战速决。"喝！真叫横儿。大寨主就在一愣的功夫，突然间江水里头"哗"……水浪翻滚，海川不是站在船头吗？他这船尾的船底下，可能上来东西了，一顶这船尾，海川这只船都快立起来了。海川不会水呀，小船一立，他往前这么一栽，就要栽水里头了。幸亏海川有功夫，他气往后沉，体重后移，英雄硬拿自己的力量把这船给压下来了，"嘿……"有人在船底下这么一冒，上来一个巴斗大的脑袋，雌雄眼一瞪，两只手一扒船尾，海川本来这劲儿往后了，他这船又往后立起来，把李英可吓了一跳："这是什么？"这个时候他的刀就到了，正要向这个人头上剁。海川回头一看，急忙说："李英，别砍。""哟，哥哥，林儿哥哥。"原来正是猛英雄屺海金牛于恒于宝元！说话嗡声嗡气，往前一赶步，跪倒在船板上磕响头。海川赶紧用手相搀："兄弟，你从哪儿来呀？都谁来了？""秃哥哥，他们全来了，您看看。"顺着沅江的江提，一拉溜"唰唰唰"奔这边跑过一拨人来。头一个海川一瞧是自己的二哥、一轮明月落九州苍首白猿二侠侯杰侯敬山，提着个包袱。往后是九个大弟子，灯前少影阮和、月下无踪阮璧、浪里云烟一阵风徐源徐子特、过渡流星赛电光邵普邵春然、髭毛吼鲍信、斜睛太岁阎宝——这俩人的伤已经好了——谈笑鸿儒侯俊、穿水白猿侯玉、坏事包张旺、蛮子孔秀孔春芳，最后是王三虎。海川一想，二哥怎么带着这些人来了？其实，这是老侠侯振远让他们来的。因为在湖南桃源县三义庄的时候，贝勒爷跟海川一走，老侠侯振远想：看起来这一次下云南决不是三天两天事情，将来我跟童林两人要打算跟八卦山决一死战，拿二小请国宝，单丝不成线，孤树不成林，人单势孤哇！这样他写了一封信让左臂神刀炳南公洪利派专人送往杭州，交给二爷，让二爷带着这些孩子们一起奔云南八卦山来。这样，二爷侯杰便带着老少十三位，从打杭州起身，认道登程。一路上，饥餐渴饮，晓行夜宿。下云南这一走，一轮明月落九州苍首白猿二爷侯杰这罪孽可就大啦！晚上该住店了，傻小子一摇脑袋："我不住。连着夜儿走，晚上走道凉快呢。"二爷又跟于恒商量："傻兄弟，咱们吃饭吗？""不饿，不吃，饿了也得饿着走！"可傻小子要想睡觉呢，走到半道上，不言语躺那儿就睡。二爷、大家伙儿都得在旁边坐下等着。孔秀还得撅根树枝子给他哄赶苍蝇。他这一觉睡到什么时候没准儿，起来一声不言语就走。不管走到哪儿，不问大家伙儿怎么样，他饿了，不走，就得吃饭，就这么赖赖乎乎的好说歹劝，加上坏事包张旺跟孔秀俩人掺和着，还好点儿，因为这俩人说话他听。

今天走到沅江的江堤上，沅江水势如牛吼，浪花急湍、奔腾澎湃，特别凶猛。大江以上，水雾茫茫，远远的西北方向有不少隐隐的山峰。爷儿几个都在这江堤的大树林子下边，阮和跟二爷商量："咱们爷儿几个这一气走得可以，咱们坐这儿歇会儿，凉快凉快吧。"二爷点头："可以。"这么着爷儿几个全坐下了。您看，谁跟谁对脾气，谁跟谁说话爱听，仨一群，俩一伙，各找各的朋友。傻小子于恒有朋友，就是张旺跟孔秀，他们三人准得坐一块儿！即使是张旺和孔秀坐一起，傻小子也得凑过来，不然就叫："坏事包，臭豆腐，都这边来。"他也明明知道这俩人净琢磨他。仨人在一块儿，于恒问他们："我说你俩人累吗？""牛儿小子，你不累，我们是不累。我说牛儿小子你馋吗？""嗯，馋了。""阿弥陀佛，我不管你，我跟孔秀都想鱼吃。""那还不好办。""怎么好办？""这水里头有的是鱼！""有的是鱼，你摸上来呀。""混蛋呐，咱打起小就指着摸鱼吃饭，逮上鱼来，连脑袋带五脏，带尾巴，不洗不涮没佐料，也不用做熟，咔嚓咔嚓专吃生鱼。嘿！那玩意儿可香啦。""别费话了，你哪是饿的！"孔秀一指江心："牛儿小子，你看那旮旯里有一条鱼。"要说摸鱼，傻小子于恒是行家，他起小就在淮安府漂母河里头指着捞鱼吃饭，不捞上鱼来就得挨饿。张旺用手一指："你看见了没有？""看见了。"傻小子心里明白，这条鱼怎么着也有五尺长。张旺问："你捞得上来捞不上来？""我捞得上来捞不上来有什么讲究？""阿弥陀佛，爷儿们您要捞上来，今儿晚上住店甭说别的，让孔秀给您打酒，给您准备二十斤牛肉，烙大饼让您全吃了。您看好不好？""好小子，你俩真孝顺。我这两天也想牛肉吃了，就这么办了。""等等，您要是捞不上来呢？""跑不了，准捞上来。""别介，您说好了，要是捞不上来怎么样？""我要是捞不上来，我请你俩人吃窝头、喝豆汁，就点儿辣咸菜。""去您的吧！我们输了炖牛肉，打酒。您输了吃窝头、豆汁，还就点儿辣咸菜？连点儿明香油都舍不得放！""行行，我豁出去倒点儿油。""真抠门儿，别倒了。您要捞不上来，今晚上您请我们哥俩。""行，一定请你俩小子。""咱们也是炖肉。""行了，行了，就这么办了。"猛英雄晃晃悠悠站起来，身背后斜插柳背着八棱紫金降魔杵，往这儿一站，不亚于铜铸的金刚，铁打的罗汉，勒粗勒壮，真有个样儿啊！晃晃悠悠顺着江堤就下来了。二爷老远地瞧着呢："张旺、孔秀你俩人又琢磨你傻叔叔，这么大的水，这是闹着玩的吗？"跟着又喊："兄弟，别下去，这大江没底儿。"猛英雄一摇头："放心吧，秃哥哥。"说着，迈步就下到水里去了。这是大江啊，跟河不一样。往里头没走三步，"通"一下就没顶儿了。侯二爷急得直跺脚："奴才，你傻叔叔淹死怎么办？"徐源在旁边搭茬了："二叔，您甭管，淹不死他，淹死他我们给他偿命。""胡说！他一个傻傻乎乎没心眼儿的人，能有多大水性？""他多大水性？嘿！甭说您不会水，就我们这会水的，归到一块儿也干不过他一个人！""你怎么知道？""当初扬州清水潭我和邵甫探烈焰寨，带着傻叔叔，他的水性比大王八精的水性都好！"二爷这才放心："啊，那还可以。"二爷说完了，也醒悟过来："徐源、邵甫你俩人，怎么把你傻叔叔比成大王八精啊，简直不像话!"徐源、邵甫不言语了。

傻小子说真的，水性是好，摇头换气，一只眼瞪圆了，在水里头看得十分清楚。傻小子一个猛子就奔江心来了。他扎下去足有十几丈深，慢慢地提气往上浮起，看清楚那条鱼了，傻小子心说：怎么样，起码有五尺长! 猛然间他一端水，"唰唰唰"，真如离弦之箭，奔这条大鱼来啦，又开两手，照定鱼的两肋就掐下去啦，整个儿把大鱼抱在自己的怀中! 您说这鱼在水里多快，可还没有傻小子快! 由此可见于恒的水性太大了。这条江鱼一惊，知道有人抓它啦．身体一摆往前一蹿，想从于恒的怀里逃出来，便一甩大尾巴，正抽在于恒的脸上，叭地一下，要别人这一下就蒙啦，可于恒不在乎．心说：混蛋呐，敢打我大嘴巴! 于恒连连端水，跟鱼一起就下去啦。江堤上的人只能看见江水一冒儿，别的什么也看不见。傻小子有个傻心眼儿：抱着你就甭想跑啦，牛肉馒头全来啦，你要一跑就全完! 侯二爷站起来："孩子们，看看你傻叔叔上哪儿啦?"徐源一指："二叔，您看这一溜水泡，随起随灭，其快无比，那就是傻叔叔，往上游去啦。"侯二爷点头："你怎么知道这水泡是他呀?""这叫江猪凫水，就是他总在水下，不到水皮上来，咱们追吧。"二爷答应道："好吧，追!"爷儿几个顺江堤撒腿如飞，往西追下来，一路好跑。可于恒在水里，时间一长，这条大江鱼翻滚摆动，他一把没抓住，到底叫它挣脱跑掉了。

猛英雄连连端水，"唰唰"犹如箭头一样就追下来了。没想到正游到海川这只小船的船底下，脑瓜往上这么一顶，正把这只小船的船尾给顶起来，海川抱着子母鸡爪鸳鸯钺站在小船的船头上，就这一下子，险些掉在江里头! 李英在后头也起来了。海川急忙一抬左脚，往后这么一拿桩，体重后移，"叭"一使劲，傻小子知道撞船上啦，他一闪身，脑袋出水了，一扒这船尾可坏啦，李英往后一仰，海川这船头又起来了，李英一调脸攥着刀，正看见猛英雄于恒，他举刀就剁，正被海川回头看见。这时候李士钧往回一抽刀，傻小子看见海川了。"哟，林哥哥，你在这儿呐!"于恒由打这小船旁边上来，"哗"一身的水往下流。"林哥哥，我想你哟，秃哥哥不给饱吃!"海川一听："哪有这事呀?"这个时候海川看见哥哥侯杰带着弟男子侄们，顺着江堤从南面也转过来了。于恒问海川："哥哥，您这是干什么呀? 怎么还有两个老头哥哥?""贤弟呀，你不知道，两位老哥哥都在战船上跟贼人动手，贤弟你应当亮宝杵协力相帮啊。"于恒答应："唉，哥哥，看我的!"这个时候正赶上老侠侯振远、西方侠成战三鼠，打死四鱼，剑斩乔玄龄。傻小子一伸手稳了稳自己的八棱紫金降魔杵："嘿，老头哥哥，你把这些贼人都让给我吧。"他想往大船上跳，可惜离船远，跳不过去，这样"扑通"就跳在江里了，一溜水泡直奔大船。等脑袋冒上来，往上一搭手够上船舷，傻小子一长身上了船。马彪一瞧，心说：可了不得了，这个傻小子会蹿会蹦，还有江猎凫水的好水性啊。老侠侯振远一看："唉哟！傻兄弟来了。""老头哥哥，你倒好哇？""唉，贤弟呀，你好？""好着呐，我就是想你。这老头儿是谁呀？"西方侠于爷在旁边站着，一瞧这大个儿："喝！好汉子，振远呐，这是谁呀？""老哥哥，我来给您介绍介绍。傻兄弟你过来，这可是你林哥哥的好朋友，西方侠于成于老哥哥。""是饭东吗？""没错儿，你快磕头。""唉，于老头儿哥哥，于恒牛儿小子给您磕头啦。""兄弟快起来，快起来。""你们俩老头儿哥哥叫贼人给欺负啦，他们仰仗着人多，你们可千万别哭，你们要一哭哇，牛儿小子看了难受，还得哄你们俩老头儿哥哥。"西方侠于爷这气呀，心说：这个孩子天真浪漫，傻傻乎乎，说话不懂得深浅，可贵的是一团热心。便道："贤弟，你既然到这儿想打仗，可要小心在意呀，为兄与你观敌就是了。""老头儿哥哥，您别管了。"猛英雄迈步往前走，看见船板上有死尸又有血，他胆气就壮上来了。一伸手"嚓"地一下把三十二斤八棱紫金降魔杵亮将出来，朝着大寨主三孔独角蛟马彪高声喝喊："你们这帮臭贼儿，竟敢在这儿欺负人，哪一个过来先死？"大寨主看见镇东侠剑术惊奇，于老侠游戏三昧，不是自己想象的那样，没想到从水里头又钻出这么一位来。再看江岸上人声呐喊，来了十多位，都是手持利刃。马彪明白，看来这是镇东侠的接应到了。他回头看了看玉顶白鹤谷瑞谷仙知："二弟，你过来。"谷瑞凑到跟前："哥哥，有什么事？""你来看，仇人的接应到了，你我怎么办？"谷瑞怔了半天："哥哥，看起来这事可不大好办。咱们应该如此这般这么这么办。"大寨主一听，点头称赞："好。"

马彪赶紧来到侯振远、西方侠于爷的面前一抱拳："老侠客爷，马彪有两句话说。"侯老侠答应："大寨主，有什么话你就说吧。想动手现成。""老侠客千万不可如此。您先把这位猛汉唤回来。""好，傻兄弟，暂且回来，愚兄跟寨主有话说，然后咱们再打。"于恒一听不乐意了："老头儿哥哥，他们不是要打吗？干脆咱们就大打一场吧，一个不留。我都用宝杵把他们给扎死。""大敌当前，不必多言，回来。"傻小子于恒还真含糊这个老头哥哥，自己嘴里头叨叨念念不乐意，抱着杵站在旁边。"大寨主，你有什么话说？""两位老侠客爷，方才我们几家寨主由于跟于老侠言语不和，双方才冲突起来。没想到你们老哥俩当场一动手，卖卖老力气，我们这儿连死带伤就一大片。这怪我三个师弟无知，请二位老侠客多多原谅。

老侠客剑下留情，不把沅江三弟兄杀了，我们大家伙儿都感念您的好处，我们不想再战了。如果还要跟您动手，就是恬不知耻。本应当就在此地把您老人家要求的这四个人，给您绑好了交到您的面前，可有一节，我们山里头是九家寨主，彼此都没有商量，我乐意，可不知道别的兄弟们乐不乐意？"于老侠在旁边一听："哈哈哈哈，大寨主，家有千口，主事一人，有道是千锤打锣，一锤定音，不是你说了算吗？""老侠客，不错，山里头的事，当然我说了算，可无奈一节，这个事事关重大呀，您想我敢一人作主吗？""唉，那么你跟我们哥俩说了半天，你要干什么呢？""老侠客爷，我的意思是让你们老哥俩带着大家先回去，您众位不是住在兴隆店吗？""不错呀。""好吧，回头我派专人到店中跟你们老哥俩见面，您看可以吗？"于老侠一想，便对侯老侠说："振远，你看怎么样？既然大寨主说出来了，好汉不让好汉为难，这样，咱们就全依寨主回去，你看如何？""老哥哥你说得对，您作主，侯廷敢不从命？"侯老侠又对马彪说："马寨主，你可不准说了不算呐，我弟兄在店房恭候。"说完了话，叫于恒："傻兄弟，随兄回店。""哥哥，不打啦？我这儿刚来兴致。""不行，听哥哥我的。""好啦，走。"刚要走，傻小子一纵身，"通"！水花四溅，唰啦啦……奔小船。大寨主马彪看见镇东侠侯振远跟老侠于成肯其容让，然后瞧他们都退到小船以上，这才吩咐一声，大船回转山中。

双侠带着傻小子于恒前后回到小船上，这个事海川跟孙亮、李英都不太高兴。海川说："韩宝、吴志广近在咫尺，趁这个机会就能把国宝请回，二寇给拿了。怎么老哥哥又回来呢？"李英、孙亮也着急，他们也想：这不是很好的机会吗？又有西方侠，又有镇东侠，又有镇八方紫面昆仑侠，还来了这么多朋友，趁热打铁，一战成功，把陆寅、陆丰拿住，不就天趁人愿太好了吗？老侠客侯振远一摆手，三只小船退到江边上。等大家全都下了船，开发了船钱，众人合在一起，这个时候海川把于恒叫过来，跟李英、孙亮，连同小莲花于秀见了面。二爷侯杰带着人可就到了，海川赶紧过去磕头："二哥。""唉，兄弟起来起来。"小弟兄们过来全都见过海川。这个时候，二爷侯杰给老侠侯振远行礼，众弟子过来也行礼，又把这些人全叫过来引见给西方侠于爷，众人挨着排儿的行礼磕完头，小莲花于秀也跟众人全见着了。海川招呼西方老侠："于老哥哥，我看咱们先回店吧？"于老侠点头答应："我们大家先回店。"海川走着才细问侯二侠："哥，您怎么带着傻兄弟、爷儿几个来这儿啦？"二爷侯杰就把侯老侠来信让他们也下云南助其一臂之力的事说了。"主要的还是想你了。"海川一个劲儿的给二爷道谢。

　　大家说着话，来到店中直到上房。王爷连同司马良、夏九龄全都在这儿等着呢，也惦着这码事。大家一进来，王爷很高兴："唉呀，来的人可不少哇！"大家又给王爷见完礼。刚来的这些人，洗脸、漱口、喝茶，到了时候预备饭，大家吃饭，然后坐下。贝勒爷着急呀："于老侠客，这一次你们爷儿几个到金银乱石岛，事情怎么样了？"老侠搭茬："王爷您要问，这不是振远在这儿吗，你跟王爷提提。"侯振远就把老爷子打算和解两边的纠纷，不料想寨主无理，，就把这江面上言语不和，动手杀人的事情由头至尾全说了。贝勒爷一听倒吸了一口凉气："振远老侠，于老侠，你们哥俩都这么大年纪，经验多，阅历丰富，开始这个马彪怎么不说话呀？当场动手他知道不敌了，为什么又让你们大家回来呢？这明明是缓兵之计嘛。"西方侠一笑："哈哈哈哈，王爷，您高明得很呐。不但我知道是缓兵之计，连振远也知道。""那么为什么还要答应他们呢？""王爷您听听我说的对不对。头一件，海川告诉我了，他跟振远他们哥俩都不会水，会水的我看见只有傻兄弟于恒，大江之中不会水难以动手，这不是很危险吗？第二，人家的船大，船多，我们没有船，大江之中不是用武之地，难保必胜。马彪明明是另有别图，我等三人具有侠客之称，不能不宽宏大量。因此我跟振远商量一下，还是当面应允。"王爷一听，暗暗赞成，从心里佩服。"那么他们要是跑了怎么办呢？""王爷，您放心，不会。他们弟兄创这金银乱石岛也不是一天半天，几十年的心血，为了这么四个臭贼，弃山逃跑很不值得。再说，他们是铁善寺的门人弟子，有根有派。我们弟兄暂且回归店房，商议一下，应该怎么办。再等候他们的来信，很好地安排安排，想想办法。"王爷知道，"宜未雨而绸缪，毋临渴而掘井。"便连连点头："老侠说得对，真是远见高瞻，我们大家望尘莫及。""王爷，您夸奖了。"爷儿几个说着话，然后把早饭吃完了，累了的也去休息了。就在这个时候，伙计从外头进来了："侯老侠客，外头有个人想求见，我们问他是哪儿来的，他说是从沅江来的。"镇东侠点头："嗷！好好，有请有请。王爷，山里头来人了。"王爷站起来，带着众人都退到里间屋，外边只有三侠。老哥仁坐这儿等着。

　　时间不大，由打外头进来一人。哥仁一看，这人高个儿，头如麦斗，紫中透暗的一张脸，跟茄子皮似的，一脸三环套月的大麻子。穿着便服一身青，腰里扎着绒绳，左肋下佩着一口刀，正是六寨主金钱水豹陆占鳌。见着三侠行完礼，于老侠说："六寨主，请坐请坐。""谢谢众位侠客爷。""哈哈哈，六寨主，你来到兴隆店面见我弟兄，有什么事情要说啊？""老侠客爷，自从在战船分手以后，我家大寨主带人回去，暗中一调查，韩宝、吴志广、陆寅、陆丰确实做了很多的非法之事。关于韩宝、吴志广，不瞒您说，由于是八卦山的少庄主，这叫爱屋及乌，看佛敬僧，我们是看在他们老庄主的面上才敬重他们二位的。至于陆寅、陆丰这两个人所行不轨，我山中也很反对这种行为。不过，要这样往外一送这四个人呐，说真的，老侠客爷，我弟兄九个就太寒碜了。要说我们哥儿几个栽到你们三侠的面前，这倒不算什么，可我们铁善寺栽不起呀。"西方侠点头："六寨主，有你这么一说呀，不过苦海无边，回首是岸，放下屠刀，立地成佛。铁善寺是上二门里光明正大的门户，多年来为武林敬仰，类似这种事情本不应该发生。你们寨主商量好了不愿意献出四寇，又有什么高明的办法呢？""老侠客，我们……嗯，怎么说呢，大寨主打算请你们三位侠客爷进趟山，咱们有事到山里头说去，不知道三位侠客爷可肯赏光前往？如果您老人家要去，我们一定扫榻恭候。如果您不愿意去，咱们再想别的办法。"老侠一托额下银髯，仰天大笑："哈哈哈哈，好，这不是你说到这儿了吗？"老侠客那意思要跟镇东侠、海川、王爷等再商量商量。于老侠想：要我于成一个人，我毫不犹豫就答应进山；如果我答应慢了，叫金银乱石岛说我于成畏刀避剑怕死偷生，我这百零一岁就算白活了！但这还关系到侯振远、童海川和王爷，于成怎么能作主呢？这个时候，陆占鳌一抱拳："老侠客，真对不起您，我们大寨主要我马上回山报信，立等回音，您是去还是不去呢？"老侠于成真没敢答这句话，这时候侯振远过来了："你是六寨主哇？""不错，正是陆占鳌。""你请回去吧，我和西方侠还有童侠客弟兄三人，今天一定到你们金银乱石岛与众家寨主见面。""您什么时候去？"镇东侠斩钉截铁毫不迟疑："现在就去。""好了，既是这样，我回去以后准备船只，恭候三侠进山！"陆占鳌告辞。"好，恕不远送，请吧。"看着陆占鳌走啦，老侠于成暗竖大拇指：侯振远你很可以呀！如果答应得慢一点，叫金银乱石岛的贼人小看你我弟兄。这时，王爷他们从里屋全出来了。就听王爷说："侯老侠客，方才那位寨主问于老侠的时候，于老侠没敢当时答应，我也想咱们是不是得商量商量，老侠客您却毅然答应马上进山。自古宴无好宴，会无好会，这跟当年楚汉相争的鸿门宴有什么两样？有道是：'画虎画皮难画骨，知人知面不知心'。老侠客你们三位此去要有了危险呢？"镇东侠一笑："哈哈哈，王爷，首先说您猜得很对，草民我也想到这儿了，不过人家邀请我弟兄三人进山，咱不能让金银乱石岛的几个贼人小看我弟兄。如果他要打算暗害我们哥仨，爷驾，那是他们死期至矣。您说对吗？""啊！"王爷点了点头："对对，于老侠客您看怎么样?""哦，王爷，我也同意振远的说法。我看，要想害我们哥仨，他得打听打听，也得琢磨琢磨。"王爷点头："是啊，那么于老侠，'请的是你们老哥儿仨，本爵还是愿意你们老哥儿仨一同去。"西方侠点头："那是自然。"侯振远在旁边一摆手："老哥哥，您先等等，您虽然是说和人，去金银乱石岛拜访也是您带着去的，我想您老人家这么大的年纪，就不必去了。""侯老大，你别跟我使弯弯绕，要去就得我这说和人去。"旁边于秀过来了，"我大爷去我不放心，侄男也要跟着。""嗷，好。于秀跟着去还好。可是李英、孙亮你们二位是原差，不是也得跟着吗?"李英、孙亮一想，跟着三侠进山还能含糊，便道："我二人情愿前往。"侯振远答应："既然是这样，二弟你在店里头带着孩子们好好保护着王爷，多精点心，我们爷儿六个进趟金银乱石岛。"说完了以后，大家收拾，把兵刃带上，从店里出来，一直顺着北镇口往北来到沅江岸。

在渡口这儿停着一只大船，船头上有杆大旗，被风一刮，"扑噜噜"地乱响，上头蓝旗面白字：金银乱石岛。船头上站着金钱水豹陆占鳌，跳板已搭好了。爷儿六个一到江边，陆占鳌顺着跳板走下来，躬身施礼："老侠客，果不失言。陆占鳌奉兄长之命在此恭候您三位多时了。"老侠于成抱拳："哈哈哈，六寨主，有劳你专候，多谢多谢。大寨主现在何处?""现在山中候驾。""有劳六寨主头前带路。"爷儿六个全都上了船。陆占鳌一摆手，喽啰兵解缆绳、撤跳板，起锚开船，船篙点岸，船打调头，"唰啦啦"冲风破浪，荡荡悠悠，直奔江北而来。

横穿沅江水面，距离岛口越走越近了。喝! 好险峻的金银乱石岛哇! 山峰隐隐，怪石嶙峋，摇摇欲坠，孤松倒长，槐柳栽垂，当中有一个大山缝，足有五丈宽的水面。山头上现隐着人字窝棚，不计其数的喽兵，杀气腾腾，从上往下不用说射箭，就把大块的石头顺着这水路往下砸，你也进不了山! 真乃咽喉要路。船只顺着水路往里走，走进来很远，才到金银乱石岛的大寨门外。靠东面有十五闸船坞，下船后，爷儿六个就瞧见前面正山口喽啰兵雁翅排开，足有二百名。打着裹腿，绢帕缠头，每人手里头不拿兵刃，显得很文明。正当中的大寨主三孔独角蛟马彪和二寨主、三寨主等，除了陆占鳌以外的全在，大寨主传命令摆队相迎，鼓乐三奏。时间不大，众位老侠带着李英、孙亮、于秀来到切近。马彪躬身施礼："老侠客，本寨主未曾远迎，当面请罪。"侯振远、于老侠也寒暄客气了两句："我等冒昧造访，还望大寨主海涵。""老侠客太客气了，此处不是讲话之所，咱们山中待茶。"

第二十二回

夸海口夜入达摩堂
施绝艺三侠闯五门

　　上回书正说到三侠进山，乱石岛大寨主三孔独角蛟马彪马云龙传令备船只迎接三侠，在山口之中见面。寒暄几句，然后三孔独角蛟马彪马云龙带着所有的众家寨主把队伍调转，拥三侠同进大寨。一进寨门顺着山路往上走，老侠侯振远一看，山势十分险恶。不过看于老侠的意思好像是胸有成竹，一点儿不在乎。众人一直来到修在半山腰儿上的二道寨门，这里也是重兵把守。顺着二道寨门再往里走，直到三道寨门，可就到里寨了。寨门两旁边顺着山势修的寨墙足有一丈七八尺高，这个墙就地取材都是用石头砌成的，挺好看。寨门两旁边儿各站着二十名兵丁，弓上弦，刀出鞘，严加防备。大寨主拱手请三侠进了三道寨门，东西两配房不计其数，正中二十五间大厅。院里头栽种着奇花异草，浓郁芬芳。大厅前出一步廊，台阶下每边站着五十名兵丁，各挎一口腰刀，刀崭腹齐，都是挑选出来的二十岁上下的小伙子。大寨主马彪一抱拳："老侠客请吧，哈哈哈！"于老侠点头："大寨主头前带路。"老三侠随着马彪哥儿九个往里走。大厅内十分宽敞，迎面有二十四扇落地的围屏，上头绣着喜鹊登枝，都是南绣平锦的。迎面有个长条的桌子，桌子后头有一把金交椅，金虎皮蒙着。这个地方没人坐，连大寨主也不能在这儿坐。马彪马云龙一躬到地："老侠客，既然来到鄙寨，请来上坐。"西方侠于成于洞海可知道这地方坐不得，你要往这儿一坐，人家说你要谋夺我的山寨，马上就跟你打起来，输赢胜负不说，你没有理。西方侠于成这么大的年纪，哪能上这个当？"哈哈，大寨主！常言说帅不离位，这是阁下的座位，老朽不敢僭越，我们还是便座一谈吧。"马彪马云龙心说：于成久经大敌，绿林道的事儿瞒不了他！"既然如此，恭敬不如从命，来呀，看座！"马上有人过来，从上垂首摆上三个茶几三个兀凳儿；下首里摆上九个茶几九个兀凳儿，一切准备好，献上茶来，大家伙儿执手落座。

老三侠坐好，人家九家寨主也坐好了。老侠于成一抱拳："大寨主，这一次您把我弟兄三人叫到贵寨，一定有要事相商。"马彪看了看于老侠："老侠客，不瞒你说，这一次把三侠请到鄙寨，确实是有点事。老侠客您是我们二十年前的朋友，也是武林道的老前辈，作为说和人来说，您昨日在战船上破釜沉舟，苦口婆心地相劝，我弟兄应当听从，只因我的弟兄们一时糊涂，这样才招怒了你们兄弟几位，战船上动了手。当时我马彪也在想，像老侠客们都是威名远震的前辈，我们怎么敢得罪呢？为此我先暂时请你们几位到店中。我们哥儿九个回到山寨以后细细思量，觉得很对不起你们，我们又追查了韩宝、吴志广、陆寅、陆丰，也确实是这么回事儿，更觉得对不起你们。不瞒您说，我们是铁善寺的门人弟子，也是很讲情理的，我们本应当听从您的良言相劝，把这四个人拱手相让。""哈哈，大寨主，这不很好嘛，我们可以作为朋友嘛。""对！可无奈一节，咱们江湖绿林道上的事儿您还不明白吗？舌头底下压死人呐！我们要把这四个人交给您，知道的是道义相投，我们跟您是朋友；不知道的说我们弟兄九人惧怕三侠，那样一来，我弟兄在江湖绿林道可就设法混了！""嗯！大寨主，你们弟兄在江湖上也很有名气，甭说你们弟兄，还有你们弟兄的长辈呢，还有云南狐儿山铁善寺呢，冲这也不能让你们弟兄栽了跟头。可有一样，您不给人，这事情完不了；您给人，多少对名誉有损，事情很难两全。大寨主，您的意思打算怎么办呢？""唉，老侠客，我们有点不尽人情的请求，在我们金银乱石岛的后山，这个地方的地势很好，我们铁善寺的各代祖宗集思广益，一代一代费尽了心血，把各门武术之长完全运用在人或者是飞禽走兽上，修造了一座达摩堂，这里头有九九八十一门武术，这些个武术都是各门的精华，也就是让我们一代一代往下相传，所有的弟子都从达摩堂里锻炼本领，向各门武术学习。这个达摩堂可厉害，一般的武术家是打不了的。我们愿意把这四个人放到达摩堂内，老侠客咱们订好了日子，如果你们众位在日限之内，把达摩堂打开了，那时候你们把四个人带走，任凭他们投案打官司，我弟兄犯窝主之罪，还要在三侠面前请罪。""嗷，哈哈！"老侠于成微然一乐："那么要是打不开呢？""哎！老侠客，要打不开，你们弟兄都是武林道出名的人物，也就没有脸面再进我的金银乱石岛了，那时候也就得不到他们弟兄四人了。老侠客，您看怎么样呀？"

老侠于成明白，我二十多年前来过这里，有意参观参观达摩堂，人家众家寨主可没让。听说这达摩堂是仿造古少林寺的一种机器人做的，自行走轮转弦，底下的弦槽跟蛛网一样，纵横经纬，十分清楚，里头可厉害呀！老侠于成便问："大寨主，破达摩堂是怎么个破法呢？""老侠客，破，就是凭你们三侠的能为，占败里面的飞禽走兽跟这些假人，但是不准给我们毁坏。因为所有的飞禽走兽及这些假人的底下都通着弦呢，你要用刀用剑把这弦给砍断了，不就给糟践了吗？所以要凭您的能为，赢我们的假人，赢我们里面的飞禽走兽。只要您精通各门武术，您就办得到。""嗷！这么回事儿。"老侠于成刚要说话，童海川在旁边搭茬儿了："大寨主，小可年轻，按理说这一次来到您的贵宝山，我童林只能听着，或者是请我两位兄长说话，不过这里头有我童林的干系，我不能不说话。您提的这个达摩堂，在未打以前，您让我们看呢，还是不让我们看？""嗷！童侠客，当然，说定了以后，我们就同着三侠到达摩堂去看一看。""要是那样儿，韩宝、吴志广、陆寅、陆丰这四个人怎么往达摩堂里放呢？""童侠客，在中央戊己土大厅里边儿有个铁笼子，我们把这四个人绑好了锁在铁笼子里，您到时候破了达摩堂，自能到这铁笼子切近，便可以打开铁笼子把他们四个人带走，这人就算归您了。"海川点头："好吧！大寨主，我们先跟您去看看这达摩堂，然后再定。您看可以吗？""当然可以，我弟兄陪着三侠到后山去看一看，顺便也把韩宝、吴志广、陆寅、陆丰押往后山。来人呐！把他们四个叫进来。"时间不大，四寇出来，陆寅、陆丰低着头不敢说话。但是韩宝、吴志广趾高气扬满不在乎，进来以后一抱拳："大寨主，你把我们弟兄叫进来有什么事情吗？""二位少庄主，我真有点对不起你们二位了，没有别的，准备跟三位侠客爷打赌，破这座达摩堂，拿你们四位作为诱饵。来人呐，绑起来！"呼啦啦兵丁过来，啪啪啪，抹肩头，拢二臂，把四小全都给捆了。韩宝、吴志广气得一跺脚："呸！姓马的，你真是人面兽心，我弟兄千里投朋万里靠友，来到金银乱石岛，希望你给我们遮风挡雨，没想到羊入虎口，你拿我们当了一刀菜了！姓马的，绿林道有你这号的吗？""别着急，二位少庄主，你们是八卦山老侠李昆李太极手下的弟男子侄，爱屋及乌，看佛敬僧，我应该高看。但这件事情也是因为你们二位呀，所以，请受点委屈吧。来呀，押走！"韩宝、吴志广咬牙切齿，也没办法。

这样，九家寨主陪着三侠，一部分兵丁押着四寇，大家伙儿由大厅出来往西走，通过一个大花园，走到后寨门。三侠跟着他们从这后寨门出来，再往前走，只见群山环抱之中有块平坦的地方，达摩堂就在这儿，建造得起码有十几丈高。当中是达摩堂的亭子顶，周围是分水三层滴水檐，朱红油漆的抱柱，周围还有仿汉白玉栏杆，八面有台阶，台阶分九层，从整个形式来说是座北面南向的。在达摩堂房脊上还有一杆大旗杆，上面悬挂着杏黄缎子做的旗面，红走穗儿、红飘带、红火焰儿上头有黑字。在这达摩堂周围还有抱柱和半截的朱红隔扇窗户，底下是条儿砖砌出来的坎墙，朱红的踏板迎着台阶，当中有扇朱红大门，只见青铜两兽面，泊口含金环。在门上头有一块立额，红匾青字，上头写着两字："丙丁"，意思是"南方丙丁火。"在这正门的里头，站着一个人，此人蓝色绢帕缠头，一身蓝绸子衣服，腰里扎着一根绒绳儿，脚底下薄底儿的靴子，左脚在前右脚在后，但是纸壳的脑袋，玻璃泡儿的眼珠儿。达摩堂很有讲究，三层的滴水檐儿，是指天地人三才，分五面叫五行。周围八个门儿，暗合着八卦之意，，九层台阶视为九宫。里头都是相生相克能转能动的假人兽，便形成了八十一门武术。迎门站的这人，就是一门武术。它是按二十八星宿当值排列的，今天是火星当值，所以它进的是南门——丙丁火。

大寨主带着三侠往里走，只不过就是看个大概。这都是假人，已经上了弦了，那为什么人从旁边过它不动呢？没挂总弦。挂上总弦，你够得着它，它就能打在你的身上。这些假人身上在致命的地方都有一盘弦，一个铜帽，只要你手点上了，"啪嚓"一下，这铜帽就动，里头弦就散了，跟钟表发条似的，这假人就不会动了。

大家进了二道门，两旁各有一个角门，都关着。二道门是蓝门，门开着呢。上头一块立额，蓝匾金字，写着两字："甲乙"，暗含"东方甲乙木"之意。木能生火，按五行相生，这第二道门就生着头一道门。这门的正中有一只大仙鹤，造得栩栩如生，跟真的一样，很好看。但此鹤的作用却在表达一种武术，它暗含着达摩老祖八式掌中"鹤立沙滩步宜稳，指掌八面任屈伸"的招数。

再往里走，可就进了三道门。这三道门亦有两扇角门，关得很严。黑漆大门上头也有一块立额，黑底儿白字写的是"壬癸"，意思是，"壬癸水"，水能生木，那么这个门就生着第二道门。大家伙儿这么一瞧，这三道门里立着个大人熊，一人多高。熊也在武术之内，熊有拔山之力，"靠山背"这功夫就来自熊的身上，当年轩辕皇帝把熊也吸收在武术之中。三侠看了看可就到了四道门了，这第四道门是白门，两边的角门也关着，当中的大门是开着的。一块白匾金字，写的是"庚辛"，这就是"西方庚辛金。"金生丽水，所以它生着第三道门。老三侠往里边一看，在这门里头卧着一只斑斓猛虎，喝！跟真的一个样啊！虎有三绝艺，"扫堂腿"就是从虎身上来的，轩辕皇帝也把虎吸收在武术之内。

三侠跟着他们进第四道门后，前边可就是第五道门了。五道门两边也有角门，关得很严。五道门是黄门，门上头也有一块立额，立额上是黄底儿的红字，写着"戊己"两个字；这就是"中央戊己土"，快到达摩堂的正中了。土能生金，这第五道门又生着第四道门。海川这些人往里仔细看，里头没有别的，当中迎门有一个达摩老祖的神像，看着十分庄严肃穆。高大的法身，穿着青僧袍，五领四带，大领阔袖，外罩棋子儿布的大背心，腰里扎着骆驼毛的毛绳儿，足有核桃粗细，脚底下是白袜子开口的黄僧鞋。往脸上看，面似乌金，一部黑胡子，两道九旋眉直插入鬓，不过，这双眼睛也是玻璃珠儿的，环眼铿亮，大耳朝怀，合掌向心。旁边有个架子，上头插着一条九耳八环禅杖，是纯钢打造，铿光瓦亮。在达摩神像的身背后，有一间屋子这么大的一个铁笼子，七八尺见方，四面有铁立柱，跟鸟笼子一样，当中有个门。兵丁拿钥匙开了铁门，把韩宝等四个寇贼推推搡搡都搡到里边去，把铁门"咣啷"一关，嘎叭锁上了。旁边立柱上有个钩儿，把这钥匙就挂在这铁钩上。为什么这个笼子像个鸟笼子呢？因为这笼子的正上顶有这么一个火圆盘，亮银的，起码得有四五尺见圆。圆盘底下吊着一个大灯，里头完全都是油，周围都有捻儿，如果晚上点着，火苗儿一起，亮银罩再这么一反光，整个儿的达摩堂内都看得很清楚。嚯！这气势儿是不小啊！马彪一笑："童侠客，把他们四个人就锁在这儿，只要你们弟兄三个有本领打齐我这五道门，那时候这四个人任凭三侠带走，我弟兄不但不管，而且还要束手到案打官司，不知您三侠意下如何？"海川听完点头道："情况不就这样了吗？""对！童侠客。""有什么话我们到前厅去谈，请！"把四寇可就锁在铁笼子里了。

　　大家伙儿陪着三侠一直来到前厅，重新落座。大寨主马彪面有得色："童侠客，有什么金言赐教，讲在当面吧。"童林可不让西方老侠跟哥哥侯振远说话了，便问："大寨主，，我们弟兄三个人完全都看清楚了。请问大寨主，如果我们订出日期来，到时候来到您贵宝山去破这达摩堂，您派重兵把守，不让我弟兄三人靠近，到时日期已满，我弟兄三人打不开达摩堂，怎么办呢？""童侠客，你不要这么想，只要我们把日期订好，你们弟兄三个人愿意住在我的山中，我给你们三位预备静室，准备吃喝。你们去的时候，不管是白天是晚上，我都派人把你们送进去。如果出来一个喽罗兵，伸手这么一拦，说不让打，就算我马彪输了。童侠客您还不放心吗？""嗷。那么请问大寨主，您就给限个日子吧。""童侠客，这不是你们弟兄三人都在这儿么，咱们就以百日为限，一百天以内打不开达摩堂，他们四个就算我们的人了，如果您打开达摩堂，献出四位，我们弟兄打官司，您看好吗？""哈哈，大寨主，我童林奉旨捕盗才一百天呐！大寨主，一百天我看是多了点，您再往下减一减吧。"老侠于成在旁边就看了海川一眼，心想：人家说一百天你答应一百天，你有能耐不会马上打开嘛！何必自己下绊脚索？再说这一百天也不多呀！不过，兄弟怎么说，我跟着你走，我要一拦你，算我做哥哥的不对。侯振远也是这种心理：得了，你年轻办得了，你说怎么干咱们就怎么干了。

　　"好！两个月吧。""多。""一个月。""多。""二十天。""多。"马彪倒吸了一口凉气："童侠客，十天还多吗？""大寨主，多！""既然如此，童侠客，你自限日期吧，你说什么时候咱们就什么时候。"海川一阵狂笑："哈哈哈，大寨主，小小达摩堂，八十一门武术不用三天五日，咱们二位就订在一夜之间，从日落西山起到日出扶桑止，破开达摩堂，大寨主你把四寇交与我弟兄，归案法办。如果我弟兄三个言而无信，一夜之间破不了达摩堂，我的两位哥哥，请回自己的家中。童海川抱着脑袋滚回北京城，这场失宝的官司我打了！云阳市口，项上餐刀，我顶了！四寇任其逍遥法外！"哟喝！于老侠险些蹦起来！大寨主这么一听，上下打量童林，把左手的大拇指这么一竖："哈哈哈，童侠客，这一言出口，驷马难追呀！""大寨主，如白染皂，岂能失信？""好！我再问问童侠客，敢不敢跟马某当面击掌？""有何不敢呢？""好吧。"两人遥击三掌。"好吧！大寨主，你也很忙，我弟兄就此告辞。""童侠客等一等，迎你三侠进山，送你三侠出寨。

喽罗兵，摆队送三侠！"命令传下了，二百名兵丁收拾好了，锵锒锒锒锒锒，鸣锣齐队，恭送三侠离开大寨。众人来到江边儿上，三侠上了船一抱拳："众家寨主请回吧。"三侠这只小船荡桨摇橹，唰啦啦啦，横穿沅江，直奔南岸。李英、孙亮、于秀也在后头跟着，一声不言语。

等到了岸边，他们爷儿六个弃舟登岸，大家伙儿"腾腾腾"往前走，赶奔兴隆店。海川走得最快，老侠于成在后头跟着，边走边道："嘿嘿！兄弟，要说你年轻有为，心直口快，哥哥我还是真赞成。可你说一夜之间就要破这达摩堂九九八十一门武术，这里头的飞禽走兽、草虫动物可全都在武术以内呀！兄弟你难道对各门武术都知道其中的奥妙吗？你就敢订在一夜之间？哥哥我今年一百零一了，说真的我可不敢呐！"老侠侯振远也点头微笑道："哥哥，您说得对呀。海川，咱们哥儿仨都懂吗？""两位老哥哥，咱们是弟兄三个，论年龄、论处江湖的时间，你们老哥儿俩都是前辈，但有这么句话：没有金刚钻儿，不敢揽瓷器活呀！想当初，小弟我在江西卧虎山金顶玉皇观跟二位老恩师练艺的时候，老恩师昼夜传授我十五年的苦功，最后给了我三本拳经秘诀，那里头也有禽兽昆虫。那个时候小弟我还不太明白，可是这一次我看到了这些个东西，想起我细问老师的经过，我师父跟我提了，当然你们哥儿俩也是懂这个的。古时候轩辕皇帝指猿猴而留技艺，什么虎有三绝、猴有三躲六闪之功、猫蹿狗闪、兔滚鹰翻……人呢？察天地之气候，仿万物之灵动，远取诸于物，近取诸于身，动转挪移之物皆通灵性，皆有护身保命取食的本能。既能护身又能保命，还能设法夺取吃的东西，争取自己活下来而不被自然淘汰，它们都有这么几手绝的。人们把这些个东西练到自己的身上，就是武术，这个你们老哥俩比我清楚得多。我听了教师的话，今天又看到这些东西，我才如梦方醒，恍然大悟。唉！哥哥，我这是班门弄斧啊。""不，兄弟，罢了！看起来你是遇到了名师，博学多识啊，贤弟既胸有成竹，我和于老哥哥也就放心了。"

弟兄们说着话就进了龙潭镇的北口，来到兴隆店进店门往里走，一直来到跨院上房。这个时候，王爷正在屋子里头着急呢。二爷侯杰跟几个孩子们都不放心，正要派人打探打探，没想到一挑帘子老爷儿六个从外边进来了。给王爷行完礼之后，王爷着急问："二位老侠客，海川呐，你们哥儿仨这次进山商讨事情怎么样了？本爵我真着急呀！""王爷您问海川吧，我们老哥儿俩拙嘴笨舌的也说不清楚。"大家伙儿坐下以后，海川才把这件事情从头至尾细说一遍。王爷听了，倒也没说别的，只说："海川呐，凡事还是应当跟两位哥哥商量商量，这一夜之间，我看是有点紧吧？"海川点了点头："紧是紧点儿，大家伙儿加把劲儿，我看也能成。""那么就赶紧吃饭、休息，晚上好有精神去。咱们再商量商量，你们老哥儿仨心里得有个谱儿，今儿个晚上都谁跟你们进山呐？"老侠侯振远点了点头："王爷您说得还真对，你们大家伙儿都谁愿意去？"旁边有人答言："师父，我们哥儿俩侍候着师大爷、师父和师叔一块儿去吧。"老侠侯振远一看，是自己的三徒弟，浪里云烟一阵风徐源徐子特、四徒弟过度流星赛电光邵甫邵春然。"还有别人去吗？"老侠侯振远知道这俩孩子最朴实，不会惹事的。旁边有人说话："哎呀，师大爷，我跟我的师哥也愿意同着师大爷一块儿去呀。"老侠一看，坏事包张旺和蛮子孔秀。这俩人成事不足坏事有余，可有一样好处，到了必要的时候，他们二人能出个馊主意、憋个坏招儿，总而言之还是有用的人。但老侠仍问："你们二人武术也不精，能为也不大，干什么去呀？"孔秀忙说："哎，师大爷，我和我的师哥商量好了，一来嘛要见识见识，趁这个机会，想看看达摩堂。再者说嘛，也是帮着师伯们出一出主意什么的。""嗯，好吧，你们二人也去。还谁去呀？"旁边俩人搭茬了："师大爷，我们哥儿俩也惦着去。"老侠一看，夏九龄和司马良。"你们俩人小小的年岁也敢上达摩堂？依我说算了吧！""师大爷，我跟我哥商量了半天，我们惦着跟师父、师大爷、师哥们瞧瞧去。因为这是千载难逢的好机会呀，将来长大了，也有说的讲的。师大爷，我们到那儿听话、不淘气，您带着我们俩去得了。"王爷赶紧搭茬儿了："老侠客，既然两个孩子有这份儿心愿，您就带了去吧，说真的这一辈子也不见得准碰上这种事儿啊。""哈哈！王爷，您呐！偏向着他们俩。好吧，你们俩人一会儿也收拾收拾，跟着去吧。"再不让别人去了，因为还有孙亮、李英跟小莲花于秀，再加上三侠这就十二个人了。其余的人陪着二爷侯杰在店里头保护王爷。

大家伙儿吃完饭，稍事休息，天可就黑了。老侠侯振远把二爷侯杰叫过来："老二呀，跟几个孩子在家里，你可要好好地保护王爷，我们进山，贼人是知道的，恐怕他们到店里搅闹。""哥哥，您放心吧，我们爷儿几个一定留神。"小弟兄们各自把兵刃带好了，随着三侠从店里出来，王爷千叮咛万嘱咐："海川呐，一定听哥哥的话，不要自作主张。"海川也连连地答应。爷儿几个直送到店门口，看他们老少十二位英雄顺着店门一直往西，又沿十字街往正北，出了龙潭镇北镇口。

　　大家伙儿没走出多远，就听沅江的水声如牛吼叫。远远地望见渡口上有一只大船，船上有三个马扎儿，沅江三鼠窦氏兄弟在船上等候，二十名水手相随。船头上两块夹杆三道铁箍，一杆大竹竿上头悬着气死风的灯笼，上头显得出字来：金银乱石岛。跳板已经搭好了，等爷儿十二个到了以后，窦氏三杰窦志、窦能、窦明，可就全下来了。他们都穿着长大的衣服，也不拿兵刃，恭恭敬敬来到切近，躬身施礼："哎呀，于老侠客爷，你们这爷儿几位来了啊，我弟兄三人奉寨主之命准备船只在此恭候，我们来得不晚吧？"于老侠摆手："不晚，不晚，你们弟兄早来了，我们大家伙儿谢谢。""请吧！"众人全部上了船，窦大爷窦志一摆手，兵丁们解缆绳，撤跳板，船篙点岸，"唰啦啦"一支篙横插大江，一直赶奔金银乱石岛西北方向来了。这里有个蟹甲的山环儿，一片芦苇，他们的船可就奔这个地方来了。越走越近，眼看着到了，原来是一片沙滩。沙滩上也有盏气死风的灯笼，站着四十名兵丁，六寨主金钱水豹陆占鳌在这儿等着呢。等爷儿几个从船上下来，陆占鳌一躬到地："陆某在此恭候三位侠客。""有劳陆寨主。""请吧。"拿红灯引着道路，大家伙儿顺着山坡上来了。路确实不大好走，转到山上头来到后山，有一队喽罗兵在这儿把着。陆占鳌站住了，对于老侠他们说道："你们几位请吧，从这山道儿一直转过去，越过前面山环，就看见灯火了，那就是达摩堂，恕陆占鳌不奉陪了。""陆寨主请吧。"陆寨主带着人走了。

　　这个时候，正是明月东升，一片黄沙被西北风搅起，沉沙扑面。等大家伙儿顺着道来到达摩堂切近了，嚯！达摩堂周围灯火通明，远远地望去，犹如一座火龙宫。海川别看性子急，现在可也不敢疏忽大意了。说真的，一夜之间破不了，不是童林一个人栽跟头，还有这百十岁的于老侠和八十多岁的侯老侠呐！一栽就是三位呀。来到正南方，于老侠带着大家伙儿一个门一个门整个达摩堂转了一个圈儿，这才返到南方丙丁火，这里与白天看的一样，还是火星当值。往正面一看，老侠于成久经大敌，一回身："孙班头，把你的花枪交给我。"金眼鹰孙亮一伸手把自己的红缨枪就交与了老侠。老侠把枪接过来，对童林说道："海川呐，你拿这枪点点台所，看看有别的毛病没有。"侯振远心说：海川，这个地方你就得学，冒冒失失顺着台阶"蹬蹬蹬"往上一走，"咔"一下，把你陷下去就危险了！常言道，害人之心不可有，防人之心不可无哇。海川答应："是。"伸手把包袱先交了司马良，然后接过枪来。一蹬一蹬地拿这扎枪往上点，看看有埋伏没有。这样整个儿的九层台阶全点到了，没事。海川站在台阶上一招手，爷儿几个这才上台阶，跟海川到了一块儿。海川把枪交给孙亮："谢谢您。""童侠客您太客气了。"

海川一瞧，门儿里这个假人，穿着打扮换了，光头没戴帽子，有个假辫子，身上穿着土黄布裤子汗衫儿，左大襟儿白骨头纽子，粗蓝布大褂又肥又大，扎绒绳，搬尖儿洒鞋，白布袜子，跟海川一点不差。海川心里说：这是塞木拿我童林开玩笑，奚落我呀！海川看了看二位老侠客："两位哥哥，你们老哥儿俩看看，这人往这儿一站，是哪一家武术哇？"侯振远心里想：好！还没进门呢，你就考上我们哥儿俩了。这个人站的这个架，是往下一矮身，左脚虚着右脚实着，体重后移，双手一合，三环套月式。"童贤弟，你问我们哥儿俩这家武术，我看这人站的意思好像是劈挂掌，我可不知道说得对不对。脚底下是弦，通在木板下。这个槽儿，正跟这个弦合着。海川、于老哥哥，我说得对吗？""哥哥您说得对，一定就是劈挂掌。""对！"西方侠于爷在旁边搭茬儿了："是劈挂掌，但是谁先打这头一阵呢？"海川回过头来："你们大家伙儿都听着，这门武术叫劈挂掌，你们谁认为可以试试，谁就可以自报奋勇，头一个跟这假人比比武。"海川刚说完，旁边就有人搭茬儿了："哎呀，师父，弟子不才，我要跟这个假人嘎啦嘎啦试一试。"海川一瞧是孔秀，便道："孔秀哇，你愿意跟这假人动手？""不错，弟子愿试一试，我是笨鸟先飞。"海川答应："好吧，我们盼着你旗开得胜。""谢谢师父的吉言。"

孔秀这个人没能耐，但是他绝顶聪明。那他为什么还要过来，还要上这个当？这叫聪明反被聪明误！孔秀怎么想呢？真人嘛我打不过人家，是个练武术的我就赢不了！但你是个假人，我还赢不了你吗？海川看了看他嘱咐道："孔秀啊，你可要多加小心。"孔秀把自己的长衫往绒绳里这么一掖，大褂儿底摆往起这么一撩，袖面挽了挽，把自己的小辫儿也挽了个鬏儿，然后他到了门坎儿这儿，看了看这木头人，还是照样不动。他聪明呀，这木头人怎么个厉害呢？我试试。孔秀迈步由打门坎进来了，往前试试探探走了两步，这个木头人还不动。"哎呀，这个金银乱石岛的几个混账王八羔子，他们这个木头人嘛是唬人的，不然的话就是年久了，里边都长了锈了。这个木头人动不了啦，该着我孔秀露脸。"孔秀大大方方往前走，眼看着快到跟前了，左手一晃面门，上右步微然一斜身，右手一攥拳，这手功夫叫"恶狼扒心"，照木头人的胸膛"唰"一拳就到了。人家制造木头人儿的这主儿太高了，这是多少代铁善寺的大师们研究出来的，你各个武术都会也需得精通，难就难在这儿了。人家哪门儿的武术都有好招儿、绝招儿，哪能随便往外传人呢？等孔秀这拳唰地一下快到了，这木头人上左脚顺着弦槽滑步，右手胳膊这么一抡，劈挂掌这叫"辘轳翻车"，照着孔秀的胳膊上"啪"就一砸，险些把他的右臂给砸折了！跟着这假人右步踏中宫往前滑，右手翻回来，"反臂撩阴"就是一掌。这种东西一劈一挂，非常凶啊！正打在孔秀的小肚子上，可把孔秀给打着了，咕噜一声滚到海川的脚底下。"哎呀，坑了我了，害了我了，敢情这个假人很厉害，把我打了。"当他的脚一离开木板地，也就是没有力量加在木板上了，这个假人自动退回原位，还照原样劈挂掌的"三环套月式"又站好了。

海川一伸手把孔秀给搀起来了，"哎呀！"疼得孔秀在海川的前头捂着小肚子直转悠，他这口气缓不过来，功夫大了，脸色儿都变了。"哎呀，这一掌啊，险些把我给打死！"侯老侠可问了："孔秀哇，我问问你，你是个大活人，怎么叫假人打了？""我也说不清呀，当我够着它的时候，它就够着我了。看来这个东西十分厉害。侄男没有想到，我的右胳臂险些叫他给砸折了，小肚子一个'撩阴掌'险些把我给打死。师父啊，这个东西可很厉害！"海川把脸往下一沉："可恶，不叫你进去，你非进去不可，到现在知道厉害了吧？""我晓得了。""一旁站立。"孔秀跑一边忍着去了，海川看了看司马良、夏九龄。说道："龄儿，你们俩人的武艺很不错，去吧，到达摩堂跟假人比比吧。"这俩孩子机灵呀，忙说："师父，我们俩人就到这儿来看看，没有跟这假人比试的心，师父，我们不去。"海川也不勉强，转身对两位老侠说道："两位老哥哥，迎门这家武术是劈挂掌，这是小弟我的事儿，破头一个门。二位兄长给兄弟我看着点儿。"长臂昆仑飘髯叟老侠于成哈哈一乐："海川，你呀，能者多劳吧。"孔秀在旁边咬着牙还疼着呢，心说：这个老头子老奸巨猾，是个老狐狸精，他嘴里净说好的，可就是不过去动手，还得让我师父过去。海川一抱拳："两位老哥哥，给我看着点儿。"说完以后，大褂也不撩，袖面也不挽，小辫也不挽，往下一矮身，脚尖一点地，一长腰，"噌"一下从台阶底下就蹦到门坎儿里，跟着海川一滑步，"唰"地一下，可就移上部位了。脚一蹬上，底下的千斤砣走线锤一动，弦"唰"一响，这假人向右一斜身，轮起右臂来向童林的面门"唰"地一下砸来了。海川明白，这里头都是招套招、式套式，如果你看这右臂一个翻车打来了，你要往旁边一滑步，他的左手照样儿"撩阴掌"打你。海川并不躲闪，左脚蹬住了部位，这假人左臂"唰"地往海川的面门砸下来了，海川就用右手迎着它的右胳膊外皮这么一穿，你往下砸，我往上支，跟着右手腕"叭"一叼它，叼住这假人的假二棒子，往回里顺手牵羊这么一拉，伸左手平推，这手功夫在他的掌法里头叫"麒麟吐书"。只见海川的左手掌对准假人的胃脘一击，掌挂一团风，"嘭！"一声就打上了。再看这铜帽儿一动，里头这盘弦哗啦啦就散了。假人就势往后一仰身，"扑通"躺下了。它脚后跟有个窟窿，有一撮子弦，其中粗弦就由上百根细弦拧着成的。喝！这个东西真不简单。海川就势这么一撤步，掉过脸来往里走。

海川站在门里头，看了看别处没什么了，手一招："两位哥哥跟大家伙儿请进来吧。"这些人随着二老侠上台阶，可就进了头道门。现在，跟白天来可不一样了，因为这第二道门一边有一个角门，从正南方说叫东西角门。这两个角门白天来的时候是关着的，这会儿完全都开了。在东角门里有一个人，这个人短衣襟小打扮，绢帕缠头，弓蹬步的架式，左脚虚着，在前边这么一蹦，右脚实着，腿往下矬一点儿，这么一弓，右手攥着一口压把厚背雁翎刀，刀刃冲外，刀尖冲下，反着左手的腕子，手心这方面是冲着外，手背冲着里，倒提着这口刀。左手是掌，一搭右手的手腕，就这么一个姿式，也不是夜战八方藏刀式，也不是捋背塌腰，也不是金刀切叶，就是倒提刀这么一个站式。老侠侯振远看完了，当然知道这门武术是什么门户的，可是他不言语。大家伙儿再看这西角门里，也站着一个人，这个人穿着一身蓝，短衣襟小打扮，绢帕缠头，站在那儿左脚微然往前一点儿叫丁字步，掌里合着一条蜡杆枪，既不往后坐，也不往前倾，一尺多长的枪头子，鸭子嘴式，犀牛尾的红缨，锃明瓦亮。海川看完后问："老哥哥，您看这是哪一门儿的枪？"老侠侯振远真不乐意，心想：弟兄呀，你怎么老问呢？我跟于老哥哥都是人间的侠客，一名二声，武艺当然精通啦！话虽如此，可武术这个东西还是要练到老，学到老，只有盖棺才能定论，我们要说不上来，不就栽给你了吗？不用说马彪拿这达摩堂考我们哥儿俩，你就把我们哥儿俩给考了！可是侯振远又怎么能直呼直令地说自己的兄弟呢？便道："嘿嘿，贤弟呀，这个枪的名目我倒是听前辈们提过，在于老哥哥面前我妄谈两句。这门武艺出在南宋年间，有一位大官长、大元帅，这个人就是开府仪同三司、武昌开国公兵马大元帅，姓岳名飞字鹏举。岳飞岳老元帅幼年之间拜陕西周侗为师，受周老先生的真传实授，周老先生他就受达摩尊者的亲传呀。他的枪法纯粹是运用气功，不然的话，怎么能够在牛头山战败金兀术百万雄兵、千员战将呐？这套枪法叫八卦绵丝枪，俗名又叫梨花枪。可就不知道对不对，愚兄妄谈呐，哈哈哈。"边笑边看着海川。海川明白了，老哥哥的话里多少带着点锋芒了，知道是自己把话说失口了，不由得脸一红说道："啊，哥哥；您既然说这趟枪是八卦绵丝枪，那么就一定是八卦绵丝枪了，可不知道谁破这门枪法呢？"老侠于成从旁边捶着后腰过来了："唉，这两天呐有点儿招风，腰还疼上来了。嘿嘿！可是既然到这儿了，也不能说了不算。这回你们哥儿俩给我看着点儿，我来对付对付这八卦绵丝枪。不过咱们可把话说在头里，我要把这枪对付了，东角门儿这刀我可就不管了。"侯振远点头："老哥哥，好吧。不过您先等一等。""嗯，怎么着？咱们不就这一晚上的工夫吗？""不，您看，后面有很多使枪的，像腾身步月李士钧，还有金眼鹰孙亮，也请他们试试，让到是礼。您说对不对？""对。"其实呀，您看人家李英是家传的三十六把子绝命神枪，那是没错的，人家不外传，可以说天下无敌。老侠侯振远刚才那么一论枪，别人不说，李英这个年轻人就有点不服气。他心说：要说使枪，那还得让我们爷们儿过去，侯老侠为什么把这假人的枪说得这么厉害呀？要不我自己试试。这个时候海川有点看出来了，李英迈步往前来，他一抱拳："童侠客爷、于老侠客、侯老侠客，在下我听侯老侠客爷这么一论枪，我想起来了，先父当年传给我李英三十六把子绝命枪时就跟我提过，咱们家的枪法可以说是武林绝艺，天下无二，尽管这么说，没有碰上过真正的对手，也搭着我李英出世很晚。这么办吧，今天我对付对付这条枪，老侠客爷，晚生抢先一步，如果晚生我把它战胜了，您老人家就能省些力气。如果对付不了，再请老人家您来。""哈哈，李士钧，你是看我年岁大呀。好吧，既然如此，那我们大家伙儿就看看你这三十六把绝命枪。你是神枪向西来李跃李光辉亲传的功夫，我们大家伙儿也开开眼。"

李英从孙亮的手里把枪接过来了，遛遛达达地转到三侠的前头，回过身来两只手一合，抱着枪，深深地作了个揖："三位侠客爷和众位师兄师弟们，给我瞧着点啊。"这样，李士钧转过身来，往前一长腰，就来到西角门里，双手一合抢往前一探把，脚尖儿一点木板地，木板地儿一发软，千斤砣一动，木头人跟着就动了，他"唰"地一枪，枪走一条线，这手功夫叫"仙人指路"，直奔假人的胸前。当枪尖儿快扎上了，假人的左脚就动了，往前这么一滑步儿，踏中宫从正面左脚往前滑，跟着把身体这么一斜，胸腔一贴，这假人横过来了，猛地双臂一抖，一颤枪"啪"地一下，正砸在李士钧的枪杆上。"当啷啷"枪就脱手而飞了。这假人的枪招儿太快了，就势往前这么一揉，"唰!"直奔李士钧哽嗓咽喉就扎过来了! 当李士钧发觉的时候，枪尖距离他的嗓轴子也差不了一寸了，李士钧躲不开了，可方寸不乱。他的机灵劲上来了，猛地往后一仰身，枪往前扎，他往后退，这就给李士钧多少腾了一点儿功夫，"扑通"，仰面朝天就摔到木板地儿上了。幸亏这种木板有颤劲儿，不然李士钧这下虽然不被这假人的枪给扎死，也得摔个脑伤! 好悬呐!三侠和所有的人都吃了一惊。李士钧两只脚跟一蹬木板地儿，两只手一撑腰一提气，他从地上蹭地一下蹿起来，这手功夫叫"蛇行纵跃"，在长虫身上练出来的武艺。这假人也回转原位了。再看李士钧，哎呀，吓得面色焦黄，二目发直，顺着额角嘀嘀嗒嗒往下冒汗珠。"哎呀!"海川可喊了一嗓子："李士钧快请过来吧! 你看，多危险呐，你还是多瞧一瞧吧。""谢谢童侠客爷，晚生真没想到这个假人的枪法这么厉害。""是啊，来吧，看我的吧。"老侠侯振远一摆手："贤弟呀，破这八卦绵丝枪也不需贤弟劳神前往了。让给愚兄我吧。""哥哥，那您多留神。"老侠侯振远把宝剑从腰里就摘下来了，把剑往前这么一递，夏九龄把剑鞘攥住。老侠一顶崩簧，金磕金的声音，龙吟虎啸，嚓楞楞……，龙渊古剑拉将出来，一道寒光"唰"地一下冷气袭人。老侠右手一按剑，左手一拢颔下的银髯，蚕眉倒立，虎目圆睁。虽然说对着假人，也得拿着狸猫当虎看呐! 老人家回过头来冲于爷点了点头："哥哥，您给我看着点儿吧!"于老侠点头："能者多劳，兄弟，这下瞧你的啦。"

老侠客脚尖儿一点木板地，轻身提气一长腰，咻地一下就纵到了角门里，可脚尖一点地没站稳，木头人就一抖大枪，对着老侠扎前胸挂两肋，老侠侯振远一看这枪奔自己来了，并不躲闪，脚头儿一点地，丹田一提气，"噌!"旱地拔葱起来五尺，在半空中悬着呢。这假人的枪就不往前走了，它扎谁去呀? 它往回抽枪一撒步，老侠侯振远"唰"地从半空中往前一趋，脚不落地宝剑先到，正扎在假人的哽嗓咽喉上，轻轻一点，"嘭!"点上铜帽，盘弦一散，哗哩哗啦。假人往后一仰"咕咚"躺下，脚后跟露出弦来，老侠侯振远这才脚踏实地。"哈哈，看来这八卦绵丝枪也没什么了不起呀，海川、于老哥哥看见没有? 青龙剑巧破绵丝枪。"老侠于成在旁边这乐呀："哈哈哈，侯大弟，你这剑法太高了，当你脚尖儿点地纵起来的时候，这假人回去了。哈哈，看来你这招儿只能赢假人呀！"老侠侯振远一捋胡子，哈哈大笑："哥哥说得对，咱们就是蒙假人的能为。"说完了以后，猫腰把李英丢下的枪拾起来，然后慢慢走到大家伙儿跟前，先把枪交给孙亮。孙亮直道谢："谢谢您呐！"然后老人家把宝剑还鞘递给夏九龄。九龄心说：我就知道我有差事，来了我就是剑童嘛。

老人家于成冲着海川、侯振远一抱拳："得啦，这回该瞧哥哥我的了，我不能净说不练，咱们大家伙儿到东角门，这使刀的归我。"大家可全奔东角门来了。来到切近，海川一拦："哥哥，这样吧，咱们呐，谁认识哪门武术，谁就主动要求去破，不再让了。这门刀法叫钓鱼刀，它的名字叫八卦转盘刀。老哥哥，既然我认识，就由小弟我来破吧。""兄弟，你这是疼爱我呀！看着哥哥我年纪大了，那么我就谢谢啦，我给你看着点儿。""谢谢哥哥，侯老哥哥也给我瞧着点儿。"老人家侯振远点了点头。海川一伸手："李士钧，把你的厚背雁翎刀借给我使一使。"李士钧摘下刀来往前一递把儿，海川伸手把刀抽出来。侯老侠关切地说："兄弟，你可多加小心。"海川点了点头，攥着刀转过身来，脚尖儿一点地，长腰奔了角门。海川没使过刀，大家伙儿都想看看，认为很新鲜。其实海川不但钺法好，刀枪剑戟斧钺钩叉，样样都好。因为这有个基本功的问题，如果你自己的功底儿扎实，你拿起什么来都一样。

大家伙儿看着海川迈步往前走，垫步拧腰，可就来到了这个木人儿的切近。假人左脚在前，右脚在后，海川往前一抢身，脚踏中宫，也是左脚在前，右脚在后，往下一拿桩，体重后移，把刀冲前这么一推，一副"钓鱼刀"的架式。左脚尖微然一用力，木板地儿稍微一软，走线砣一动，假人可也就跟着动了，再看这假人右手反腕，右步一跨，反身子一斜，"顺风摇旗"，右手的刀对准海川脖子就砍下来了。海川没动地方，一伸左手，微然这么一甩脸，拿左手照着假人的手背上"啪"，给了一掌，这叫"劈刀。"假人也很灵啊，它也往回撤步，坠肘沉肩往回撤刀，海川的刀也就到了，直奔这假人的脖子砍来。假人的左手起来，一扇海川的右手手臂，海川也用劈刀，"啪、啪、啪！"就是三招哇。老侠于成点了点头，心说：自从爷儿几个来到达摩堂以后，假人高手、昆虫走兽，好像打起来都不费劲。老侠于成明白，因为哥儿仁的本领是超人的，这样驾轻就熟游刃有余，好像玩玩笑笑着就把假人赢了，实际上这也是一场激烈的战斗！呼吸之间是生死。

第二十三回

破机关智勇数三侠
达摩堂地道走四寇

　　上回书说到三侠打赌斗智，大破达摩堂，镇八方紫面昆仑侠童林会战持刀的假人。假人很厉害，三刀劈过去，这假人往回一撤右步，拿左手的胳膊支着，左手可不是掌，拢成了钩子，钩子往下一军拉，右手的刀背就搁在自己左臂的里边了。假人往回一转身，"唰"地一下，这是"扫堂刀"。海川也明白：如果我脚尖儿一点地，可以蹦起来，假人就回去了。因为老哥哥侯振远刚才赢那个枪就是那么赢的。海川又一想：我别那样办了。海川大踏步往左这么一滑，拿这右手的刀，顺着它的刀来了，就这么一支它的腕子，让假人的"扫堂刀"起来，拿刀尖儿一挑它，顺自己的头顶过去，捧刀就扎，正扎在假人右臂的下肋窝上。刚好又碰上里头一个铜帽，"嘭!"这盘弦一散，假人"咕咚"就躺下了。海川看了看假人不动了，这才撤步抽身出来，由东角门来到外头。"老哥哥，你们哥儿俩看我这刀法怎么样啊？""哈哈哈。"于爷一笑："兄弟，好!哥哥我赞成。"把刀交给李士钧以后，大家伙儿来到这二道门儿的正门，这么一看呐，门里头迎面站着五个猴儿，门上写的是"甲乙"两个字。这甲乙木，木能生火，也是相生的意思。这五个猴儿可跟真人的个头儿差不离，迎面是三个，在这三个前头一边一个，好像是圈了一个圈儿。您可别看是假的，跟真猴儿一样，玻璃眼珠儿叫灯光这么一照，"唰唰"地冒亮。这猴爪子可跟假人的做法不一样啊，不是两只爪子都带弦，只有一只爪子带弦，这东西可厉害，爪子上都是纯钢打制的钢钩哇!

海川他们爷儿几个来到了角门外，他看看这老哥儿俩："哈哈，老哥哥，您看，这一共是五个猴儿。"于爷点头："不错！海川，是五个猴哇。""二位兄长，看来打这五个猴儿，可得费点手劲。"于爷说："兄弟，你说得一点都不假。这么办吧，问问这些孩子们，谁有胆子过去，跟这五个猴儿会一会？"老侠侯振远明白，我和我的二弟苍首白猿侯杰侯敬山，练的是螳螂手跟猴儿拳，这五个猴儿分明是猴儿拳，但是五个猴儿在一块儿，别说它不是按武术做的，就是五个真猴儿，要围住你也够呛呀。老侠侯振远一抹头儿："你们大家伙儿听见了没有，你于师伯提了，你们谁敢过去跟这五个猴儿动动手？验证验证自己平生所学。"刚说到这儿，旁边有人念佛，"阿弥陀佛；师大爷，侄男愿往。"老侠侯振远一看呐，是坏事包张旺。一脸的滋泥，二指宽的皮条勒着个月牙儿金箍，黄头发披散在肩头以上，穿着青僧袍，上头油渍满服，系着绒绳，别着三棱峨眉刺，青中衣薄底青僧鞋，这个人的外号儿叫坏事包，其坏无比。老侠明白：这孩子久经大敌呀，他这么精明的主儿，为什么要讨令去跟这五个猴儿试试，就不怕吃亏吗？"张旺，你愿意跟这五个猴儿试试吗？""是！侄男愿意试试。""好吧，你可多加小心呐。""请伯父您放心。"张旺是这么想的：我们爷们儿是练猴儿拳的，就我们山东的螳螂手、猴儿拳，南七北六十三省，不敢说打遍天下无敌手，得有这么一号，我张旺跟着师父、二爷侯杰也练了这么多年了，我跟真人动手还没吃过多大的亏，那么跟这假猴儿，我还不至于吃专职吧？我要一个一个都给它们打趴下，这不也是人前显耀吗？张旺也是憋着露脸来的。

坏事包张旺把自己的僧袍整理整理，来到正当中这二道门，顺着台阶一长腰就上去了。飞身过来往这五个猴儿的当中这么一站，他用左手并食中二指，来了个"金龙吐须"，把后排当中这个猴儿的眼睛"唰"就抠下来了。这张旺很厉害，您还记得打杭州擂吗？他把人家眼珠子抠出来了，等张旺这手"金龙吐须"点下来，这假猴儿不躲，而是猛然间往后这么一仰，就好像人们练功的这个铁板桥，左爪扎根，它底下带着弦呐，离不开地。但是它的右爪子没弦，这猴儿猛地往后这么一仰，上盘是躲张旺的这只手，实际上它这右腿卷起来了，照着坏事包张旺的肚子"噌"就一蹭，因为这猴儿爪子都是钢钩儿的，风声快呀，要蹭到肚子上"唰"这一下，就给开膛了！张旺知道不好，他往后倒腰要走，却来不及了，左右俩猴儿"唰"地一下转过来，对准张旺的脖梗子、脑瓜顶儿、后腰，合算是八只前爪一下就蜂拥而上。这下张旺的乐儿可大啦！你要往后躲，八只猴儿爪子上来了，叨到你哪儿都是钢钩，十分厉害；你要不躲，当中面前的这猴儿，一爪子能把自己给蹬死，万般无奈，自己缩颈藏头往后一仰，"喊哩咔嚓"，这八个爪子可全叨在张旺的身上了。"嚓"地一爪子下去就是几道血槽儿，血下来了，张旺要了命了。他还有头发呐，哎哟，把张旺的头发给薅啦！孔秀高声喝喊："混账东西，你不会趴下吗？你往外爬呀。"张旺一想，对呀！宁可叫这八只猴儿爪子把自己挠了，也不能让对面儿这猴爪子把自己叨死！他狠了命的往下一俯，慢慢地爬出来了。这五个猴又退回原位。

坏事包张旺慢慢往外爬，老人家侯振远面沉似水，在这儿看着。一会儿张旺爬出来了，可不是样儿啦，僧袍都一条一条的了。疼得他脸色苍白，嘴唇发青，浑身哆嗦："哎哟，师大爷、师叔，众位师兄师弟们，我说这猴儿怎么这么厉害呀！我真没想到。"侯老侠哼了一声："可恶的东西，平常日子练功，总认为自己成了，要知道人外有人，天外有天。你自己背地里练拳不能好好的下苦功夫，到了时候，你看你狼狈不狼狈？""师大爷，我真够狼狈的！""哎呀，你过来吧。"您别看孔秀这人他嘴不好，心肠儿特别软。"来来来，师哥、我搀着你，你到这旮里来，我给你上一点药。混账东西，你为什么要逞能呢？你也很机灵嘛，我也很机灵，我挨了打了嘛，你叫猴儿给挠了。""阿弥陀佛，我哪知道这么厉害呀，我认为我是学猴儿拳的，怎么着我也对付得了，没想到我真对付不了！""哎呀，混账东西，挠得够呛！""挠得够呛？你看看我这头发，都薅一半儿去啦。叫人一瞧，我五十多岁都脱头发了。""哎呀，你可好嘛，掉了不少的头发，还不如剃光了，成为光头和尚嘛。"孔秀把他的头发给捋顺了，把他的破僧袍扒下来，拿出一个小药瓶儿，在冒血的地方给上了点儿药。人家练武的都有上好的金创药，几天掉疮疤，就不要紧了。坏事包张旺说："你把我的衣服都脱了，我不能光着脊梁呀。""好啦，我给你一件大褂。"孔秀把小袄扒开了，拿出一件蓝大褂儿来。张旺心说：多新鲜呐，我出家的和尚穿大褂儿？唉！这也没法子啊。"哎呀，你先凑合穿上，完了事回去再说吧。"坏事包张旺把大褂穿上了，把绒绳系好，三棱峨眉刺也别好了，可就是身上疼痛难忍。

哥俩几回身过来一瞧，老爷儿几位在这儿正研究呢，看来这个猴儿是很厉害呀。"海川呐，你和你振远哥哥都受累了，这么办吧，把这几个猴儿就交给哥哥我。"老侠于成说完了可就要迈步往前走。海川一摆手："老哥哥，这种小巧的玩艺儿我看也没有什么出奇的，老哥哥这么大年纪，您先休息休息，让我来！""你看，你又心疼我。好！既然如此，我跟振远给你观敌料阵儿，看你打这五个猴儿。"孔秀这时候过来了，孔秀心说：这个老头子，净用嘴支着啊！他不愿意动手啊，看来他老了，他的本领不成了。不但孔秀一个人有这种想法，一些个小弟兄心里头也对于爷有点儿不满意。管你哥哥长、哥哥短的叫着，真正的动手你总是老奸巨猾，净让别人冲锋陷阵，你却按兵不动，坐山观虎斗。

这时候海川收拾一下可就到了台阶下了，猛地，海川脚尖一点地，长腰一纵，"噌"地一下从二道门外蹿起来进到二道门里，然后海川轻飘飘地落到这五个猴儿当中。海川脚尖儿一点木板地，木板地动了，海川调过脸来，两只手这么一抱前胸，往下微然一蹲身，丁字步站在那里。明知道刚才张旺叫这五个猴儿给挠了，可海川还是脸冲外站在中间。老侠于成一捋领下的银髯，纵蚕眉，睁虎目，大家伙儿都为海川捏着一把汗！果然，这个猴儿就势往后一仰，前爪子起来，照着海川的后腰眼儿就蹬下来了。如果这一爪子蹬上，尽管海川不至于丧命，衣裳也得破了，得照样给蹬上几道血槽哇！海川脸冲着前，往后一蹲身，双手一抱，后头这猴儿的爪子起来了，海川就势儿往下这么一矮身，左脚扎根，右脚起来往后蹬，正蹬在这猴儿的裆头上。"啪嚓"一脚，把猴儿就给蹬翻了。只见前头这俩猴儿，"唰"一转身，"乌龙探爪"奔海川的面门就打，左右两个猴儿也是一样，跟对付张旺那样，也对着海川的肩头、脑袋就抓来了。海川这右脚一个"倒踢紫金冠"，把后头这猴儿给踹躺下了，这时盘底下的弦就散了，海川就势一长身，一反臂，这手功夫叫"双蹦拳"。"啪嚓"！两只胳膊全发出去了，正把左右两个猴儿给打躺下了。海川又抬右脚，奔自己右前方的这个猴儿，一点它的肚子，"啪"！这猴儿往后一仰，海川右脚回来，奔右前方，立左手，一穿左前方这个猴儿的胳膊，伸左手一掠它，右手对准这个猴儿的太阳穴"啪"就一砸，把左前方这个猴儿，也给打躺下了，转眼之间，五个猴儿全完了。海川站在这儿，哈哈一笑："老哥哥，您看怎么样啊？""哈哈哈，海川呐，好哇！反臂打五猴，兄弟，你辈辈封侯。"侯振远一听这个气，怎么还带唱喜歌的？嘿！这老头，真有点意思。

老少群雄随着海川一招手，大家伙儿完全都进了二道门，来到二道门里，抬头这么一看，三道门的东西门也都开着。东角门扉有一个昆虫，是个大螳螂，四尺多高，三棱的细脖，三尖儿的脑袋，两条长须，它这前爪是两把大镰刀，就跟那铡刀一样啊，足有一寸五宽，锋利无比。

这螳螂斜楞着脖子，两把镰刀都张着，底下两条腿儿一前一后，绿色翅膀栩栩如生，跟真的一样。老侠侯振远一瞧哇，这个东西就是螳螂手哇！螳螂，也编在武术之内，因为螳螂两个前爪锋利异常，这种昆虫，虽然说不怎么凶狠，可有一样，它专门降蛇，只要蛇碰上它，别看它小，斗来斗去，也得把这蛇的两只眼睛给弄瞎了。老侠侯振远是山东人，直到今天，人家山东有螳螂手，多少代了。老侠侯振远练的就是螳螂手啊。侯家弟兄练的是三十六手螳螂步，三十六手螳螂式，这个东西专破蛇行掌。

大家伙儿再看西角门，这里原来是一只猛虎。嘿！尤其是晚上被灯光一照，这老虎跟真的一样。这只虎坐着，屁股挨着地，两只前爪在前头支着，微然有点趴伏，虎头冲前，眼睛是玻璃泡儿的，张着血盆大口，连牙都是纯钢打制的。有民谣为证："头圆耳小尾巴摇，浑身上下织锦毛，爪似钢钩牙似刀，二目如灯光华耀。樵夫着急心发跳，行人一见也发毛，常在深山抖雄威，万兽之中它最高。"这就是说老虎十分厉害。虎有三绝呀，轩辕皇帝把老虎身上的本领，运用到人的身上，就有了虎的绝招儿。老虎发现猎物的时候，它猛地往后这么一坐腰，就趴伏在地下，伸直两只前爪，后腿弯下来，屁股挨地，这叫引刃待发呀。老虎猛地一施展爆发力，"噌"地一下就蹿到猎物的跟前，让你防不胜防，跑不能跑。这手功夫练到人身上就是"虎扑子"，八卦掌里就有虎扑子。如果你躲过虎扑了，老虎就用自己的后胯，照着猎物"啪"这么一撞，这手功夫练到武术上，叫"胯打"，肩肘腕胯膝嘛，这胯骨轴儿也是武艺。这胯打你也躲过去了，老虎最后还有一招，就拿这大长尾巴扫你，这叫"扫堂腿。"

老侠客于成看完老虎，跟侯振远商量："兄弟，海川忙乎了半天，这回不能让他再去迎战了。兄弟，西边是老虎，东边是个大螳螂，尽你挑吧，你挑剩下归哥哥我。"老侠侯振远琢磨半天了，自己闭户精研六十年的螳螂手敢说艺压武林呐！我要拿这螳螂试试。如果我的招数不敌这螳螂，那我还得投名师访高友，勤学苦练。"老哥哥，这么办吧，我试试这大螳螂。""啊，好！那么你要试螳螂，哥哥我就得喂老虎了。"大家伙儿一听，您这是喂老虎？可惜是个假的，老虎不吃。"好吧，海川兄弟，你歇会儿，这回瞧哥哥我卖卖老。"于老侠说着话，把长衫的底摆一撩，往绒绳上一掖，把胡子撮起来往二钮底下一揣，小辫挽了个鬏儿，哎！来劲儿了。蹭了蹭自己寸底福字履鞋的后跟，于老侠晃晃悠悠，脚步跟跄，可就过来了。来到西角门里，冲着老虎这么一亮相，拿左手的二拇手指，一指老虎，再一指自己的鼻子尖，这意思是你吃我不吃啊？我身上可没肉哇！你要不怕我这骨头扎了你的上牙膛，你就吃。老侠于成丹田一提气，福字履鞋底一点地，一长腰，好轻的身法。一溜轻烟似的蹦起来，轻飘飘往下一落，就是老虎的前头，骑马蹲裆式一站，这老虎千斤砣动了。一走弦，老虎就往后一坐，"唰"！出去有五尺，猛地再往前一蹿，一个"虎扑子"式就奔于老侠的面门来了。老人家脚跟蹬地，一个"金鱼穿波"，随着老虎的前扑，往后纵身，大约出去五尺，老侠落地，这虎正趴在老侠面前，老侠就势一伸左手，照着老虎的脑瓜皮上一抓，这地方是个王字呀，是老虎的致命处。老侠伸左手轻舒铁掌，老虎扑上来，迎着老虎的顶梁"啪"地一把抓住，往下这么一摁，老虎可就下来了。老人家的右手搁在嘴边儿，照着老虎的王字上"啪"就是一掌，正好拍在老虎王字底下的铜帽上，里头这盘弦可就都散开了，老虎不动了。老侠大笑："你还有能耐吗？你吃我试试？嘿嘿！你也没这胆子。"老侠说着闲话，转身形出来了，拍着自己的后脊梁："哎呀，我腰都疼了，刚才跟你们爷儿几个说了，我有点受风。人老猫腰把头低，树老焦梢叶儿稀。人老了，不中用了。我这腰疼得厉害，这回可把我给累坏了。海川、振远呐，以后再出现多少门武术，我也干不了啦。"孔秀心说：这个老头子老奸巨猾，就想占便宜呀。海川一抱拳："哥哥，你老人家要累了，您就看着点儿吧。"为什么海川说这话，海川想：哥哥的年纪太大了，几十年前西方侠于成在江湖路上大有名焉，叱咤风云的人物，但是人有个老哇，看到今天的老侠也就想到自己到人家这个岁数，也是一样。想到这儿，海川对侯老侠说："侯老哥哥，让于老哥哥休息一会儿，您现在跟这螳螂试试吧。""嘿嘿，好！我跟这螳螂试一试。"

老侠侯振远迈步往前走，直奔东角门进来，就扑奔了这只大螳螂。螳螂是假的，但是它动作可跟真的一样，你来了它就好像看见你一样。老人家右脚尖儿"啪"一点木板地，千斤砣一走，这个螳螂左边前爪的镰刀，"唰"地一斜，整个身体就转过来了。右爪一抬，照老侠侯振远的脖子上就这么一搂，这一下真要搂上，就跟那小铡刀一样，"啪"这么一铰，老侠侯振远的脖子就得抓下来。但是老人家的身份儿在那呢，你是螳螂手，我也一样啊。老侠侯振远，就势往下一坐腰，这螳螂的爪子就在老侠的脑瓜顶儿搂空了。老侠伸左手一穿它，右手跟着往前这么一撞劲，直奔这螳螂的胸窝儿，就这么一斜身，一膀子就把这螳螂给撞出去了，只听"叭嚓"一声，螳螂应声倒下。老侠侯振远往后一撤步，心说：不错，这是螳螂手，但是，它的螳螂手还差点儿啊！哈哈……老侠一乐，可就回来了："于老哥哥，海川兄弟，哥哥幸不辱命，我把这大螳螂给打趴下了。"西方侠于爷说了一句开心的话："嗨，它能不趴下吗？它是假螳螂，你是真螳螂。你的螳螂练了六十多年了，它一年才活一回呀。"大家伙儿一笑，来到正当中的三道门口。

三道门当然是黑门了，额匾上也有两个字，是"壬癸"，也就是水能生木，三道门生着这二道门。等来到门口往里一看，嚯！这里边是一个大狮子。狮子这种东西，也在武术之内。海川这八卦掌里就有好多狮子掌、狮子滚球、狮子抱球、狮子踢球，全属于狮子身上的招儿。狮子是猛兽，非常的厉害！现在这个狮子就在门里头站着呢。等大家伙儿到了跟前，于老侠道："哎呀，我缓过点劲来了。海川，我再跟这狮子比划比划。""老哥哥，您老人家这么大的年纪，刚才打老虎就可以了。""是啊，我一百零一还能打虎。可惜是个假老虎啊，真虎恐怕打不了。""老哥哥，你们老哥儿俩给我瞧着点儿，我来对付对付这狮子吧。"海川明白，自己所练的跟这狮子所会的，可能是一门功夫。这样，海川一抱拳立即转身形，一长腰进了三道门，来到这狮子切近。海川的脚尖够上部位了，千斤砣叭哒一走，再瞧这狮子"唰"这么一长，前爪就抬起来了，双爪往前一扑，照着海川的身上就按，这叫"双撞掌"。海川明白，如果自己闪身一躲再还招，当然也能赢它，可是自己不愿意毁这狮子。海川就势一长身，用自己的双掌迎上这狮子的双爪，"啪"地一下就合上了，海川紧攥不撒手，就跟着这狮子转上了。狮子上左步，海川退右步；狮子退右步，海川上左步。狮子的前爪随着海川的双掌来回地摆动，"唰、唰、唰"，一共转了八下，这狮子不动了，海川轻轻的往下一放，狮子就趴在那儿，弦没了。海川点了点头，罢了，看起来当初研究这个东西的确实是高人。海川出来了："哥哥们，请进来吧，这狮子不会伤人了。"于老侠纳闷："海川，你怎么没跟狮子动手，倒跟它跳上舞了？""我不愿意毁这个狮子。哈哈！哥哥们，请进来吧。"

大家伙儿全都进了三道门，抬头这么一看，眼前头出现了正门和东西角门。再瞧这东角门，立着一只大仙鹤，白鹤亮翅，一人多高，跟真鹤一个样。同时再看西角门，西角门里是一个大马猴，也是一人多高，蓝面金睛张着嘴，露着一嘴的白牙，遍体的红猴儿毛，前后爪子都非常锋利，跟钢钩一个样。于老侠面对着海川道："兄弟，你受累了，这回可没你什么事儿了，这两个门儿归我跟振远了。振远，你瞧，这边是一只大仙鹤，那边是一个大马猴，你对付哪个？你挑吧。"侯振远道："老哥哥，还是您挑吧。"老侠于成明白，这不是什么大马猴，这是神猿呐！我于成于洞海一世成名，十八趟通臂掌，二十四式行拳，这分明是通臂掌呀！练通臂掌的一共有四家，并称鹿狲掌、封迷掌、铜臂掌和神猿掌，这是四家通臂，但是铜臂掌可跟那三家大不一样，老侠于成一世精通铜臂掌啊！得啦，我今天跟这大马猴试试吧！"哈哈，咱俩人这就分开，你奔仙鹤，我跟这大马猴干干了。"说着话，侯振远收拾一下就要奔这仙鹤。海川伸手一拦："哥哥，您要打这仙鹤？您歇会儿，兄弟我来吧。"海川琢磨着这是用仙鹤来代替喜鹊，喜鹊术是一套精华武术，当年海川跟尚道明、何道源二位仙长学艺的时候，就是通过喜鹊打架，闭户精研三年，编出了八卦绵丝盘龙掌。研究好了以后，尚道明和何道源到江西信州龙虎山玄天观，面见老观主、自己的恩师太极八卦庶士老仙长三爷张鸿钧。老仙长让俩人练来瞧瞧，结果哥儿俩这么一练，老仙长说："很好。"这样，就派人下山请来自己的四徒弟、秋田的师父、知机子谷道远，大徒弟庄道勤庄老仙长。爷儿五个根据尚道明、何道源所研究的这趟掌法，又充实、丰富、改进了一些，研究出八八六十四式八卦盘龙掌，还有三百八十四爻尽命连环掌。看来这趟掌法很完整了，老仙长张鸿钧才说道："这趟掌法是道明、道源他们哥儿俩发明的，将来由他们俩人传授弟子，谷道远、庄道勤哥儿俩也会，但是不准把这掌法传给你们门下的徒弟。"这样尚道明、何道源才传给童海川。八卦不但是一门武术，同时也是一门很高深的艺术。比方说凹腹吸胸，空胸紧背的招数，就是要求练掌法的人，两只胳膊往前这么一伸，前胸往后这么一跟，后脊背能贴上。三月三北京城亮镖会，梅花圈上童海川掌震野飞龙，用的就是这一手。掌不离肋、肘不离胸，就好像这喜鹊的两个翅膀，上下翻腾，两只脚踢膝而行，就跟喜鹊迈步一样。按卦上说，童林站的这个架子，两脚并齐取自然直立，名为"无极。"身形往下一矮变为有极，两手一抱向上一穿，就成了太极。掌不离肋，肘不离胸，这就是乾三连。腿往前一迈步，脚底下成了坤六断，凹腹吸胸这就是离中虚、坎中满。左右的掌架，怀抱双掌如抱球似的，这就是震仰盂。头顶一用力，气贯顶梁，这就是艮覆碗。两只手一上一下就是兑上缺。一迈步脚分前后就是巽下断。以心为中，暗合九宫，又以肝胆脾肺肾合成五行八卦，这就是先天的六卦。先天的六卦和后天的八卦合起来以后，按三才的用法，脑袋、前胸跟肚子才能混元一气。天有四时，人有四肢；天有八气，人有八节；万物发源以首为主，这才是天地间练神还虚的第一绝艺！真要完全学成了，可惜呀，哪个人也练不到这么全的一套从"无"到"虚"的武术拳脚。

海川明白，这个仙鹤就是形拳，他怕哥哥侯振远不懂这门武术吃了亏，老侠侯振远也不争夺。"好，兄弟，那么你就多代劳吧。"于老侠可不乐意啦："啊，是亲三分向呀，哈哈，你替你哥哥，那么就瞧瞧你的。"海川一笑，可就奔角门来了，飞身形越过了角门，一直往前走，越走越近了，海川觉得木板地微然一软，只听见地下"嘎吱吱"一响，知道点上弦了。再看这个仙鹤，左边的翅膀就扑楞开了，"哗"地这么一带，用翅尖子照着海川的面门就戳，这要练到人的掌上，就叫"戳掌。"海川就势往下一矮身，又右步一斜身，伸左手打算抓它的膀根子，没想到这仙鹤"唰"地一滑，右边的膀子又翻过来，照着童海川的胸口，从底往上就一撩。这手功夫海川明白，叫"攒掌"，这东西打不到你的肚子打你胸口，打不着你胸口打你的颈，一招管三式，十分厉害。海川心说：喝，这仙鹤真够可以的！海川双手往前一探，凹腹吸胸，让它撩不着了，然后往上一起，伸右手"海底捞月"，一撩它的膀子，跟着右脚往中宫一插，再伸左手，这手儿叫"麒麟吐书"，正打在这个仙鹤的胸口窝儿上。仙鹤用翅膀打海川的第一下就是海川打仙鹤的这一下。这时，只听"哗啦"一声，触动铜帽，盘弦散开，这仙鹤可就躺下了。海川往后一撤步，鼻孔之中一省力道："啊，老哥哥们，我把这仙鹤给打躺下了。"于老侠风趣地说："是啊，你替你侯哥哥把仙鹤打躺下了，看起来你不替哥哥我了，还得我自己来。"老人家迈步往前走，来到西角门这儿。抬头一看："哟喝！我老头子对付对付你这大马猴吧。"左右手合起来挽个五花儿，往回抽身一撤步一斜身，躯前掌后钩子拉了一个"跨虎儿。"旁边可有人小声嘀咕了："三岁小孩练武功都知道跨虎儿，这老头子这么大的侠客怎么练这个？"老人家拉起跨虎儿将左脚一转上右步，左脚当轴儿又右步一调脸儿，伸右手"丹凤朝阳"，"唰"地一下，掌挂一团风，照着这猿猴的太阳穴打下来了。猿猴一叉步一斜身，躲过老头这一掌，右爪往前一出，来了个"白猿献果"，一托老头儿的下巴核儿，老头根本不躲，右手回来就奔它这右爪了，拿三个手指头一搭它的腕子，伸左手一托它的二棒子，就这么一变脸，右手往下一摁，左手往起一托，"嘎叭"！把这神猿的胳臂给撅折了，就势一揉它，盘弦一散，这神猿面朝天躺下了。老侠于成往后一撤步，鼻孔之中一省力，自语道："哈哈哈哈，哎呀，可把我累坏了，看起来呀，甭说耍猴，打个猴儿也不容易呀，还闪了我的腰了。"叨叨唠唠着由打西角门出来了。大家伙儿都在这儿看着。海川说："老哥哥，您的功夫真不错。""夸奖夸奖。"

这个时候，大家才看上头这块匾，写的是"庚辛"二字。那么就是说，金能生水，这门生着第二道门。大家伙儿一看这门儿里头站着一个人，穿的是一身蓝。蓝色绢帕缠头，不过他这架式可很特别，他的两只手圈着往前伸，一个靠上，一个靠下，左脚的脚尖起来在前，右脚踏着地，两只手的手心完全都冲下，这是"阴手"，假人站在这儿纹丝不动。老侠于成一瞧就知道，这门功夫叫"太极十三式"，他站的架式可就胜着对方呢。往上盘说，它这上手能护住口和咽喉；往下盘说，它的左手的肘部能护住裆；往中盘说，它的两只手上下呼应，都能护住它的胸前。也就是说，是先取守势，叫防守反击。拳经上说得好："任凭拳脚来打咱，全仗四两拨千钧。"说的就是它这个架式。老侠于成冲海川点点头："兄弟，你说这门武术是太极十三式吧？""老哥哥，不错，守中取胜，十分的牢固。""嗷！你说得很对，你说这门应该怎打呀？""老哥哥，我来吧。""哈哈哈，你一定行，因为你认识这门武术，打起来就不费劲儿。"海川一抱拳："两位哥哥，给我看着点儿吧。"大家在台阶下再看，海川脚尖儿点地，长腰就进门了。这真是见一阵，打一阵，见一门，打一门，见一份，打一份，这样一来把达摩堂的整个儿的转轮法就给打乱了，因为人家达摩堂是弟子操练武术的地方，所有的徒弟往这儿一来，一下就一百多人，分开了几拨儿进这达摩堂，从哪面进来都能打。可按程序你非得打完这九九八十一门武术才能进到达摩堂的中心，但是海川他们爷儿几个来就不这样了，他们进了头道门，就先打角门，不进二道门，它那千斤砣就不走了，两个阵眼给闭住了，这样一来，它就不是转的了，就能直接到达中央戊己土。要不打到第二天中午也打不完。看起来，海川走着时运呢。

海川一进四道门，就发现了五道门，远远地看见达摩圣像。在达摩圣像后头的铁笼子里，影绰绰地发现了四个贼人。这铁笼子上边，大铁罩镀着亮银一反光，底下所有油捻全点着了，火苗子腾腾着好高，照如白昼，海川全瞧见了。但是，英雄不敢过急，自己迈步往前来，来到切近，海川脚尖儿一点地，双臂一合，对准假人的面门"童子拜佛"，"唰"就是一掌。这假人身形一斜，用双手一撩童林的右臂，海川的右臂往回一撤，并不用力往下这么一牵拉，假人的两只手就落空了。海川的左手向着自己的右臂底下探过去，捋住假人的胳膊一拧它，底下一抬手，右手的"撩阴掌"就到了，"啪"地一下，正打在假人的裆里。海川往回一撤身，左脚起来照着假人的胸口窝"啪嚓"又一脚，只见假人往后一仰身，"嘎叭"一响，噗噜啦啦，盘弦散落，假人不动了。海川站稳身形一招手："哥哥们，你们爷儿几个请进来吧。"陆陆续续大家都进了四道门。

众位借灯光往五道门看，就是中央戊己土，东西角门里各是一个假人。东角门这个，是骑马兜裆式，往下这么一蹲，两只手往前伸，圈出一个圈儿来，双掌向下，也是一个"阴手"，目光前视。再看西角门这个，左手掌在先，食指跟大拇指圈出一个圈儿来，立着三个手指头并拢着在前边。右手是拳，右胳膊卷着，放在头顶以上，双目往对面观瞧。老侠侯振远跟于老侠商量："哥哥您看，这个西角门里是少林派，叫'翻子拳'，又叫'青手八翻'，它这个功夫是左掌右掌。可是东边这个，您瞧这门武术，是出在哪一家呀？"于老侠将髯微笑道："这个也出在你们山东，是咱们北方的，这种拳叫'范家圈'。当初有一位老英雄姓范名叫范洪，江湖人称神掌范洪，范家圈就是当初范老英雄所留下来的。唉，海川已经够累了，该让他休息休息，咱们哥儿俩上吧。这两个门口你挑，剩下的归哥哥我，好不好？""老哥哥，好吧。既然如此，我就挑东边的吧。""兄弟，那么哥哥我可就奔西边了。"老哥儿俩一抱拳分了手，同时进行。

老侠侯振远奔东角门，脚尖儿一点地，长腰进来。右脚"啪"这么一点，再瞧这个假人微然一长身往前一个蹿步，双掌对准老侠侯振远的两肋就戳来了。这手功夫叫"双戳掌"。老人家侯振远大哈腰，"金牛拱地"，从假人的掌底下穿过去，左脚扎根端右脚，伸右手往回一掉脸儿，类似"夜叉探海"式，正是老侠侯振远的螳螂手。侯老侠往前一赶步，右脚扎根，抬左脚，伸左手抓住这个假人的肩头，右手抓住它的胳臂，"咔"地一下，硬把它这胳膊撅折了！练螳螂手首先得练鹰爪力，这手指头得有功夫，不然的话练不了螳螂手。只见老侠侯振远轻轻地把这假人放在这儿转身出来。再看老侠于成也从西角门出来了，便问："快呀，老哥哥，您那边也完事啦？"于老侠笑呵呵地答道："兄弟，完事啦。"说真的，人家二位大侠，游戏三昧，说说笑笑就把这达摩堂的假人给打了，实际上人家是有真功夫啊。就说于老侠打这西角门的假人吧，老侠于成来到切近，脚尖儿一点地，这个假人左手的三个手指头往老侠于成的小腹上一戳，右手拳探臂就打，一招管两式，上下一块儿来！于老侠向左一滑步，伸手一叼它这左手掌的手腕儿，一顶自己的前胸又往前这么一推它，"嘎叭"一下，把这假人就给推躺下了。老侠于成一掉脸儿自语道："喝！我来了一手小鬼推磨，赢了假人了，我这么大年纪倒成了小鬼啦，哈哈哈。"仰天大笑。

老少群雄再看中央正门里头的圣像，借着灯光一照，庄严肃穆，但与白天有些不同，它右手往后背，倒提自己的禅杖，大月牙子冲上，铲头冲下，左手打着问讯，比真人都雄壮。海川从徒弟手里要过包袱来，把子母鸡爪鸳鸯钺取出来说："两位哥哥，给我瞧着点儿吧。"老侠侯振远说道："兄弟呀，你多加点儿小心。"海川答应："这个不劳二位哥哥嘱咐。'"海川怀抱子母鸡爪鸳鸯钺上了台阶，进了中央的正门，掉过脸来把双钺放在门坎内，远远地冲着达摩老祖跪倒了磕头，大拜八拜。老侠侯振远跟西方侠于爷都在角门外头瞧着，小弟兄们不明白呀，怎么师父进去不打这和尚，还要给它行礼？这是怎么回事？其实，武林界有一条规矩，凡是练武术的，都不能欺师灭祖哇！南北朝梁武帝的时候，达摩老祖入中原，有这么句话叫"一苇渡江"啊，传说达摩老祖是蹬着一片苇叶过的长江。到了嵩山少林寺面壁十年，少林寺才开始兴起武术，达摩成为外家的祖师，那么达摩老祖就是练武术的鼻祖哇！达摩老祖不但被外家功的少林弟子尊敬，也为其它各门武术家尊敬。海川虽属武当内家功，但对外家师祖也是十分敬佩的，所以海川才跪倒了磕头。侯振远、于成都是少林弟子，一看人家童林内家师能这么恭维自己的祖师，他们哥儿俩的心里也十分地感动，心说：这个小伙子真受过名人的传授！

海川把钺捡起来道："两位哥哥给我瞧着点儿，我会斗达摩老祖。"说完脚尖儿一点地，飞身形来到达摩圣像的切近。左脚在前，右脚在后，"大鹏展翅"，一分子母鸡爪鸳鸯钺，左脚尖用力一点，木板一动，"唰"！底下走线动了，这时达摩老祖把铲就顺过来了，跨右步一斜身，坐腕子，奔海川的顶梁就劈。海川上左一滑步，闪身形躲禅杖，脑袋上头禅杖过去了，上右步右手往里推钺，一个"叶底藏花"，对准和尚的右肋下面就扎。和尚叉左步，按铲头一斜身，往外一蹦，攒大月牙子照着海川的嗓轴子就戳。海川往旁边一闪身，摆双钺急架相还，就跟这和尚比划上了。和尚这个铲也是八法神铲，八八六十四式，海川的钺也是八法神钺，八八六十四式。两人的招式一样多，看海川那架式很快能赢，能把这和尚扎躺下，可人家海川不急着赢，而是见招还招，见式打式，随式而走，因势利导，就跟这和尚在门里头转上了。直到假达摩身上的弦全都走净了，和尚回复原位，往那儿一站，铲不动了，海川才一撤步，双钺一按，鼻孔之中一省力，一点首让爷儿几个全进来，把钺交给徒弟包好，然后一抱拳："两位哥哥，您看，这达摩圣像我们不能给毁了。""兄弟，你看得起祖师爷，我跟你哥哥侯振远都十分承情感激啊！""哥哥，看来就算成功了。幸不辱命，把达摩堂破了，随小弟赶奔后面，捉拿韩宝、吴志广。"海川说着话，心里有些发颤，想自己下江南出生入死，到现在总算如愿啦！

没想到等爷儿几个呼啦啦转到铁笼子跟前一瞧，嘿哟！海川身为侠客，按理说不能着急呀，但是也气得三尸神情暴跳，五灵豪气腾空哇！"哥哥，您看，即使九寨主以后将四寇交与我弟兄，我姓童的有三寸气在，也不能跟他们善罢甘休！"老侠侯振远也说："兄弟，即使你跟他完得了，哥哥我跟他也完不了哇。"童林这人的脾气禀性跟侯振远侯老侠大不一样。童海川年轻，脾气有点暴躁，沾火就着。但是侯振远就不然了，十分有涵养，能够唾面自干的人，现在都给气成了这样！原来铁笼里的四个贼人逃跑了。童海川和侯振远嫉恶如仇，最不喜欢不讲信义的人。这个时候西方侠于爷也看见了，这铁笼子没开锁，但是铁板已经撬起来了，影绰绰借着灯光往下看，有座地道，顺台阶可以下去。老侠于成心里头可也怒啊！心说：马彪你拿我当合人啊，你把送殡的埋坟里呀！所有的人面面相觑，都没说话。海川跟哥哥侯振远四目对视，气哼哼地说："哥哥，自古皆有死，人无信不立。人生在天地之间，怎么能不讲信用呢？哥哥，您跟兄弟我还没交长，如果有人跟我说一句瞎话，只要让我知道了，我能一辈子不理他！老哥哥，您是说合人，您别往心里去，这件事情就算把您撇开了。侯老哥哥，咱们走吧。"老侠侯振远一跺脚："哼！金银乱石岛众家寨主不讲信用，哈哈哈哈！"说到这儿，眉毛都立起来了。西方侠于爷过来一抱拳："兄弟，别着急，不是还有哥哥我这个说合人嘛。这样吧，我们大家先奔前厅，到了前厅以后，也许人家把四个贼交出来，到那个时候，我们弟兄就没的说了。""老哥哥，真的的，冲着您，如果金银乱石岛寨主就能交出四寇，咱们还是一天云雾散。""海川，好朋友，你成全哥哥，到了时候，他们要不交人，蛮不讲理，兄弟，你们哥儿俩别答茬儿，我老头子跟他们有账算！"大家伙儿一瞧老头来气了："兄弟，瞅我的吧！"海川答言："老哥哥，我们哥儿俩听您的，如果贼人袒护四寇，不用老哥哥您，我和我哥哥侯振远也跟他们完不了。"

李英、孙亮很着急，不敢说什么话，只好随着大家伙儿从达摩堂出来了，兵刃都归置齐了，一直往前走。走到后寨，想叫后寨的门，恐怕人家不给开；越墙而过，又有点儿不太好。于是，于老侠带着大家伙儿顺着寨墙往西面转，再往南，直转到三道寨门前。就听见大厅前"呛啷啷"锣声响亮，各处的兵丁齐奔大寨而来。大寨以内灯火通明，亮如白昼。等于老侠他们来到寨门前，兵丁一拦："站住！"于老侠跟底下人不犯态度："众位，多辛苦，还认识我吧？白天我来了，小老儿家住在山西太原府太谷县于家庄，姓于名成表字洞海，游荡江湖有个小小的外号，西方侠长臂昆仑飘髯叟。这是我的弟男子侄，跟你们寨主打着赌呢，我们是从达摩堂来，让我们进去吧。"兵丁一想：咱们不敢拦阻，再说也拦不住哇！"众位侠客爷您往里请吧。"三侠带众人往里闯，斩九寨主大破金银乱石岛。

第二十四回

失信义九寨主丧命
潜水中于老侠擒贼

上回书说到地道逃走四寇，镇东侠和海川都十分震怒，这二位最恨失信之人。于老侠年高有德，老成练达，颇有涵养，带着这些人来到前厅。于老侠仔细观瞧，嗯？不对头哇！金银乱石岛九家寨主全都换好衣服，都是短衣襟小打扮，绢帕缠头，手持利刃，准备厮杀。两旁灯球火把，亮子油松，照如白昼，呛啷啷啷聚将锣声，响彻云天。九寨主身后站着韩宝、吴志广、陆寅、陆丰，腆胸叠肚，吐气扬眉。于老侠一看，"腾"地一下火儿就撞上来了！我们三个人一夜之间破你达摩堂实非容易，真可说费尽三毛七孔之心，九牛二虎之力！说良心话，万一打不开，三侠名誉扫地！像西方侠于成，这一百零一岁的武林前辈怎么出人家金银乱石岛？到现在打开了，贼人却跑到他们身后头去了！不过，老头是说合人，沉得住气。来到切近，一躬到地："马寨主。"三孔独角蛟马彪一看人家来了，脸儿有点发烧。看来呀，不怕没好事，就怕没好人呐！因为西方侠于爷第一次在船上跟他们九家寨主见面，叫酒逢知己干杯少，话不投机半句多，当场动手就打上了，剑斩了乔玄龄，打走了罗威罗声远，老侠于成战死四鱼后，傻小子于恒于宝元又来了，玉顶白鹤谷瑞一瞧就觉得这事可了不得，本来西方侠于成他们几个人就是猛虎啊，再加上这么一个天真浪漫的猛英雄，他们的本事太大了。他跟大寨主马彪商量："哥哥，先请他们众位回去，有什么话咱们大家回山商量商量，然后再说。"马彪很听谷瑞的话："嗯，好吧。"这样，才请三侠他们大家伙儿回店，派人再找罗威，已经找不到了，马彪的心里很难过，他就这么一个外甥。把乔玄龄他们几个人的尸体完全都葬埋了，船上的血都擦净了，大家回转大寨。到船坞下了船，顺着三道寨门一直来到大厅，吃完了饭，哥儿九个坐下商量。"二弟呀，你打发三侠走了，这是怎么个意思呀？""哎呀，我的哥哥、众位贤弟，西方侠于成、圣手昆仑镇东侠侯振远跟童林他们仨多大能耐呀，那是跟咱们上一辈的并肩人物，你我弟兄的本领，根本打不过人家。箭在弦上不得不发，寒拘着火了。真的在战船上这样儿打下去，咱们得吃亏。您瞧来的这傻小子没有？以前咱总认为在大江之中咱们的水性最好，可谓江中无敌手啊。但这位傻小子多大的水性，谁在水里干得过他呀？明明咱们要打败仗，不如这个时候说句好话，全师而退。我想了个办法，跟你们哥儿几个商量商量。"大寨主听到这儿，便问："嗯，贤弟呀，你说吧，把他们几位请进来。"时间不大，韩宝、吴志广、陆寅、陆丰全都进来了。

大寨主马彪看着陆寅、陆丰就想到陆占鳌：你把这样的人带到山里来，与你我弟兄的脸面名誉都不好呀！韩宝、吴志广没关系，他为了一口气跟童林斗上了，北京城盗国宝，这说得讲得，在绿林之中是横人办事！可这俩人就不是了，臭贼呀！沾上我金银乱石岛了，我们是铁善寺的门人弟子，真给门户丢脸哪！不过事情已经到这儿，再埋怨他又有什么用啊？这时谷瑞跟韩宝、吴志广商量："二位少庄主，看来这件事情要闹大了，不瞒你们二位说，在战船上动手，我们甭说把西方侠于成跟圣手昆仑镇东侠侯振远给赢了，恐怕赢一个童林，我们也办不到哇！"韩宝点了点头："二寨主，不错，这个童林我们会过，说真的，我们哥儿俩也打不过他一个人。""对呀。所以这一次呢，我使了一个缓兵之计，二位少庄主，在我们金银乱石岛后山，我们铁善寺的祖师爷在这儿立了一个达摩堂，当然设有消息埋伏，那里头都是九九八十一门各门各派的武术精华，别看它里头有人物和鸟兽虫虫，但是它十分厉害，谅三侠的能为再高，要打算破这达摩堂，是不可能的。在达摩堂的当中，有这么一个铁笼子，我准备把你们四位捆好了，当着他们的面把你们装在铁笼子之内，跟他们三侠打赌，破这达摩堂。不知道你们二位肯让我们弟兄这么做吗？"韩宝一听，觉得太悬，便道："二寨主，我们哥儿俩因亲靠亲因友靠友，我们斗的是镇八方紫面昆仑侠童林，因为他把我师大爷铁臂罗汉法禅僧、我哥哥陆地金蛟贺豹都给打吐了血，我们斗的是他。所以在紫禁城盗出国宝翡翠鸳鸯镯，只要皇上一怒，传旨把他抓起来一杀，我们可以马上举着国宝到北京午门叩阙，我们献给万岁，请旨领死。您要把我们哥儿俩一捆起来押在您这儿，反为不美。""二位错了，就算你们哥儿俩能跟童林完得了，我弟兄九人跟童林却完不了。你们哥儿俩也不是不知道，童海川奉师命下山兴一家武术，灭我铁善寺的山门，我师兄紫面龙君罗烈罗焰光家子被童林所害，这是你们带来的消息，到现在我们这小外甥罗威罗声远叫侯振远给踹到江里去了。还有太湖钟山狮子寨我们师兄孟恩孟少伯这些人，也叫童林给杀了。光我们铁善寺就跟他童林完不了，你们哥儿俩害什么怕呀？不要紧，我们可以给你们系活扣儿，也是当时系，他们什么时候来，我们什么时候才把你们送进去。到时候你们互相一背脸儿，你的手解他的扣儿，他的手解你的扣儿，就全开了。而且这个铁笼子的底板是块铁板，有个插销，只要你一拔这插销，铁板立起来，有一股地道，直通到达摩堂外。上来以后你们可回前厅来，这不算什么呀！"韩宝还不大乐意。谷瑞说："这么办吧，你们哥俩跟大家伙儿瞧着，咱们先把陆寅、陆丰他哥儿俩捆上，让他们呈验呈验，然后再决定你们可不可以这样办。来呀，把他们两人叫过来。"陆寅、陆丰知道他们所为之事不光彩，不敢硬碰，低着头儿过来一声儿不言语。兵丁按着谷瑞谷仙知所说的，捆好了系活扣儿，然后大家伙儿带着这两人一直来到达摩堂，在达摩老祖圣像的后头，拿钥匙捅开了铁笼子，打开了铁门儿把二人放进去，锁好了铁笼子。谷瑞说："你们俩人试着自己解解。"两个人扭过脸来，互相一揪绳扣儿，绳扣咕噜下来了，一拔插销，铁板一立，两人一溜就到底下去了，哥俩顺着地道往外走，结果走到达摩堂的东南角的一块大石头后头，这儿有块板儿，打开板从里头上来了。谷瑞得意地问："二位少庄主，我们说瞎话了吗？不过是拿你们四个人当作香饵，咱们钓的是金鳌！姓于的、姓侯的、姓童的都是成名人物，他们不能说话不算，但是有一样，谅他们能为再大，也打不开我们达摩堂。到时候一越限期打不开了，不用让他死，他们自己都得碰死！二位还有什么不放心的吗？"韩宝、吴志广点头答应："可以啦。"说好了以后，大家回去，把这铁笼子铁板依然销好，然后回到前厅，这才派金钱水豹陆占鳌送信来到兴隆店，说得三侠答应了，决定明天进山。人家金银乱石岛全都准备好了，并当着三侠的面把四寇捆好押进铁笼，只等到时候来人打了，而且派了三鼠迎接他们打达摩堂。其实，后山进展到什么程度，四个贼寇知道得清清楚楚，早有人通风报信了。马彪一看坏了，画虎不成反类犬，这三个人把达摩堂打开了。也就在这个时候，四个人一瞧童海川他们都到了第五层了，知道人家打开了，就趁着童海川跟达摩老祖圣像动手的时候，他们互相一背身儿，把绳扣儿蹬开，铁销子一拉，铁板一立，四个人顺着地道噔噔噔下去了，跑得嘘嘘作喘。又打这大石头后头钻出来，撒腿就奔前厅跑了，挑帘进来，忙说："大寨主、二寨主、众家寨主，人家西方侠于成他们几个人已经打到达摩老祖圣像前了。"马彪马云龙就看了谷瑞一眼，谷瑞恼羞成怒："哥哥，马上鸣锣聚众，跟他们三侠拚了！"命令下达后，"呛啷啷"锣声一响，所有的兵丁都来到前厅，众家寨主各自把兵刃带好，这四个年轻人也把东西包袱收拾好了，来到大厅前，随同九家寨主往这儿一站。

现在西方侠过来抱拳说道："大寨主，我们已经应前言打开您的达摩堂了，为什么这四个人到了您的身后？"老侠于成面带春风，一点儿也没着急。马彪马云龙有点羞刀懒入鞘，其实马彪倒是个硬汉子，他干张着大嘴说不出话来，只得转过头来对谷瑞说："二弟，这事是你办的，你说说吧！"谷瑞这个气，你非得把我给卖出来呀！玉顶白鹤谷瑞用手点指："于老侠，让你们破破达摩堂，跟达摩堂里的昆虫人物动动手，就是试试你们弟兄到底有多大能耐，敢不敢跟我弟兄较量，配不配跟我弟兄较量！现在你们把达摩堂打了，知道你们的本领不错了。不过还有一样，要打算要这四个人，还得赢了我弟兄九人掌中的军刃兵器，然后你可以任意捉拿。赢不了，哈哈哈！"这个话太不讲理了，老侠于成再能忍耐也受不了哇！老头儿蚕眉倒竖，虎目圆睁，一捋颔下的银髯，用手指点："谷瑞，好小子，你说话不算话，言而无信，绿林道儿哪有你这样的人物？你分明是鸡鸣狗盗之徒，尽在老夫面前花言巧语。即使再战一场，我也要把这四个贼人拿住！你欺负我老呀，不错！姓于的今年一百零一岁了，但是我身体老巴掌不老。过来，你们哪个不怕死，在老太爷眼前头转个圈儿，让我开开眼！"谷瑞谷仙知往后一撒步："嘟！老儿于成倚老卖老，夸下海口，哪位仁兄贤弟当场会斗于成！"他刚说到这儿，旁边转过人来了："二哥，小弟不才，愿与于成较量。"谷瑞一看，是金钱水豹六寨主陆占鳌。

这个时候，海川可要亮家伙了，老侠侯振远一摆手："兄弟，你先别过去，老哥哥于成人老功在，本领高强，我看老人家在达摩堂跟假人动手，游戏三昧，那是闹着玩的吗？老人家怎么说咱们怎么听就是了。先让老哥哥打个三仗，老人家一带头儿，咱们就按着他的办，因为哥哥是说合人嘛！

他要伤人，咱们待会儿动手也伤人，他要弄死人，咱哥俩也别含糊，可他要不弄死人，你我弟兄也不能手黑心狠。"海川点了点头："哥哥，好吧。"只见老侠于成迈步往前来到切近，一看陆占鳌，虎视眈眈往那一站，怀抱短把牛头镗，他就是陆寅、陆丰的本家叔叔。陆占鳌怎么第一个就过来了？他有点儿别扭哇，因为陆寅、陆丰是通过自己介绍来的，我姓陆的也是铁善寺门人弟子，像陆寅这样的人根本不能往山上带，那么既然领来了，也出了事儿，到现在我姓陆的不过去，寒碜呐！陆占鳌想到此，抱着短把牛头镗迈步往前来，双手一分，"嗡"地一下，用手点指："老儿于成，你敢到金银乱石岛前来撒野，认识俺金钱水豹陆占鳌吗？"老侠一阵狂笑："哈哈哈，陆老六哇，你有几合的勇战，敢在老夫面前发狂？我要让你在我的眼前头转上一个圈儿，我一百零一岁就算白活！畜牲，进招来！""亮你的军刃！""叫我亮军刃，你也配？跟你动手还用亮军刃，我就这两只肉巴掌你也不是对手！"陆占鳌也真急了，往前这么一赶步，左手牛头镗一晃面门，右手牛头镗盖顶就砸。于老侠刚才跟假人打了半天，说真的，假人终归是假人，真人终归是真人呀，假人到底好对付，真人可不成啊！短把牛头镗，又沉又猛，陆占鳌个儿也大，手一晃，右手镗就到了。老人家一甩脸，右手一捋颔下的银髯，伸左手就要抓他的镗杆，金钱水豹陆占鳌可就不敢往下砸了，但是他想跑可办不到。只见老侠于成脚尖点地，"噌"地一下往前一进身就来到他的跟前了，伸左手一晃面门，右手"乌龙探爪"，照定陆占鳌的胸口，"嘭！"地一掌就打上了，金钱水豹陆占鳌"呀！"一声惨叫，撒手扔短把牛头镗，"噔噔噔，咕咚"往后一躺，两腿可就翘起来了，老侠一个箭步就蹿过去了，把陆占鳌的右腿腕往下这么一穿，就是右腿的膝盖，猛然间双臂用力，往起一震一抖，咔嚓！右脚连着左脚往起硬抬，硬把陆占鳌给一劈两半了！肠子肚子往外一流，鲜血迸溅。老人家把这半拉身子叭唧往这儿一拽，用手指点："就凭你也跟于老太爷这儿说瞎话，我把你猴儿崽子劈喽！"老人家蚕眉倒立，虎目圆睁，一托胡子，真是坠角苍龙，落牙猛虎啊。

孔秀一瞧道："哎呀，这个老头子十分厉害，说着说着好话儿嘛，就给劈了一个！"哎哟！大家伙儿瞧着这老头儿，心说真可以啊！金银乱石岛大厅前呼啦啦一阵大乱，嚓楞楞军刃碰响，六寨主叫人家给劈了。五寨主探海燕程志远打垫步拧腰过来，哗楞楞楞一抖自己的五股烈焰托天叉，眼睛都红了："姓于的，伤我的六弟，可知道我探海燕程志远的厉害？""哈哈哈，小子，你有什么厉害的，过来吧！"程志远往前一赶步，叉在后，左手攮着前把，右手的后把一扣腕子，"唰"地这叉飞来，照着老侠于成的顶梁就砸下来了。老侠于成向左这么一滑步，伸右手一叼他的右手手腕，往回一拉，"趴下吧你！"伸左手一抠他的肩膀头儿，"啪！"这一掌把程志远就打了个前栽，"嚓楞楞"，大叉扔下了。老人家就势用左手一揪他的脖子："起来吧爷们儿！"如提稚子婴儿，把程志远给提溜起来了，伸右手一托他的屁股蛋儿，老头把他举起来了。"我摔死你！"话音未落，老侠于成把程志远的脑瓜照着硬地上一摔，"啪！"哎哟，探海燕程志远的脑浆迸裂，当场毙命！

侯振远一瞧，对海川说："得！明明铁善寺说咱们哥儿俩伤他的门人弟子，你瞧，这又出来一个帮忙的了。老头子也干上了，眨眼之间劈了一个摔死一个。"大厅前乱得更厉害了，锣声响得更邪乎了。猛然间旁边有人说话："老儿于成啊，我要你的命！"哇呀呀怪叫如雷，紫面二郎鲁明通，手持万字连花砘，飞身形过来。"唰！""双风贯耳"，照着老侠于洞海的左右太阳穴，峨眉枝子就扎下来了。老侠于成双手一合，往上一支，"嚓！""燕子分云"，一扒他的两只胳膊，上右步，踏中宫，往前一抢身，一伸右手，照着紫面二郎鲁明通的面门上，"啪"一掌，这一下真叫脆呀！把紫面二郎鲁明通的脑袋给砸碎了，一声惨叫，撒物扔砘咕咚就躺下了。三家寨主哪位也没能跟老侠于成打上一个回合呀！进招一动手就力不从心，刃丢人亡。

这一下就把金银乱石岛的人给镇住了。"哈哈哈哈，哎呀，海川呐，哥哥可累坏了，我再不能动手啦。你看看，他们这不是九家寨主吗？这么办，三三见九，咱们一个人仨，我这仨算完了，可得瞧你们哥儿俩的啦。"圣手昆仑镇东侠侯振远一按剑把，顶碰簧，嚓楞楞一声响，龙渊古剑离鞘，剑鞘子往背后一别，一托领下的银髯："老哥哥，您请一旁休息，看我的！"老人家说着话，迈步往前走，用手点指："你们这些不讲信义的东西，竟敢欺骗我弟兄，今天老夫侯振远是大开杀戒，哪个不怕死，过来！"马彪高声喝喊："众家兄弟，哪一个过去，会斗老儿侯廷？"旁边有人答言："大寨主，小弟前往。"老侠侯振远一抬头就看见这人了，瘦小枯干一身青，掌中端着钩连枪，正是沅江三鼠老大，金毛鼠窦勇。他跟人家堂堂侯振远的本领比，是天渊之别呀，闭着眼都能赢他。就见老侠侯振远这么一斜身，伸手一抄，嘭！把他的钩连枪就给攮住啦，窦勇打算撤枪，焉得能够？老人家龙渊古剑往前这么一推，剑走顺风扫败叶，"唰"地一下就到了，正从脖子上过去，由于宝剑太快了，这个脑袋没动活，窦勇五官挪位，脸色儿一发青，面部痉挛，老人家用右脚轻轻一点他，就看金毛鼠窦勇头身两分，"通"地一下身子躺下了，脑袋"咕噜噜"一滚，"噗"一腔子热血喷出来了。老侠侯振远左手一扔枪，一按宝剑，鼻子眼儿一省力："哼！还有哪一个？"

银毛鼠窦志一瞧："哎呀，哥哥呀！兄弟替你报仇。"他来到侯振远面前说道："老儿侯振远，你把我兄弟杀死，父兄之仇不共戴天，焉能不报？老儿，哪里走！"银毛鼠窦志迈步往前走，"啪"一颤钩连枪，"扎！"恶狠狠对准老人家的肚子就来了。老侠侯振远向左一晃身儿，拿宝剑一搭他的枪杆，"唰"地一下，龙渊古剑就搭上了，宝剑往前这么一推，他想撤手，可他没有人家的把式精，没有那么快的手法。窦志知道要坏了，打算撤来不及了，龙渊古剑就这么一推，窦志的左手就折了，手叭唧掉在地下了。"哎呀"！没等窦志嚷完，宝剑又向前一推，"仙人指路"，正是窦志的肋窝儿上，"噗！"没使多大劲儿，就扎进去了，跟着往回撤剑，侯老侠垫步拧腰出去了。只听"咕咚"一声响，死尸栽倒，银毛鼠窦志当场丧命。老侠于成心说：兄弟你也够狠的呀！老侠刚一按宝剑，越江波浪鼠窦明飞身形，高声喝喊："老儿侯振远伤我两位兄长，你、你、你、你哪里走？"往前一赶步，"叭！"一颤钩连枪，"霸王卸甲"，摔杆一枪。侯老侠要想制死他呀，不费吹灰之力。老人家按着宝剑，推着颔下的银髯，纵蚕眉，睁虎目，抬头一看，枪砸下来了，连理都不理他，上右步跟身，宝剑往里一推，右手往起这么一托，"进步撩阴"，就在这越江波浪鼠窦明的小肚子上一撩，噗！红光迸现，一下就开了膛了，"呀！"一声惨叫，"咕咚"躺下了。哎呀，眨眼之间，双侠斩了六个寨主，这是他们隐藏恶贼，不讲信义的结果。

戏水驼龙殷魁殷天豹一瞧，"哎呀！"哇哇怪叫如雷，"哗楞楞"一抖自己的镔铁虎尾三节棍，垫步拧腰往前走，边走边喊："嘿！老儿侯振远还我兄弟的命来，认识你家三寨主戏水驼龙殷魁殷天豹！""啪！"一抖三节棍，棍沉力猛啊。侯老侠一按宝剑："一个样儿！"刚说到这儿，海川把包袱皮打开了，往腰里头一围，怀抱子母鸡爪鸳鸯钺来到了跟前："哥哥，于老哥哥不是说了吗？咱们哥儿仨是一人三个。于老哥哥三个完了，您的三个也完了，这三个您让给小弟吧。"老人家侯振远一瞧，有点不公平，金钱水豹陆占鳌他们仨能为不大，战胜他们也不太费力，这沅江三鼠的能耐更是平常，怎么单单给兄弟童林留下这仨呀：大寨主马彪、二寨主谷瑞、三寨主殷魁。但是话已经说在这儿了，便道：

"兄弟，多加小心。"老人家一按宝剑，剑上有点血，完全顺着血槽儿流下去了，真是价值连城的宝剑呀，斩金断玉，杀人不带血！老人家把宝剑入鞘插好以后，转身形往回走。海川"嚓楞楞"矮身形一分双钺："殷魁，认识俺童海川吗？""呸！小儿童林，灭我铁善寺的山门，灭门户之仇焉能不报？哪里走！""哗楞！"一抖镔铁虎尾三节棍，抡起来盖顶就砸，这是头一下。海川跨右步收左腿，微然闪身一瞧他，他把三节棍一带，"喀棱"一下变成了"横风扫月。"海川往下一矮身，缩颈藏头一躲，殷魁反腕一抖，"仙人解带"，"哗楞"连甩三棍。海川这才往左一上步，左手钺一点腕子，右手钺往前推，奔他的上盘来了个"金猴戏月"，对准殷天豹的太阳穴就点。殷天豹用三节棍往上一找，海川往下坠肘沉肩，左手从底下往上一翻，来了个"马刨钺"，唰地一下，这钺就奔他的小腹了。殷天豹往后一撤步，两个人当场就打在一处。殷天豹能跟海川打几个回合，那功夫就很不错了。

大厅前灯火齐明，血染夜空，尸横地下。海川把双钺的招数展开了以后，功夫是真好哇！脚踩八门，亚赛两枝梨花一样。老侠侯振远跟众家弟子以及孙亮、李英这些人全瞧着，完全被这场战斗给吸引住了。所有的喽兵们到现在也不敲锣了，聚精会神地瞧着，更甭说马彪马云龙跟谷瑞谷仙知了。但是老侠于成可不然，他暗自思忖着：千里为官自是为官，千里为财自是为财，我们弟兄三个人跑到这儿杀人流血解闷来啦？不是啊，豁出名誉去破达摩堂为的是那四个贼呀！好嘛，这儿净顾打架杀人了，这贼要跑了谁管呢？老人家于成仔细一看侯振远，明白侯振远的心思是保护兄弟。贼我先不拿，我得看着我兄弟，别让我兄弟童林出点危险。等看到海川稳操胜券的时候，于老侠便往后撤身，趁人不注意，就撤到这些人的后边去了。撤来撤去，来到西房的廊沿下，站在这个地方，往北大厅前头看，韩宝、吴志广、陆寅、陆丰果然交头接耳，虽然说不动声色，但看得出来这四个小子要跑。

其实啊，闹海金鳌吴志广、陆寅、陆丰都没这心，主要的是小粉蝶儿韩宝。这个小孩儿长得又好又精明，他这么一琢磨，心说：还瞧呐！九家寨主已经死了六个了，就冲着这个也照样不行啊！眼看着九家寨主前后全得完，达摩堂也破了，咱们还不跑，在这儿傻瞧什么呐？暗中一拉吴志广的衣襟，吴志广斜身一看他："嗯，什么事？""哥哥，还不走哇？不能再留在这儿了，眼看着金银乱石岛大势去矣。""呃，这，这合适吗？""喝！哥哥您真心眼儿实。"吴志广想：人家金银乱石岛众家寨主为了我们弟兄都玩了命了，都死了人啦，咱们跑了像话吗？韩宝心说：这个你管得着吗？逃跑要紧。吴志广问韩宝："兄弟，四水团围，咱们不认得道儿哇！"这下给韩宝提醒了，"对！往哪儿跑？即便会水，从哪儿走啊？"他一想陆丰可能对这儿熟悉，便一拉陆松坡的衣裳襟儿："哎！陆寨主，看这样儿可能不行了，我们再在这儿留恋下去，就要剪翅了呀！""啊！""这金银乱石岛除了寨门以外，有出去的地方吗？""你们哥俩的水性怎么样？""水性还凑合。""要是凑合，有一条道。西北鹅头峰上的破草棚里有一根石柱子，这石柱子上盘着一盘大绳，绳子的一头在石柱上头拴着，把这盘绳头顺山头吐噜下去，正到下边的江边上。咱们顺着绳子可以下去，浮着水奔西北方向就出去了。""陆爷，事不宜迟，咱们一个一个地撤进大厅，从后窗户走。""好吧。"陆松坡一拉陆寅，冲着陆寅一努嘴儿，那意思进北大厅。展翅弥猴陆寅陆晓村一抹头，蔫蔫地进了北大厅。跟着陆松坡、吴志广也进去了，最后韩宝看了看没人注意，一撤身也进去了，四个人合到一块儿。这个时候让陆晓村上了八仙桌把后窗户支开，韩宝说了声："走！"四个人前后垫步拧腰，"噌噌噌"全都蹿出后窗，脚踏实地。"三位，随我来。"这三个人在后头跟着陆松坡一直往西北走。越过西北寨墙，借着星斗的光华照耀，看得真真切切，离开金银乱石岛的大寨，仍然听见大寨里喊杀连天，正在酣战，还打得欢着呢！

　　陆松坡引着道路，顺着羊肠小路，沙沙沙沙沿着山坡一直往西北来了，越走离着大寨越远，盘着山道上来，来到西北的鹅头峰上。这里是整个金银乱石岛最高的地方，站在山头上往四外观瞧，果然发现了一个破草棚子，把这破草棚子推到了，有个石头柱子在里头埋着，有一大盘绳，绳有鸡蛋这么粗。四个人把这盘绳子完全都抖开，把一头拴在这石柱子上，拴得很结实，很坚固，查查绳子，也没有咬的地方。韩宝"哗"地一下把这盘大绳顺着山头："噗噜噜噜"推下去了。韩宝一看成啦，冲着陆丰一抱拳："陆爷谢谢您呐，咱们各自逃生吧，将军不下马，各自奔前程，我跟我哥哥，跟你们二位告别了。"陆丰一摆手："韩少庄主，您先等一等，您会水，可能吴少庄主也会水，我呢水性还不错，可惜我兄弟陆晓村不识水性，一下水就抓瞎了，你们哥儿俩跟我们哥儿俩当然也是一路啊，我想咱们一块儿下去，你们哥儿俩帮个忙，我把我兄弟设法救出金银乱石岛，然后咱们再分道扬镳，您看好吗？"这韩宝可不乐意，他想：我跟哥哥吴志广是云南八卦山九宫八卦连环堡的少庄主，说得讲得，上三门弟子，江湖上的好汉，绿林道上的英雄，身上没污点，即使说盗国宝，那为的是跟童林赌一口气，盗国宝绝不怕死，我们这案子到哪儿也说得出去，我们也敢往外说！你们二人就不然了，在云南府杀害少妇长女十八条命案，你们二人是臭贼，顶风臭八百里地，提起来叫人家唾骂！你们尽干损阴丧德之事，怎么能跟我们哥们儿在一块呢？不为了逃生，不为了避风，甭说跟你们俩人在一块儿生活，上茶馆都不跟你们一块儿喝茶，上饭馆都不能一块吃饭！趁这机会赶紧分手就完了。想到这儿，韩宝说："陆爷，您这话不对。说真的，我们是在一块儿，可这是为了人家金银乱石岛的众家寨主给我们弟兄遮风挡雨。现在已经大祸临头了，我们哥儿俩的案情太大，我们盗的是国宝哇，跟你们哥俩儿的案子不一样！陆爷，您多原谅。"韩宝这个小孩拉得下脸来，陆丰也明白，不是说这么一会儿的工夫不愿意跟我们哥俩在一块，实因为我们哥儿俩干的是见不得人的事儿。"韩爷，咱们说句不客气的话吧，不是我陆丰带道，你们哥儿俩也到不了这儿，想走也走不了，不就这么一点儿工夫了吗？咱们顺着大绳下去，由你们哥儿俩帮帮忙，哎，把我兄弟救出去，您东我西，各行其道，咱们就分手了。就这么会儿工夫都不成吗？"韩宝还要说话，吴志广不乐意了，他想：你这孩子怎么没人性啊，过河就拆桥，没人家引道儿到不了这儿，刚到这儿您就惦着跑，这像话吗？"兄弟呀，既然陆爷这么说着，干脆咱们就赶紧下去，事不宜迟，帮着他们哥儿俩出去，咱们再分手，也不算晚。"韩宝心说：没心没肺的！只好万般无奈地说："那好吧，快！先把这大绳抖了抖了，头一个陆丰先下去，第二个陆寅下去，陆丰在底下接着他。"韩宝说完了，大家按顺序顺着绳子来到下头，然后把衣服收拾一下，军刃包裹都煞紧了，扎好了。只有一个一丈来宽的斜坡，江水声如牛吼，浪花拍岸，从西北下来的水正叫这山挡住，夜晚之间声音大极啦，吓得陆寅直哆嗦："哟，真厉害！"陆丰说："来吧，你们哥儿俩一边一个。我架着他，你们给帮着点忙，咱们把他渡过去就得。"陆寅摇头，脸色蜡白："哎哟，我瞧见水就晕呐！"刚下水，水一凉，陆寅又哆嗦开了："不成呐，再往前走就没底儿啦！"陆丰一想，便道："这么办吧，干脆我蹲下，你趴在我身上，我背着你，让他们哥儿俩一边一个架着点儿，这还有错儿吗？""哥哥，我，我，说真的我害怕，到时候你一累了，你住下头退，一个猛子走了，我怎么办呐？这么办得了，你弄根绳儿呀，把咱们俩人拴上，我掉不下去就成。"韩宝是急于要走："哎，我说陆寨主，这个办法很好。"陆丰没法子了，把自己的煞腰绒绳儿解下来，让陆寅趴好了，连陆寅带陆丰两个人叫韩宝这么一捆。拴好了以后，陆松坡再下水，韩宝、吴志广也跟下来了。水一凉，这陆寅就搯陆丰的脖子。陆丰劝慰地说："哎，兄弟，你别搯我脖子呀。""不是，这水凉。""水凉你也下不去的，你怕什么？有我这儿背着你呢！再说，还有二位少庄主爷保着你的驾呢！""唉，好吧！"他抠住了陆松坡的两肩，四个人往前走了没几步，就没底啦，他们踩着水露着少半截身体，呼悠呼悠，可就往西北方向顶着水流儿下去了。

话分两头。再说老侠于成察觉四个贼人要逃跑，就来到这西房瞧着，四个贼一嘀咕，一个一个都进大厅了，老侠于成一转身儿一拔腰就上了西房，又打西房下来，就上寨墙了。往前走了几步，燕子三抄水儿，飞身形上了北大厅，在后坡这儿往北看，果然这四个贼人往西北了。噢，要跑！老头儿飘身下来，悄悄地在后面跟着。四个贼人出去，老头儿也出去了，四个贼人盘着山道上了西北鹅头峰，老侠客爷也跟到西北方向的这山头上，然后找了块大石头，老侠这么一藏，观看着动静，只见这四人弄开草棚子以后，露出一根将军柱大石头，查看绳子也十分细心。他们所说的话，老侠客爷全听见了。于爷这个乐！韩宝这小孩儿还不错，不愿意跟这两贼一块儿呆着，这还叫洁身自爱！可惜，冤家你不应该盗国宝，陷害童林呐！等这四个贼人顺着大绳下去，老头可就过来了，站在山头儿往下看，眼神再好，也看不真。一来星斗的光华虽有一点儿亮，但叫这山给遮着，这是阴山背后，往下太深，什么也看不见。老侠一想：看起来呀，我还得非下去不可。长身形四外观瞧，轻肃肃，静落落，没有一点儿人声，确实没发现人影儿。老侠一瞧成了，把小辫儿挽住了，煞腰的绒绳和自己的军刃鸡爪链子抓全解下来，然后把自己长衫短褂儿、中衣儿、裤衩、袜子鞋全都脱了，一百零一岁的老人脱了一个赤条精光！老人家把衣服鞋袜一样一样全都叠好了，军刃放上。看了看眼前的这些块儿石头，有这么一块，起码得有个四五百斤，老侠拿着这些东西到了这石头切近，展鹰爪力往底下这么一插，就摸住这石头的根部了，丹田一叫力，往起一撬劲，说了一声"起！"就听老人家全身骨头节"嘎嘎嘎"一响，把这块大石头抬起这么一尺来高！军刃、鞋袜都放在底下，轻轻地一撒手，这石头就压住了。老头儿想：我别丢了东西，丢别的也不要紧，不就栽个跟头吗？我把衣裳都丢了，一百来岁了，我寒碜不寒碜呢？现在想偷我，嘿嘿，得费点劲！老人家把自己的胡子这么一搓，挽了一个圈，再一拴，结了一个扣儿，然后老头儿到了绳子切近，再往下看，依然看不见。施展老猿坠枝倒踩甘泉之技，老人家住下一探头儿，双手一抱大绳子，头朝下，两脚一抱，"哧一！"老侠客可就下来了。等到底下一翻身，腿下来一撒手，蹲在这江坡儿上往北看，这一来倒看真了，水皮上头，浪花儿打着，有四个脑袋。当中一前一后是俩，左右各一个。"嗯，来吧。"老侠一出溜，下水了，心说好凉啊！老人家凫着水，唰啦啦，越游越快，越游越近，四个人的头都看出来了。您要让老侠看出来谁是谁，甭说老侠客爷对这四个人都不怎么熟悉，就算熟人你也看不出来。这时，老人家一褪头，就入水了，摇头换气，睁目视物，一个猛子下来，两三丈深。从底下可就奔这四个贼人的脚下来了，约摸着差不离，轻轻地提气往上来。他们游得慢得多，因为有个陆寅不会水。老人家借着星斗透过来的一点儿光芒，影绰绰得得见八只脚。老侠这么一瞧，好像有一个不会水的，因为他双脚不动，老人家琢磨：嗷，捆着呐！一个背着一个，一边一个，我要伸手拿当间儿的，是俩，准跑不了。但是我要拿边儿上的，我只能拿一个，可能就要跑仨！干脆，我还是拿当中的吧。这样，老人家一伸手，就把陆丰陆松坡的左脚脚腕子一下攥住，往水里这么一拉，韩宝、吴志广都是惊弓之鸟啊，就知道底下来人了，"唰"地一下，本来他俩人就惦着不管呢，借着这个机会就更不管了，踩着水，"唰啦啦啦"这两个人可就跑了。老侠往下这么一拉，一看陆松坡，他会水，摇头换气，闭着嘴不喝水，陆寅"咚咚咚"三口水就晕了。老侠一想：不喝水！哪能由得你呀！伸右手往前探，照着陆松坡的胳肢窝儿拿手指头这么一点，"噌"一下，这陆松坡乐大了！"咚咚咚，"就喝了三口水，三口水一下去，他也晕了。老人家一提气，别给淹死呀，让俩人的脑袋都露到水面上头来。老人家凫着水，左手抓着这俩贼，可就往回来了。到了江边上，拉到这绳子底下，老人家把俩人的脑瓜儿冲下，拿绳子就把戏水江猪陆松坡哥俩的腿腕子给捆住了，捆得十分结实，然后老人家一个人倒着绳子，眨眼之间来到上边。马上又把他们俩人提上来，大绳子也上来了。把俩人的绳子解开了，一边一个，脑瓜儿冲下控着水。控了一会儿水，老人家拿脚尖儿轻轻的点他们俩人的腰眼儿，慢慢地"呱呱呱"往外流水。时间一大，还是陆松坡先醒来了："哎呀。"老人家抹肩头，拢二臂，四马倒攒蹄把陆松坡给捆了。过了一会儿，陆寅陆晓村也缓过来了，直哼哼。于老侠把陆寅也给捆了。然后老人家一提这大石头，把自己的东西拿出来了，先把手巾拿出来，浑身上下擦干净了，把胡子小辫打开，擦了擦，不流水了，一样一样把衣服穿好了，军刃围上，手巾往自己的绒绳上一掖，这才过来看这俩贼。一揪俩人的辫子，两人一抬头，"哎哟！"老侠于成一瞧，坏了，敢情是陆寅和陆丰！这叫兄弟童林瞧见多不好哇。唉！我要知道那俩是，我还是要拿那俩呀。"嘿嘿！"老侠点指二贼："你们俩人胡作非为，损阴丧德，多不好哇，我先把你们俩人逮住，免得叫人家姑娘媳妇倒霉。"老人家于成一想，怎么走呢？嗯，这样吧，老人家把他们俩人捆上了，用绳子头儿这么一系，把他们俩人身上的水往下挤了挤，然后老人家把他们俩提起来，往自己肩膀上这么一放，就跟背着哨码子一样，右手往前一推，左手搁在后头，往后一推，别让他们俩人身上的水，把衣服弄湿了。

　　老人家就这样儿顺着原道儿回来了，好像天已经大亮了，看哪里都看得清楚了，大厅前灯火也不亮了，喊杀声也没有了。只见仨一群、俩一伙的喽罗兵四处奔跑，会水的先跑了，想捡点东西的，到后寨找一找，连披带藏地也跑了，还有找躲逃跑的，总而言之，都没人管了。老侠于成顺着西寨墙直奔三道寨门，然后就奔大厅院儿里来了。

　　这个仗打了一宿，海川跟戏水驼龙殷天豹两人当场动手，十几个回合，海川看了看殷魁的能耐确实是不错，三节棍走扫堂，海川脚尖儿一点地，长腰起来，右手钺一掠，铲、架、抄、捞、掠、叩、撕、拽、旋、拧，招法大展，一掠殷魁的上盘，殷天豹的三节棍走空了。他一回头，迎面右手钺又掠脑门子，他往下一矮身，海川右手钺往前支，退左步，"啪"一调脸，一个"鹏展钺"，这个钺尖子正打在殷天豹的后腰眼上。殷天豹一声惨叫，"哎呀！"把三节棍扔了，人往前一栽，当时死于非命。海川一伸钺，上步一斜身，"大鹏展翅"一发威，只等玉顶白鹤谷瑞谷仙知过来了。马彪看着三弟殷天豹动手，九家寨主已经死了六个了，就问谷瑞："兄弟呀，没事你捅这么大的漏子干吗？韩宝、吴志广、陆寅、陆丰跟你我弟兄素无瓜葛，当然，咱们是铁善寺的门人弟子，为师兄弟报仇是可以的，但是不至于闹到这个份儿上吧。"大厅前杀人流血，九家兄弟已经死了六个了，马彪很不乐意，谷瑞也明白，到现在殷魁一死，谷瑞心说，怎么着我也得来一下子！就见他刀把顶崩簧"嚓楞"一声响，厚背雁翎刀亮将出来，垫步拧腰过来："好童林！"往前一欺身，左手一晃面门，刀走缠头裹脑，这刀就下来了。海川"大鹏展翅"，分开双钺，抬头一看，"唰"地一下，这刀奔自己的脑袋剁下来了。海川左手钺尖子往起这么一支，右腿往前一走，就奔谷瑞的三里穴了。谷瑞谷仙知脚尖一点地长腰起来，海川一扁左手，"唰"地一下，就照谷瑞的肋窝子扎进去了，然后往后一撤钺，一抬腿，谷瑞的死尸就出去了。老侠侯振远心说：兄弟海川敢情到了时候也有点儿狠劲！你这俩比我们哥儿俩那六个都厉害呀。

　　三孔独角蛟马彪马云龙一瞧，哇呀呀怪叫如雷，"哗楞楞"一抖虎尾三节棍："小儿童林呐！"往前一抢身，双手攥着三节棍当中的一节一抖，来了个"双摇风火轮"，直奔海川的太阳穴就来了。海川往下一矮身，缩颈藏头躲，右手钺往前一推，右脚蹬着往前滑步，一阵风奔他的迎面骨就戳来了，大钺尖子锃明瓦亮，利锐锋霜。马彪马云龙脚尖儿一点地，长腰躲过去，调脸儿攥住棍头，"一字棍"对准海川的顶梁就砸。海川往旁边一闪身，左手一搭，上右步，右手钺"麒麟吐书。"马彪"点手唤罗成"，三节棍的棍头过来用左手一抄，拿当间儿这一节一顶海川的手腕子，海川右手往起一提，人家单撒手，"哗楞"一摇，扫了一棍，海川拔起来，两个人当场动手就打上了。八法神钺，脚踩八门，按八八六十四式上中下走三盘，子母鸡爪鸳鸯钺施展开了，遍体纷纷，如飘瑞雪，快极啦！马彪一瞧，哎呀，自己的能耐在哥儿九个里敢说最好，但要比起人家童林来，还差得多呢！人家的军刃出奇，招数出奇，身法太快，自己不敢疏神大意。两人一场凶杀恶战，十几个回合开出去，海川一瞧：嗨，你也就是这么两下子，没什么出手的本事，不过是占山为王，落草为寇！你在这儿一呆真跟海外天子一样，隐匿国家盗宝的钦犯，隐匿采花的贼人陆寅、陆丰，到现在只落得山破人亡，你们是咎由自取呀！马彪，你是头儿啊，杀了你八个兄弟，如果不宰你，这八个人死后心都不甘！马彪马云龙"横风扫月"，打海川的脑袋、脖子，三节棍"嗡"地一下就到了。海川往下一矮身，右手钺一搭他的三节棍，左手钺往前一推，这手功夫叫"小鬼掏腮。"海川的双钺就跟拧麻花一样。马彪往后一撤步，海川上步奔右滑，右手从左手胳膊肘儿底下穿过去，"大鹏展翅"，唰！这右手钺就等马彪往回撤的时候，直奔马彪的脑袋。马彪横棍一架，敢情这下是假的，海川就知道你这棍准得往上抬，你的中盘以下就露空了，这样海川一甩脸，一背身儿，左手钺一反，在马彪的肚子上"噗哧"，大钺尖子就扎进去了，咬牙一挺劲儿，马彪一声惨叫，一命呜呼了。要说马彪这个人也不算太坏呀，就因听了谷瑞的话，跟人家三侠不讲信义，到现在只落得血染厅前！

　　海川一看马彪死了，往后一撤步，双臂一振，一发威。侯老侠高声喝喊："海川呐，罪魁祸首死了就完了，赶紧设法捉拿四寇！"这个时候才给李英、孙亮提了醒儿，没有人家侯振远这句话，都想不起拿贼来了！

海川的头脑也"轰"地一下，自语道："对呀，我净弄死人了，就忘了捉拿韩宝、吴志广等人的事了。"这时再瞧韩宝、吴志广、陆寅、陆丰，踪影不见，大厅前的兵丁四散奔逃。老人家侯振远可说话了："罪在九寨主身上，与兵丁无干，他们愿意跑就让他们跑。"众人来到大厅之内一寻找，四个贼人没有，分散开再找一找，不管怎么找也没有。这工夫可是不小了，大厅前的喽罗兵已经全跑净了，九家寨主的尸体横躺竖卧在大厅前一片。哎呀，是够惨的呀！爷儿几个聚在一块，李英、孙亮傻眼了，海川也傻眼了。突然海川想起什么似的问："嗯？于老哥哥呢？""是啊，咱们光顾了找贼了，忘了于老哥哥上哪儿去了，你们大家伙儿谁看见你们于师伯啦？"小莲花于秀也找上了："我大爷怎么一会儿的工夫就不见，老人家这么大的年纪干什么去了？"于秀真着急啦！这时，孔秀过来时侯振远说："哎呀，师大爷，于师大爷上哪儿岙里去啦，小子我是知道的。""孔秀哇，你知道你师伯上哪儿去啦？""哎呀，师大爷呀，不瞒您说，我认为老人家这么大的年纪，喽罗兵四处奔逃，一跑可能把他老人家给踩死了。""胡说！""是，是！我胡说。"于秀也不乐意呀："有这事吗？"

正在这个时候，从三道寨门外，有人哼哼着就进来了："哎呀，哎呀，这回可把我累坏了！"大家伙儿一瞧，啊！老侠于成从外头进来，肩膀头上前后挎着俩人。海川万分高兴，还是我哥哥呀，把韩宝、吴志广给我拿了，咱们光顾得作战，就忘了拿人了。老人家把这两个贼"叭唧"往地上一拽，站在这儿说道："哎呀，可把我累坏了，哈哈哈，怎么着，大厅前这些事儿都完了？"海川抢步进前一躬到地："哥哥，光顾了战，可就忘了拿贼了。万没想到老哥哥这么大的年纪，帮了我的大忙啊。您把韩……，啊？"海川一边说一边低头看，不对，是陆寅跟陆丰！这时大家伙儿可就全过来了。老侠于成笑嘻嘻地说："兄弟，你认为我拿住韩宝、吴志广了？你给我道道谢，我看这谢就算了。是哥哥我把算盘打错了，让他们俩人跑了。我想拿两个总比拿一个强，没想到拿着陆寅跟陆丰了，这也算是天网恢恢，疏而不漏啊，总算他们俩人损阴丧德办坏事，现在撞到哥哥我的手底下了。海川，你放心，哥哥我这么大年纪既然打家乡出来了，赶上兄弟你有这事儿，什么时候帮你拿住韩宝、吴志广，什么时候哥哥我回家。拿不着，我不回家！"海川听完了正要道谢，侯振远过来了："海川还不赶紧给哥哥磕头道谢。"海川一躬到地："老哥哥待我童林如此恩德，请受我童林一拜。""起来，海川。侯振远，你不用拿话儿拴我，姓于的什么时候说话也算数儿!""那我就替我兄弟童林谢谢哥哥您了。"李英、孙亮瞧见了:"哎呀,老侠客爷,我们给您磕头啦。""二位起来,咱们没多大交情,我也不是诚心拿的他们俩,误打误撞,该着你们俩省点儿事。你们也别给我道谢,我也不要你们的情。""不!老人家,不管怎么说,贼人是您拿的呀,您这一拿住他们俩,我孙亮就能得回故里,我的老母八十多岁,孩子又都很小,他们押在大牢已经三年了。这回,我们一家子二十七口就能出牢啦!李士钧就能洗雪清白呀!我们俩人能不感念您吗?"李英也连连行礼:"老前辈,晚生谢谢您了。""得了,你们二位也算出了力。这里怎么样啊?"老侠侯振远这才说九家寨主尽皆丧命,兵丁逃散。于老侠点头:"这些贼人全无信义,该杀该杀。"爷儿几个说着话,太阳老高了。老侠于成说:"这么办吧。这儿也死了这么多人,山寨也没主儿了,李英、孙亮你们两个找一只船,把这两个贼人放到船上,赶奔沅陵县报案。顺便让官家到金银乱石岛来查山,该烧的烧,该要的要,该让老百姓进山开垦种地的就让他们进来。达摩堂乃武林精华,总该留下好好保护吧。不过这是人家官府的事情,咱们就不能多管了。大家分头收拾一下,完了事之后,咱们到店里头见面,你们看好不好?"大家伙儿连连答应。于老侠又对李英、孙亮说:"你们把差事交到县里,再赶奔云南府销票交案吧。"孙亮、李英答应:"是,老侠客爷,我二人一定照办。"于老侠转身对海川说:"派人先到船坞找一只船,然后咱们爷儿几个赶紧回店,王爷还惦记着呐!"海川答应:"老人家,您既然这么说,咱们就这么办吧。"

李英、孙亮他们提着贼人,众星捧月陪着老侠顺着三道寨门奔二道寨门、头道寨门,来到船坞。找了一只小点儿的船,把两个差事放上,一切安排妥当,李英、孙亮因公事在身,也就和众位告辞,直奔沅陵县报案去了。

老爷儿几个也全都上了船,一支篙赶奔南岸。哎呦,等到了江边上啊,黎民百姓可就多啦!因为一清早起喽罗兵直往外逃跑,人们就听说了三侠斩九个寨主、大破乱石岛的事,给本地除去了一害。大家伙儿都认为是马云龙、谷瑞、殷魁这些人在山上办坏事了,要说他们打家劫舍,胡作非为,还是没有。但是,鞭长莫及,他手下的人沅江三鼠本来是贼,还经常背着他们哥儿六个,在山下做了很多坏事,杀人越货,老百姓们很恨他们。一听说三侠斩九个寨主,拔了金银乱石岛这根钉子,从今后老百姓开着门儿睡觉都没事儿了。嘿!人们全奔江边上来了,人山人海地看热闹。一瞧老侠于成大高人，大赛头，厚嘴唇，坠脸长胡须，干净俐索真威风！再看侯振远侯老侠客爷，肋下佩剑，跟个教书的老先生一样。海川可就不同了，紫微微的脸面，又年轻又虎实，穿着一身蓝。小弟兄们也都有个相儿。老百姓交头接耳，议论纷纷，都议论三侠斩九寨主这件事儿。

大家伙儿赶奔兴隆店，进店往里走，直接奔跨院。王爷他们早起来啦，这儿还不少的人呐，阮和、阮壁、阎保、鲍信、侯俊、侯玉、王三虎，还有二爷侯杰、吒海金牛于恒、蝎虎子白亮，大家伙儿全在这儿呐！老少群雄十分着急，怎么去了一夜不回来？王爷更不放心呐，跟二爷侯杰商量着，是不是派人到江边儿上打听打听？这么个工夫，众侠客就进来啦，彼此相见，大家伙儿全都坐下。王爷忙着问："于老侠，振远老侠客，海川呐，你们哥儿仨昨天带着孩子们进山怎么样啦？孙亮、李英到什么地方去了？"老侠于成就把打赌大破达摩堂，他们如何背信弃义，激怒了我弟兄三人，大厅前斩九个寨主，水擒陆寅、陆丰，现在已经打发李英、孙亮他们到沅陵县办案，办理金银乱石岛善后事宜的全部经过，跟王爷说了一遍。"噢，海川，老侠客既然把陆寅、陆丰给拿住了，哈哈！不要紧，老侠客一定能帮着你把韩宝、吴志广给拿住，您说对吗？"于爷心说：这个王爷心眼子太多啦！侯振远就用话拴我，您这儿又来了！便说道，"王爷，这个您放心，我跟海川已经说了，不拿住韩宝、吴志广，我是绝不回家。""那本爵我可给您道谢了。大家伙儿擦脸吧。"擦脸漱口，喝了点儿茶，预备饭菜，大家吃完饭，等着孙亮、李英他们回来。

就在这个时候，伙计从外头进来了，来到大家伙儿跟前说："哪位姓侯呀？""噢！"老人家侯振远一愣；"谁找我呀？我姓侯。""噢。老爷子，哪位姓童啊？"海川搭茬儿了："我姓童啊！""噢，是你们老二位。外头来了一个人，打算跟你们二位见个面儿。""噢，好；请进来吧。"伙计转身形出去了，一会儿的工夫一挑帘儿，从外头进来个出家人，爷儿几个一看都不认识，这人岁数不算太大，三十多岁，细条儿的身材，穿着青僧袍，腰里扎着一根绒绳儿，佩着一口戒刀，青中衣儿，开口薄底僧鞋，刀条儿一张脸，满脸的横丝肉，看得出来这个人很阴险！两道似有似无的眉毛，青头皮儿，还没受戒呢！一双眼睛不大，滴溜儿圆，小鼻子头三角的菱角口，一对锥把子耳朵，颔下无须，斜插柳儿背着个小包袱。伙计把这位大师傅引进来以后，就给指引着："大师傅您瞧，这位姓侯，这位姓童。""阿弥陀佛，侯老侠、童侠客，贫僧问讯。"老侠侯振远一抱拳："和尚，你从什么地方来？我弟兄与你素不相识，来到店中一定有事吧？""阿弥陀佛！您要问贫僧我，是从云南狐儿山铁善寺庙里头来，奉我家方丈之命，给你们二位投递书信。"老侠侯振远跟童林都是一愣。传说在武林中，铁善寺好像比少林寺都早，它这门户里头传下来的一种功夫叫铁蝠拳，一百零八式硬功硬架，据说年轻的小伙子就这一趟拳打下来，浑身都跟水捞的一样，这拳脚很硬棒。它这个庙是十方长住，十方长修，可不是子孙院儿。子孙院儿呀，就是师傅死了传徒弟，徒弟死了再传徒弟。十方长住这种庙是外请当家的，只要您德高望重，够那个身份，人家就可以把你请来。现在铁善寺的方丈当家的僧名叫济慈，年岁可不小了，有个美称叫紫面伽蓝佛，他的亲兄弟是本庙的监寺，名字叫济源，有个外号叫铁面伽蓝佛。亲兄弟俩共掌铁善寺。在他们哥儿俩上边，也就是上一代的方丈名字叫亚然，江湖人称水晶长老亚然和尚。这个和尚的门户，跟童林他们是一门的，因为四大名剑的二爷就是个出家的和尚，叫碧目金睛佛姜达姜本初，姜二爷的大徒弟就是水晶长老亚然和尚。姜二爷一共是四个徒弟，二徒弟天海佛霞公长老窦瑞，三徒弟西方长老秋蝉，四徒弟现在是直隶省昌黎县青云山青云寺的方丈，人称青云长老宝镜禅师。姜老剑客爷这一生共有三对半鹿角棒。他自己使了一对儿，另外两对儿，一对儿传给了自己的大弟子水晶长老亚然和尚，他文武两家、内外两科俱臻绝顶，而且年岁也到了。论起来他是童林的师大爷，因为童林的师父是三爷张鸿钧的徒弟，这是二爷姜达的徒弟，一僧一道。水晶长老亚然和尚这人有个缺点，就是护短，对自己的弟男子侄他本人十分爱护，要有别人欺负他的弟男子侄，他还有点不乐意。这个爱护可不是一般的爱护，近于溺爱，有的时候就成了放纵。那个时候济慈、济源还没有那么高的份儿呢！但他们的徒弟可以说桃李满天下，尤其是济源，他收了很多徒弟，都是属于占山为王的。比方说钟山狮子寨的金头狮子孟恩孟少伯，他们师兄弟几个是济源的徒弟，紫面龙君罗烈跟这死了的三孔独角蛟马彪这些人也是济源的徒弟。他们的徒弟即使在外头有些个胡作非为，越货杀人的举动，也没被铁善寺的法规戒律制裁。一来是由于水晶长老亚然和尚有点放纵，二来有时候说一说，济慈、济源就给拦了，只说："您放心吧，没什么事。"其实呢，这些人干了很多触犯清规戒律的事。

时间一长，济慈、济源的羽翼丰满，本领也够份儿了。老和尚亚然一想：我也没法跟他们一块儿呕气了，得啦，我让贤吧。这可是错误，因为这不是子孙院儿，应当是聘贤呀。水晶长老亚然就没有，带着自己的小徒弟金面韦驮法正，爷儿俩离开了铁善寺退归下院。对出家人来说，青灯古佛了此一生，深山老林小庙之中，爷儿俩有点吃的、喝的，与人无悔，与世无争，就算隐避了。

当济慈、济源接过手来，又没有老前辈在这儿监督坐镇，没人管了，他们的势力可就更大了。金头狮子孟恩盂少伯从金银乱石岛回来了，在两位老人家面前花言巧语，搬弄事非，说了侯振远、童林很多坏话，济慈、济源勃然大怒，要与侯振远、童海川一拚生死。